高等学校土木建筑工程类系列教材

房屋建筑学

■ 夏广政 邹贻权 黄艳雁 马俊 编著

武汉大学出版社

图书在版编目(CIP)数据

房屋建筑学/夏广政,邹贻权,黄艳雁,马俊编著.—武汉:武汉大学出版社,2010.4(2013.7重印)

高等学校土木建筑工程类系列教材

ISBN 978-7-307-07583-2

Ⅰ.房… Ⅱ.①夏… ②邹… ③黄… ④马… Ⅲ.房屋建筑学—高等学校—教材 Ⅳ.TU22

中国版本图书馆 CIP 数据核字(2010)第 015771 号

责任编辑:李汉保　　　　责任校对:刘　欣　　　　版式设计:支　笛

出版发行:武汉大学出版社　　(430072　武昌　珞珈山)
（电子邮件:cbs22@whu.edu.cn　网址:www.wdp.com.cn）
印刷:通山金地印务有限公司
开本:787×1092　1/16　印张:26.5　字数:637 千字　插页:1
版次:2010 年 4 月第 1 版　　2013 年 7 月第 3 次印刷
ISBN 978-7-307-07583-2/TU·83　　定价:36.00 元

版权所有,不得翻印;凡购买我社的图书,如有质量问题,请与当地图书销售部门联系调换。

高等学校土木建筑工程类系列教材
编 委 会

主　　任	何亚伯	武汉大学土木建筑工程学院，教授、博士生导师，副院长
副 主 任	吴贤国	华中科技大学土木工程与力学学院，教授、博士生导师
	吴　瑾	南京航空航天大学土木系，教授，副系主任
	夏广政	湖北工业大学土木建筑工程学院，教授
	陆小华	汕头大学工学院，副教授，副处长
编　　委	（按姓氏笔画为序）	
	王海霞	南通大学建筑工程学院，讲师
	刘红梅	南通大学建筑工程学院，副教授，副院长
	宋军伟	江西蓝天学院土木建筑工程系，副教授，系主任
	杜国锋	长江大学城市建设学院，副教授，副院长
	肖胜文	江西理工大学建筑工程系，副教授
	徐思东	江西理工大学建筑工程系，讲师
	欧阳小琴	江西农业大学工学院土木系，讲师，系主任
	张海涛	江汉大学建筑工程学院，讲师
	张国栋	三峡大学土木建筑工程学院，副教授
	陈友华	孝感学院教务处，讲师
	姚金星	长江大学城市建设学院，副教授
	梅国雄	南昌航空大学土木建筑学院，教授，院长
	程赫明	昆明理工大学土木建筑工程学院，教授，院长
	曾芳金	江西理工大学建筑与测绘学院土木工程教研室，教授，主任
执行编委	李汉保	武汉大学出版社，副编审
	谢文涛	武汉大学出版社，编辑

内 容 简 介

本书是为土木工程以及相关专业本科生房屋建筑学课程编写的教科书。本书根据国家教育部关于土木工程类专业本科生培养目标和土木工程专业指导委员会制定的课程教学大纲的要求编写。

本书分三篇共17章。第一篇为建筑设计；第二篇为建筑构造；第三篇为工业建筑。系统地介绍了民用与工业建筑的设计原理与构造方法，其具体内容包括建筑概论、建筑环境、建筑场地、建筑空间、民用建筑设计、民用建筑构造、工业建筑设计等内容。

本书采用了最新的标准和规范，结构完整，内容精练，实用性强，配有大量图例。在内容阐述上突出了新材料、新结构和新技术的运用，既强调了实用性又有理论深度。

本书可以作为普通高等学校土木工程、建筑工程、工程管理、道路与桥梁等专业本科生的教材或教学参考书，也可以作为高等学校相关专业教师、建设单位、设计单位、施工单位、建设监理等部门工程技术人员和管理人员的培训教材或参考用书。

序

建筑业是国民经济的支柱产业，就业容量大，产业关联度高，全社会50%以上固定资产投资要通过建筑业才能形成新的生产能力或使用价值，建筑业增加值占国内生产总值较高比率。土木建筑工程专业人才的培养质量直接影响建筑业的可持续发展，乃至影响国民经济的发展。高等学校是培养高新科学技术人才的摇篮，同时也是培养土木建筑工程专业高级人才的重要基地，土木建筑工程类教材建设始终应是一项不容忽视的重要工作。

为了提高高等学校土木建筑工程类课程教材建设水平，由武汉大学土木建筑工程学院与武汉大学出版社联合倡议、策划，组建高等学校土木建筑工程类课程系列教材编委会，在一定范围内，联合多所高校合作编写土木建筑工程类课程系列教材，为高等学校从事土木建筑工程类教学和科研的教师，特别是长期从事土木建筑工程类教学且具有丰富教学经验的广大教师搭建一个交流和编写土木建筑工程类教材的平台。通过该平台，联合编写教材，交流教学经验，确保教材的编写质量，同时提高教材的编写与出版速度，有利于教材的不断更新，极力打造精品教材。

本着上述指导思想，我们组织编撰出版了这套高等学校土木建筑工程类课程系列教材，旨在提高高等学校土木建筑工程类课程的教育质量和教材建设水平。

参加高等学校土木建筑工程类系列教材编委会的高校有：武汉大学、华中科技大学、南京航空航天大学、南昌航空大学、湖北工业大学、汕头大学、南通大学、江汉大学、三峡大学、孝感学院、长江大学、昆明理工大学、江西理工大学、江西农业大学、江西蓝天学院15所院校。

高等学校土木建筑工程类系列教材涵盖土木工程专业的力学、建筑、结构、施工组织与管理等教学领域。本系列教材的定位，编委会全体成员在充分讨论、商榷的基础上，一致认为在遵循高等学校土木建筑工程类人才培养规律，满足土木建筑工程类人才培养方案的前提下，突出以实用为主，切实达到培养和提高学生的实际工作能力的目标。本教材编委会明确了近30门专业主干课程作为今后一个时期的编撰、出版工作计划。我们深切期望这套系列教材能对我国土木建筑事业的发展和人才培养有所贡献。

武汉大学出版社是中共中央宣传部与国家新闻出版署联合授予的全国优秀出版社之一，在国内有较高的知名度和社会影响力。武汉大学出版社愿尽其所能为国内高校的教学与科研服务。我们愿与各位朋友真诚合作，力争使该系列教材打造成为国内同类教材中的精品教材，为高等教育的发展贡献力量！

高等学校土木建筑工程类系列教材编委会
2008年8月

前　言

　　城市化浪潮正以汹涌澎湃之势席卷中华大地，我国已进入前所未有的"建筑时代"。但是，一幢幢建筑物竖立起来后，也给我们的城市，给我们的环境留下了太多的遗憾。我们的建筑质量、建筑品位、城市环境同我们的建筑物数量、建筑规模、建设速度还存在相当的差距。这些差距的产生涉及诸多方面的问题，其中与我们的建筑教育有着直接的关系。具有高素质和高水平的设计建造者，才有可能设计创造出高水平的建筑物和美的环境。正如1999年国际建筑师协会第20届世界建筑师大会通过的"北京宪章"所指出："未来建筑视野的开拓、创造以及建筑学术的发展寄希望于建筑教育的发展与新一代建筑师的成长"。我们的"建筑时代"需要与之相适应的设计建设队伍。从这一角度来讲，我们的建筑教育任重而道远。

　　在当今形势下，由于社会对人才需求的多样性和对人才具备知识要求的复合性，培养"通才"基础上的"专才"，强化基础训练，培养竞争能力已成为教育发展的必然趋势。因此，在市场经济发展的新形势下，结合社会对人才需求模式以及当代价值观和建筑教育目标的多元化趋向，有针对性地增强综合性、整体性素质教育，已经成为教育共识。

　　为适应21世纪建筑业人才培养的需要，《房屋建筑学》根据国家教育部关于土木工程类专业本科生培养目标和土木工程专业指导委员会制定的课程教学大纲的要求编写。

　　房屋建筑学是研究和阐释建筑空间环境的设计原理及房屋各组成部分的组合原理、构造方法的一门内容广泛的综合性课程。也是土木工程及相关专业的主要必修课程之一。房屋建筑学涉及建筑功能、建筑艺术、环境规划、建筑技术、建筑施工、建筑经济等多方面的问题。为了增强学生对建筑学的认识和理解，根据目前土木工程及相关专业的课程结构情况，用适当的篇幅有针对性地安排了建筑基本知识、建筑的空间组合、建筑造型设计等方面的内容，以开阔学生的视野、提高建筑素养，使学生对建筑和房屋建筑设计有一个较全面的认识和了解。

　　房屋建筑学是土木工程及相关专业的一门承上启下的应用技术基础课程，是在学完建筑制图、建筑材料等课程的基础上开设的。同时，也为后续的建筑结构、建筑施工技术等专业课程的学习打下扎实的基础。

　　本书分三篇共17章，第一篇为建筑设计；第二篇为建筑构造；第三篇为工业建筑。主要讲述民用与工业建筑的设计原理与构造方法，其具体内容包括建筑概论、建筑环境、建筑场地、建筑空间、民用建筑设计、民用建筑构造、工业建筑设计等内容。

　　本书在编写过程中，突出了以下几个方面：

　　1. 以培养应用型人才为目标，强调基础理论的学习和知识面的拓宽，突出教材的科学性、系统性和实用性，以适应素质教育的发展。

　　2. 增大信息量，充实新内容。如，在第一篇建筑设计中安排了建筑空间环境组合、建筑造型设计；在第二篇建筑构造中补充了建筑节能技术与构造、防火构造、装饰构造；在第三篇工业建筑中充实了厂房内外环境设计等内容。

3. 为了方便教学和复习，书中结合内容的讲述配有大量的国内外典型建筑的图例，并在每一章的开头加了简明的提要，同时在每一章后面配有适量的复习思考题，便于学生自学。

4. 本书采用了最新标准和规范，结构完整，内容精练，实用性强。在内容阐述上突出了新材料、新结构和新技术的运用，既强调了实用性，又有理论深度。

本书定位以培养应用型人才为目标，所以在编写中注重理论联系实际，应用性强，适用面广。

本书可以作为普通高等学校土木工程、建筑工程、工程管理、道路与桥梁等专业本科生的教材或教学参考书，也可以作为建设单位、设计单位、施工单位、建设监理等部门工程技术人员和管理人员的培训教材或参考用书。

本书由夏广政、邹贻权、黄艳雁、马俊编著。具体分工如下：

第一篇　建筑设计　由邹贻权编写；

第二篇　建筑构造　由黄艳雁编写，雷芸芸承担了部分章节的编写工作；

第三篇　工业建筑　由夏广政、马俊编写；

全书由夏广政统稿。

本书在编写过程中，参考了大量国内外的相关著作、兄弟院校的教材和相关资料，其中主要部分已列入本书的参考文献，在此谨向各位作者表示诚挚的感谢！

由于科学技术的迅猛发展，新材料、新结构和新技术不断涌现，加之作者水平所限，书中的缺点乃至错误在所难免，敬请同行专家和广大读者批评指正。

作　者

2009 年 9 月

目　　录

第一篇　建　筑　设　计

第1章　建筑概论 … 3
§1.1　建筑及其属性 … 3
§1.2　建筑的分类与分级 … 12
§1.3　建筑模数协调统一标准 … 15
§1.4　建筑设计的内容与程序 … 18
复习思考题 … 21

第2章　建筑各组成部分设计 … 22
§2.1　使用空间设计 … 22
§2.2　交通联系空间设计 … 38
复习思考题 … 50

第3章　建筑物的空间组合 … 51
§3.1　建筑物空间组合原则 … 51
§3.2　建筑物空间组合形式 … 62
§3.3　建筑物空间的竖向组合 … 69
复习思考题 … 74

第4章　建筑物内、外空间设计 … 75
§4.1　建筑物内部空间设计 … 75
§4.2　建筑物外部空间设计 … 81
复习思考题 … 94

第5章　建筑造型设计 … 95
§5.1　建筑造型原理与建筑构图 … 97
§5.2　建筑体型设计 … 106
§5.3　建筑物立面设计 … 111
复习思考题 … 117

第二篇 建 筑 构 造

第 6 章 民用建筑构造概论 ·· 121
　§6.1　建筑构造研究的对象及其任务 ··· 121
　§6.2　建筑物的建筑组成及各部分的作用 ··· 121
　§6.3　影响建筑构造的因素 ·· 123
　§6.4　建筑构造的设计原则 ·· 124
　复习思考题 ·· 125

第 7 章 墙体 ·· 126
　§7.1　概述 ··· 126
　§7.2　块材墙构造 ·· 129
　§7.3　隔墙与隔断构造 ·· 144
　§7.4　外墙的保温与隔热措施 ··· 153
　§7.5　幕墙 ··· 157
　复习思考题 ·· 167

第 8 章 基础 ·· 168
　§8.1　地基与基础的基本概念 ··· 168
　§8.2　基础的类型及构造 ··· 170
　复习思考题 ·· 174

第 9 章 楼地面构造 ·· 175
　§9.1　概述 ··· 175
　§9.2　钢筋混凝土楼板层构造 ··· 180
　§9.3　楼板层防水与隔声构造 ··· 190
　§9.4　阳台与雨篷 ·· 192
　复习思考题 ·· 200

第 10 章 建筑饰面构造 ··· 202
　§10.1　概述 ··· 202
　§10.2　墙面装饰构造 ·· 204
　§10.3　楼地面装饰构造 ·· 212
　§10.4　顶棚装饰构造 ·· 221
　复习思考题 ·· 228

第 11 章 楼梯及其他垂直交通设施构造 ··· 230
　§11.1　楼梯的组成、类型、尺度 ··· 230
　§11.2　预制装配式钢筋混凝土楼梯构造 ··· 237

§11.3 现浇整体式钢筋混凝土楼梯构造 …… 242
§11.4 楼梯的细部构造 …… 243
§11.5 室外台阶与坡道 …… 247
§11.6 电梯与自动扶梯 …… 250
复习思考题 …… 252

第12章 屋顶构造 …… 254
§12.1 概述 …… 254
§12.2 屋顶排水设计 …… 258
§12.3 平屋顶设计 …… 265
§12.4 坡屋顶设计 …… 278
§12.5 屋顶的保温与隔热 …… 285
复习思考题 …… 292

第13章 门窗构造 …… 294
§13.1 门窗概述 …… 294
§13.2 窗 …… 295
§13.3 门 …… 300
§13.4 特殊门窗构造 …… 306
§13.5 遮阳 …… 308
复习思考题 …… 311

第14章 变形缝构造 …… 312
§14.1 概述 …… 312
§14.2 变形缝的设置要求 …… 312
§14.3 设变形缝处建筑物的结构布置 …… 315
§14.4 变形缝的盖缝构造 …… 317
复习思考题 …… 321

第三篇 工业建筑

第15章 工业建筑概述 …… 325
§15.1 工业建筑的特点 …… 325
§15.2 工业建筑的类型 …… 326
§15.3 工业建筑设计的任务和要求 …… 328
复习思考题 …… 330

第16章 单层厂房设计 …… 331
§16.1 单层厂房的组成 …… 331
§16.2 单层厂房的平面设计 …… 332

§16.3 单层厂房的剖面设计 ……………………………………………………… 345
§16.4 单层厂房的定位轴线标定 …………………………………………………… 364
§16.5 单层厂房立面设计及内部空间处理 ………………………………………… 371
复习思考题 …………………………………………………………………………… 378

第17章 多层厂房设计 ……………………………………………………………… 380
§17.1 概述 …………………………………………………………………………… 380
§17.2 多层厂房的平面设计 ………………………………………………………… 383
§17.3 多层厂房的剖面设计 ………………………………………………………… 389
§17.4 多层厂房电梯间和生活、辅助用房的布置 ………………………………… 394
§17.5 多层厂房定位轴线的标定 …………………………………………………… 400
§17.6 多层厂房的立面设计及色彩处理 …………………………………………… 402
复习思考题 …………………………………………………………………………… 408

参考文献 …………………………………………………………………………………… 409

第一篇 建筑设计

第1章 建筑概论

本章提要：建筑是一个复杂的系统，在学习房屋建筑学之初，应对建筑有一个初步了解。本章主要介绍了一些建筑的基本知识，主要内容包括：建筑的概念、建筑的各种属性、建筑的分类与分级，对建筑工程设计的内容、依据与程序也作了简要介绍。

§1.1 建筑及其属性

1.1.1 建筑的概念

"建筑"（architecture）一词源于古希腊语，仅就其字面上的解释包括两种最基本的含义：一是动词，即人们为获得栖身之所而从事的生产活动；另一是名词，是指人们建造的，用来从事各种生活和活动的空间。在人类诞生以前，没有建筑存在，世上万物皆生活在纯粹的自然界中，人类诞生以后，挖掘的"洞穴"，搭筑的"鸟巢"成为人们赋予了意志的产物时，最初的建筑便由此而诞生了。从原始的"穴居"、"巢居"，到神秘的金字塔、经典的古希腊建筑、壮观的万里长城、庞大的古罗马建筑、辉煌的文艺复兴建筑、直至今日社会纷繁复杂的建筑类型，不同时期、不同地域的建筑形式反映了不同时代的历史背景、民风民俗、技术文化水平、经济、政治、社会的发展状况。人类需要建筑，人类在创造了自己历史的同时也创造了建筑发展的历史。科学客观地认识建筑，在人类社会实践中发展建筑，正视建筑存在的问题，正确解决人与环境、人与建筑之间的矛盾，提升建筑哲学思考的范畴，才能创造适合人们工作生活的建筑环境。

1.1.2 建筑的属性

1. 建筑的物质属性

物质是不依赖于人的主观意识而又能为人的意识所反映的客观实在。建筑这种由物质手段所限定的空间更是一种客观存在。包括：建筑的存在形式是物质的，建筑的构成手段是物质的，建筑的使用方式也是由物质构成的。

建筑存在形式的物质性：我们所看到的建筑，主要是由物质所构成的，如石、砖、混凝土、钢筋、木材、玻璃等。而为我们所用的是由这些物质所组成的空间。正如中国古代哲学家老子说："凿户牖为室，当其无，有室之用。故，有之以为利，无之以为用。"意思就是建造房屋，开凿门窗，而后使用其围合的"无"，即四壁中的空间才起到了房屋的作用。

建筑构成手段的物质性：建筑不同于自然的物体，建筑必须经过人的劳动过程，在这个过程中以实体物质（建筑原材料）为对象，通过技术手段来完成，形成一种为人的意识所反映的客观实在。马克思曾经说过:"蜜蜂建筑蜂房的本领使得许多人间的建筑师也感到自叹弗如,但最蹩脚的建筑师从一开始就比最灵巧的蜜蜂高明的地方,是他在用蜂蜡建筑蜂房以前,已经在自己的头脑中把它建成了。"(马克思.资本论(第一卷):172.人民出版社,2004.)。我们的医院、剧场、体育场等,哪座建筑不是经过规划、设计、施工而成型的呢?

使用方式的物质性:建筑是"实体"与"空间"物质的统一体,我们使用的是"实体"围筑的"空间"。如教室,为学习所用;医院,为看病所用;车间,为生产所用。建筑的功能就是满足使用者的需求,不同性质的建筑使用的方式各不一样,无论是为物质所用还是为精神所用,建筑都通过其物质保障得以实现。如:采光通风、挡风、遮雨、抗寒、御暑,气氛烘托等。如图1-1所示。

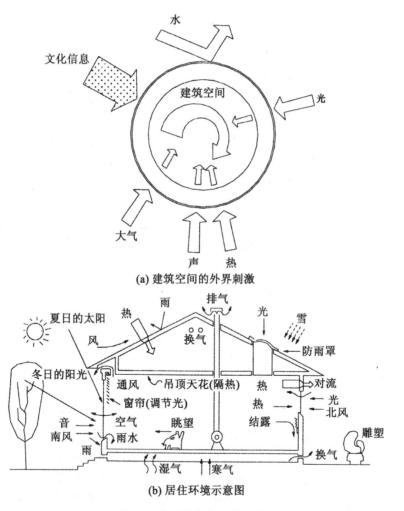

图1-1 外界刺激与环境示意图

建筑为人所造,供人所用,建筑的形式和功能应适应人类的需求及社会的发展,创造更适合人们工作生活的生存环境。

2. 建筑的社会属性

不同的民族有不同的意识形态、宗教信仰、伦理道德观念；不同的地理位置有不同的地域属性、气候特征、生态环境和自然资源。所有这些反映到建筑上，其形式格局也就不尽相同了。

（1）民族属性：我们首先看看不同民族的建筑，古代世界的建筑因文化背景的不同，曾经有过7个独立体系，其中古埃及、古代西亚、古代印度和古代美洲等，由于历史的种种原因，没落得较早，虽然各成体系，但对后世的建筑影响不大。而中国建筑、欧洲建筑、伊斯兰建筑因延续时间长、流域广泛、成就辉煌而被认为是世界三大建筑体系。

中国建筑体系（东亚建筑体系）：传统的古代中国、日本和朝鲜的建筑物大多属这一体系，房屋建造在低矮的石阶或高台上，屋顶由木构架支撑，木板、夯土砌块围隔空间，形成墙壁。中国建筑体系的古建筑是世界上历史最悠久，体系最完整的建筑体系，从单体建筑到院落组合、城市规划、园林布置都充分体现出"天人合一"的建筑思想。如图1-2所示。

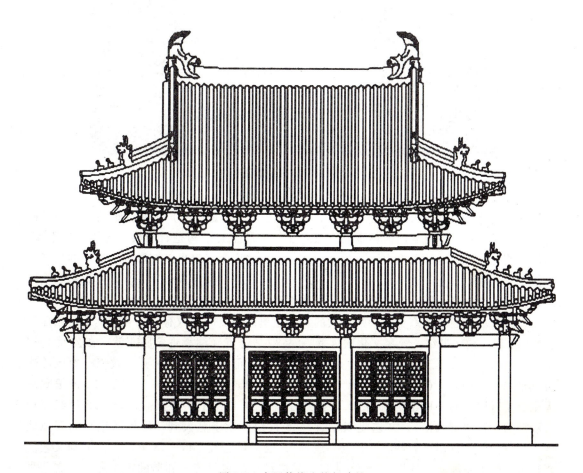

图1-2 中国传统木构架建筑

伊斯兰建筑体系：伊斯兰建筑，西方称萨拉森建筑。伊斯兰建筑体系包括清真寺、伊斯兰学府、哈里发宫殿、陵墓以及各种公共设施、居民住宅等。伊斯兰建筑以阿拉伯民族传统的建筑形式为基础，借鉴、吸收了两河流域、比利牛斯半岛以及世界各地、各民族的建筑艺术精华，以其独特的华丽的装饰、浑圆饱满的穹顶、丰富的拱券和经典的构图创造了一大批具有历史意义和艺术价值的建筑物。如图1-3所示。

图1-3　印度泰姬陵

欧洲建筑体系（西方古典建筑体系）：西方（主要是欧洲）古典建筑的发展随着社会的动荡而变化，但有着前后传承的特点。建筑物的主要结构是石结构，建筑类型不多，宗教建筑在建筑发展的历史中占有重要的地位，一些府邸建筑也颇有影响。简单的功能要求使得建筑物内部空间也不复杂。而建筑内外空间的装饰和形式处理一直是建筑中的重要因素。几乎所有具有影响的建筑物都是精雕细刻而成的。

在西方古典建筑体系中，影响重大的一些建筑风格流派大致有以下几类：古希腊建筑（公元前12—前2世纪，爱琴文化的传承）；古罗马建筑（继承古希腊成就，在公元1—3世纪达到西方古代建筑极盛高峰）；拜占庭建筑（公元5—15世纪，天主教流行地区的建筑风格）；罗曼建筑（又译作罗马风，原意为罗马建筑风格的建筑，是10—12世纪欧洲天主教流行地区的一种建筑风格）；哥特式建筑（11世纪下半叶兴起，13—15世纪流行于欧洲的一种建筑风格）；文艺复兴建筑（15世纪产生于意大利，后传播到欧洲其他地区，形成带有各自特点的各国文艺复兴建筑）；巴洛克建筑（17—18世纪在意大利文艺复兴建筑基础上发展起来的）。欧洲古典建筑始终没有脱离对统一和谐的审美追求，文艺复兴时期"和谐美"的思想把建筑的美学推向了更高层次，由于对建筑学深层次的思考也使得建筑哲学得到了发展。如图1-4～图1-9所示。

图 1-4 希腊帕提农神庙

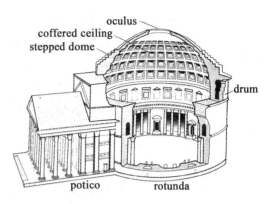

图 1-5 罗马万神庙

图 1-6 圣索菲亚大教堂

图 1-7 米兰大教堂

图 1-8 佛罗伦萨大教堂

图 1-9 罗马耶稣会教堂

（2）地域属性：建筑地域性的差别主要原于气候、地貌、生态、自然资源等客观原因，以及社会的结构形态、人们的生活方式、风俗习惯、社会经济技术水平等主观因素。例如我国的汉族地区，不同地域的建筑形式就不尽相同。我国西北一带气候比较干燥，年降雨量极少，屋顶排水量不大，故其传统建筑的屋顶形式多为屯顶，采用秫秸抹泥做成。而长江中下游地区，每年春夏，雨水不断，为了保护屋面和墙体，建筑的屋顶采用了青瓦铺设的较大坡度的弧线型出挑屋面形式，既保证了屋顶的排水，又保护了墙基。北欧地区冬天多雪，为了使屋顶荷载不至于积得太厚，建筑的屋顶多造得很尖。而夏季气候干燥炎热的中东则将窗子开得很小，尽量避免阳光辐射。

地貌、生态、自然资源的差异同样也会对建筑产生较大的影响。我国西南的山地建筑就是巧妙地利用地势的高低起伏变化，形成了高低不平、错落有致的建筑布局形势。而江南水乡小镇则是人们借以地势形成的小桥、流水人家的又一经典。我国的广东、广西、云南、贵州等地是潮湿多雨的省份，干栏式民居形式是最典型的传统生态建筑形式。当地盛产树木、竹子，木、竹构架是这些地区的主要建筑形式。架起的房屋下部做储藏或养牲畜，中部住人，上部放置粮食，这样即充分利用了空间，又避免了虫害和地面潮湿侵入室内。同时建筑材料极易解决，这样便保证了当地的生态平衡和可持续发展。尼罗河两岸缺少良好的木材，那里的劳动者采用棕榈木、芦苇、纸草、粘土和土坯建造房屋。石头是埃及主要的资源，古王国时期就创造了让现代人都叹为观止的金字塔。一方水土养一方人，一方人创造了一方建筑。如图1-10所示。

(a) 多雨地区屋顶陡峭　　　　(b) 干燥地区屋顶平缓

(c) 寒冷地区建筑封闭　　　　(d) 闷热地区建筑开敞

图1-10　与地域相适应的建筑形式

（3）历史与时代性：建筑的历史性与人类发展的历史相一致，但建筑不同于人类发展中其他层面的东西。随着时间的逝去，许多历史的存在不再与现代社会发生直接联系，作为纯历史让人们了解，如：古代的造纸术、印刷术等。但古代的建筑却直接强烈地影响着我们，如美国世贸中心新古典主义的做法，清楚地映射出哥特复兴的风格。北京的菊儿胡同不也是老北京四合院的重温么？建筑发展是历史的必然，但建筑的每一次发展都包含有历史的保留与传承，是循序渐进、螺旋式上升的。从古罗马到罗马风、哥特风格再到文艺复兴、古典主义、巴洛克、洛可可，虽然建筑形式各异，但每一种风格都有以前风格的传承。现代建筑与古代建筑就形式来看已经完全不同，但是其演变的过程并不是跳跃或突变。也还是经历了19世纪末至20世纪初复古思潮、工艺美术运动、新艺术运动、芝加哥学派等流派与运动的反复演变才形成的。就古代建筑与现代建筑相比较，古代建筑多重视建筑的艺术性，伦理性和宗教色彩。现代建筑则更多的重视建筑的功能性、经济性、技术性、多样性。法古斯工厂从建筑的实用主义出发，以非对称的构图，简洁的立面，无挑檐的平屋顶形式成为了当时最先进的工业建筑。马赛公寓大楼从城市集中主义观点出发，以质朴敦厚的粗野主义手法创造了第二次世界大战后能容纳300套住宅的城市"居住单元"。法国蓬皮杜文化中心这座"灵活的容器或动态的交流机器"直截了当地贯穿传统文化惯例的极限，被称为典型的高技派代表作。20世纪60年代，西方发达国家开始进入后工业时代，随着社会审美观念的发展，推崇矛盾性、复杂性、含混性直至追求残缺、扭曲、畸形、解构主义等反传统美学观念的出现，建筑界也随之涌现出了一系列表现个性、标新立异、怪诞不经、残破扭曲的作品。当历史走进21世纪，重视生态环境，提倡绿色建筑，主张可持续发展成了建筑发展的最大主题，建筑的降低耗能、综合用能、多能转换、减少污染物排放量、充分利用可降解和再循环利用材料等课题，成为了建筑业专家们研究的重点。建筑越来越多地向其他领域渗透，其他领域也在不断影响着建筑的发展。

总之，建筑的发展和变化是有着深刻的社会因素的，从最初仅为人们遮风挡雨、功能单一的栖身之所到满足人们诸多需求的、完善的空间，建筑在功能上和形式上的发展变化反映了人们的社会意识形态和审美要求的变化。建筑的发展史就是人类的发展史，在人类走向文明的历史长河中，建筑就是一部辉煌的史诗，作为历史、文化的载体，真实地反映了当时当地的社会形态和历史文化，蕴涵了人类创造的智慧。如图1-11、图1-12所示。

图1-11　北京故宫太和殿

图1-12　中国国家大剧院

3. 建筑的文化、艺术属性

所谓文化是一个极其抽象和综合的概念，人们对文化的解释不下数百种，但都归结到"人类—社会—进步"的主轨道上。人类的进步，是从野蛮走向文明，那么所谓文化，也就是把这个过程以物质的形式表现出来，由此可以说，文化是人类文明在进步尺度上的外化。"建筑"作为人类社会进步承载者中的一分子，清晰地叙述着各个阶段的历史发展过程，展示着现代，预示着未来。从本质上说，建筑是文化的产物，是文化的一种表现形态。每一个民族都有自己的文化，而每一个地区的建筑，也不可避免地必然受到这种文化的影响。无论哪一种类型的建筑都不可能摆脱文化对它的制约。例如中国宫殿是儒家文化以及传统的礼制、伦理关系的产物，中国园林又受道家文化的影响崇拜天体、效仿自然。而国外的庙宇、教堂，则是宗教与信仰的产物。建筑既是一种文化，又是容纳其他文化的场所；建筑既表达着自身的文化形态，又比较完整地映射出人类文化史。建筑作为文化，同时还包含着人类的精神力量。

尽管世界上不同的建筑文化体系显现出不同的形式和风格，但建筑文化将在持续的动态的接触与交流中发展，交流与融合是一个循环的过程。在这种持续不断的交流、融合中，建筑文化将会越来越趋向一致。第二次世界大战以后的现代建筑就是有史以来最典型的世界大同。但是，这种文化趋同现象主要是表现在文化的物质层面上，即"浅层的文化趋同"，而在文化的深层即意识层面上，世界文化仍然甚至更加充分地显现着文化多元特色。由于受历史传统、风俗观念、价值观念等因素的制约，各民族、各地区都更加注重和恢复发展自己独特的建筑文化。20世纪60—70年代之后的建筑思潮的兴起，呼唤世人重新审视历史的价值、地方的传统、城市的文脉和人文的关怀。纵观世界文化的发展规律，随着时间的推移，无论是在文化的物质方面还是意识层面上，都会无限趋近，建筑文化的未来将是对立与统一、多元与共存、趋同与特色争辉的时代。

建筑是文化的载体，同时也是艺术的载体。建筑是一种造型艺术，与其他造型艺术具有共同的形式美法则：

变化与统一：形式美法则的高级形式，又称为多样统一。"统一"体现了各个事物的共性或整体联系，"变化"或"多样"则体现了各个事物的个性的千差万别。变化与统一的法则使多种因素有机地组合在一起，既不杂乱，又不单调。多样统一使人感到既丰富又单纯，既活泼又有秩序。

均衡与对称："对称"是一个轴线两侧的形式以等量、等形、等距、反向的条件相互对应而存在的方式；"均衡"是指布局上的等量不等形式的平衡。均衡与对称是互为联系的两个方面。对称能够产生均衡感，而均衡又包括着对称的因素在内。然而也有以打破均衡、对称布局而显示其形式美的。

比例与尺度：造型各部分之间的尺寸关系。部分与部分之间、部分与整体之间、整体的纵向与横向之间等相互之间尺寸数量间的变化对照，都存在着比例。适度的尺寸数量间的变化对照，都存在着比例。适度的尺寸数量的变化可以产生美感，例如"黄金比例"是比较典型的。

节奏与韵律：是指运动过程中有秩序的连续。构成节奏有两个重要关系：一是时间关系，是指运动中的这种强弱变化有规律地组合起来加以反复便形成节奏。有规律的反复，是形成节奏感的基本条件之一。二是运动中轻重、疾缓变化的恰当的安排，也可以造成节奏感。层次变化以及连续中的停顿，也是产生节奏感的重要因素。反复、变化、层次、停顿等，如果运用得当，不但可以产生鲜明的节奏，而且会呈现鲜明的韵律感。

对比与和谐：在造型的各种因素（线形、体量、空间、质地、色彩）中，把同一因素中不同差别程度的部分组织在一起，产生对照和比较，称其为对比。对比只能在同因素的两种差别之间产生，例如体量的大小对比、线形的曲直对比。和谐是事物和现象的各方面相互调和与协调一致，多样变化中的统一。和谐在造型中泛指一切组成部分有机联系，是优秀作品的重要特征之一。和谐不是具体的和偶然的特征，而是取得形式美的普遍的必然的规律，既有直观的表现，也有潜在的作用。

建筑是空间的艺术，建筑所追求的移步换景，空间上的起承转合，使建筑物给人们带来的对美的感受以满足人的视觉追求。

4. 建筑的技术属性

谈到建筑，人们绝对不应忽略建筑的技术性，纵观国内外每一次建筑的巨大进步，几乎都是以新技术、新材料的突破为前提的。我国传统建筑中的高台建筑、斗拱技术；西方建筑中的希腊柱式、罗马拱券结构和天然混凝土的运用以及哥特的肋骨拱和飞扶壁等技术，一次又一次地使得建筑走向进步。生铁和钢的工业化生产使水晶宫这样崭新的建筑形象成为可能；而钢筋混凝土结构技术、钢结构技术、玻璃技术的发展和成熟把人类带进了现代建筑的全新领域。芝加哥100层的汉考克大厦、110层的西尔斯大厦等不单展示了结构技术的威力，更揭示了设备技术、施工技术等对建筑的巨大影响。钢筋混凝土薄壳结构覆盖大空间技术的成熟打破了悉尼歌剧院屋顶结构形式的尴尬：由于技术上无法采用当时较为新型的薄壳结构，只能用拱券结构。以至于结构工程师奥韦·尼奎斯特·阿普鲁不无讽刺地说："想不到如此新颖的建筑外形竟要采用同中世纪教堂一样的结构来支撑……"西班牙著名建筑师圣地亚哥·卡拉特拉瓦设计的阿拉米罗大桥更创造了一种新型的斜拉桥样式，采用半边支撑的拉索结构，利用倾斜桥塔的自重代替后部钢索，形成具有轻盈感的桥梁结构。整个大桥犹如一把竖琴，典雅美观，充满神韵。实现了新的建筑技术与艺术完美结合，创造出新的技术美学体系。这种独特的设计不仅充分展现了当代建筑的高超技术水平，同时也使我们认识到建筑今后发展的方向将是高度理性的技术体系与强烈表现力的完美结合。信息时代已向我们走来，高科技对人们物质精神生活有着更加深广的影响，生态建筑、可持续发展建筑将在建筑领域中占据主导地位，其应具有的4R属性，即：resource——资源的保护和合理利用，有节制地开发自然资源；reduce——降低能耗、减小能源消费对环境的有害影响，减小污染物排放量；reunite——充分利用地方材料与现代高科技加工新型生态节能建材；recycle——资源与建材的再生利用，变废为宝，都必须以先进技术作为支撑的。所以说，建筑离不开技术属性，建筑需要建筑师与各专业工程师达成创作观念和操作意识上的高度共识。如图1-13所示。

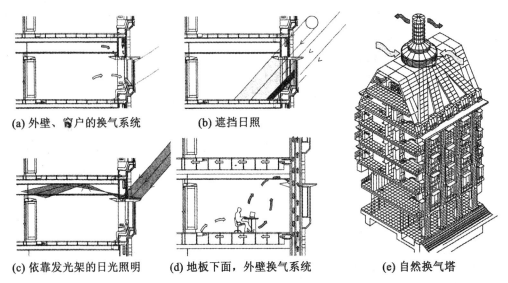

图 1-13 生态建筑设计实例（伦敦·国会议事堂新馆）

§1.2 建筑的分类与分级

1.2.1 建筑的分类

1. 按建筑的使用功能分类

建筑物按照其使用性质，通常可以分为生产性建筑，即工业建筑、农业建筑等；非生产性建筑，即民用建筑。民用建筑是供人们居住、生活和从事各类公共活动的场所，包括居住建筑和公共建筑如表 1-1 所示。不同建筑类型有不同的功能组成和设计要求，设计时应注意相应设计规范，如《住宅建筑设计规范》(GB50096—1999)、《商店建筑设计规范》(JGJ48—1988) 等。

表 1-1　　　　　　　　　　　民用建筑分类

分　类	建筑类别	建筑物举例
居住建筑	住宅建筑	住宅、公寓、老年人住宅、低层住宅等
	宿舍建筑	职工宿舍、职工工寓、学生宿舍、学生公寓等
公共建筑	教育建筑	托儿所、幼儿园、中小学校、高等院校、职业学校、特殊教育学校等
	办公建筑	各级党委、政府办公楼、企业、事业、团体、社区办公楼等
	科研建筑	实验楼、科研楼、设计楼等
	文化建筑	剧院、电影院、图书馆、博物馆、档案馆、文化馆、展览馆、音乐厅等
	商业建筑	百货公司、超级市场、菜市场、旅馆、餐馆、饮食店、洗浴中心、美容中心等

续表

分类	建筑类别	建筑物举例
公共建筑	服务建筑	银行、邮电、电信、会议中心、殡仪馆等
	体育建筑	体育场、体育馆、游泳馆、健身房等
	医疗建筑	综合医院、专科医院、康复中心、急救中心、疗养院等
	交通建筑	汽车客运站、港口客运站、铁路旅客站、空港航站楼、地铁站等
	纪念建筑	纪念碑、纪念馆、纪念塔、故居等
	园林建筑	动物园、植物园、海洋馆、游乐场、旅游景点建筑、城市建筑小品等
	综合建筑	多功能综合大楼、商住楼等

2. 按建筑层数和高度分类

民用建筑按地上层数或高度分类划分应符合相关建筑规范，如表1-2所示。建筑高度的不同，设计技术要求也不一样，特别是在防火疏散设计方面，如多层建筑设计应符合《建筑设计防火规范》(GB50016—2006)，高层建筑设计则应符合《高层民用建筑设计防火规范》(GB50045—1995)。

表1-2   建筑分类（按多层和高层分类）

建筑类别	名 称	层数或高度
居住建筑	多层建筑	9层及9层以下的居住建筑（包括设置商业服务网点的居住建筑）
	高层建筑	10层及10层以上的居住建筑（包括首层设置商业服务网点的住宅）
公共建筑	单层、多层建筑	H≤24m的其他建筑，H>24m的单层公共建筑；地下、半地下建筑（包括建筑附属的地下室、半地下室）
	高层建筑	H>24m的公共建筑（不含单层公共建筑）
	超高层建筑	H>100m的民用建筑
工业建筑厂房仓库	多层厂房仓库	≥2层，且H<24m
	高层厂房仓库	≥2层，且H>24m
	高架仓库	货架高度>7m，且机械化操作或自动化控制的货架仓库

注：住宅层数划分如下：低层住宅1~3层；多层住宅4~6层；中高层住宅7~9层；高层住宅≥10层。

1.2.2 建筑的分级

建筑物的等级划分一般按耐久性和耐火性进行划分。

1. 按设计使用年限分类

建筑物的设计使用年限主要根据建筑物的重要性和规模大小来划分，常作为建筑投资、建筑设计和结构选型的重要依据。如表1-3所示。

表1-3　　　　　　　　　　民用建筑设计使用年限分类表

类　别	设计使用年限/（年）	示　例
1	5	临时性建筑
2	25	易于替换结构构件的建筑
3	50	普通建筑和构筑物
4	100	纪念性建筑和特别重要的建筑

2. 按耐火性分级

建筑物的耐火等级是根据建筑物构件的燃烧性能和耐火极限确定的，共分为四级。各类建筑的耐火等级在相应建筑规范中可以查到，表1-4为住宅建筑的耐火等级。

表1-4　　　　　　　　　　住宅建筑的耐火等级

建筑类别		耐火等级	规定依据
住　宅	≥19层	一级	《住宅建筑规范》9.2.2
	≤18层	二级	
	≤9层	三级	
	≤3层	四级	

构件的耐火极限：对任一建筑构件按时间—温度标准曲线进行耐火试验，从受到火的作用时起，到失去支持能力，或完整性被破坏、或失去隔火作用时为止的这段时间，为构件的耐火极限，用小时表示。

构件的燃烧性能可以分为三类，即：非燃烧体、难燃烧体、燃烧体。

非燃烧体：用非燃烧材料做成的构件。非燃烧材料系指在空气中受到火烧或高温作用时不起火、不微燃、不炭化的材料，如金属材料和无机矿物材料。

难燃烧体：用难燃烧材料做成的构件，或用燃烧材料做成，而用非燃烧材料做保护层的构件。难燃烧材料系指在空气中受到火烧或高温作用时难起火，难燃烧、难炭化，当火源移走后燃烧或微燃立即停止的材料。如沥青混凝土，经过防火处理的木材等。

燃烧体：用燃烧材料做成的构件。燃烧材料系指在空气中受到火烧或高温作用时立即起火或燃烧，且火源移走后仍继续燃烧或微燃的材料，如木材。

有关上述这三类构件的具体燃烧性能详载于《建筑设计防火规范》（GB50016—2006）、《高层民用建筑设计防火规范》（GB50045—1995）、《住宅建筑规范》（GB50368—2005）等规范中。表1-5为住宅建筑构件的燃烧性能与耐火极限。

表 1-5　　　　　　　　　　住宅建筑构件的燃烧性能与耐火极限

构件名称		耐火等级			
		一级	二级	三级	四级
墙	防火墙	不燃性 3.00	不燃性 3.00	不燃性 3.00	不燃性 3.00
	非承重墙、疏散走道两侧的隔墙	不燃性 1.00	不燃性 1.00	不燃性 0.75	难燃性 0.75
	楼梯间的墙、电梯井的墙、住宅单元之间的墙、住宅分户墙、承重墙	不燃性 2.00	不燃性 2.00	不燃性 1.50	难燃性 1.00
	房间隔墙	不燃性 0.75	不燃性 0.50	难燃性 0.50	难燃性 0.25
柱		不燃性 3.00	不燃性 2.50	不燃性 2.00	难燃性 1.00
梁		不燃性 2.00	不燃性 1.50	不燃性 1.00	难燃性 1.00
楼板		不燃性 1.50	不燃性 1.00	不燃性 0.75	难燃性 0.50
屋顶承重构件		不燃性 1.50	不燃性 1.00	难燃性 0.50	难燃性 0.25
疏散楼梯		不燃性 1.50	不燃性 1.00	不燃性 0.75	难燃性 0.50

§1.3　建筑模数协调统一标准

为了实现工业化大规模生产，使不同材料、不同形式和不同制造方法的建筑构配件、组合件具有一定的通用性和互换性，在建筑业中必须共同遵守《建筑模数协调统一标准3》(GBJ2—1986)，以下简称标准。

1. 建筑模数：是指选定的尺寸单位，作为尺度协调中的增值单位，也是建筑设计、建筑施工、建筑材料与制品、建筑设备、建筑组合件（指建筑材料或构配件做成的房屋功能组成部分）等各部门进行尺度协调的基础，其目的是使构配件安装吻合，并有互换性。

2. 基本模数：基本模数的数值规定为100mm，表示符号为 M，即 1M 等于 100mm，整个建筑物或其中一部分以及建筑组合件的模数化尺寸均应是基本模数的倍数。

3. 扩大模数：是指基本模数的整倍数。扩大模数的基数应符合下列规定：

（1）水平扩大模数为 3M、6M、12M、15M、30M、60M 等 6 个，其相应的尺寸分别为 300mm、600mm、1 200mm、1 500mm、3 000mm、6 000mm。

（2）竖向扩大模数的基数为 3M、6M 两个，其相应的尺寸为 300mm、600mm。

4. 分模数：是指整数除基本模数的数值。分模数的基数为 M/10、M/5、M/2 等 3 个，其相应的尺寸为 10mm、20mm、50mm。

5. 模数数列：是指由基本模数、扩大模数、分模数为基础扩展成的一系列尺寸，这些模数数列的幅度应符合表 1-6 中的规定。

模数数列的幅度及适用范围如下：

（1）水平基本模数的数列幅度为（1~20）M。主要适用于门窗洞口和构配件断面尺寸。

（2）竖向基本模数的数列幅度为（1~36）M。主要适用于建筑物的层高、门窗洞口、构配件等尺寸。

（3）水平扩大模数数列的幅度：3M 为（3~75）M；6M 为（6~96）M；12M 为（12~120）M；15M 为（15~120）M；30M 为（30~360）M；60M 为（60~360）M，必要时幅度不限。主要适用于建筑物的开间或柱距、进深或跨度、构配件尺寸和门窗洞口尺寸。

（4）竖向扩大模数数列的幅度不受限制。主要适用于建筑物的高度、层高、门窗洞口尺寸。

（5）分模数数列的幅度：M/10 为（1/10~2）M；M/5 为（1/5~4）M；M/2 为（1/2~10）M。主要适用于缝隙、构造节点、构配件断面尺寸。

需要注意的是，设计时不能教条地要求所有建筑必须符合建筑模数协调统一标准，有些情况可以不执行该标准，如：

（1）改建原有不符合模数协调或受外界条件限制而执行该标准确有困难的建筑物；

（2）设计有特殊功能要求的或执行该标准在技术、经济方面不合理的建筑物；

（3）设计特殊形体的建筑物和建筑物的特殊形体部分。

（4）房屋建筑的墙体、楼板的厚度和构配件截面的尺寸等，可以采用非模数化尺寸。

表 1-6　　　　　　　　　　　常用模数数列　　　　　　　　　（单位：mm）

模数名称	基本模数	扩大模数						分模数		
基本模数	1M	3M	6M	12M	15M	30M	60M	M/10	M/5	M/2
模数数列	100	300	600	1200	1500	3000	6000	10	20	50
	100	300						10		
	200	600	600					20	20	
	300	900						30		
	400	1200	1200	1200				40	40	
	500	1500			1500			50		50
	600	1800	1800					60	60	
	700	2100						70		

续表

模数名称	基本模数	扩大模数						分模数		
基本模数	1M	3M	6M	12M	15M	30M	60M	M/10	M/5	M/2
模数数列	800	2400	2400	2400				80	80	
	900	2700						90		
	1000	3000	3000		3000	3000		100	100	100
	1100	3300						110		
	1200	3600	3600	3600				120	120	
	1300	3900						130		
	1400	4200	4200					140	140	
	1500	4500			4500			150		150
	1600	4800	4800	4800				160	160	
	1700	5100						170		
	1800	5400	5400					180	180	
	1900	5700						190		
	2000	6000	6000	6000	6000	6000	6000	200	200	200
	2100	6300								
	2200	6600	6600						220	
	2300	6900								
	2400	7200	7200	7200					240	
	2500	7500			7500					250
	2600		7800						260	
	2700									
	2800		8400	8400					280	
	2900									
	3000		9000		9000	9000			300	300
	3100									
	3200		9600	9600					320	
	3300									
	3400								340	
	3500				10500					350
	3600			10800					360	
	4000			12000	12000	12000	12000		400	400

§1.4 建筑设计的内容与程序

1.4.1 建筑设计的内容

建筑设计有两个概念。一是指一项建筑工程的全部设计工作、包括各个有关专业（俗称工种），确切的应称为建筑工程设计。另一是单指建筑设计专业本身的设计工作。

建筑工程设计，是指一项建筑工程的全部设计工作，是一项政策性、技术性、综合性非常强的工作。整个建筑工程设计应包括建筑设计、结构设计和设备设计等部分。

建筑设计是在建筑方针、政策的指导下，综合考虑建筑功能、工程技术与建筑艺术之间的关系，正确掌握建筑标准，为创造良好的空间环境提供方案，并完成建筑施工图。这项工作包括总体设计和个体设计。

结构设计是结合建筑设计完成结构方案和造型，进行结构计算及构件设计，完成全部结构施工图设计。

设备设计是根据建筑设计完成给水排水、采暖通风、电气照明以及通讯、动力等专业的方案、选型、布置以及施工图设计。

以上若干方面的工作既有分工，又密切配合。建筑设计在整个工程设计中起着主导和先行的作用，一般由注册建筑师来完成。其他各专业设计，由相应的注册工程师承担。

1.4.2 建筑工程设计的程序

任何一栋建筑物的建造，从开始拟定计划到建成使用都必须遵循一定的程序，需要经过编制计划任务书、建设场地的选择以及勘测、设计、施工、工程验收及交付使用等几个主要阶段。设计工作又是其中比较关键的环节，设计人员必须贯彻执行国家相关的建筑方针和政策，正确掌握相关建筑标准，重视调查研究，力求以更少的材料、劳动力、投资和时间来实现各种要求，使建筑物做到适用、安全、经济、美观。通过设计这个环节，把计划中有关设计任务的文字资料，编制成表达整幢建筑物或组成建筑物立体形象的全套图纸。

1. 设计前的准备工作

建筑设计是一项复杂而细致的工作，涉及的学科较多，同时要受到各种客观条件的制约。为了保证设计质量，设计前必须做好充分准备，包括掌握设计任务书的要求，广泛深入地进行调查研究，收集必要的设计基础资料等若干方面。

（1）落实设计任务

1）掌握必要的批文

建设单位必须具有以下批文才可以向设计单位办理委托设计手续。

①主管部门的批文

上级主管部门对建设项目的批准文件，包括建设项目的使用要求，建筑面积，单方造价和总投资等。

②城市建设部门同意设计的批文

为了加强城市的管理及进行统一规划，一切设计都必须事先得到城市建设部门的批准。批文必须明确指出用地范围（常用红色线划定）以及有关规划、环境及个体建筑的要求。

2）熟悉设计任务书

设计任务书是经上级主管部门批准，提供给设计部门进行设计的依据性文件，其内容一般有：

①建设项目总的要求和建造目的的说明。

②建筑物的具体使用要求、建筑面积以及各类用途房间之间的面积分配。

③建设项目的总投资和单方造价，并说明土建费用、建筑设备费用以及道路等室外设施费用情况。

④建设基地范围、大小，周围原有建筑、道路、地段环境的描述，并附有地形测量图。

⑤供电、供水、采暖、空调等设备方面的要求，并附有水源、电源接用许可文件。

⑥设计期限和项目的建设进程要求。

在熟悉设计任务书的过程中，设计人员应认真对照有关定额指标，校核任务书中单方造价、房间使用面积等内容，在设计过程中必须严格掌握建筑标准、用地范围、面积指标等有关限额。同时，设计人员在深入调查和分析设计任务以后，从全面解决使用功能、满足技术要求、节约投资等方面考虑，从建设基地的具体条件出发，也可以对任务书中某些内容提出补充或修改，但必须征得建设单位的同意。

（2）调查研究、收集资料

除设计任务书提供的资料外，还应当收集必要的设计资料和原始数据，如：建设地区的气象、水文、地质资料；基地环境及城市规划要求；施工技术条件及建筑材料供应情况；与设计项目有关的定额指标及已建成的同类型建筑的资料，等等。

以上资料除有些由建设单位提供和向技术部门收集外，还可以采用调查研究的方法，其主要内容有：

①访问使用单位对建筑物的使用要求，调查同类建筑在使用中出现的情况。通过分析和总结，全面掌握所设计建筑物的特点和要求。

②了解建筑材料供应和结构施工等技术条件，如：地方材料的种类、规格、价格，施工单位的技术力量、构件预制能力、起重运输设备等条件。

③现场踏勘，对照地形测量图深入了解现场的地形、地貌，周围环境，考虑拟建房屋的位置和总平面布局的可能性。

④了解当地传统经验、文化传统、生活习惯及风土人情等。

2. 设计阶段的划分

民用建筑工程一般分为方案设计、初步设计和施工图设计三个阶段；对于技术要求相对简单的民用建筑工程，经相关主管部门同意，且合同中没有做初步设计的约定，可以在方案设计审批后直接进入施工图设计。关于各个阶段设计文件的编制深度详情请查阅《建筑工程设计文件编制深度规定》（2008年版）。

（1）方案设计阶段

1）任务与要求

方案设计阶段的主要任务是提出设计方案，即根据设计任务书的要求和收集到的必要基础资料，结合基地环境，综合考虑技术经济条件和建筑艺术的要求，对建筑总体布置、空间组合进行可能与合理的安排，提出两个或多个方案供建设单位选择。

2）方案设计文件

①设计说明书，包括各专业设计说明以及投资估算等内容。对于涉及建筑节能设计的专业，其设计说明应有建筑节能设计专门内容。

②总平面图以及建筑设计图纸。

③设计委托书或设计合同中规定的透视图，鸟瞰图、模型等。

（2）初步设计阶段

1）任务与要求

方案设计经建设单位同意和主管部门批准后，就可以进行初步设计。初步设计是方案设计具体化的阶段，也是各种技术问题的定案阶段。其主要任务是在方案设计的基础上进一步解决各种技术问题，协调各工种之间技术上的矛盾。经批准后的技术图纸和说明书即为编制施工图、主要材料设备定货及工程拨款的依据文件。

2）初步设计文件。

①设计说明书，包括设计总说明、各专业设计说明。对于涉及建筑节能设计的专项说明，其设计说明应有建筑节能设计的专项内容。

②相关专业的设计图纸。

③主要设备或材料表。

④工程概算书。

⑤相关专业计算书（计算书不属于必须交付的设计文件，但应按该规定相关条款的要求编制）。

（3）施工图设计阶段

1）任务与要求

施工图设计阶段是建筑设计的最后阶段，是提交施工单位进行施工的设计文件，必须根据上级主管部门审批同意的初步设计（或技术设计）进行施工图设计。

施工图设计的主要任务是满足施工要求，解决施工中的技术措施、用料及具体做法。因此，必须满足以下要求：

①施工图设计应综合建筑、结构、设备等各种技术要求。因此，要求各专业工种相互配合、共同工作、反复修改，使图纸做到简明统一、精确无误。

②施工图应详尽准确地标出工程的全部尺寸、用料、做法，以便施工。

③要注意因地制宜，就地取材。并注意与施工单位密切联系，使施工图符合材料供应及施工技术条件等客观情况。

④施工图绘制应明晰，表达确切无误，要求按国家现行有关建筑制图标准执行。

2）施工图设计文件

①合同要求所涉及的所有专业的设计图纸（含图纸目录、说明和必要的设备、材料表）以及图纸总封面；对于涉及建筑节能设计的专业，其设计说明应有建筑节能设计的专项内容。

②合同要求的工程预算书。

注：对于方案设计后直接进入施工图设计的项目，若合同未要求编制工程预算书，施

工图设计文件应包括工程概算书。

③各专业计算书。计算书不属于必须交付的设计文件，但应按该规定相关条款的要求编制并归档保存。

复习思考题

1. 建筑的基本含义有哪些？
2. 试简述建筑的各种属性。
3. 住宅建筑和公共建筑划分高层的界限是什么？
4. 普通建筑物和构筑物的设计耐久年限至少是多少年？
5. 试简述构件的耐火极限的定义。
6. 建筑物的耐火等级分几级？构件的燃烧性能又分几类？
7. 实行建筑模数协调统一标准的意义何在？什么叫做建筑模数？各模数数列的应用范围是什么？
8. 试简述建筑设计的内容。
9. 民用建筑工程一般分为哪三个阶段？

第2章 建筑各组成部分设计

本章提要：建筑物的各组成部分的设计是建筑设计的基础，本章侧重对一些共性的设计原理进行介绍。主要内容包括使用空间设计和交通联系空间设计两部分。

建筑物虽然类型繁多，而且这些建筑类型的空间使用性质与组成类型也不尽相同，但概括起来，都可以分为两大部分，即使用空间（简称房间）和交通联系空间。本章将详细讨论各部分设计的具体要求和方法。

§2.1 使用空间设计

使用空间是构成建筑物的基本细胞之一，也是直接供人们使用的主要空间。各类使用空间由于其使用功能不同，设计亦绝然不同，但在进行使用空间设计时应考虑的基本因素是一致的，这些基本因素有着共通性，即要求有适宜的尺度、足够的面积，恰当的形状、良好的朝向、采光和通风条件，方便的内外交通联系，有效地利用建筑面积和合理的结构布局以及便于施工等。

2.1.1 使用空间设计应考虑的因素

1. 使用要求

不同功能的使用空间对设计提出了不同的要求。生活居住用房中的卧室，是满足人们休息、睡眠之用；客厅是会客之用；工作学习用房中的教室，主要是满足教学之用；观众厅是满足演出、观赏和集会之用；陈列厅是陈列、展示之用。因此在进行这些空间设计时，需要采取相应的措施，以满足各自的使用要求。

一般说来，生活、工作和学习用的房间要求安静、少干扰，由于人们在其中停留的时间相对地较长，因此希望能有较好的朝向；公共活动房间的主要特点是人流比较集中，通常进出频繁，因此室内人们活动和通行面积的组织比较重要，特别是人流的疏散问题较为突出。

同类使用性质的空间，由于使用对象、使用方式和使用人数的差异，对空间的形状、大小、空间高低、内部布置均将产生明显的影响。例如同样为卧室，在城市型住宅中或农村型住宅中，其考虑的内容就有所不同，这类卧室与集体宿舍和旅馆中的客房设计差异就更大。这主要因使用对象的不同，决定了使用方式的改变，从而影响着房间设计。如阅览室，由于采取开架、半开架或闭架等不同使用方式，其内部布置亦不相同。演出性建筑的观众厅，由于容纳人数的不同，就直接影响其定额指标、平面形式和空间体积等。如图2-1所示。

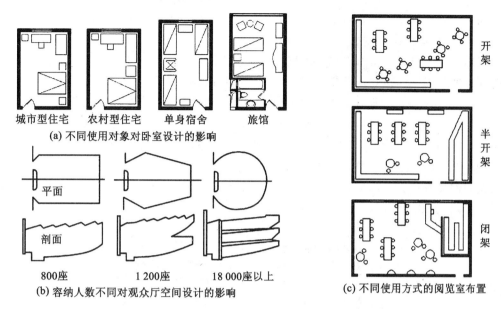

图 2-1　使用对象、使用方式和使用人数对房间设计的影响

2. 基本家具、设备尺度及活动尺度

建筑物应最大限度以人为本地满足人们生活的需要。尺度对建筑物的影响非常大，建筑物内的尺度，设备、家具的尺度都来源于人，以满足人们的各种基本需求。

（1）人体基本尺度

各类房间为满足其使用要求，就需要有家具、设备，并进行合理的布置。如卧室中有床和柜子等；教室中有课桌、椅、黑板和讲台等；陈列室中有展板、陈列台和陈列柜等。由于这些家具、设备是供人使用的，所以其尺寸大小就与人体尺度密切相关，也就是说家具设备的基本尺寸，是以人体尺度作为基本因素来决定的（图 2-2 中为人体尺寸与功能尺寸，这类尺寸决定了建筑物内的尺度以及家具、设备和活动空间的尺度）。

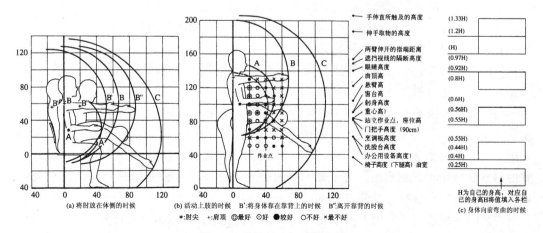

图 2-2　人体尺寸与功能尺寸

对托儿所、幼儿园以及中小学建筑，由于其主要使用对象为儿童，应根据不同年龄的儿童高度来确定这类建筑物内部空间的大小、窗台、栏杆尺度及家具设备尺寸等。

（2）人体基本活动尺度

房间内除家具、设备所占据的尺度外，还有人的活动空间所占的尺度。人体活动所占的空间尺度是确定建筑物内部各种空间尺度的主要依据。

房间内设备和家具所需具体尺寸再加上人体活动和交通所需的空间面积就基本确定了空间大小，但同样面积的房间，由于房间面积比例及尺寸的不同，也直接影响家具布置和使用效果。如图2-3所示，为两个面积相等而比例不同的使用空间平面布置，图（a）空间比例窄长，活动空间分散。图（b）空间比例较好，空间集中，宽敞，使用方便。一般使用空间的良好比例范围应为1∶1～1∶1.5，同时空间内部设备、家具布置得恰当与否将对合理的组织空间和利用空间有很大的影响。

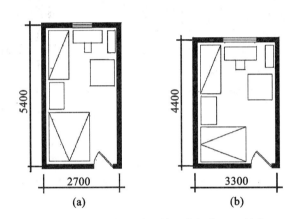

图2-3　面积相等、比例尺寸不等的房间布置（单位：mm）

3. 人流活动路线和交通疏散要求

人流活动路线是指对建筑物内和建筑物外两方面的联系。使用空间内部的人流活动路线主要与内部设备、家具布置以及附属设施的配置有关，要求达到流线明确，尽量避免和减少交叉，例如陈列室内展板布置就决定了观众的参观路线；候车室中旅客的活动路线与候车座位的排列、入口、检票口的位置，以及厕所、小卖部等附属设施的布置等紧密有关，其布置不同，流线组织差异很大。

使用空间对外的交通是否畅通、疏散是否迅速，与走道布置、门的位置、宽度、数量以及开启方式密切相关。

门的宽度取决于人体尺寸、人流股数及家具设备的大小等因素。一般单股人流通行宽度取550mm，一个人侧身通行需要300mm宽。因此，门的最小宽度一般为650～700mm，常用于住宅中的厕所、浴室。住宅中卧室、厨房、阳台的门应考虑一人携带物品通行，卧室的门常取900mm，厨房的门可以取800mm。普通教室、办公室等的门应考虑一人正面通行，另一人侧身通行，常采用1000mm。

当房间面积较大，使用人数较多时，单扇门宽度小，不能满足通行要求，此时应根据使用要求采用双扇门、四扇门或增加门的数量。双扇门的宽度可以为1200～1800mm，四扇门的宽度可以为 2400~3600mm。

按照《建筑设计防火规范》(GB50016—2006) 的要求,当房间使用人数超过 50 人,面积超过 60m² 时,至少需设两个门。对于一些大型公共建筑如影剧院的观众厅、体育馆的比赛大厅等,由于人流集中,为保证紧急情况下人流迅速、安全地疏散,门的数量和总宽度应按《建筑设计防火规范》进行计算,并结合人流通行方便将门分别设在通道处,且每樘门宽度不应小于 1400mm。

对于面积大、人流活动多的房间,门的位置主要考虑通行简捷和疏散安全,一般设置双扇的外开门。例如影剧院观众厅一些门的位置,通常较均匀地分设,使观众能尽快到达室外。如图 2-4 所示。

对于面积小、人数少,只需设一个门的房间,门的位置首先需要考虑家具的合理布置,图 2-5 是集体宿舍中床铺安排和门的位置关系。

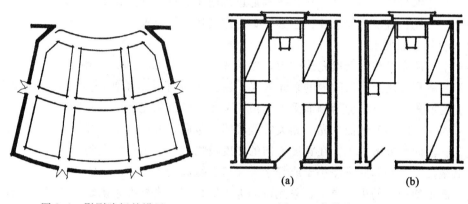

图 2-4　影剧院门的设置　　　　图 2-5　集体宿舍门的位置

当小房间中门的数量不止一个时,门的位置应考虑缩短室内交通路线,保留较为完整的活动面积,并尽可能留有便于靠墙布置家具的墙面。图 2-6 中的例子,是表示住宅卧室由于门的位置不同,给室内活动面积和家具布置带来的影响。

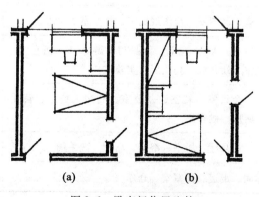

图 2-6　卧室门位置比较

有的房间由于平面组合的需要,几个门的位置比较集中,并且经常需要同时开启,这时要注意协调几个门的开启方向,防止门扇相互碰撞和妨碍人们通行。如图 2-7 所示。

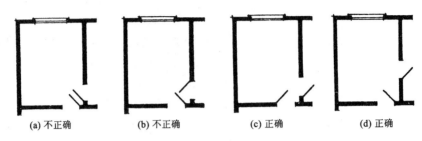

图 2-7 房间中两个门靠近时的开启方式

4. 技术要求

建筑是艺术与技术的结晶,建筑技术是建筑创作的重要支撑,房间设计除了满足人的使用功能、尺度、流线的要求外,还必须满足建筑技术的要求。

(1) 自然采光要求

使用空间从窗子获得天然光线称为自然采光。在自然采光时,使用空间窗子的大小、位置、形式就直接决定了房间内的采光效果。窗子的位置确定了使用空间光线来源方向。自然采光的形式通常可以分为侧面采光、顶部采光和综合采光。

一般性的空间均为侧面采光。相关实践表明,竖向长方形窗子,容易使空间深度方向照度均匀,横向长方形窗子,在宽度方向的照度较均匀。为了保证空间最深处有足够的照度,就必须使使用空间的进深小于或等于采光口上缘高度的二倍。

为了满足使用上的采光要求,采光口的大小应根据采光标准来确定。通过面积比,也称为窗地比,来确定建筑房间的采光情况。对各类建筑物的不同使用要求,建筑使用空间自然采光分级如表 2-1 所示。

表 2-1　　　　　　　　　　建筑使用空间自然采光分级

等级	采光要求	房间类别	面积比(窗地比)
Ⅰ	很 高	绘画室、制图室、绘图展览室、打字室、手术室	1/4 左右
Ⅱ	较 高	阅览室、一般展览室、健身房、游泳馆、医务室、婴儿室、幼儿园、托儿所、实验室	1/5 左右
Ⅲ	一 般	礼堂、会议室、教室、办公室、病房、餐厅、营业厅、厨房、候车室	1/7 左右
Ⅳ	较 低	书库、观众厅、居室、浴室、厕所、洗手间	1/9 左右
Ⅴ	很 低	楼梯间、走道、储藏室、仓库	1/10 以下

注:面积比,也称为窗地比,是指侧面采光窗的总透光面积(扣除窗料的遮挡部分)与地面面积之比。

各地区在选用时还应根据本地区的具体情况综合考虑，例如，重庆地区因天阴多雾，面积比例应适当提高，而天气晴朗、阳光强烈的地区，面积比例可以适当降低。当使用空间的跨度较大，仅靠侧窗采光不能均匀地解决室内的照度时，若条件允许，可以设置天窗，以补充照度不足的区域，如图 2-8 所示。

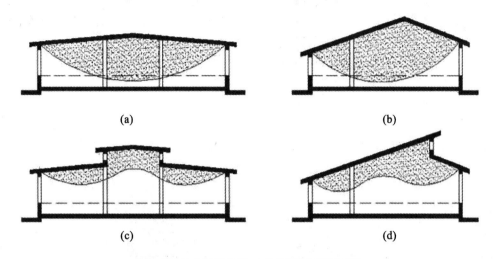

图 2-8　室内照度曲线（房间横剖面示意图）

窗的平面位置，主要影响到房间沿外墙（开间）方向来的照度是否均匀、有无暗角和眩光，如果房间的进深较大，同样面积的矩形窗户竖向设置，可以使房间进深方向的照度比较均匀。中小学教室在一侧采光的条件下，窗户应位于学生的左侧；窗间墙的宽度从照度均匀考虑，一般不宜过大（具体窗间墙尺寸的确定需要综合考虑房屋结构或抗震要求等因素）；同时，窗户和挂黑板墙面之间的距离要适当，这段距离太小会使黑板产生眩光，距离太大又会形成暗角，如图 2-9 所示。

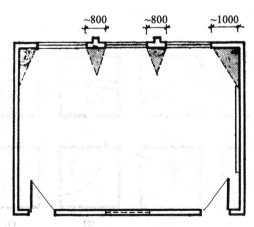

图 2-9　一侧采光的教室中窗在平面中的位置

(2) 热工和通风要求

①热工要求

由于太阳辐射，空气温湿度、风、雨、雪等室外气候因素以及室内空气温湿度的双重作用，直接影响建筑物的室内小气候（即房间里的冷与热、潮湿与干燥等）。为了保证室内正常的温湿度环境，使夏天不致过热，冬天也不太冷，满足人们进行各项活动之需要，在建筑设计的同时应进行建筑热工设计。在寒冷地区，建筑设计中必须采取保温措施，以减少热损失，有利于降低采暖设备的供热能力，从而减少设备投资费用和使用管理费。在炎热地区，防止夏季室内过热是一个突出问题，建筑设计中必须采取一定的隔热措施。各类房间应根据其使用要求，在充分利用建筑处理的基础上再配合设置必不可少的设备，使设计尽可能做到经济合理。

②自然通风

自然通风主要有通过风压通风和通过温差通风两种方式。如图2-10所示。

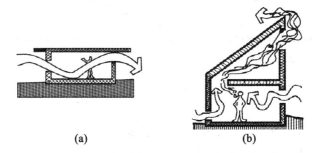

图2-10 利用风力时，在进、出风处设置开口；利用温差时，在上、下设置开口

一般的自然通风是指全开门窗组织的通风，因而在使用空间设计中门窗的位置、高低和大小都需要周密地考虑。如图2-11所示，门窗位置不同对空间内部空气流通是有影响的。在进行天窗设计时，应尽量减少涡流区（房间中空气不流通区域）面积。有时可以采取增设高侧窗以减少涡流区。如图2-12所示。

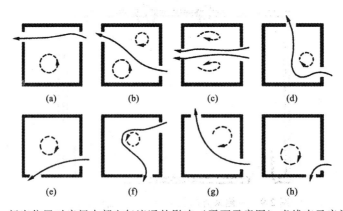

图2-11 门窗位置对房间内部空气流通的影响（平面示意图）虚线表示房间的涡流

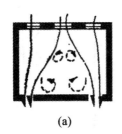 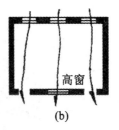

图 2-12　增设高侧窗以减少涡流区（平面示意图）

在北方寒冷地区，为满足冬季换气的要求，应保证一定的通气窗面积，在布置进气口与排气口时，应尽可能拉大两者的高差，使室内获得更加全面的换气效果。

较特殊的自然通风是指利用排气天窗或抽气罩等设施以改善室内的通风换气效果。如浴室、厨房等使用空间，可以设置排气天窗及时排除室内大量的蒸汽和油烟，创造良好的卫生条件和工作条件。另外也可以在炉灶或有毒实验台上部设置抽风罩，以加强局部抽风排气作用，如图 2-13 所示。

 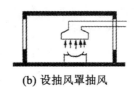

(a) 设排气天窗组织通风　　(b) 设抽风罩抽风

图 2-13　设置简易设施加强室内通风排风

图 2-14 为一些向室内引风的常用措施例子，供读者研究参考。

③机械通风

容纳大量人流或要求密闭使用的房间，如观众厅、报告厅、电化教室、地下车库、厨房等，自然通风很难满足其通风换气的要求，需设置换气扇、抽风机、抽油烟机，甚至更大型的机械通风设备。这时，将由专业人员配合建筑设计人员进行专门的通风设计。通风设备如风管等在使用空间内分布，必将影响内部空间尺度和视觉效果，需要建筑设计人员进行巧妙的安排。

(3) 视线和音响的要求

某些人数较多的群众性使用空间，对视线和音响有一定的要求。例如教室，其讲台、黑板的位置、尺寸和课桌的布置等均应使学生获得良好的视线和音响，并要求室内外适当隔音，以免教室与教室之间，或教室与走廊之间声音的干扰。观众厅设计，对观众的视线和音响要求就更高。又如播音室对音质和隔音的要求特别严格，而乐器厂的消音室对消音、隔音和隔振的要求较高。这些在设计过程中均需经过详细的计算和测试工作，才能保证满足其使用要求。如图 2-15、图 2-16 所示。

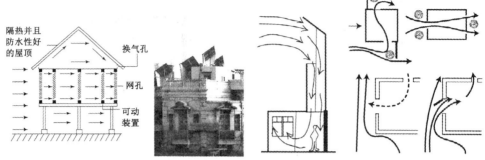

图 2-14 向室内引风各种通风的例子

图 2-15 影剧院楼座视线设计实例

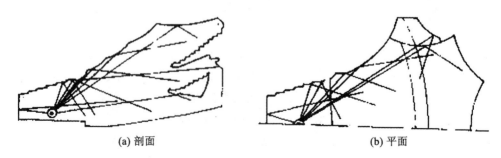

图 2-16 影剧院声学设计实例

(4) 材料、结构经济性与合理性的要求

在进行使用空间设计时,应根据其功能要求选用经济合理的材料和结构形式。例如小学校中多层教学楼的教室,根据每班学生人数与教学活动的需要其平面尺寸应为8.4m×6m左右,一般采用混合结构、框架结构较为经济实用。有些多层建筑的顶层需作为大空间使用。大厅式建筑的观众厅、大型体育馆等,可以采用大跨度屋盖结构,例如:钢筋混凝土马鞍形薄壳、折板、悬索结构、拱结构、网架结构等各种形式,这些不同的结构形式对建筑空间有一定的影响。同时随着科学技术的进步,新材料、新结构的不断出现,对使用空间设计亦起着积极的作用。例如框架轻板体系的出现,打破了单个房间设计受承重墙结构布置的局限性,而有可能在一个较大的建筑空间内,采用轻质隔断(如:石膏板、加气混凝土板)将大空间分隔成所需要的、大小不同的小空间,并且随着功能的变化,可以重新进行分隔,改变空间的大小和组合,以符合各种功能的要求,使用灵活。

5. 艺术要求

在进行使用空间设计时,一般首先考虑使用性质和技术经济条件,与此同时,还必须考虑内部空间的构图观感等精神功能要求。如空间的比例,各个界面的处理,材料质感和色彩的运用以及空间气氛的形成等。如教室、居室要求朴实、安静;幼儿园活动室要求轻松活泼;纪念馆、陈列室则要求创造清静、严肃的气氛,等等。

2.1.2 面积、形状、开间、进深与层高的确定

1. 房间面积

房间面积的大小,是由房间内部活动特点、使用人数的多少、家具设备的数量和布置方式等多种因素决定的。一般来说,规模大、容纳人数多的房间,面积也需要大些。在实际工作中,房间面积的确定主要依据我国相关部门及各地区指定的面积定额指标。根据房间的容纳人数及面积定额就可以得出房间的总面积。应当指出的是,每人所需的面积除依据面积定额指标外,还需通过调研并结合建筑物的标准综合考虑。如表2-2所示。

表 2-2　　　　　　部分民用建筑房间面积定额参考指标　　　　　　(单位:m^2)

建筑物	面积定额
电影院	0.5 席座/人
食堂	(0.9~2.0)餐位/人,厨房$\frac{1}{3}$餐厅面积
中小学校	普通教室(1.5~1.8)/人　校舍面积(5~7)/人
公共浴室	浴室(1.2~2.4)/人,更衣室$\frac{3}{4}$浴室面积
公共图书馆	阅览室(1.5~3.0)/人,书库200~250册/m^2
青年旅行社	寝室(2.0~3.0)/人,总面积(7~12)/人
寄宿舍	寝室(2.5~3.0)/人
事务所	办公室(5~8)/人,总面积(10~13)/人
住宅	寝室(5~8)/人,总面积(10~20)/人
综合医院	单人间6.3/人,两人间以上(6~15)/人,总面积(30~45)/人
旅馆	标准间(16~26)/人,总面积(19~21)/人
停车场	(11~25)/辆,总面积(30~35)/辆

有些建筑物的房间面积指标未作规定，使用人数也不固定，如展览厅、营业厅等。这就要求设计人员对同类、规模相近的建筑物进行调研，充分掌握使用特点，制定合理使用标准，通过分析比较得出比较合理的房间面积。

2. 房间形状

民用建筑常见的房间形状有矩形、方形、多边形、圆形等。在具体设计中，应从使用要求（如视、听）、结构形式、结构布置、经济条件、美观、心理感受等多方面综合考虑，选择合适的房间形状。

绝大多数的建筑房间采用矩形，其主要原因是矩形便于家具布置和设备安排，空间利用充分；其结构布置简单，便于施工；而且矩形平面便于统一开间、进深，有利于平面及空间的组合。

当然，矩形平面也不是唯一的形式。就中小学教室而言，在满足视、听及其他要求的条件下，也采用方形及六角形平面，如图 2-17 所示。方形教室的优点是进深加大，长度缩短，外墙减少，相应交通线路缩短，用地经济。同时，方形教室缩短了最后一排的视距，视听条件有所改善，但为了保证水平视角 α 的要求，前排两侧均不能布置课桌椅。

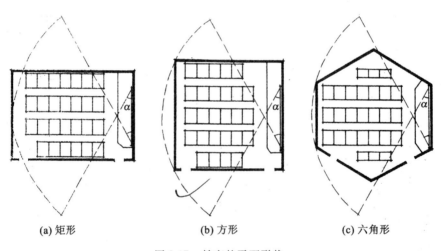

(a) 矩形　　　　　　　　(b) 方形　　　　　　　　(c) 六角形

图 2-17　教室的平面形状

对于一些单层大空间如观众厅、杂技场、体育馆等房间，其形状则首先应满足这类建筑物的特殊功能及视听要求。如杂技场常采用圆形平面以满足演马戏时动物跑弧线的需要。观众厅应满足良好的视听条件，既要看得清也要听得好。在平面形状的选择上特别应注意良好的音质要求，做到音色不失真，声音丰满，没有回声、轰鸣、干涩等不良现象，使声场分布均匀，也要避免有害反射声所造成的回声及聚焦现象。观众厅的平面形状一般有矩形、钟形、扇形、六角形、圆形，如图 2-18 所示。矩形平面体型简单，声场分布较均匀，池座前部能接受侧墙一次反射声的区域比其他平面形状大。当跨度较大时，前部易产生回声，故常用于小型观众厅。扇形平面由于侧墙倾斜，声音能均匀地分散到大厅的各个区域，多用于大、中型观众厅。钟形平面的声响效果介于矩形平面和扇形平面之间，声场分布均匀。六角形平面声场分布均匀，但屋盖结构复杂，适用于中、小型观众厅。圆形平面有严重的声场分布不均匀现象，一般观众厅很少采用，但由于视线及疏散条件较好，常用于大型体育馆。

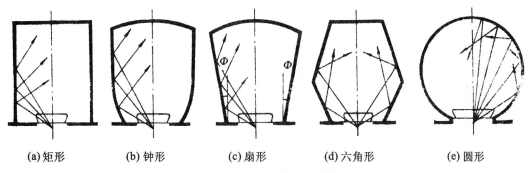

(a) 矩形　　(b) 钟形　　(c) 扇形　　(d) 六角形　　(e) 圆形

图 2-18　观众厅的平面形状

有的小型公共建筑，结合空间所处的环境特点、建筑功能要求以及建筑师的艺术构思，房间平面常采用圆形、多边形及不规则的形状。如天津水上公园茶室，如图 2-19 所示，半圆形的水榭伸入湖中，人们可以方便地俯瞰四周湖面，弧形半开敞的冷饮廊与地形巧妙结合，平面空间具有活泼、开敞、轻松的气氛。

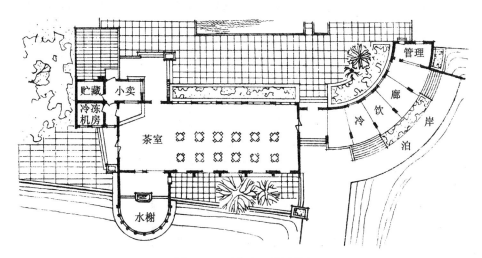

图 2-19　天津水上公园茶室

3. 开间与进深

房间开间和进深的确定是由下列因素决定的：

首先是取决于室内家具和设备的布置，满足人们在房间里面进行活动的要求。如设计食堂时应考虑餐厅桌椅的大小及布置方式；设计旅馆时，应考虑客房的家具、设备的大小及布置方式等。因此设计时需进行调查研究，进行认真的分析，从而提出使用方便的开间和进深。

其次是考虑结构布置的经济合理性及建筑面积定额的控制。设计时房间大小要求不一，但要减少结构构件规格，便于构件的统一。这就需要确定一种基本统一开间（目前较经济的开间是不大于4m）和跨度（较经济的是不大于9m），并且为了逐步提高建筑工业化的水平，进深和开间应采用一定的模数，作为统一与协调建筑尺度的基本标准。确定了基本的结构布置尺寸后，房间的大小基本上就是利用开间倍数的尺寸。如图2-20所示。同时，在统一了开间和进深以后，还要使每个房间的面积不超过定额的规定或设计任务书的要求。

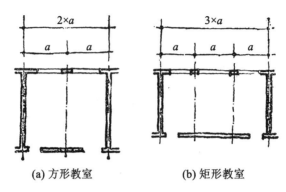

图2-20 房间的大小与开间（以教室为例）

此外，开间和进深的确定还应考虑采光方式的影响，单面采光的房间进深就小一些，一般是进深不大于窗子上口距离地面高度的两倍，双面采光的房间进深则可以增大一倍，当采用天窗采光或机械采光时，房间的进深则不受限制。如图2-21所示。

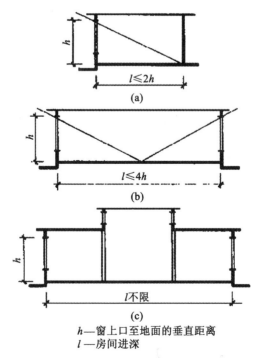

图2-21 采光方式对房间进深的影响

4. 层高

层高的决定主要考虑以下若干方面的问题：

(1) 有利于采光、通风和保暖。进深大的房间为了采光而提高采光口上缘的高度，往往需要增大层高，否则光线不均匀，房间最深处照度较弱；另外，室内热空气上浮，需要足够的空间与室外对流换气，所以房间也不能太低，特别在炎热地区更应略高一点。但过高则室内空间太大，散热多，对冬天的保温不利，当然也不经济。

(2) 考虑房间高与宽的合适比例，给人以正常的空间感。面积相差较大的房间，其室内高度也应有所不同。一般地，面积大的房间，相应地高一点，面积小的房间则可以低一些。

(3) 考虑房间的不同用途，保证室内正常的活动。不同用途的房间，即使面积大致相同，其室内高度，有时也可以不一。一般说来，公共性的房间如门厅、会议厅、休息厅等以高一些为宜（如 $3.5 \sim 5m$），非公共性的房间可以低一点，工作办公用房可以适当高一点（$3 \sim 3.5m$），居住用房可以低一点（$3m$ 以下），旅馆客房采用单层铺时可以低一些，采用双层铺时则应高一些，某些特殊用房则应根据具体要求来决定。

(4) 考虑楼层或屋顶结构层的高度及构造方式。层高一般是指室内空间净高加上楼层结构的厚度。因此，层高的决定应考虑结构层的厚度。房间若采用吊平顶时，层高则应适当加高；或者当房间跨度较大，梁很高时，即使不吊平顶，也应相应增大层高，否则，也会产生大梁的压抑感，反之，则可以低一点。

(5) 层高的决定还要考虑建筑的经济效果。相关实践表明，普通混合结构建筑物，层高每增加 $100mm$，单方造价要相应增加 1% 左右。可见，层高的大小对节约投资具有很大的经济意义。尤其对大量性建造的建筑中更为显著。所以大量建造的中、小型的公共建筑，如中小学、医院、托儿所，幼儿院，这类建筑物层高都应有所控制。对那些标准较高的公共建筑物来讲，由于其设有冷气、暖气设备，从节约能源出发，也应选择层高低一些。

2.1.3 辅助房间设计

这类房屋使用空间一般在建筑物中作为辅助部分设置的，如卫生间、盥洗室、储藏室、设备用房等。这些房间既要求与其所服务的房间相联系或接近，又应位于比较次要和僻静的位置，一般应尽量利用建筑物的暗角。

1. 卫生间、盥洗室

卫生间虽然不是建筑物中的主要部分，但卫生间却是不可缺少的房间。

(1) 一般要求

卫生间在建筑物中应处于"既隐蔽又方便"的位置。与走廊、大厅等交通部分相联系，但由于使用和卫生方面的要求，还应设有过渡性的"前堂"空间。大量人群使用的卫生间，应有良好的通风和采光。为少数人使用的卫生间，允许间接采光，但应考虑抽风设备，以保证卫生间内的空气清洁。

在确定卫生间位置时，应考虑到户外原有给水管和排水道的位置，以便获得经济、方便的管网位置。在建筑物内部也应使卫生间的位置既满足使用要求，又能节约管线。在垂直方向上尽可能把卫生间布置在上下相对应的位置，以节约管道和方便施工。

从卫生要求考虑，公共卫生间不应采用座式大便器。尤其是幼儿园、小学、医院等建筑物中的卫生间，更应注意这个问题，以免疾病传染。公共卫生间还应考虑残疾人使用，设置无障碍设施。墙面和地面应采用防水性好，便于清洁打扫的材料，例如水磨石、瓷砖、马赛克等。卫生间的地面标高应比同层的其他部分（房间或走廊）略低，一般低3～5cm。

（2）卫生器具数量的确定

卫生间的面积大小是根据室内卫生器具的数量和布置而定的，卫生器具的数量取决于下列因素：使用建筑物的总人数；使用对象，如老、幼、病人等，因不宜久等，在确定数量时应适当增加；使用者在建筑物中停留时间的长短，若停留时间不长，卫生器具数量应适当减少；使用的时间，如学校中的卫生间，学生都集中在课间10min左右的时间内使用，在确定卫生器具数量时应相应增加。某几类建筑物中每个卫生器具供使用的人数，可以参考表2-3。

表2-3　　　　　某几类建筑物中卫生器具供使用人数的参考表　　　（单位：人）

建筑类型		男 厕		女 厕	盥洗每个洗面盆	附 注
		每个大便器	每个小便器	每个大便器		
幼儿园、托儿所		5～10		5～10	2～5	0.5m长小便池等于一小便斗。0.7m长洗手池等于一个洗手盆，每8人设一盥洗位置，每30人设一淋浴头。
中小学		40	40	25	100	
办公楼		50	50	30	50～80	
旅 馆		20	20	12		
医院住院病人用		20	20	15		
影剧院		75	35	50	140	
体育馆	观众用	250	50	100	150	每6个大便池设一水龙头
	运动员用	30	30	20		每6个大便池设一水龙头，10～15人设一淋浴头
体育场	≤5000	500	100	100	750	男女比例一般按7:3
	5000～25000	750	150	150	1000	
	25000～50000	1000	200	200	1500	
火车站		80	80	50	150	
宿 舍		20	20	15	15	

（3）卫生间的基本尺寸及布置形式

卫生间的基本尺寸如图2-22所示。

卫生间的平面布置形式基本可以分为两种：无前室的和带前室的，如图2-23所示。无前室的卫生间，在进行其内部布置时，应考虑到当卫生间门开启时的视线有所遮挡。设有前室的卫生间，其前室往往作为盥洗间之用。男、女卫生间的前室可以共用，亦可以分别设置，视使用人数及质量标准而定。

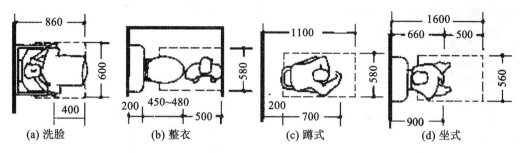

图 2-22 卫生间的基本尺寸（单位：mm）

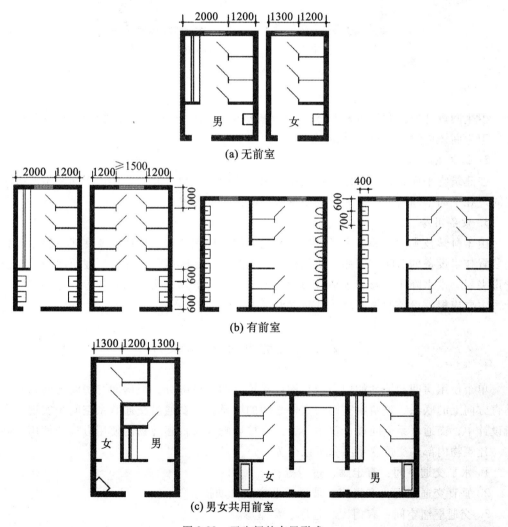

图 2-23 卫生间的布置形式

国外（特别是日本）近年来在旅馆和住宅建筑中，采用预制盒子结构卫生间，这类卫生间既节约建筑费用，又提高建设速度。由于精心设计、细致加工，使建筑面积亦达到最小限度。如三件卫生设备的卫生间，一般面积不超过 $2m^2$。日本大阪的伙伴旅馆盒子卫生间面积为 $1.65m^2$（$1.1m×1.5m$）。新大阪地产旅馆的盒子卫生间面积仅为 $1.56m^2$（$1.465m×1.065m$），如图 2-24 所示。

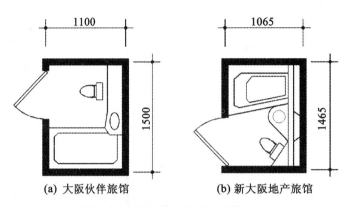

图 2-24 盒子结构卫生间（单位：mm）

卫生间设计应注意设置清洁水槽和放置清洁工具的位置；如果建筑物需要无障碍设计，卫生间还应增设残疾人蹲位。

2．储藏室

在建筑物平面布置中，储藏室往往利用较隐蔽的暗角，并尽量接近于储藏室所服务的房间。在平面空间组合中，往往利用零星空间设置储藏室。

3．设备用房

由于科学技术的发展，为了更好地满足人们的使用要求，往往需要在建筑物中设置一些装置技术设备的房间。例如，冷风机房、锅炉房、配电房等。在高层建筑物中甚至设有管道夹层、供水降压水箱和水平管布设层，顶层设有电梯机房、储水池等。这些房间的设计，主要应根据设备的规格尺寸及技术要求考虑。

§2.2 交通联系空间设计

单个使用房间和辅助使用房间是构成建筑物的主体部分，但房间与房间之间的水平和垂直方向上的联系、建筑物室内与室外之间的联系，都要通过交通联系空间来实现。在建筑设计中，交通联系空间设计得当与否，直接影响到整栋建筑物的使用方式和使用效果。

建筑物内部的交通联系部分可以分为：

1．水平交通空间：有走廊、过道等；

2．垂直交通空间：有楼梯、坡道、电梯、自动扶梯等；

3．交通枢纽空间：有门厅、过厅、穿堂等。

交通联系部分设计的主要要求有：

1．交通路线简洁明确，联系通行方便；

2．人流通畅，紧急疏散时迅速安全；

3．满足一定的采光、通风要求；

4. 力求节省交通面积，同时考虑宅间处理等造型问题。

2.2.1 水平交通空间

走道又称为走廊、过道，是连接各个房间、楼梯和门厅等各部分的通道，以解决建筑物中水平联系和疏散问题。走道除作为交通联系和疏散通道外，还可以兼有其他功能，如教室走道可以供学生课间休息，布置陈列橱窗、黑板展览之功用；展览馆的走道应满足边走边看的要求；医院的走道可以兼做候诊功能。

1. **走道的宽度**

走道的宽度主要根据人流通行、安全疏散、走道性质、空间感受以及走道侧面门的开启方向等综合因素来确定。

专为人行的走道宽度可以根据人流股数并结合门的开启方向综合考虑。一般走道均为双向人流，一般每股人流宽 550mm 左右，故走道最小净宽度≥1100mm，三股人流净宽 1700mm 左右。如图 2-25 所示对于携带物品为主，有车流或兼有其他功能的走道，应结合实际使用功能和走廊内家具设备及人活动方式、特点、尺寸来确定适当加宽走道的尺寸。如图 2-26 所示。

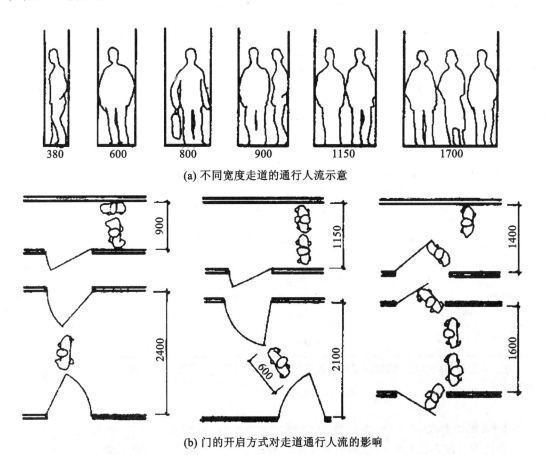

(a) 不同宽度走道的通行人流示意

(b) 门的开启方式对走道通行人流的影响

图 2-25　走道宽度示意图

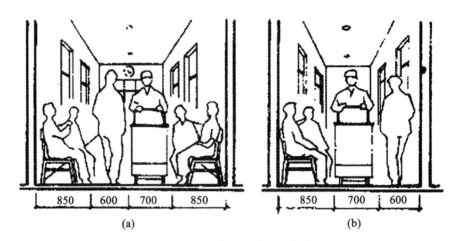

图 2-26 兼作候诊室的医院走道

走道的宽度除满足上述要求外,还应根据建筑物的耐火等级、层数和过道中通行人数的多少,进行防火要求最小宽度的校核。如表 2-4 所示。

表 2-4

耐火等级	层数	宽度指标/(m/百人)
一、二级	一、二层	0.65
	三层	0.75
	≥四层	1.00
三级	一、二层	0.75
	三层	1.00
	≥四层	1.25
四级	一、二层	1.00
	三层	
	≥四层	

注:底层外门的总宽度应按该层以上最多的一层人数计算,不供楼上人员疏散的外门,可以按本层人数计算。

2. 走道的长度

走道的长度可以根据组合房间的实际需要来确定,但同时应遵循采光、防火规范的相关规定。从防火角度看,走道又分为普通走道和袋形走道。前者即位于两个外部出口或楼梯间之间的房间的走道,后者即位于一个出入口或楼梯间两侧或尽端房间的走道,如图

2-27 所示。这两种走道的长度，根据建筑物性质和耐火等级提出不同的要求。表 2-5 明确了房间门至外部出口或封闭楼梯间的最大距离的规定，该规定既是对走道长度的限制，也是确定楼梯和外部出口的位置、数量的根据之一。

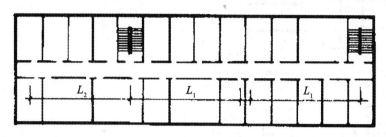

图 2-27 走道长度的控制

表 2-5　　　　　　　　房间门至外部出口或楼梯间的最大距离　　　　　　　（单位：m）

名　称	位于两个外部出口或楼梯之间的房间（L_1）			位于袋形走道两侧或尽端的房间（L_2）		
	耐火等级			耐火等级		
	一、二级	三级	四级	一、二级	三级	四级
托儿所　幼儿园	25	20	—	20	15	—
医院　疗养院	35	30	—	20	15	—
学校	35	30	25	22	20	15
居住建筑物、其他公共建筑物及工业辅助建筑物	40	35	25	22	20	15

注：①本资料摘自 2006 年版《建筑设计防火规范》(GB50016—2006)。

②表 2-5 中楼梯间系指封闭楼梯间或防烟楼梯间。

③设有一般楼梯间的居住、公共和工业辅助建筑物内任何房间的门至最近楼梯间的距离，当房间位于两个楼梯间之间时，应按表 2-5 中的数据减少 5m；当房间位于袋形走道两侧或尽端时，应按表 2-5 中的数据减少 2m。

④在一般楼梯间的底层应设有直接的对外出口。当层数不高于四层时，可以将对外出口布置在离楼梯间不大于 14m 处。

3. 走道的采光与通风

走道宜直接采光，采光窗的面积比一般以不低于 $\frac{1}{10}$ 为宜。左右两面布设房间的走道，解决采光最有效的方式是在走廊端部开窗，或利用楼梯间、门厅、过厅直接采光，若走道过长，或在走道端部不能开窗时，可以利用走道两侧门上孔或墙上开高窗来解决采光和通风的问题，间接采光走廊的窗地面积比以不小于 $\frac{1}{5}$ 为宜。在走廊设计中一般不宜有高差或踏步，若不可避免，在高差处应有良好的自然采光。如图 2-28 所示。

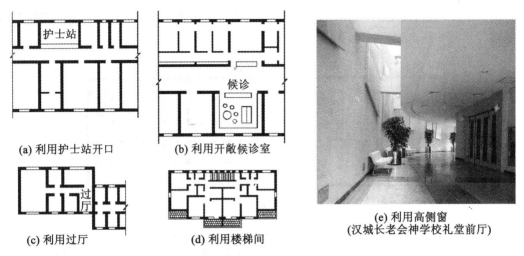

图 2-28 改善过道采光通风的措施示例

2.2.2 垂直交通空间

1. 楼梯

楼梯是多层建筑物中常用的垂直交通联系设施，应根据使用要求选择合适的形式、布置恰当的位置，根据使用性质、人流通行情况以及防火规范综合确定楼梯的宽度及数量，并根据使用对象和使用场合选择最舒适的坡度。一般最舒适的楼梯坡度是30°左右。20°～45°之间的坡度适用于内楼梯，20°及20°以下的坡度适用于坡道及台阶，爬梯可以采用60°以上的坡度。

（1）楼梯的形式与位置

楼梯的形式主要有直行跑梯、平行双跑梯、三跑梯等形式。直行跑梯方向单一，不转向，构造简单，常给人以严肃向上的感觉。除常用于层高较小的建筑物以外，公共建筑物为解决人流疏散的问题也常采用这种形式。如北京人民大会堂宴会厅大楼梯。平行双跑梯是民用建筑物中最为常用的两种形式，往往布置在单独的楼梯间中，占用面积少，使用方便。三跑梯体态灵活，造型美观，但梯井较大，常布置在公共建筑物门厅和过厅中。此外，楼梯还有弧形、螺旋形、剪刀式等多种形式。

民用建筑物中楼梯的位置按其使用性质可以分为主要楼梯、次要楼梯和疏散楼梯等。一般主要楼梯设置在入口门厅附近，次要楼梯则设置在次入口附近。如果主要楼梯和次要楼梯满足防火疏散要求，也可以作为疏散楼梯。如图 2-29 所示。

（2）楼梯的宽度和数量

楼梯的宽度和数量主要根据使用性质、使用人数和防火规范来确定。一般供单人通行的楼梯宽度应不小于850mm，双人通行的楼梯宽度为1100～1200mm。一般民用建筑物中楼梯的最小净宽应满足两股人流疏散要求，但住宅内部楼梯宽度可以减小到850～900mm。所有楼梯梯段宽度的总和应按照《建筑设计防火规范》（GB50016—2006）和《高层民用建筑设计防火规范》（GB50045—1995）的最小宽度进行校核，如表2-6所示。

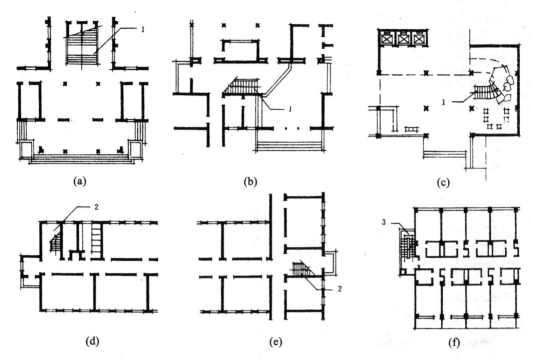

1—主要楼梯；2—次要楼梯；3—消防楼梯

图 2-29 楼梯的位置

表 2-6 疏散楼梯的最小净宽度

高层建筑	疏散楼梯的最小净宽度/m
医院病房楼	1.30
居住建筑	1.10
其他建筑	1.20

楼梯的数量应根据使用人数及防火规范要求来确定，必须满足关于走道内房间门至楼梯间的最大距离的限制，如表 2-5 所示。在通常情况下，每一幢公共建筑物均应设两个楼梯。对于使用人数少或除幼儿园、托儿所、医院以外的二、三层建筑物，当其符合表 2-7 中的要求时，也可以只设一个疏散楼梯。

表 2-7 设置一个疏散楼梯的条件

耐火等级	层数	每层最大建筑面积/m²	人　数
一、二级	二、三层	400	第二层和第三层人数之和不超过 100 人
三级	二、三层	200	第二层和第三层人数之和不超过 50 人
四级	二层	200	第二层人数不超过 30 人

（3）开敞楼梯间、封闭楼梯间和防烟楼梯间

民用建筑物中的楼梯按照使用特点和防火要求有开敞、封闭和防烟三种楼梯间。层数不多或公共建筑门厅中常采用开敞式楼梯，如图 2-30 所示，这对于丰富空间、美化环境起到很好的作用。按照防火规范的要求，医院、影剧院等以及超过 5 层的其他公共建筑物，楼梯间应为封闭式，即采用防火墙和门把楼梯与走道等空间分开，并保证楼梯间有良好的采光和通风。

图 2-30 门厅设置开敞式楼梯间

《建筑设计防火规范》(GB50016—2006) 中规定：当封闭楼梯间不能天然采光和自然通风时，应按防烟楼梯间的要求设置；《高层民用建筑设计防火规范》(GB50045—1995) 中规定：一类建筑物和除单元式、通廊式住宅外的建筑高度超过 32m 的二类建筑物以及塔式住宅，均应设防烟楼梯间。如图 2-31、图 2-32 所示。

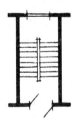

图 2-31 封闭楼梯间

若采用封闭式楼梯间，对于要求位置明显易找和起到一定装饰性的主楼梯，往往带来不利影响，这时也可以采取开敞与封闭相结合的楼梯间，即在底层做开敞楼梯，并对整个门厅做扩大的封闭处理，其他层再做封闭式楼梯间。如图 2-33 所示。

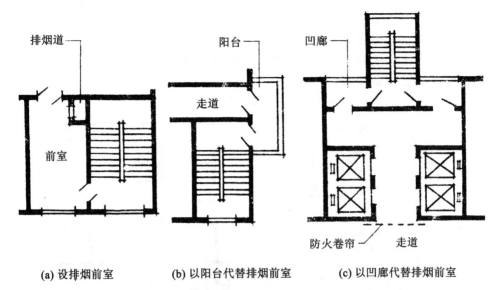

(a) 设排烟前室　　　　(b) 以阳台代替排烟前室　　　　(c) 以凹廊代替排烟前室

图 2-32　防烟楼梯间

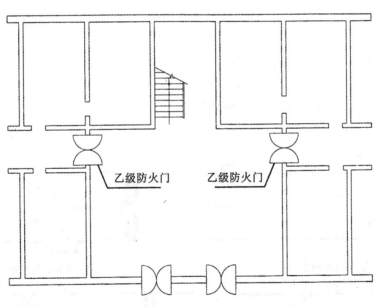

图 2-33　底层扩大封闭楼梯间

2. 电梯

高层建筑物中垂直交通多以电梯为主，其他有特殊要求的多层建筑物，如宾馆、医院等，除设置楼梯外，还需要设置电梯，而且 12 层以上的住宅及高度超过 32m 的其他建筑物中，还应设消防电梯。

电梯按使用性质可以分为乘客、载货和客货两用等若干种，其中民用建筑物中乘客电梯是常用类型，在确定电梯间形式及布置方式时应考虑如下几点：

（1）电梯间应布置在人流集中的地方，如门厅、出入口处等。而且电梯前应有足够的等候面积，一般不小于电梯轿厢面积。

（2）在电梯附近应设置辅助楼梯备用。

（3）当需设多部电梯时，宜集中布置，有利于提高电梯使用效率也便于管理维修。

电梯的布置方式有单面式和对面式。如图2-34所示。

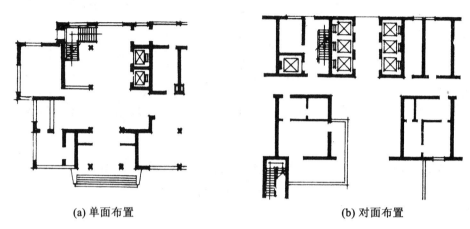

(a) 单面布置　　　　　　　　　　　(b) 对面布置

图2-34　电梯布置示意图

3. 自动扶梯

在人流川流不息的情况下，采用自动扶梯解决垂直交通问题是非常有效的。自动扶梯外观似普通楼梯，有一级一级可以移动的踏步，乘客站在第一级踏步上，踏步不断向上移动，到达目的楼层。如图2-35所示。

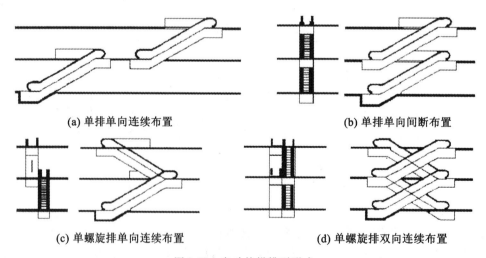

(a) 单排单向连续布置　　　　　　　(b) 单排单向间断布置

(c) 单螺旋排单向连续布置　　　　　(d) 单螺旋排双向连续布置

图2-35　自动扶梯排列形式

公共建筑物中，在设置自动扶梯的同时，仍需布置电梯及一般性楼梯，作为辅助性的垂直交通工具。

2.2.3 枢纽交通空间

1. 门厅

门厅是建筑物主要出入口处的内外过渡、人流集散的交通枢纽。在一些公共建筑物中，门厅除了交通联系外，还兼有适应建筑物类型特点的其他功能要求，例如旅馆门厅中的服务台、问讯处或小卖部，门诊所门厅中的挂号、取药、收费等部分，有的门厅还兼有展览、陈列等使用要求。和所有交通联系部分的设计一样，疏散出入安全也是门厅设计的一个重要内容。门厅对外出入口的总宽度，应不小于通向该门厅的过道、楼梯宽度的总和，人流比较集中的公共建筑物，门厅对外出入口的宽度，一般按每100人0.6m计算。外门的开启方式应向外开启或采用弹簧门扇。

门厅的面积大小，主要根据建筑物的使用性质和规模确定，在调查研究、积累设计经验的基础上，根据相应的建筑标准，不同的建筑类型都有一些面积定额可以供参考，例如中小学的门厅面积为每人$0.06 \sim 0.08m^2$，电影院的门厅面积，按每一观众不小于$0.13m^2$计算，一些兼有其他功能的门厅面积，还应根据实际使用要求相应地增加。

导向性明确，避免交通路线过多地交叉和干扰，是门厅设计中的重要问题。门厅的导向明确，即要求人们进入门厅后，能够比较容易地找到各过道口和楼梯口，并易于辨别这些过道或楼梯的主次，以及这些过道或楼梯通向房屋各部分使用性质上的区别。

根据不同建筑类型平面组合的特点，以及房屋建造所在基地形状、道路走向对建筑物中门厅设置的要求，门厅的布局通常有对称和不对称两种。

门厅中还应组织好各个方向的交通路线，尽可能减少来往人流的交叉和干扰。对一些兼有其他使用要求的门厅，更需要分析门厅中人们的活动特点，在各使用部分留有尽量少穿越的必要活动面积。

由于门厅是人们进入建筑物首先到达、经常经过或停留的地方，因此门厅的设计，除了应合理地解决好交通枢纽等功能要求外，门厅内的空间组合和建筑造型要求，也是一些公共建筑物中重要的设计内容之一。如图2-36、图2-37所示。

2. 过厅

过厅又称为穿堂。过厅是走道的交会点，或作为门厅的人流再次分配的缓冲和扩大地带，在不同大小和不同功能的空间交接处设置过厅可以起到空间的过渡作用。

如图2-38所示，武夷山山庄地下餐厅，以过厅串联休息厅、餐厅，以及以攀藤植物为主的内庭。这个过渡空间犹如肌体的动脉一样重要，将与地形结合的大小两个餐厅与内院形成高低变化的多元空间。通向底层的楼梯设在休息厅与机房之间，交通明确，同时也起到了联系客房的作用。

3. 中庭

中庭是指设在建筑物内部的庭院，也称为共享空间，通常设置玻璃顶盖避风雨，在中庭内设楼梯、透明电梯、自动扶梯等垂直交通联系工具而成为整幢建筑物的交通枢纽空间，同时亦作为人们休闲、观赏和交往的共享空间。如图2-39所示，深圳大学图书馆，阅览室、办公、辅助用房围绕着中庭布置，中庭为贯通六层的共享空间，顶部为玻璃天棚。中庭四角采用实墙，布置垂直交通井为一个联系一至三层楼的双跑楼梯，交错布置。位置明确、交通联系方便，富有动感的布局形式起到了丰富空间的作用。这个中庭是同学

1—门廊；2—门厅；3—过厅；4—传达；5—收发；6—会客；7—厕所

图 2-36　办公建筑门厅功能组成示意图

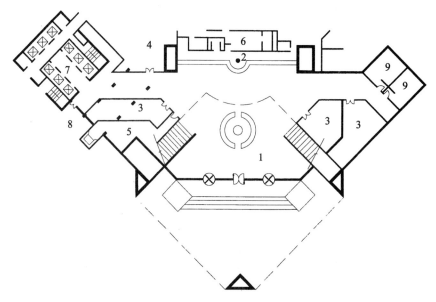

1—大堂；2—总服务台；3—商店；4—酒吧；5—行李间；6—后台办公；
7—电梯厅；8—美容；9—卫生间

图 2-37　南京市金陵酒店门厅平面图

们学习之余交流、散步、做操、习拳和休息等多种活动的场所。特别是晴朗的日子里，阳光透过玻璃天棚照射下来，随着时间的变化，产生各种不同的光影效果，使整个中庭更加充满了生气。

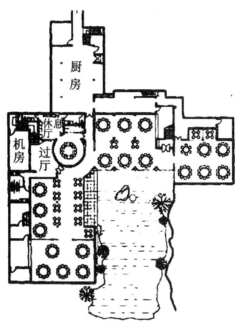

图 2-38　武夷山山庄地下餐厅平面图

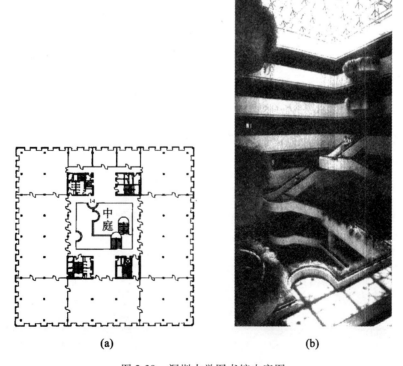

图 2-39　深圳大学图书馆中庭图

复习思考题

1. 建筑使用空间设计应考虑哪些因素？
2. 建筑开间、进深和层高的确定有哪些要点？
3. 如何看待辅助房间的地位？试简述卫生间设计的要点。
4. 如何确定走道的长度和宽度？
5. 如何确定楼梯的数量、宽度和选择楼梯的形式？
6. 试说明门厅的作用及设计要求，如何确定门厅的大小和布置方式？

第3章 建筑物的空间组合

本章提要： 建筑物的平面及空间组合，主要是综合解决建筑功能、物质技术和建筑美观的问题。本章着重讨论建筑空间组合时如何考虑各种功能要求，以及根据功能要求进行空间组合的基本原则与方法。

建筑空间组合是在熟悉使用空间、使用要求的基础上，进一步分析建筑物整体的使用要求，分析各种使用空间之间以及使用空间和交通联系空间之间的相互关系，并考虑技术、经济和建筑艺术等方面的要求，结合整体规划、基地环境等具体条件，将各使用空间和交通联系空间在水平和垂直方向上相互联系结合，组成一个有机整体。

建筑空间组合设计的任务是：

1. 根据建筑物的功能要求，合理分区，妥善解决平面各组成部分空间的相互关系，安排各使用空间的相对位置。

2. 选择合适的交通联系方式，组织好建筑物内部及建筑物内外之间的交通联系，交通联系应简洁明确，避免流线相互交叉干扰。

3. 按照建筑物的性质、规模和基地环境，确定建筑物的平面形式，应做到布局紧凑、用地节约，并为体型塑造、立面设计创造条件。

4. 考虑结构布置、构造处理、施工方法和所用材料的合理性，掌握建筑标准，注意美观要求，注意经济效益和社会效益。

建筑物类型繁多，每种类型建筑物又包括若干种用途不同的多个空间，这些空间需按其使用要求组合成一幢完整的建筑物。在进行空间组合时，应对各种空间进行深入的功能分析，分清主次、闹静、内外等，明确流线顺序，并根据材料、结构、技术、经济等具体条件，因地制宜，全面综合考虑，使建筑物内部空间组织完善，造型简洁，达到预想的艺术效果。

§3.1 建筑物空间组合原则

3.1.1 合理地进行功能分区

功能分区是进行单体建筑空间组合时首先必须考虑的问题。对一幢建筑物而言，其功能分区是将组成该建筑物的各种空间，按不同的功能要求进行分类，并根据各空间之间的密切程度加以划分，使功能既分区明确又联系方便。在分析功能关系时，可以用简图表示各类空间的关系和活动顺序。具体进行功能分区时，可以从以下若干方面着手分析。

1. 使用功能的分类

不同类型的建筑物有不同的功能组成，把建筑物的使用功能进行归类，使性质相近、特征类似的空间按类型聚集，以便于按顺序进行空间的组合。如商场可以分为营业厅、仓储、行政管理、辅助用房四大类功能；旅馆可以分为客房、餐饮、娱乐、商业、行政管理、辅助用房六大类功能。分类后，为下一步按次序组合空间创造了条件。建筑设计可以按单元归类，如在设计住宅建筑时，即先分出若干单元，再进行累加和拼连，在设计教学楼时，有教学单元的做法。

2. 空间的主与次

组成建筑物的各类空间，按其使用性质必然有主次之分，在进行空间组合时，这种主次关系应恰当地反映在位置、朝向、通风、采光、交通联系以及建筑空间构图等方面。其一般规律是：在满足使用顺序的情况下，主要使用空间在较好的区位，靠近主入口，保证良好的朝向、采光、通风、景向、环境等条件，次要的使用空间则次之。以食堂为例，如图3-1所示，食堂包括餐厅、厨房、办公管理三个组成部分，其中餐厅应居于主要部位，其次是厨房，最后才是办公管理，这三者应有明确的划分，互不干扰，但又需有方便的联系。因此在组合时，餐厅应布置在主要位置上，成为建筑构图的中心，并争取最优的朝向，良好的通风采光和富有特色的视野。

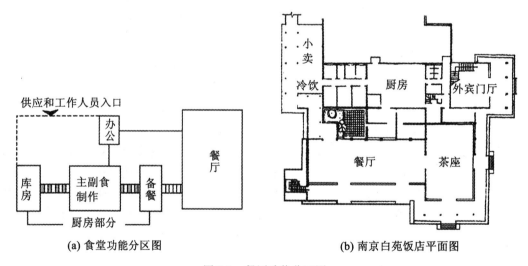

(a) 食堂功能分区图　　　　　　(b) 南京白苑饭店平面图

图3-1　餐厅功能分区图

但这并不意味着次要的、辅助的部分不重要，可以随意安排，相反，只有在次要空间和辅助空间进行妥善配置的前提下，才能保证主要空间充分发挥作用。如居住建筑中，若厨房、浴厕等辅助空间设计不当，必将影响居室的合理使用。

3. 空间的"闹"与"静"

建筑物中一般供学习、工作、休息等使用的空间希望有较安静的环境，而有的空间在使用中嘈杂喧闹，甚至产生机器噪声，这两部分则要求适当的分隔。在具体布局时，可以从平面空间上进行划分，亦可以从垂直方向进行分隔。如幼儿园的音体室就需与生活用房适当分离。如图 3-2 所示。

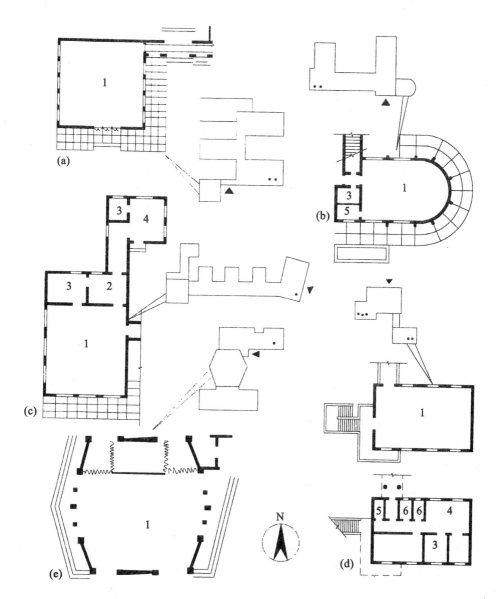

图 3-2 幼儿园音体室位置图

4. 空间联系的"内"与"外"

在民用建筑物的各种使用空间中，有的对外联系的功能居主导地位，而有的对内关系密切一些。所以，一般将对外性较强的空间尽量布置在出入口等交通枢纽的附近，对内性较强的空间力争布置在比较隐蔽的部位，并使其靠近内部交通的区域，如图 3-3 所示。

在分区方式方面，既可以在水平面（同层）进行分区，称为水平分区；也可以在垂直面（异层）进行分区，称为垂直分区，以突出关系明确、互不干扰的分区特点。

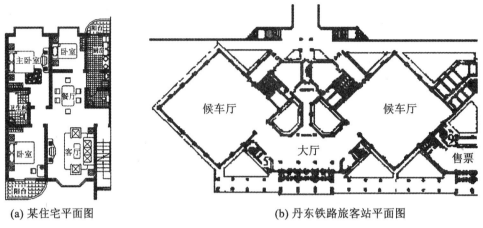

(a) 某住宅平面图　　　　　(b) 丹东铁路旅客站平面图

图 3-3　按空间的内外功能关系分区的建筑示例图

3.1.2　合理组织交通流线

人在建筑物内部的活动，物在建筑物内部的运用，构成建筑物内的交通组织问题。这个问题包括两个方面，一是相互的联系，二是彼此的分隔。合理的交通路线组织就是既要保证相互联系的方便、简洁，又要保证必要的分隔，使不同的流线不相互交叉干扰。

从流线的组成情况看，有公共人流交通线、内部工作人流交通线和辅助供应交通流线之分。交通流线组织要求以"主要人流路线"作为设计与组合空间的"主导线"。根据这一"主导线"把各部分设计构成一连串的丰富多彩的有机结合的空间序列。不同性质的流线应明确分开，避免相互干扰。流线的组织应符合使用程序，力求流线简洁明确、通畅、不迂回，最大限度地缩短流线。流线组织还要有一定的灵活性，以创造一定的灵活使用的条件。流线组织与出入口设置必须与室外道路密切结合，二者不可分割，否则从单体平面上看流线组织可能是合理的，而从总平面上看可能就不合理，甚至相反。

一般建筑物的流线组织方式有平面的和立体的。在小型建筑物中流线较简单，常采用平面的组织方式。规模较大、功能要求较复杂的民用建筑物，常需综合平面和立体方式组织人流的活动，以利于缩短流程，使人流互不交叉。图 3-4 为商业建筑物中的流线处理示例图。

3.1.3　空间布局宜紧凑高效

建筑物中在满足使用要求的前提下，空间布局紧凑有利于提高建筑物的使用效率，对节地、节约建造成本和运行成本有着很强的现实意义。

1. 加大建筑物进深

如图 3-5 所示，以城市型住宅为例，纵墙承重的大开间住宅平面类型逐渐减少（见图 3-5（a））。由于住宅建筑的经济指标控制较严格，如何发挥每一平方米建筑面积的使用效率，这一问题就更为突出。平面组合时应尽可能加大进深，有助于节约用地和使平面布局紧凑（见图 3-5（b））。当前在一般标准的住宅中，小方厅住宅平面形式越来越受欢迎，

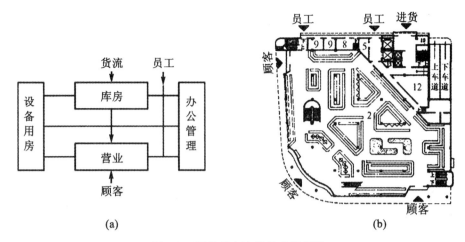

图 3-4 百货商店流线关系示例图

因这类小方厅除作为交通联系之用外,又能兼作用餐、接待等多种功能,充分发挥了面积的使用效率。点式住宅中(见图 3-5(c)),围绕垂直交通向四周布置住户的布局方式,能有效地压缩公共交通面积。

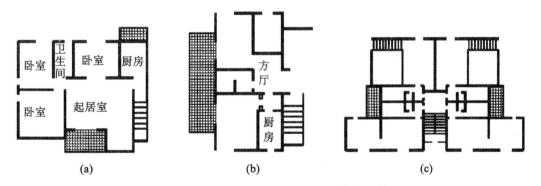

图 3-5 以加大进深而缩短交通面积的住宅示例图

2. 增加层数

建筑物中在不影响功能使用的前提下,适当增加建筑物层数,有利于空间组合紧凑。如以幼儿园为例,单层建筑对幼儿进行户外活动的确较有利,但平面布局往往过于分散,交通面积较大。适当增加层数,对幼儿活动完全是可行的,这样有利于缩减交通面积,使空间布局紧凑。

3. 降低层高

图 3-6(a)为 20 世纪 80 年代改建前的重庆百货大楼剖面图,其底层与二、三层营业厅总高度为 6.5+5.5+5.5=17.5m,图 3-6(b)为徐州淮海百货商场,三层营业厅的总高度为 5.0+4.5+4.5=14m,两个商场营业厅进深均为 28m(7m×4m(跨))。从淮海商场实际使用后认为空间高度是合适的,而重庆百货大楼因过高的层高,使吸顶灯满足不了工

作面上的照度需要，这相当于损失了层高为3.5m左右的一层空间，所以降低层高不仅直接减少楼梯间的空间，减少上下楼的疲劳，而且可以使空间利用更加充分，节约建设投资。

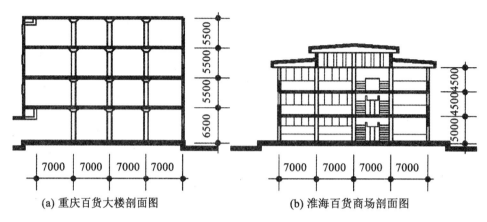

(a) 重庆百货大楼剖面图　　　　　　(b) 淮海百货商场剖面图

图3-6　以降低层高而节约空间的商店示例图

4. 利用建筑物尽端布置大空间缩短过道长度

如在办公楼建筑物中利用尽端作会议室，在教学楼建筑物中利用尽端布置合班教室等，可以缩短过道长度。

3.1.4 结构选型合理

结构选型就是要选择与建筑物空间的跨度、建筑物的高度、建筑造型和施工技术等相适应的结构材料和结构类型。

结构理论和施工技术水平对建筑空间组合和造型起着决定性的作用。20世纪初以来，随着科学技术的进步，以及新结构、新材料的发展，特别是钢铁和钢筋混凝土的使用，促使建筑业发生了巨大的变革。

目前建筑中常用的结构形式，不外乎三种类型：墙体承重结构、框架结构和空间结构。一般中、小型民用建筑物，如住宅、旅馆、医院等多选择墙体承重结构，大型办公楼、宾馆、商场等多选择框架结构，而大跨度公共建筑，如影剧院、体育馆等多选择空间结构。随着科学技术的不断发展，钢结构、膜结构等一些新型的结构技术也会更加普及。

1. 墙体承重结构

目前国内选用墙体承重的一般民用建筑物中，以配合钢筋混凝土梁板系统形成混合结构形式最为普遍。由于梁板经济跨度的制约，这种结构形式仅适合于那些空间不太大、层数不太多的中、小型民用建筑物，如住宅及较低档次的中小学、办公楼、医院等以排比空间为主的建筑类型，如图3-7所示。

墙体承重结构形式的特点是外墙和内墙同时起着支承上部结构荷载和分隔建筑空间的双重作用。在进行空间组合时，应注意以下几点：

（1）结合建筑功能和空间布局的需要确定承重墙布置方式：纵墙承重或横墙承重。

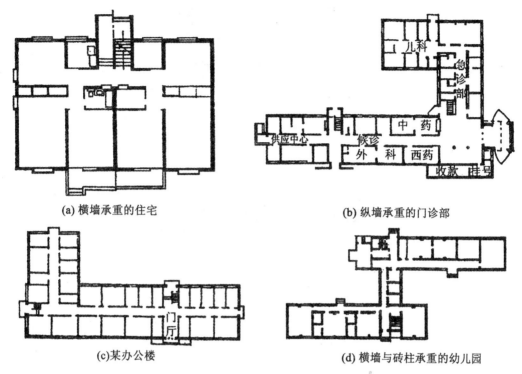

(a) 横墙承重的住宅　　　　(b) 纵墙承重的门诊部

(c) 某办公楼　　　　(d) 横墙与砖柱承重的幼儿园

图 3-7　墙体承重结构的建筑示例图

并应使承重墙的布置保证墙体有足够的刚度。

（2）承重墙的开间、进深尺寸类型应尽量减少，以利于楼板、屋顶的合理布置，结构、构件的规格要统一。

（3）上、下层承重墙应尽可能对齐，开设门窗洞口的大小应控制在相关规范规定的限度内。

（4）墙体的高、厚比，即自由高度与厚度之比，应在合理的允许范围之内。如半砖厚墙的高度不能超过 3m，并且不能作承重墙考虑等。

2. 框架结构

框架结构是采用钢筋混凝土柱和梁作为承重构件，而分隔室内外空间的围护结构和内部空间分隔墙均不作为承重构件，这种使承重系统与非承重系统明确分工是框架结构的主要特点，如图 3-8 所示。这种结构为建筑物外貌配置大面积玻璃窗创造了条件。建筑物的内部空间组合亦获得较大的灵活性，可以根据功能需要将柱、梁等承重结构确定的较大空间，进行二次空间组织，空间可以开敞、半开敞，或封闭空间形状亦可以随意分隔成折线形或曲线形等不规则形状。

近 20 年来，由于建筑物层数不断增加，促使结构设计水平也进一步提高。对高层建筑结构来说，抵抗水平力是很重要的，如筒状抗剪墙和框架结合的筒体结构，其基本目标是增加结构刚度，使整个建筑物形成一个一端固定在地下的空心筒状悬臂构件，以便较好地抵抗水平荷载外墙柱子趋向于互相靠近（中距 1.2~3m），窗孔较窄，密布的柱子与刚

图 3-8　承重结构与围护结构分工明确

性上、下窗间墙连成一个带孔的刚性筒。这种"筒"的概念以多种形式被应用于近代钢结构和钢筋混凝土结构高层建筑物中，如图 3-9 所示。其优越性为获得无柱的大空间，给使用者提供空间自由分隔的最大灵活性。

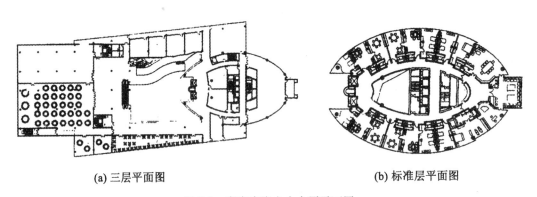

(a) 三层平面图　　　　　　　　　　　(b) 标准层平面图

图 3-9　广东南海电力大厦平面图

3. 空间结构

近年来，新建筑材料和新结构理论的发展，促使轻型高效能空间结构突飞猛进，使大跨度公共建筑的空间形式和结构选型获得多种处理手法。当前，在土木建筑工程中常见的空间结构有：悬索结构、空间薄壁结构和空间网架结构等。

（1）悬索结构

悬索结构主要是充分发挥钢索耐拉的特性，以获得大跨度空间。由于悬索结构体系在荷载作用情况下承受巨大的拉力，要求能承受较大压力的构件与之相平衡。常见的悬索结构有单向、双向和混合三种类型，如图 3-10 所示。我国 20 世纪 60 年代初期修建的"北京工人体育馆"，直径 94m 的圆形屋盖就是采用辐射悬索结构的例子。1969 年杭州建成的浙江人民体育馆，椭圆形（长轴80m、短轴60m）比赛大厅，是采用鞍形悬索屋盖。1990年建成的四川省体育馆，也是"花篮"式的悬索结构的成功实例。

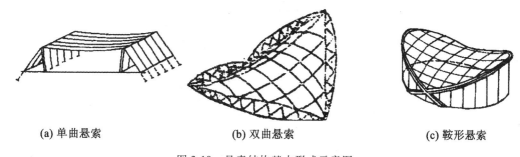

(a) 单曲悬索　　　　　(b) 双曲悬索　　　　　(c) 鞍形悬索

图 3-10　悬索结构基本形式示意图

（2）空间薄壁结构（薄壳结构）

由于钢筋混凝土具有良好的可塑性，故作为壳体结构的材料是比较理想的。当选择的形状合理时，可以获得刚度大、厚度薄的高效能空间薄壁结构，空间薄壁结构具有骨架和屋盖双重作用的优越性，成为大跨度公共建筑广泛采用的一种结构形式，常用的形式有筒壳、折板、波形壳、双曲壳等，如图3-11所示。巴西圣保罗体育馆，如图3-12所示，在圆形平面的顶上采用钢筋混凝土折板屋面，顶盖中央为钢筋窗，安装黄色玻璃纤维板。主厅直径为65m，圆形的平面形式使观众有较好的视线，观众最远视距不大于40m。

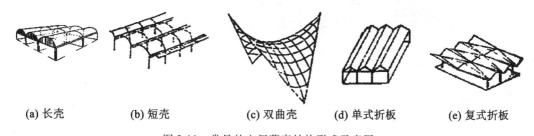

(a) 长壳　　(b) 短壳　　(c) 双曲壳　　(d) 单式折板　　(e) 复式折板

图 3-11　常见的空间薄壳结构形式示意图

图 3-12　巴西圣保罗体育馆

(3) 空间网架结构

网架结构多采用金属管材制造,能够承受较大的纵向弯曲力,用于大跨度公共建筑物,具有较好的经济意义。这种结构形式在国内的许多大跨度建筑物中亦常采用,因这种结构形式既可以在地面操作,待拼装成整体后再上升就位,减少了空间作业,又可以根据平面布置需要,组合成多种形式。此外,还有充气结构体系已在国外的大跨度公共建筑中采用。所谓"充气结构"是指充气后的薄膜系统,能承受外力,形成骨架或与围护系统相结合的整体。这种结构体系,国内亦已开始研究,并逐步开始尝试应用。

从以上分析可以看出,结构对建筑物的空间形成和造型特征起着重要的作用,优秀的建筑设计往往是和良好的结构形式融为一体的。国外大跨度结构的成功实践表明,跳出各类空间结构的基本型模式,充分挖掘各类空间结构的内在潜力,才能创造多种多样、别具一格的空间形式。如意大利罗马 20 世纪 50 年代末期建造的小体育馆(见图 3-13),直径 60m 的拱顶,通过拱截面的变换,大大改变了波形拱形象,且把支承圆顶的 36 根 Y 形斜撑直接暴露出来,显示出体育建筑物的风格。

图 3-13　罗马小体育馆

日本东京代代木体育中心(见图 3-14),是日本著名建筑师丹下健三于 1961 年设计的,两个交错的新月形平面的本馆采用了"巴"形悬索顶,主跨 126m,室内游泳池可以改为滑冰场,其他馆采用了螺旋形悬索顶,圆形平面,可以作篮球场。两座建筑物不仅功能、音响令人满意,而且建筑造型优美而富有民族特色。

图 3-14　日本东京代代木体育中心

从上述这些成功的建筑作品中得到启示,建筑形式不是简单地取决于使用功能,也不是被动地取决于结构形式,而是可以按照设计的构思创造出一种预想的建筑形式,这就需要设计者掌握与精通材料、结构、技术以及相关特性,以大胆革新的科学态度进行创作。

3.1.5 设备布置恰当

在民用建筑的空间组合中,除需要考虑结构技术问题外,还必须深入考虑设备技术问题。民用建筑中的设备主要包括上、下水,采暖通风,空气调节,电器照明以及弱电系统等。在进行空间组合时,应考虑以下若干方面:

充分考虑设备的要求,使建筑物、结构、设备三方面相互协调,如图3-15所示。恰当地安排各种设备用房位置,如采暖用的锅炉房、水泵房,空调用的冷冻机房以及垂直运输设备需要的机房等。在高层建筑物中,除在底层和顶层考虑设备层外,还需在适当层位布置设备层,一般相隔20层左右或在上下空间功能变换的层间设置设备层。某些人流进出频繁或大量集中的公共空间如商场、体育馆、影剧院等,往往需要考虑中央空调系统,由于风道断面大,极易与空间处理及结构布置产生矛盾,对此应给予足够的重视。空调房间中的散热器、送风口、回风口以及消防设备,如烟感器等的布置,除需要考虑使用要求外,还应与建筑细部装饰处理相配合,应采取专门的技术措施,以降低设备机房及风管等产生的噪音。对人工照明与电气亦应采取相应的技术措施,以解决防火、设备隔热等问题。

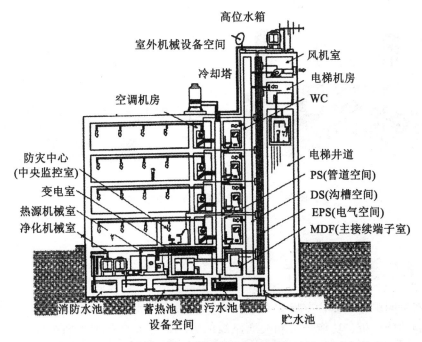

图 3-15 建筑设备空间示例图

在大量的中、小型民用建筑的空间组合中,对卫生间和设置上、下水的房间,在满足功能要求的同时，应使设备位置尽可能地集中，并使上、下层布置处于同一空间位置上，以利于管道配置。

建筑物中的人工照明应保证一定的照度，选择适当的亮度分布，防止眩光的产生，采用优美的灯具能创造一定的灯光艺术效果。

3.1.6 体型简洁、构图完整

建筑空间的布局，体型的大小、形状受建筑功能的要求、结构、材料、施工技术条件、地形环境、气候条件等多种因素的影响。建筑物体型的简洁有利于内部交通联系简洁，有利于结构布置的统一；有利于节约用地、降低造价；有利于抗震，并且在造型上也容易获得简洁朴素大方的效果。图3-16为著名建筑师贝聿铭设计的美国华盛顿国家美术馆东馆。该馆的空间体系是在一个大空间内进行自由灵活的分隔，反映出在形体处理上与传统的方法很不相同。由于美术馆的地形特点，建筑平面采用三角形的构图形式，外部形体犹如在一个等腰梯形的体量中挖去多余的部分，这种处理很巧妙，正好保证了剩余部分的完整统一性。其中等腰三角形为向公众开放的部分，主要包括一个巨大的中厅和各种展厅，中厅是整个东馆的心脏和精华所在，直角三角形部分容纳一个高级视觉艺术研究中心，从那里可以远眺国会山。整个建筑布局集中紧凑，体型简洁，主体空间突出，构图完整。

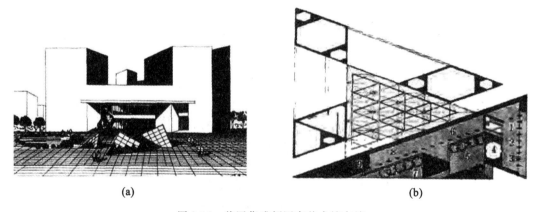

图 3-16 美国华盛顿国家美术馆东馆

§3.2 建筑物空间组合形式

建筑物空间组合是综合考虑建筑设计中建筑物内外多方面因素，反复推敲所得的结果。建筑物功能分析、功能分区和交通路线的组织，是形成各种平面组合方式的主要依据。建筑物组合的基本形式大致可以归纳为：走廊式、穿套式、单元式、大厅式、庭园式、综合式等若干种形式。在实践中各种基本形式可以结合客观实际和不同处理方法创作出别具一格的建筑形式，如台阶式建筑，以及以几何母体为构图中心的空间组合形式等。

3.2.1 走廊式

当组成建筑物的各个房间在功能上要求独立设置时,各使用空间之间需通过走廊取得相互联系而组成一幢完整的建筑,这种组合方式称为走廊式建筑空间组合。这种组合形式是一种比较广泛采用的空间布局形式,通常被组合的房间面积不太大,使用性质相同的房间数量较多,这种布局能够保证房间有比较安静的环境,适合于学校、旅馆、行政办公、医疗、居住等建筑类型。

走廊式布局一般又包括内廊式和外廊式两种布置形式。内廊式是指走廊在中间,两侧布置房间;外廊式是指走廊位于一侧,单面布置房间,如图 3-17 所示。

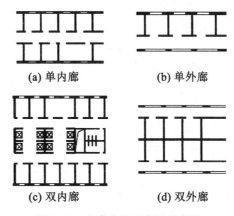

图 3-17 走廊式平面布置示意图

内廊式布置的主要优点是走廊所占的面积相对比较少,建筑物进深较大,平面紧凑,外墙长度较短,保温性能较好,在寒冷地区对冬季保暖较为有利。但这种布局有半数房间的朝向较差,在空间组合时应尽可能将次要的辅助性房间和楼梯间等布置在朝向较差的一方。同时还应处理好内廊的采光。

外廊式布局的主要优点是几乎可以使全部房间安排在朝向好的方位,获得良好的通风、采光。这种形式深受南方炎热地区使用者的欢迎,走廊除可以作交通联系外,还可以兼作其他用途。但这种布局容易造成过长的走廊、偏大的交通面积、过小的建筑进深等缺点。在有的民用建筑中,可以根据使用的要求、自然条件的具体状况采取内、外廊结合的空间组合方式,以充分发挥两种布局的优点,如图 3-18 所示。

3.2.2 穿套式

在某些建筑物中,各使用空间之间要求有一定的连续性,如博物馆、展览馆、公共浴室等建筑物,功能上要求有明确、简洁的流程,布局时应使空间连通而形成由一个空间到另一个空间串通的人流路线,这种建筑结构形式为穿套式。穿套式把各个使用空间衔接在一起,相互贯通。这样,使用面积和交通面积结合起来融为一体,使用空间之间联系简洁,建筑面积利用率高。这种布局方式在实践中出现了多种多样,归纳起来大致可以分为串联式、放射式、大空间式和混合式等。

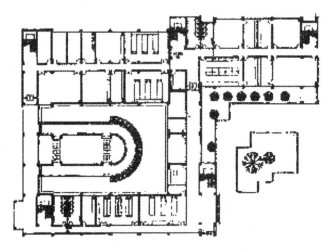

图 3-18　内、外廊结合的学校建筑示意图

1. 串联式

各使用空间按照一定使用顺序，一个接一个地相互串通连接。采用这种方式能使各房间在功能上联系紧密，具有明显的顺序和连续性，人流方向单一、简洁明确、不逆行、不交叉，但活动路线的安排不灵活，变化极少。这种结构形式是展览馆等建筑物中常见的一种布局形式，观众可以按照一定的参观路线通过各个展厅，具体布置时又有如图 3-19 所示的各种方式。这种布局形式的主要优点是：人流路线紧凑、方向单一、简洁明确、参观者流程不逆行、不重复、不交叉。但这种结构形式亦存在一定的不足，如活动路线不够灵活，人多时易产生拥挤现象，不利于陈列厅的独立使用，串联式较适宜于中、小型建筑。在规模较大的展览馆中采用时，可以按图 3-19 中所示的几个博物馆空间组合进行处理，即在适当部位布置过厅或休息厅，这一方面可以使展室具有独立使用的灵活性，同时也可以供参观者作为休息的场所。

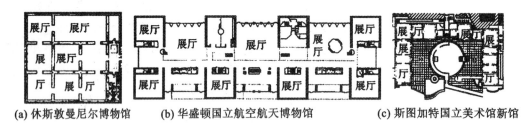

(a) 休斯敦曼尼尔博物馆　　(b) 华盛顿国立航空航天博物馆　　(c) 斯图加特国立美术馆新馆

图 3-19　串联式空间布置的基本形式

2. 放射式

放射式空间布置是以一个枢纽空间作为联系空间，该枢纽空间在两个或两个以上的方向衔接布置使用空间，作为联系空间的枢纽空间，可以是专供人流集散的大厅，也可以是兼供衔接其他使用空间的主要使用空间。这种组合方式布局紧凑、联系方便、使用灵活，

被枢纽空间衔接的使用空间可以不被穿越而单独使用，但在枢纽空间中流线容易产生交叉而互相干扰。例如，将陈列空间围绕交通枢纽放射状的布置（见图3-20（a）），参观者在看完一个陈列室之后，需返回中心枢纽空间，再进入另一个陈列空间，如此连续的参观路线，其优点是参观路线简单紧凑、使用灵活，各个陈列空间具有相对独立性，但枢纽空间中的参观路线不够明确，容易造成交叉干扰，同时，各个陈列空间成袋状路线，易产生迂回拥挤的现象。河南博物馆（见图3-20（b））是将中心枢纽空间处理成一个中庭，参观者穿过门厅到中央庭院，再从这里走进围绕在院子三面的陈列室，路线安排是参观者在每参观完四个陈列室以后，都要回到中央庭院，再进入别的陈列室，中央庭院起着组织和分配人流的作用。并使参观者在参观过程中定时变换环境，以获得休息。同时又使参观者处于时而室内，时而室外；时而黝黯，时而明亮；时而过去，时而现在的这种交替感受之中，收到良好的效果。

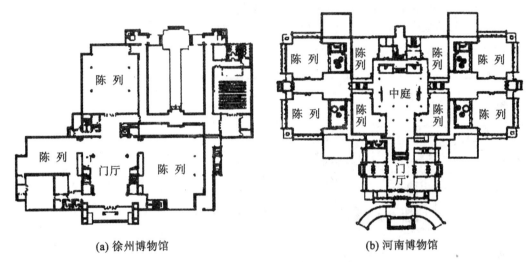

(a) 徐州博物馆　　　　　　　　(b) 河南博物馆

图3-20　放射式空间布置建筑物示意图

3. 大空间式

大空间式空间布置是在一个较大的使用空间中，用灵活隔断分隔若干小空间和人流活动空间，如图3-21所示。大空间式空间布置具有使用灵活，空间利用紧凑，流动方向自然等特点。但这种布局，往往需要具备人工环境，即人工照明和机械空调等较高的建筑标准。

4. 混合式

混合式空间布置是将串联式、放射式、大空间式中的两种或全部同时在一幢建筑物中采用，如图3-22所示，其目的是力争聚集各种形式的优点于一体。但其灵活性往往与交叉、干扰相伴随，组合时应多加注意。

在展览馆建筑物中，参观者的活动空间如展厅、门厅、休息厅、庭院等和内部工作用房这两部分空间常常采用分段布置的组合方式，以使其功能分区明确，互不干扰，管理使用方便。

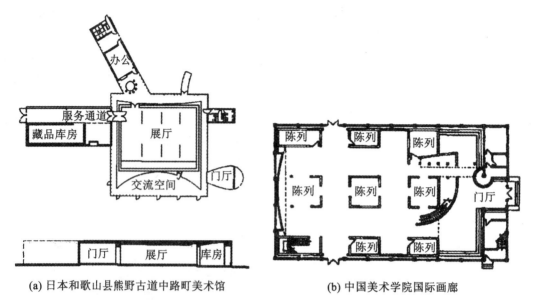

(a) 日本和歌山县熊野古道中路町美术馆　　(b) 中国美术学院国际画廊

图 3-21　大空间式空间布置建筑物示意图

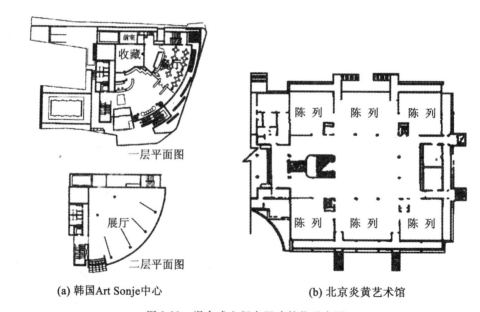

(a) 韩国 Art Sonje 中心　　(b) 北京炎黄艺术馆

图 3-22　混合式空间布置建筑物示意图

3.2.3　单元式

在建筑设计中将性质相同、关系紧密的空间组成相对独立的一个整体，称之为单元。再根据不同的客观实际将单元进行组合，可以得到多种组合形式的建筑物。在具体建筑设计中，往往用楼梯或电梯间等垂直交通联系空间来衔接相同或不同的单元，建筑物的空间组合可以由一个或若干个单元相互拼接而成，这种组合方式，对大量的民用建筑的建筑标准化，形式多样化提供了广阔的途径，目前最普遍用于住宅建筑中。

由于单元式空间组合的功能分明，布局整齐，外形既有规律，又富于变化等特点，这种组合手法已逐渐扩大到其他建筑类型中，如教学楼、餐厅、图书馆建筑等，如图3-23所示。

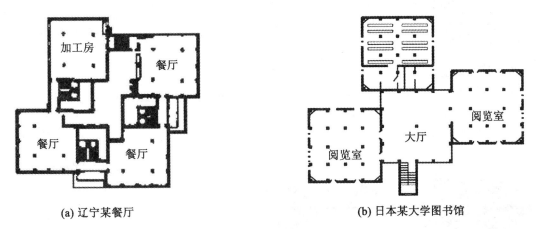

(a) 辽宁某餐厅　　　　　　　　　　(b) 日本某大学图书馆

图3-23　单元式餐厅、图书馆建筑物示意图

3.2.4　大厅式

以体量巨大的主体空间为中心，其他辅助使用空间环绕四周，对主体空间形成辅助作用的空间组合方式，称为大厅式。这种组合方式能使主体空间突出，形成明显的主从关系，而且使用空间之间联系紧密。

演出性建筑物、体育馆、商场、餐厅等建筑类型，大多是以一个大量人流活动的大厅为中心，周围布置辅助空间。大厅式建筑物随功能要求的不同，其空间布局基本上可以分为两大类：一类是供观众视、听之用的，其内部空间必须毫无阻挡，空间体量也比较大，常常采用大跨度空间结构，形成独特的建筑形象，如体育馆、剧院、电影院等。另一类是供人们进行商业活动的空间，这类空间，在基本满足使用功能要求的前提下，允许在大空间中设立柱子，故其组合手法与第一种又不相同。如图3-24所示。

3.2.5　庭院式

以庭院为中心，周围布置大小使用空间的组合式建筑物称为庭院式建筑物，通常情况下，使用空间沿庭院四周布置，以庭院作衔接联系之用，不同建筑物中庭院面积大小不等，可以兼作为绿化活动场地。庭院式建筑是我国建筑空间组合的传统手法，内庭能作多种功能之用，又能调节气候，当前在不少民用建筑物中也常采用，使室内外空间相互协调、充实、彼此衬托。这种组合方式形成的院落可以分为三合院与四合院两种，根据不同的需要和可能，在一幢建筑物中，可以分别设一个、两个或多个庭院。如图3-25所示。

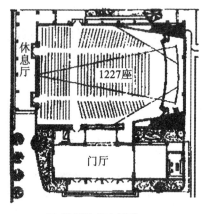 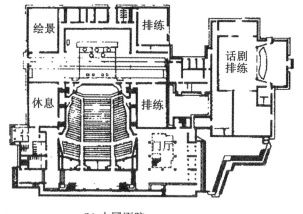

(a) 四川什邡电影院　　　　　　(b) 中国剧院

图 3-24　影剧院建筑物示意图

 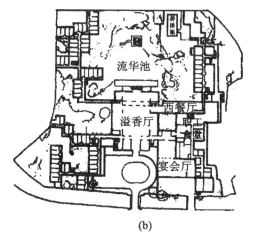

(a)　　　　　　　　　　　　　(b)

图 3-25　北京香山饭店

3.2.6　综合式

在某些建筑设计中，考虑到实际生活中建筑的多样性和复杂性，往往要满足多方面的功能要求，因此，对于一幢完整的建筑物，在空间组合上常常同时需要采用前述两种或两种以上的空间组合形式，综合地加以考虑，使之成为颇具特色、运用极其方便灵活的建筑空间组群。这种方式称为综合式建筑空间组合方式。如旅馆、俱乐部、图书馆等，这类建筑物在组合时必须分区明确，避免互相干扰。

以上分析了建筑空间组合中常见的若干种形式，而实践中出现的形式千变万化，且随着时代的进展、技术的革新、人们创作活动的活跃，新的形式必将层出不穷。更有待我们在总结前人经验的基础上，进一步发挥自己的聪明才智，创造出富有民族特色和地方特色的现代化建筑。如图 3-26 所示。

 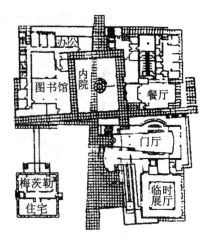

(a) 四川省图书馆　　　　　　(b) 德国莱茵河畔法兰克福工艺美术馆

图 3-26　综合式布局的建筑物示意图

§3.3　建筑物空间的竖向组合

在进行建筑物空间组合时，应根据使用性质和使用特点将各房间进行合理的垂直分区，做到分区明确、使用方便，流线清晰，最大限度地合理利用空间，同时应注意使结构合理，设备管线集中。对于不同空间类型的建筑物也应采取不同的组合方式。

3.3.1　重复小空间的组合

这类空间的特点是大小、高度相等或相近，在一幢建筑物内房间的数量较多，功能要求上各房间应相对独立。因此常采用走道式和单元式的组合方式。如住宅、医院、学校、办公楼等。组合中常将高度相同、使用性质相近的房间组合在同一层上，以楼梯将各垂直排列的空间联系起来构成一个整体。由于空间的大小、高低相等，对于统一各层楼地面标高、简化结构是有利的。

有的建筑物由于使用要求或房间大小不同，出现了高低差别。如学校中的教室和办公室，由于容纳人数不同，使用性质不同，教室的高度相应比办公室大一些。为了节约空间，降低造价，可以将这两类房间分别集中布置，采取不同的层高，以楼梯或踏步来解决两部分空间的联系，如图 3-27 所示。

3.3.2　大小、高低相差悬殊的空间组合

1. 以大空间为主体穿插布置小空间

有的建筑物，如影剧院、体育馆等，虽然有多个空间，但其中有一个空间是建筑物主要功能所在，其面积和高度都比其他房间大得多。空间组合常以大空间（观众厅和比赛大厅）为中心，在其周围布置小空间，或将小空间布置在大厅看台下面，充分利用看台

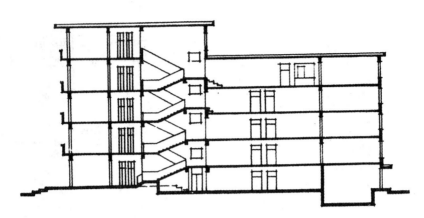

图 3-27　教学楼不同层高的剖面处理

下的结构空间。这种组合方式应处理好辅助空间的采光、通风以及运动员、工作人员的人流交通问题。如广州天河体育中心游泳馆，以比赛大厅为中心将运动员休息室、更衣室、贵宾室以及设备用房等布置在看台下，并利用四周的休息廊将辅助空间和比赛大厅、门厅联系起来。这样布置既充分利用了空间又利于比赛大厅的保温，如图 3-28 所示。

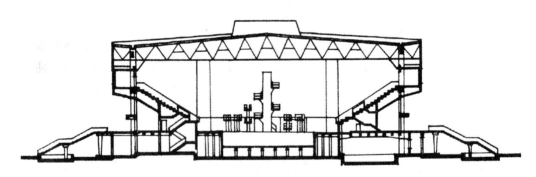

图 3-28　广州天河体育中心游泳馆剖面图

2. 以小空间为主灵活布置大空间

某些类型的建筑物，如教学楼、办公楼、旅馆、临街带商店的住宅等，虽然构成建筑物的绝大部分房间为小空间，但由于功能要求还布置有少量大空间，如教学楼中的阶梯教室，办公楼中的大会议室，旅馆中的餐厅、临街住宅中的营业厅等。这类建筑物在空间组合中常以小空间为主形成主体，将大空间附建于主体建筑物旁，从而不受层高与结构的限制；或将大小空间上下叠合起来，分别将大空间布置在顶层或一、二层，如图 3-29 所示。

3. 综合性空间组合

有的建筑物由于要满足多种功能的要求，常由若干大小、高低不同的空间组合起来形成多种空间的组合形式。如文化宫建筑中有较大空间的电影厅、餐厅、健身房等，又有阅览室、门厅、办公等空间要求不同的房间。又如图书馆建筑物中的阅览室、书库、办公等用房在空间要求上也不一致。阅览室要求较好的天然采光和自然通风，层高一般为 4～

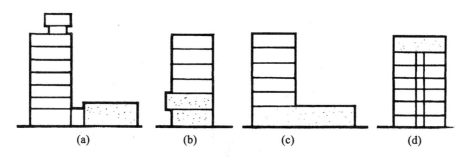

图 3-29 大小、高低不同的空间组合

5m，而书库是为保证最大限度的藏书及取用方便的要求，一般层高为 2.2~2.5m。这一类复杂空间的组合不能仅局限于一种方式，必须根据使用要求，采用与之相适应的多种组合方式。湖南大学图书馆采用集中式布置，阅览室与书库组合在一起，高度为 1∶2，有利于结构的简化。如图 3-30 所示。

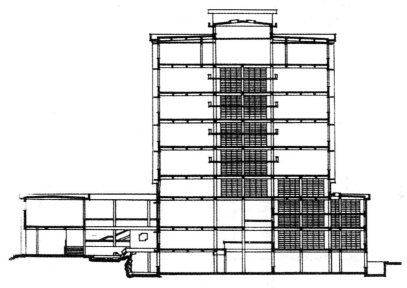

图 3-30 湖南大学图书馆剖面图

3.3.3 错层式空间组合

当建筑物内部出现高低差，或由于地形的变化使房屋若干部分空间的楼地面出现高低错落现象时；可以采用错层的处理方式使空间取得和谐统一。

1. 以踏步或楼梯联系各层楼地面以解决错层高差

有的公共建筑物，如教学楼、办公楼、旅馆等主要使用房间空间高度并不高，为了丰富门厅空间变化并得到合适的空间比例，常将门厅地面降低。这种高差不大的空间联系常借助于少量踏步来解决，如图 3-31 所示。

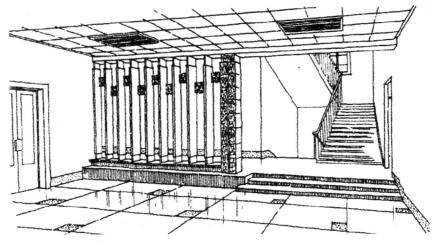

图 3-31　以踏步解决错层高差

当组成建筑物的两部分空间高差较大，或由于地形起伏变化，房屋若干部分之间楼地面高低错落，这时常利用楼梯间解决错层高差。通过调整梯段踏步的数量，使楼梯平台与错层楼地面标高一致。这种方法能够较好地结合地形，灵活地解决纵横向的错层高差。图 3-32 中两部分房间层高比为 3∶2，分别通过两个平台进入各层房间。

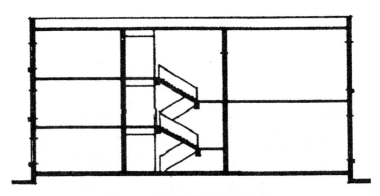

图 3-32　以楼梯间解决错层高差

2. 以室外台阶解决错层高差

图 3-33 为垂直等高线布置的住宅建筑物，各单元垂直错落，错层高差为一层，均由室外台阶到达楼梯间。这种错层方式较自由，可以随地形变化相当灵活地进行随意错落。

3.3.4　台阶式空间组合

台阶式空间组合的特点是建筑物由下至上形成内收的剖面形式，从而为人们提供了进行户外活动及绿化布置的露天平台。这种建筑形式若用于连排的总体布置中，可以减小房屋间距，取得节约用地的效果。同时由于台阶式建筑物采用了竖向叠层、向上内收、垂直绿化等手法，从而丰富了建筑物外观形象，如图 3-34 所示。

第 3 章　建筑物的空间组合

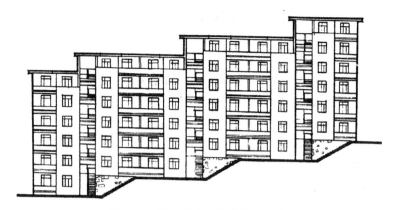

图 3-33　以室外台阶解决错层高差

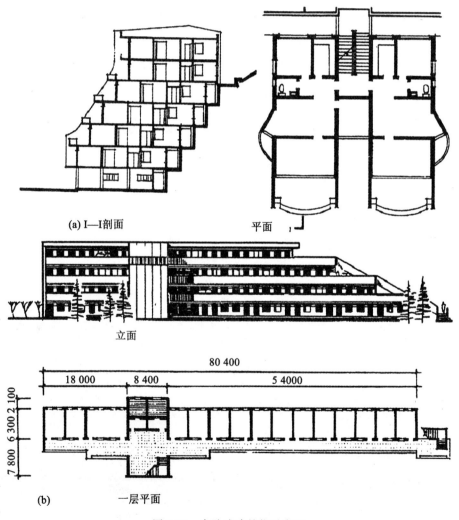

图 3-34　台阶式建筑物示意图

复习思考题

1. 建筑空间组合的原则有哪些?
2. 建筑物功能分区时,一般可以从哪几方面着手分析?
3. 目前建筑物中常用的结构类型有哪些?各自有何特点?
4. 建筑空间组合形式有哪些?
5. 穿套式的空间组合形式有何特点?可以细分为哪些模式?
6. 当有不同大小的空间组合在一起时,有哪些组合模式?
7. 试简述错层式空间组合的解决办法。

第4章 建筑物内、外空间设计

本章提要：建筑物内、外空间设计是建筑设计工作中的重要组成部分，本章主要内容包括室内空间的利用和处理、场地分析及设计等。

§4.1 建筑物内部空间设计

建筑物内部空间设计是建筑空间组合向建筑物内部空间的深入研究，也称为"室内设计"。在现代建筑设计中，除考虑建筑物的功能、空间组合、技术处理、外部造型等因素外，还应深入到建筑物内部空间，充分考虑建筑物内部空间的艺术与技术特点，创造美好的室内环境，使建筑物从整体上内外协调、和谐统一。建筑物内部空间设计是建筑设计工作中的一项重要内容之一。

4.1.1 建筑空间利用

如何合理地利用空间，充分发挥每平方米的使用价值，使建筑物功能与室内空间艺术处理紧密结合，达到完善的统一，是室内空间设计的首要问题。所谓利用空间和增加建筑物使用面积，并不意味着片面的节约，否则也会造成空间使用上的不便和艺术感观上的失败，这是应该引起注意的。

利用空间的处理手法很多，常见的有以下几个方面：

1. 夹层

在公共建筑物中的营业厅、候车室、比赛馆等都要求有较高的空间，而与此相联系的辅助用房和附属用房则在面积和层高要求上小得多，因此常采取在大厅周围布置夹层的方式，以便更合理地利用空间，使不同房间各得其所，如图4-1所示。在居住建筑物中也常结合起居室的高大空间设置夹层，作其他居室之用。

2. 坡屋顶的利用

坡屋顶在公共建筑物中，特别在居住建筑物中是常见的、运用较广的一种屋面处理形式，在三角形坡顶中部有不小的空间，因此，在设计时应充分加以利用。在影剧院中的坡屋顶，常作为布置通风、照明管线的技术层来利用，在居住建筑物中常利用坡屋顶设置楼阁或储藏室，如图4-2所示。

3. 走道上部空间的利用

纯为交通性的走道，不论在公共建筑物中或居住建筑物中都是供人们通行而停留较少的地方，宽度也不大，因此这类空间可以比其他房间采取更低的层高，在公共建筑物中常利用走道上部空间布置通风管道和照明管线，而在旅馆及居住建筑物中常利用走道上空布置储藏空间，如图4-3所示。这样从被压低后的交通空间再进入房间，可以使本来高度就

图 4-1 夹层空间的利用

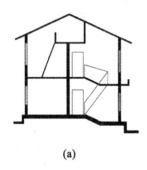 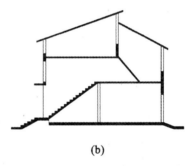

(a)　　　　　　　　　(b)

图 4-2 坡屋顶的利用

图 4-3 过道上的空间利用

不大的居室，在大小空间的对比下，产生更为开敞的心理效果。有时也可以降低部分居室高度以增加储藏空间。

4. 楼梯间底层及顶层空间的利用

作为一般楼梯，底层楼梯间常利用作为小房间或储藏室之用，如图 4-4 所示，在公共建筑物中也常利用楼梯底部空间布置家具或水池绿化，以美化室内环境。楼梯间顶部从楼梯平台至屋面一般常有一层半的房间高度，因此在许多建筑物中都尽量利用这个空间布置一个小房间，只要不影响人的通行即可（一般净空不小于 2m），这样不但增加了使用面积，而且也避免了过高的楼梯给人空旷的感觉。

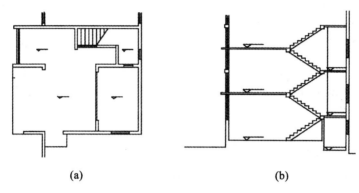

图 4-4　楼梯间下部空间的利用

5. 窗台下部空间的利用

利用外墙的厚度，在窗台以下适当加以处理，按房间的不同大小，可以安置暖气片、空调箱或储存物什等，如图 4-5 所示，如商店、旅馆、餐厅或家庭，都需要储存大量的物什，如果没有适当的储存空间，最后必然会侵占其他房间或居室，这是造成使用不合理且影响室内观瞻的根本原因。因此，不论是公共建筑物或居住建筑物，在设计方案过程中一定要自始至终，十分注意空间的利用和物什的储藏以及各种技术层管道井等布置问题。对住宅来说，首先应将储藏空间和建筑物紧密结合，如壁柜、壁盒、嵌墙家具、悬挂式家具及搁板等，这样不但可以减少住户家具的数量，还可以相对增加使用面积，而且对室内空间的完整性起着极其重要的作用，为室内设计工作带来十分有利的条件。虽然我国住房建设和家具工业在管理系统、投资等方面还没有统一，但随着住宅商品化的逐步实现，住宅设计一定会朝着更理想的系列化、统一化方向发展。

4.1.2　建筑空间的处理手法

在建筑设计中，根据功能需要组织空间是完全必要的，但是，一个好的建筑设计并不等于是建筑功能关系的图解。在同样的功能要求下，由于采用不同的空间处理手法，仍可以表现为不同的结果和不同的性格特点。这是因为建筑物的功能要求与某些科技产品的功能要求不尽相同，建筑物的服务对象是人，而人的活动是多种多样的；人的行为与建筑环境之间并不存在唯一对应的答案。同时，还应看到建筑环境也会反过来对人的行为产生一定的影响。人们对建筑物的衡量尺度除其功能性以外，还有心理行为、艺术审美等方面的

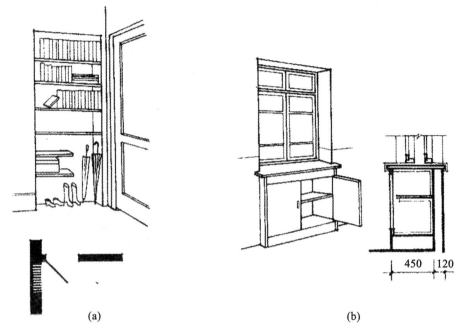

图 4-5 利用墙体空间设壁龛、窗台柜

要求,一幢优秀的建筑物,其在功能、艺术、技术诸方面应该是融为一体的。因此,在符合功能要求这个大前提之下,建筑师对建筑空间艺术的驾驭能力是影响建筑设计质量的一项十分重要的因素。学习前人所积累的关于建筑空间的处理手法将有助于我们设计能力的提高和对建筑物的全面认识。

1. 空间的限定

空间和实体是互为依存的,空间通过实体的限定得以存在。不同的实体形式,会给空间带来不同的艺术特点。为理解方便,以下按实体在空间限定中的不同位置结合实例进行说明。

(1) 垂直要素限定:通过墙、柱、屏风、栏杆等垂直构件的围合形成空间,构件自身的特点以及围合方式的不同可以产生不同的空间效果。

(2) 水平要素限定:通过顶面或地面等不同形状、材质和高度对空间进行限定,以取得水平界面的变化和不同的空间效果。

(3) 各要素的综合限定:空间是一个整体,在大多数情况下,是通过水平和垂直等各种要素的综合运用。相互分配,以取得特定的空间效果。其处理手法是多种多样的。如图 4-6 所示。

2. 空间形状与界面处理

界面在限定空间的过程中,必然涉及两个问题,一是所限定空间的形状,二是对界面本身如何处理。空间的形状和界面的处理是决定空间性格、品质的重要因素。如图 4-7 所示。

图 4-6 水平、垂直要素的综合限定

图 4-7 英国锡荣府邸

3. 空间的穿插与贯通

界面在水平方向的穿插、延伸，可以为空间的划分带来更多的灵活性，使得被划分的各局部空间具有多种强弱程度不同的联系；增加空间的层次感和流动感。空间穿插中的交接部分，可以因处理手法的不同，产生不同的效果。

两个空间的相互穿插—两个空间所共有—成为某个空间的一部分—成为两个空间的连接部分。如图 4-8 所示。

4. 空间的导向与序列

空间导向是指在建筑设计中通过暗示、引导、夸张等建筑处理手法，把人流引向某一方向或某一空间，从而保证人在建筑物中的有序活动。墙、柱、门洞口、楼梯、台阶以及花坛、灯具等都可以作为空间导向的标识。就建筑艺术而言，导向处理是人与建筑的一种对话，人们在建筑师所采用的一系列建筑语言的启发引导下，产生了与建筑环境的共鸣，人们将自己在建筑物中的活动与建筑艺术欣赏有机地结合起来，如图 4-9 所示。

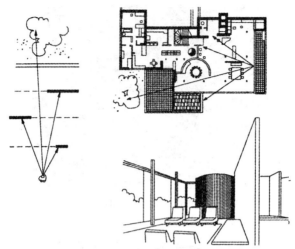

屠根达住宅C空间淡化了的多层次空间渗透

图 4-8　多层次空间穿插与贯通

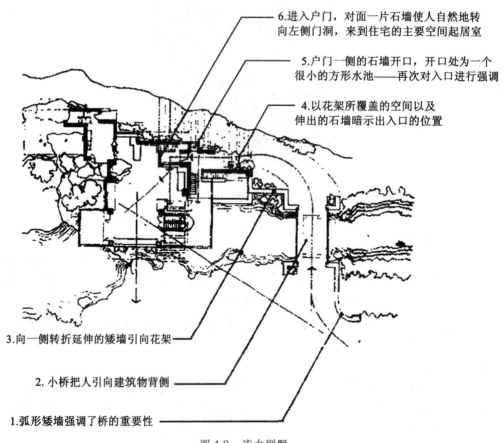

6. 进入户门，对面一片石墙使人自然地转向左侧门洞，来到住宅的主要空间起居室

5. 户门一侧的石墙开口，开口处为一个很小的方形水池——再次对入口进行强调

4. 以花架所覆盖的空间以及伸出的石墙暗示出入口的位置

3. 向一侧转折延伸的矮墙引向花架

2. 小桥把人引向建筑物背侧

1. 弧形矮墙强调了桥的重要性

图 4-9　流水别墅

对于某些具有复杂空间关系的建筑物或建筑群而言，序列是建立空间秩序的一项重要手段，一个完整的空间序列就像一首大型乐曲一样，通过序曲和不同的乐章，逐步达到全曲的高潮，最后进入尾声；各乐章有张有弛，有起有伏，各具特色，但又都统一在主旋律的贯穿之下，构成一个完美和谐的整体。在大型公共建筑物乃至建筑群和城市设计中，也存在着类似的情况。空间序列处理是保证建筑空间艺术在丰富变化中取得和谐统一的一种重要手段，这里，时间是序列构成中一个极为重要的因素，当人们在具有三度空间的建筑环境中活动时，随着时间的推移，使人们获得的乃是一个连续而又不断变化的视觉和心理体验。

正是这种时间上的连续和空间上的变化，构成了建筑艺术区别于其他艺术门类的最大特征，空间的导向和序列就是建筑这一时空艺术的具体体现。

§4.2 建筑物外部空间设计

每一幢建筑物或建筑群，都是存在于一个特定的建筑地段上，存在于一个特定的建筑环境之中。房屋建筑的地段在城镇所处的位置，以及地段的宽窄、起伏、现状的条件，等等，对于建筑设计都是十分重要的。在建筑设计的各个阶段，都在不断地研究个体建筑物本身或建筑物与建筑物之间，同建筑地段及建筑环境的关系，解决这样或那样的矛盾，从而创造出协调的建筑空间。由于建筑地段的不同，建筑环境的差异，即使类型与规模相同的单体建筑物，也会有不同的平面形式和空间组合，而统一规模与类型的建筑群亦会有不同的组合与布局。当我们着手进行建筑设计时，不仅要对建筑物本身的功能、室内空间的处理以及造型的设计进行推敲，而且对其室外空间的组合也应进行相应的研究分析，以期达到室内外空间的相互联系、相互延伸、相互渗透，形成一个整体统一而又协调的空间关系。合理的外部空间组合，不仅有利于建筑物内部空间处理，而且也可以从群体关系的角度解决采光、通风、朝向、交通等方面的功能问题。合理的外部空间组合，能够有机地处理个体与群体、空间与体型、绿化与小品之间的关系，从而使建筑空间与自然环境相互衬托，并与周围的建筑物共同组合成为一个统一的有机整体，既可以增加建筑物本身的美感，又可以达到丰富城市空间的目的。

建筑物外部空间设计内容有下列五点：

1. 在规划修建地段上，确定各建筑物的位置及其形状

根据地形的宽窄、大小、起伏的变化、周围建筑物的布局和建筑物外观、城市道路的布局、自然环境的保护等限定条件，以及建筑物的性质、规模、使用要求等进行功能分区，并恰当地、紧凑地选定建筑物的位置及其形状。这项内容涉及采用什么样的群体组合方式，采用哪些处理手法来达到设计的目的，这是建筑群外部空间组合的核心问题。

2. 布置道路网

根据建筑物所在位置、城市道路的布局，布置建筑群体的道路网，确定主、次干道及主、次入口，恰当地与城市干道进行衔接，保证车流、人流畅通和安全。

3. 绿化美化环境

绿化可以改善环境气候和环境质量，因此在群体组合中应根据建筑群的性质和要求进行绿化设计，选择合理的树种、树型，恰当地配置季节花卉和草坪。美化环境是有意识地

利用建筑小品，如亭、廊、花窗、景门、坐凳、庭院灯、小桥流水、喷泉、雕塑等来装饰建筑空间。这些是建筑群体外部空间设计不可缺少的部分。

4. 竖向设计

根据地段的地形变化，确定各建筑物的设计标高，设计标高不仅应满足各建筑物之间的功能联系，同时要确定环境的土石方工程量，尽量少挖少填，使填挖方接近平衡，既节约土石方又节约造价。竖向设计的另一项任务是配合各个工种解决各种管道的竖向布置，如上下水管道、煤气管道、电力管线等的地下走向及其位置。

5. 保证建筑群的环境质量

确定合理的日照间距，选择良好的朝向，注意自然通风的效果及安全防护等，以此来保证建筑群体具有良好的环境质量。

完成上述任务需要大量的调研工作，并与相关工种密切配合，做出多方案比较，最后确定比较完善、合理的建筑群体空间组合。

4.2.1 场地分析

场地分析即外部条件分析，是把环境作为设计的相关因素，由外向内考察制约设计的因素，从中得出个别因素对设计的指导性要求或值得考虑的问题。

1. 场地自然条件分析

场地自然条件的分析主要是在地貌、气候、地质和水文等若干方面，充分了解这些因素与场地建设的制约关系，因地制宜地利用一切有利的自然条件、回避其不利影响，合理地利用和改造自然，达到自然环境与人工环境的协调和统一，从而创作出完善的场地设计方案。

(1) 气象条件

建设地区的温度、湿度、日照、雨雪、风向、风速等是建筑设计的重要依据。例如：炎热地区的建筑物应考虑隔热、通风、遮阳，建筑处理较为开敞；寒冷地区的建筑物应考虑防寒保温，建筑处理较为封闭；雨量较大的地区的建筑物应特别注意屋顶形式、屋面排水方案的选择，以及屋面防水构造的处理；在确定建筑物间距及朝向时，应考虑当地日照情况及主导风向等因素。

①朝向

确定建筑物的朝向应将太阳辐射强度、日照时间、常年主导风向等因素综合考虑，通常人们要求建筑物的布局能使室内冬暖夏凉，长期的生活实践证明，南向是最受人们欢迎的建筑物朝向。从建筑物的受热情况来看，南向在夏季受太阳照射的时间虽然较冬季长，但因夏季太阳较大，从南向窗户照射到室内的深度和时间都较少。相反，冬季太阳较小，从南向窗户照进房间的深度和时间都比夏季多，这就有利于夏季避免日晒而冬季可以利用日照。

但是，在设计时不可能把房间都安排在南向，因此每一个地区可以根据当地的气候、地理条件选择合适的朝向范围。

特别应当注意的是，在南方地区，建筑物朝向应避免西晒问题，如果因地段条件限制建筑物布置必须朝西时，应适当布置遮阳设施。而在严寒地区，为争取日照和保温，朝向以南、东、西为朝向，避免北向。在无西晒之弊的地区，如昆明，建筑物除南北向布置外，亦可以东西向布置。

②风

图 4-10 为我国部分城市的风向频率玫瑰图。图 4-10 中实线部分表示全年风向频率，虚线部分表示夏季风向频率。风向是指由外吹向地区中心，比如由北吹向中心的风称为北风。风向频率玫瑰图（简称风玫瑰图）是依据该地区多年来统计的各个方向吹风的平均日数的百分数按比例绘制而成，一般用 16 个罗盘方位表示。

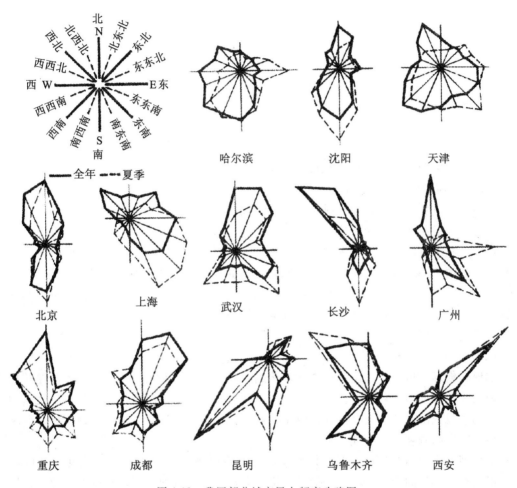

图 4-10　我国部分城市风向频率玫瑰图

③日照

保证卫生条件应满足房间内有一定的日照时间，这就要求建筑物之间必须有合理的日照间距，使之互不遮挡。日照间距的计算一般以冬至日中午正南方向太阳能照到建筑物底层的窗台高度为依据。寒冷地区可以考虑太阳能照到建筑物的墙脚，以达到室内外有较好的日照条件。

如图 4-11 所示，日照间距的计算方法如下：

设太阳照到墙脚的日照间距为 D，则

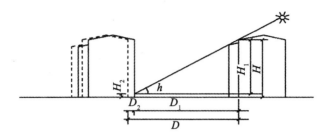

图 4-11 日照间距计算示意图

$$\tan h = \frac{H}{D}, \quad D = \frac{H}{\tan h}$$

设太阳照到窗台时的日照间距为 D_1，则

$$D_1 = D - D_2, \quad D_2 = \frac{H_2}{\tan h}, \quad D_1 = H - \frac{H_2}{\tan h}$$

式中：h——冬至日中午太阳高度角；

H——前排房屋檐口至地坪的高度；

H_1——前排房屋檐口与后排房屋窗台之间的高差；

H_2——后排房屋窗台高度。

根据已有的日照计算，我国部分城市的日照间距在 $1H \sim 1.7H$ 之间。一般愈往南的地区日照间距愈偏小，相反往北则偏大。例如成都的日照间距为 $1H \sim 1.3H$，福州的日照间距为 $1.18H$，南京的日照间距为 $1.47H$，济南的日照间距为 $1.76H$。通常建筑间距由日照计算确定，但由于各地具体条件不同，各类建筑物的要求不同，所以在实际采用上与理论计算上的间距有所差异。

（2）地形、地质及地震烈度

基地的地形、地质及地震烈度直接影响到房屋的平面空间组织、结构选型、建筑物构造处理及建筑物体型设计等。例如：位于山坡地的建筑物常根据地形高低起伏变化采用错层、吊脚楼或依山就势的组合方式，位于岩石、软土或复杂地质条件上的建筑物，要求基础采用不同的结构和构造处理。

地震烈度表示当发生地震时，地面及建筑物遭受破坏的程度。地震烈度在 6 度以下时，地震对建筑物的影响较小，一般可以不考虑抗震措施。地震烈度 9 度以上地区，地震破坏力很大，一般应尽量避免在该地区建筑房屋。建筑物抗震设防的重点是地震烈度在 7、8、9 度的地区。

（3）水文

水文条件是指地下水位的高低及地下水的性质，水文条件直接影响到建筑物基础及地下室。一般应根据地下水位的高低及地下水性质确定是否在该地区建造房屋或采用相应的防水和防腐蚀措施。

2. 场地建设条件分析

场地建设条件涉及的范围包括三个层次：

（1）场地与区域的关系——在区域中的位置、同类设施与相关设施分布、区域交通设施与交通流向、区域基础设施条件与环境状况等。

(2) 场地与周围环境——与场地使用有直接影响的地域之间的联系,着重于场地内外之间的和谐性,如:周围土地使用状况、邻近建筑空间、道路分布、公共服务设施、管线系统与容量、环境保护等。

(3) 场地内部建设及现状——现存建筑物与构筑物状况及可利用价值、绿化分布、场地平整情况、景观特征等。

根据与工程建设的关系,场地建设条件由建设现状条件、工程设备条件、基础设施条件等方面构成。

3. 场地的公共限制分析

为保证城市或区域的整体运营效益,保证场地和其他用地拥有共同的协调环境与各自利益,场地的设计与建设必须遵守一定的公共限制。这些公共限制主要来自于法律、法规、规范、标准等规定;当地的城市规划要求与规划管理的相关规定;与场地建设相关的消防、人防、交通、市政等主管部门的要求等。

公共限制条件是通过对场地设计中一系列技术经济指标的控制来实现的。通过对场地界线、用地性质、容量、密度、限高、绿化等多方面指标的控制,在保证场地自身土地使用效益的同时,达到城市整体经济效益良好、空间布局合理的目的。如图 4-12 所示。

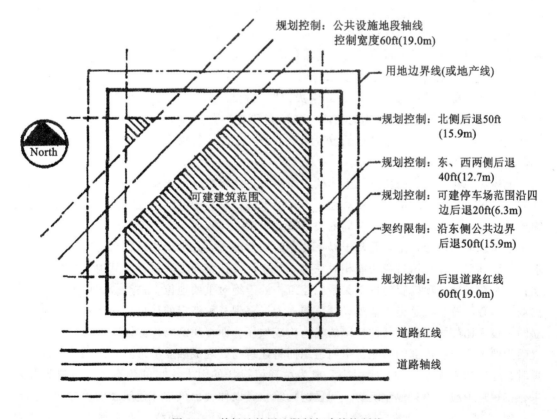

图 4-12 某场地的用地限制与建筑控制线

根据场地的公共限制分析，我们可以得出最大可建建筑空间范围。

建筑物之间保持适当的防火间距，是避免火灾蔓延和及时有效扑救的重要条件。图 4-13 为耐火等级为一、二级的建筑物之间的最小防火间距。

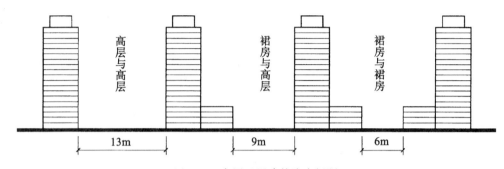

图 4-13　高层民用建筑防火间距

4.2.2　建筑物在场地中的布局

在许多建筑场地设计中，要求在基地中安排一主体建筑物（包括部分辅助用房），如高层写字楼、旅馆、商业建筑物或综合体建筑物，或是影剧院、体育馆等大型公共建筑物。如前所述，一般先根据建筑物自身的要求或依据设计意图，结合用地条件来确定建筑物在基地中的位置。对于新建项目，通常的布置方式有以下两种。

1. **以建筑物自身为核心，布置在场地中部**

建筑物安排在场地的主要位置或中央，四周留出空间布置其他内容（如庭院绿化、交通集散地等），形成以建筑物为核心、空间包围建筑物的格局，这是一种突出建筑物，以环境作为陪衬的形式。建筑物的位置和形态的处理使建筑物成为场地的绝对主体，与其他要素之间形成明确的主从关系。

上述这种布置形式的特点是整体秩序简明，主体建筑突出。视觉形象好，各部分用地区域大体相当、关系均衡，且相对独立、互不干扰，有利于节约土地。其不利因素是建筑物形象单一，缺乏层次变化，与周围关系较为单调。

采用这种布局形式主要是基于以下几方面的考虑：一是由于建筑物自身的一些特定要求，如影剧院、体育馆自身功能相对完整，独立性较强，而无法将其与其他内容结合在一起；二是在场地各项内容的权重关系中建筑物处于绝对重要地位，占有最大比重，因而占据场地中心位置；三是出于主观设计意图，为了表现某种特定的构思，而使建筑物成为独立的一体，比如为了形成某种特定的场地构成秩序，而将建筑物作为组织的核心；或是仅仅因为便于建筑物内部的功能与空间组织而将建筑物处理成独立的形式。采用这种方式构思时，建筑物必须设计得有吸引力，成为由环境衬托的引人注目的焦点。为争取最佳效果，主视野中应避免其他建筑物或明显的构筑物，以便突出该单体建筑物的重要性。

如图 4-14 所示，杨凌国际会展中心，在四周由城市道路环绕的方正地上，建筑物以对称的体形布置于中央，用地北端为入口集散广场，设有集中停车空间，南端为水景、台阶、铺地构成的步行景观广场，东、西两侧主要布置树池和庭园灯，各区划分关系明确，在位置与形态上两两相对,规模相当,构成极好的均衡关系和明确的对位秩序。从周围道路各方向来看,建筑物形象得到较好突出。

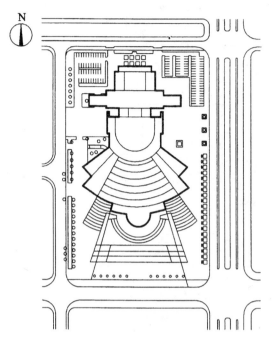

图 4-14　杨凌国际会展中心总平面图

2. 建筑物布置在场地边侧或一角

位于城市市区的单体建筑项目,建筑占地规模往往与总用地规模相接近,紧张的用地造成布局的自由度很小。这时应充分考虑到其他内容的用地要求,为节约用地,主体建筑物往往选择比较规整集中的形式,并尽量靠近场地边侧布置,使剩余用地相对集中,便于安排场地内应布置的其他内容。如果将建筑物布置在场地中央,会将剩余用地分割成零散的几个小条块,其中每一部分由于面积局限及比例不当而难以利用,造成用地浪费,同时也给其他内容的安排带来困难。如图 4-15 所示,深圳经协大厦是超高层综合体建筑物,在紧张的用地中,建筑物退后红线偏于边侧布置,留出与城市道路邻接的用地来组织各种入口空间。

有的场地中建筑物虽是主要功能,但其占地较小且与之配套的室外活动场地占地相对较大。为使该场地布局合理,常将建筑物安排在场地一侧或一隅。有时出于设计构思需要,或为增加建筑物的雄伟气魄之感,常将建筑物远离场地入口而布置在后部的边侧位置。

4.2.3　室外场地及道路设计

1. 室外场地

在建筑群外部环境设计中,由于各群体建筑物使用性质的不同,对外部场地的要求也不相同,由此而形成各式各样的场地。例如公共活动场地,为人们交往、团聚、休闲等提

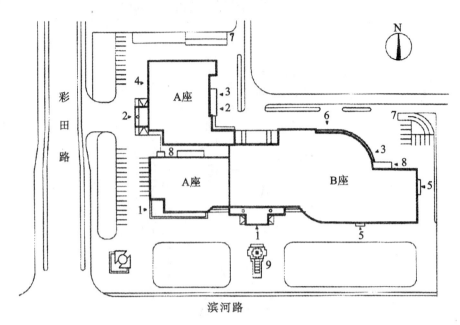

1—广场入口；2—办公公寓入口；3—办公楼入口；4—证券交易所入口；5—职工入口
6—招待所入口；7—地下车库入口；8—地下自行车库入口；9—喷水池

图 4-15 深圳经协大厦总平面图

供场所；而那些人流大且集中的公共建筑物的室外场地，其功能主要承担人流的集散；居住小区的室外场地，主要供人们散步、休闲或为儿童提供户外活动场所。根据使用要求的不同，一般室外场地可以分为下列几种形式。

（1）集散场地

交通集散主要解决人流、车流的交通集散，如影剧院、体育场、展览馆前的广场等，均起着交通集散的作用。这些广场中，有的偏重于解决人流的集散，有的偏重于解决车流、货流的集散，有的则对人流、车流、货流的解决均有较高要求。交通集散广场上的车流和人流应很好地组织，以保证广场上的车辆和行人互不干扰、畅通无阻。广场上需有足够的停车面积、行车面积和行人活动面积，其大小根据广场上车辆及行人的数量决定。广场上建筑物的附近设置公共交通停靠站、汽车停车场时，其具体位置应与建筑物的出入口协调，以免人流、车流混杂或交叉过多，使交通阻塞。有些建筑物，如铁路旅客站、客运站、影剧院、体育馆等公共建筑物，因人流量和车流量大而集中，交通组织比较复杂，所以在建筑物前面常常需要设置较大的场地。如图 4-16 所示。

（2）活动场地

活动场地是为人们创造良好的室外生活环境的空间。无论是公共建筑、文化建筑或居住建筑都应为人们提供休息、公共社交或儿童游戏的空间，而且也给外部空间组合增添多变的色彩。在每个居住建筑群体中都应结合小区公共绿地布置儿童活动场地，这不仅为孩子们提供了户外活动场所，而且也可以改善住宅群的空间组合，增加生活气息。如图 4-17 所示。

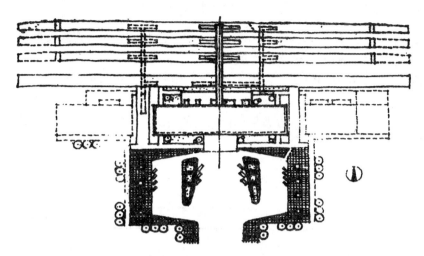

图 4-16 成都火车站广场平面图

这些室外场地的设计往往与道路绿化、建筑小品等组成有机的整体才有生气，才能创造出适用、格局新颖的外部环境。

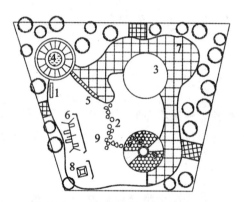

1—长凳；2—高低道；3—沙坑；4—水池及饮水台；5—滑梯；
6—四联秋千；7—铺地；8—安全秋千；9—叠石假山

图 4-17 某儿童游戏场地布置形式

（3）停车场地

停车场地主要包括汽车和自行车停车场。在大型公共建筑工程中，停车场应结合总体布局进行合理的安排。停车场的位置，一般要求靠近出、入口，但要防止影响建筑物前面的交通与美观，因而常设在主体建筑物的一侧或后面。停车场地的大小视停车的数量、种类而定，并应考虑车辆的日晒雨淋及司机休息的问题。

在商场、影剧院、旅馆、展览馆及高层建筑物的总体布置中，常常设置停车场。沿道路或在道路中心线的停车道上停车时有三种形式。

第一种：停车方向与道路相平行（见图 4-18（a）），这种方式所占的道路宽度最小，但在一定长度的停车道上，所能停车数量比用其他方法停车要少 $\frac{1}{2} \sim \frac{2}{3}$。

第二种：停车与道路相垂直（见图 4-18（b）），这种方式在一定长度的停车道上，所能停放的车辆为最多，但所占地带的宽度需 9m。

第三种：停车与道路相斜交（见图 4-18（c）），这种方式停车，车辆自停车道驶出最为方便。

当采用尽端式道路布置时，为满足车辆调头的要求，必须在道路的尽头或适当的地方设置回车场。

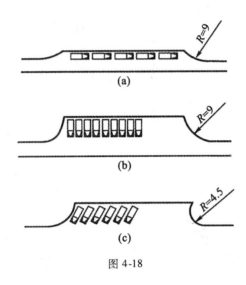

图 4-18

根据我国实际情况，在各类建筑物布置中应考虑自行车停放场，自行车停放场的布置主要考虑使用方便，避免与其他车辆的交叉与干扰，因此多选择顺应人流来向而又靠近建筑物附近的部位。

2. 道路设计

建筑群总体的道路设计，首先应满足交通运输功能要求，应为人流、货流提供短捷、方便的线路，而且应有合理宽度使人流及货流获得足够的通行能力。运动场、车站码头交通枢纽等的道路设计，应特别重视人流的集散。商场及旅馆等的道路设计不仅应考虑人流，而且应重视货流的运输，有许多建筑群应特别做好内部的人流、货流的道路安排，如医院建筑物的总体布置应给病员、工作人员、供应线、污染物及尸体的运出等提供分工明确的道路系统。

建筑总体的道路设计，应满足安全防火的要求。应有符合防火要求的消防车道，使所有的建筑物在必要时都有消防车可以开达，通过消防车的道路宽度不应小于 3.5m（穿过建筑物时不小于 4m，其净空应有 4m 的高度）。按照消防的要求，建筑群内部道路间距不宜大于 160m。L 形建筑物的总长度超过 220m 时，应设置穿过建筑物的车行道供消防车通过。考虑人流的疏散，连通街道与建筑物内部院落的人行道，其间距不宜超过 80m。

建筑群体的道路设计，还应满足建筑地段地面水的排除及市政设施管线的安排。根据排水要求，道路必须有不小于 0.3% 的纵向坡度。

建筑群体的道路设计，应同城镇道路网有合理的衔接，应注意减少建筑地段车行道出口通向城市干道的数量，以免增加干道上的交叉点，影响城市的行车速度和交通安全。必要的车行道出口，应注意交叉角度与连接坡度。交叉角度以不小于60°（或不大于120°）为宜。车行道的宽度应保证来往车辆安全和顺利地通行。车行道的大小是以"车道"为单位，决定车道宽度时应考虑车辆间的安全间隔及车辆与人行道间的安全间隔。一般一条车道的宽度为：小汽车3～3.2m，载重汽车和公共汽车3.5～3.7m。为便于提高行车速度和保证交通安全，车道常采用偶数。一般双车道的车行道宽度为6.5～7.0m，4车道的车行道宽度为13～14m。

人行道一般都是布置在道路的两侧，个别的布置在道路的一侧。人行道最好布置在绿化带与建筑红线之间，或布置在绿化带之间，这样可以减少行人受灰尘的影响，亦保证行人的安全。人行道宽度是以通过步行人数的多少为根据的，以步行带作单位。所谓步行带即是一个人朝一个方向行走时所需要的宽度，通常采用0.75m作为一条步行带的宽度。根据若干城市建设的经验，认为人行道宽度（指一边）和道路总宽度之比为1:5～1:7比较合适。

道路交叉口通常为圆弧形，道路转弯半径视车辆种类而定，一般小汽车和三轮车的转弯半径为6m，载重汽车的转弯半径为9m，而公共汽车和大型载重汽车的转弯半径为12m。

4.2.4 环境绿化与建筑小品

1. 环境绿化

一个良好的建筑群外部空间组合，必定具有优美的环境绿化，这不仅可以改变城市面貌，美化生活，而且在改善气候等方面也具有极其重要的作用。

绿化必须结合总体布置的要求及各类建筑的特点，并根据不同地区的气候、土壤条件，从实际出发，因地制宜，充分利用总体组合的特点，选择适应性强、既美观又有经济价值的树种。在绿化标准要求较高的地方，应配置四季有景的树种，从绿化整体上看应有主调，再配置以各种植物加以烘托，其外轮廓可以随地形起伏而变化，或随设计构思而或高或低，或直或曲。植物配置时应注意不影响建筑物的自然通风。另一方面绿化也是一种很好的遮阳措施，对朝西的建筑墙面或窗洞，利用绿化的栽植和攀藤可以弥补朝向不良的缺陷。

（1）小游园的绿化

一般在绿地内设置一定的铺装路面和少量的建筑小品，如亭廊、花架、坐凳、小水池、小型雕塑、画廊等，不仅为游人休闲活动创造了较好的条件，也提高了游园的艺术性。

（2）庭园绿化

庭园绿化的布置应视庭园的性质、规模以及在建筑环境中所处的地位等诸因素来考虑。

①室内小院，室内空间一般不大，为创造独特的意境，往往在"通天"的空间内进行绿化景物的布设，一般适宜配置半阴生植物，并需要注意透气与排水，适应植物的生长。

②小院，借鉴古典民居的传统手法，利用天井或小院空间进行绿化，既解决采光和通风的需要，又能美化环境。小院或天井可以设在厅堂房屋的前后左右，也可以设在走廊的端点或转折处，灵活安排，构成对景，小院绿化视天井大小而定，但一般规模不大，组景应简单，配置绿化应注意对采光和通风的影响，对组景的观赏多半只能从"坐赏"或"对景"考虑，处理手法以框景为多。

③庭园，一般规模比小院为大，在较大的庭园内也可以设置小院，形成园中有园，但其间应有主有次，主庭的绿化是全园组景的高潮，而且庭园的轮廓不一定由建筑轮廓形成，也可以由石山、院墙、林木、水石等作为内庭的空间界限，组成开阔的景象。如图4-19所示。

④庭院，规模比庭园大，范围较广，在院内可以成组布置绿化，每组树种、树型、花种、草坪等各异，并可以分别配置建筑小品，形成各有特色的景园。

（3）屋顶绿化

随着建筑业的发展，平屋顶形式在各类民用建筑中广泛被采用，平屋顶不仅可以用来作为"地面"进行绿化，配以建筑小品形成屋顶花园，而且有利于热带建筑物的屋顶隔热，调节气候。

（4）其他建筑地段的绿化

例如，居住区的绿化，应根据住宅区规划中绿化面积大小和住宅建筑物的层数确定绿化的布置。绿化面积小的，采用行列式种植；绿地较大的，则可以成片绿化。处在道路两侧的住宅绿化要求隔离街上的噪音，吸附烟尘，以形成居住区安静卫生的环境，因此应选用高大的乔木，在乔木之间种植灌木，居住区内人为的干扰较大，应选择生命力强、管理简单而又尽可能结合生产的庭荫树、灌木和宿根植物。

在公共建筑地段，绿化树种及体型、色彩均应与建筑物相协调，除栽植一些庭荫树外，还可以选择多种观花、观果的小乔木和灌木。为装饰建筑物还可以选择一些藤本植物，如凌霄、爬墙虎、常青藤等进行垂直绿化。

图 4-19 日本福冈市植物园的庭园

2. 建筑小品在室外环境中的运用

一个生机盎然的室外环境,必定有各式建筑小品相伴随,而各类性质不同的室外空间中所选用的建筑小品,在风格与形式上,应有所呼应和协调,在选择小品的种类上应符合设计意境,取其特色,顺其自然,巧其点缀。建筑小品的种类是很多的,运用时可以按下列三种目的进行选用。

(1) 分隔空间的小品

在室外空间组合中起分隔作用的建筑小品,如各种连廊、各式隔墙和各类门窗洞口等,这类建筑小品在空间处理上可以把两个相邻的空间既分隔开,又联系起来。借助这些建筑小品形成渗透性的空间,增加了空间的层次感和流动感。

(2) 点缀环境、绿化环境

在室外空间的组合中点缀环境和绿化环境的建筑小品,如各式各样的花池和花架,这类建筑小品是空间组景中不可缺少的点缀品,既美化环境又绿化环境。

(3) 具有实用价值的小品

在室外全景组合中,具有实用价值的建筑小品较多,坐凳、灯、小桥、垃圾箱、指示牌、饮水台、喷泉等。这类建筑小品本身就可以构成各种不同的观赏点,同时这类建筑小品还具有某种功能意义,供人们使用。

铺地不仅可以划分空间,而且采用不同材料与形式则可以获得不同的效果。庭院中的路径不同于一般交通的道路,其功能属于散步休闲之用,一般应保证人流疏导,但并不以捷径为准则,小径的曲折迂回与一定的景石、景树、圆凳、池岸相配,对创造雅致的空间与艺术效果起到不可低估的作用。

除上述建筑小品外,尚有雕塑等小品,雕塑在外部空间组合中可以体现环境的主题,并颇具鉴赏价值。雕塑小品的题材不拘一格,形体可大可小,刻画的形象或自然或抽象,表达的主题既严肃又浪漫,雕塑小品在环境中的出现使意境趣味倍增。如图 4-20 所示。

图 4-20 美国洛杉矶 ARCO 广场上的 "红双梯" 雕塑

复习思考题

1. 建筑物内部空间利用常从哪些方面入手?
2. 建筑空间有哪些常用处理手法?
3. 建筑物外部空间设计为什么要进行场地分析?场地分析有哪些具体内容?
4. 建筑物在场地中的布局主要有哪些模式?
5. 建筑物室外场地有哪些类型?
6. 试简述环境绿化与建筑小品包含的内容。

第 5 章 建筑造型设计

本章提要：建筑造型设计涉及因素众多，本章侧重视觉审美方面的介绍，具体内容有建筑构图的范畴与原理、体型设计和立面设计要点等。

建筑造型设计主要包括体型设计和立面设计，是整个建筑设计的重要组成部分，建筑造型设计着重研究建筑物的体量、体型组合、立面及细部处理等。

建筑造型反映内、外部空间的特征，建筑造型设计应与总平面设计、平面设计和剖面设计同时进行，并贯穿于整个设计的始终。在方案设计一开始，就应在功能、物质技术条件等制约下按照美观的要求考虑建筑体型及立面的雏形。在平面设计、剖面设计的基础上对建筑物外部形象从总体到细部反复推敲、协调、深化，使之达到形式与内容完美的统一，这是建筑造型设计的主要方法。

建筑造型是指构成建筑形象的美学形式，建筑造型的形态，既受建筑物所处的环境条件的制约，还受建筑物功能要求的影响，而且建筑造型与其他艺术造型形式相比较又具有抽象的特征，即建筑造型在大多数情况下只能采取非抽象的象征形式，因此只能通过造型形式的各种关系要素，诸如色彩组合、方向变化、光影处理、虚实安排、质感差异等抽象的构成形式来创造某种抽象的心理感觉，如庄重、肃穆、明朗、轻快、大方、高雅等，而不便于用典型的具体形象来隐喻任何事物、事件和思想。当然也有极少数建筑物采用具体形式，选用某种典型形象来隐喻某种事物（如海螺、风帆、贝壳），从而使人们产生某种联想和情感。建筑造型应反映建筑个性特征；应善于利用结构、施工的技术特色；应适应基地环境和群体布局的要求；应符合建筑美学法则；应与一定的经济条件相适应。

古今中外的建筑造型创作归纳起来，大致可分为如下五大类：

（1）雕塑式建筑类型：运用雕塑艺术的手法，采用雕、剔、挖的方法来塑造建筑物的体型。这种造型使人感到棱角分明、凹凸光影变化丰富，立体感强，具有艺术表现力。如图 5-1 所示。

（2）组合式建筑造型：按照一定的顺序或方法，将各个不同形式的建筑物部分或单元体，通过造型手段，组合成一个有机的整体建筑造型。这种造型有较强烈的规律性，次序感强，从整体到局部都体现出有机的联系。在一些体量庞大的建筑物或建筑群中通常采用这一方式。如图 5-2 所示。

（3）装饰类建筑造型：通过符号拼贴、店标、招牌、标记、材料、色彩等建筑装饰手段来塑造建筑造型，这种方法构思新奇、趣味性强、形式多样化，往往能在周围环境中脱颖而出、独树一帜，形象不拘一格。这类建筑造型多用于商业建筑、游乐建筑等。如图 5-3 所示。

图 5-1　美国费城自由广场大厦　　图 5-2　日本东京田谷区文化、生活信息中心大厦

（4）结构类造型：现代建筑结构不断推陈出新，为建筑物带来了结构技术美。这种造型主要依靠建筑物结构逻辑、力度和稳定性等方面表现了力和结构的逻辑美。在一些大型公共建筑物、大跨度空间结构建筑物中往往采用这种形式，反映结构技术的创新，呈现出独特的建筑形象。如图 5-4 所示。

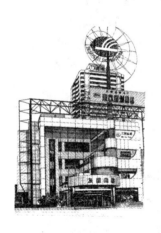 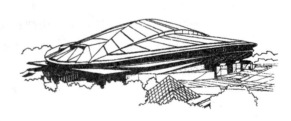

图 5-3　中国上海虹桥友谊商城　　图 5-4　日本东京体育馆

（5）文脉类建筑造型：文脉类建筑造型是从地域性的民族文化传统中提炼出造型的原始语言和符号，然后把这些造型符号与现代造型规律和现代审美观念融合在一起，从中提升出新的、与民族文化共有血缘关系的本土建筑造型形式来。这种造型通过本土建筑文化梳理，力求创作具有地方特色的建筑物，而别具一格地屹立于世界建筑之林。如图 5-5 所示。

除了上述五大类建筑造型外，还有其他的类型，如广告型，即运用广告的手法使建筑造型具有很强的广告性；具象型，即运用具象的手法使建筑造型具有现实生活中具体生物或物品的形象等，如图5-6所示。随着社会文明和科学技术的不断进步，建筑造型在不断地推陈出新，新的造型手段将会层出不穷地出现。

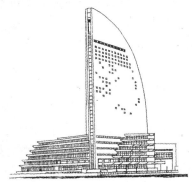

图5-5　中国台湾花莲慈济功德会纪念馆　　　　图5-6　日本横滨国际和平会议大厦

§5.1　建筑造型原理与建筑构图

建筑构思需要通过一定的构图形式才能反映出来，建筑构思与构图有着密切的联系，在建筑形象创作中应是相辅相成的。但在现实创作中并非如此简单，有时想法（构思）很好，但所表现出来的形象（构图）并不能令人满意。反之，有时许多建筑物虽然大体上符合一般的构图规律（如统一、变化、对比、韵律、重点），但并不能引起任何美感。这说明构思再好，还有个表现方法问题，途径的选择问题，建筑美学观的认识问题。运用同样的构图规律，在美的认识上、艺术的格调上、意境的处理上还有正谬、高低、雅俗之分，建筑形象的思想性与艺术性结合的奥秘就在于此。由此可见，建筑构图是研究建筑形式美的规律与方法。建筑构图应以建筑构思为基础，通过形式美的原则来研究建筑造型问题，但随着当今社会审美认识的不断演变和发展，构成学、格式塔心理学等一系列造型方法在建筑造型上的应用，新的造型方法还会不断涌现。故形式美的规律虽有自己一系列的研究范畴，但形式美不能代替建筑设计上和美学上的一切问题，因此建筑构图是建筑造型的基础，是建筑设计中的重要组成部分，同时也作为具有相对独立性的一门系统科学——建筑构图学。建筑构图包括平面构图、形体构图、立面构图、室内空间构图以及细部装饰构图等方面，并统一于整个建筑设计之中。虽然在处理不同类别的构图中，各有特点和侧重，但构图的基本原理都是一致的。

构图的根本法则就是"对立统一"的法则，这是形式美学和构图的根本法则。所有一切构图的法则，都可以归结为这一法则，都是这一法则的具体化、外延化、视觉化。所谓"变化统一"和"多样统一"，其核心就是"对立统一"。变化和多样何以能够统一？就是各自通过自身相应的对立（如大小，高低，虚实，冷暖，粗细等）而达到统一。

构图原理又可以分为基本范畴和基本原理两部分内容。

5.1.1 基本范畴

前面提到的形式的视觉属性，诸如形状（包含长、宽、高等）、尺寸、方位和表面特征（色彩、质感、纹理等）以及由表面特征引起的视觉重量感等因素，都属于构图的基本范畴。此外，隐含在两个或两个以上要素间的关系之中的潜在的视觉效果，诸如对称与均衡、比例与尺度、韵律与节奏、对比与微差、变换与等级都是建筑构图的重要范畴。可见，构图原理的基本范畴实际上就是建筑形式中首要的、直观的和特有的要素，同时也是建筑师实现和协调体量组合的基本手段。

1. 对称与均衡

建筑史表明，建筑艺术从某种意义上讲是建立在左右对称的基础上的（见图5-7（a））。在相当长的时间内，不对称的建筑被认为是古怪的，需要做出某种解释的（见图5-7（b））。而现代，不对称但均衡的构图则被认为是现代建筑艺术的基石，如图5-8所示。意大利人布鲁诺·塞维（B. Zevi）在《现代建筑语言》(1978年) 一书中认为非对称性是现代设计的首要要素。其实，在当代的建筑造型中，对称式构图比我们想象的要多得多，对称式并非专属于古典时期，现在仍然具有广泛的应用领域。如图5-9所示。

(a) 帕提农神庙：对称与均衡的构图　　(b) 东汉陶楼明器：不对称但均衡的构图

图 5-7

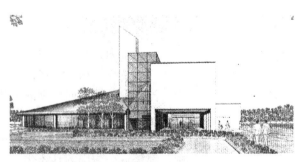

现代建筑中局部对称而整体均衡的构图
对称与均衡图

图 5-8

图 5-9 新西兰英沃卡欧镇的维多利亚公司办公大楼

2. 比例与尺度

在建筑设计中，建筑形式的表现力以及建筑美学的许多特性都起因于对比例的运用。比例是指建筑物各部分之间在大小、高低、长短、宽窄等数学上的关系。尺度则是指建筑物局部或整体，对某一物件（可以是人，也可以是物）相对的比例关系。因此相同比例的某建筑物局部或整体，在尺度上可以不同（即可以作为若干倍数关系）。如图 5-10 所示。

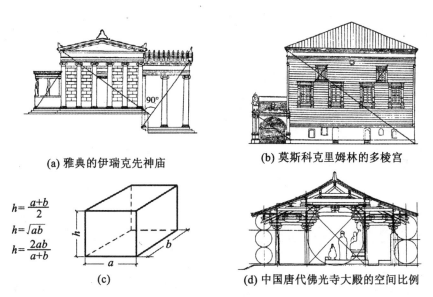

(a) 雅典的伊瑞克先神庙 (b) 莫斯科克里姆林的多棱宫

$h=\dfrac{a+b}{2}$

$h=\sqrt{ab}$

$h=\dfrac{2ab}{a+b}$

(c) (d) 中国唐代佛光寺大殿的空间比例

图 5-10 室内高度与比例

建筑物的空间及其各部分的尺度和比例，主要是由使用功能和不同材料性能、结构形式确定的，不同类型和性质的建筑物在尺度上和比例上都有不同的要求和相应的处理方法。例如许多公共建筑物，如车站、商店等开间、进深大，层高常采用钢筋混凝土框架结构，在立面上反映出一系列柱子和大片窗子和宽阔、开敞的出入口，而许多居住建筑物，由于面积小，相应的开间、进深、层高也都较小，而且常采用砖石或混合结构，在立面上反映出较多的实墙面和较小的窗子和出入口，因此在建筑的尺度和比例上显示出很大的区别。

建筑物上某些部件根据人体工程学要求常得出较为固定的尺寸，例如楼梯踏步高一般在 15~17cm 之间，宽一般在 25~30cm 之间，一般的窗台栏杆高度常在 90cm 左右，门的高度常在 2m 左右，等等，如果任意改变就可能不适用，也不习惯。对生活中常见的不同性能的材料（如木、石、金属、混凝土、玻璃等），在使用上也会有合乎逻辑的比例概念，人们在日常使用中形成的这些习惯、固定的尺度和比例，就能对不同的空间和物件有很敏锐的尺度感和比例概念。由此可见，人们对建筑物尺度、比例的不同感觉，除了建筑物的绝对尺寸外，还要通过与某些习惯、固定的比例概念相比较而获得，而后者在建筑构图中显得格外重要，即应正确处理好建筑物各部分之间的相对尺度、大小、长短、高低、宽窄等，都是通过比较而显示出来的。如果对建筑物上的某些部件大小处理不当，就会影响整个建筑物的比例，从而影响对建筑物的尺度感。例如某些大型公共建筑物，虽然绝对尺寸很大，但如果比例关系处理不当，仍然会给人感觉像很小的建筑物，从而失去了应有的宏伟效果。相反如果某些居住建筑物在尺度、比例上处理不当，如门太大、空间过高，也会失去居住建筑物应有的亲切感。对建筑形式不加分析地任意搬用、抄袭，不注意人的心理、习惯影响，常常是失去建筑特性和良好比例及尺度的重要原因之一。

除了建筑物的比例和尺度具有密切的联系外，建筑物整体和局部、局部和局部的比例关系都应仔细推敲以达到统一、完整、协调的效果，同时应充分利用比例关系和尺度使建筑造型获得良好的形象。矩形的变化很多，而且在建筑工程中运用最广，因此历来就有人对长方形的比例进行研究，一般认为有良好比例的"黄金率"就是这样产生的，如图 5-11 所示。但实际上任何抽象的孤立的几何形体离开了所表现的内容就没有任何意义。抽象的几何形状，只有当其组成美丽的图案或赋予某种美好联想时，才具有魅力。建筑构图中脱离内容的抽象的比例美，一般很难使人理解。

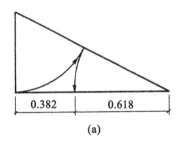
(a)

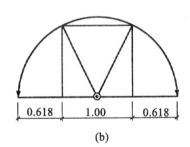
(b)

图 5-11 黄金比作图法

具有不同大小形状的相似形，由于"比率"相等形成比例关系上的统一，如图 5-12 所示。但也不能离开建筑所表现的内容要求来分析，并且应该从实际效果出发，以最醒目的分界线所形成的几何形体作为研究，分析比例关系的主要对象，如虚实之间、前后凹凸之间、不同材料和色彩之间的分界线以及建筑物外轮廓线等因为具有醒目的分界线范围内所形成的比例才会使人具有明确、强烈、直接的感受，这些因素自身的比例关系才能真正起到影响人们视觉的作用。

建筑物的比例关系是其他建筑构图艺术处理的基础，凡是韵律对比、联系等都离不开正确的尺度和良好的比例这个基本条件。熟悉现实生活中存在的各种不同的尺度和比例对

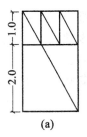 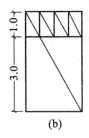 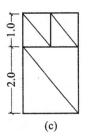 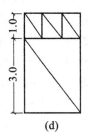

图 5-12　相似形的划分

造型的关系，分析和掌握自然界和其他造型艺术中比例尺度对美感的影响，触类旁通，有助于在建筑构图中对比例尺度概念的深化和正确运用。

在建筑工程中，比例概念是指两个图形或图形内部各局部要素与整体之间的相似和匀称关系。形式诸要素之间的类似或相似是建筑物之间匀称和有比例感的基础，同时，比例的实质也是韵律排列规律的表现。

以上，我们概略地讨论了比例的含义和应用。在考虑比例问题时，应注意避免两种错误倾向：一种倾向是偏爱某一比例系统（如黄金比），而把其他比例系统摆在次要地位；另一种倾向更应引起注意，那就是在建筑设计中，比例问题不仅仅存在于纯数学关系中，事实上，建筑物的功能要求和结构类型的力学性能总是决定着比例的性质和特点。如柱间距、跨度，随着材料性能（砖石、木、钢筋混凝土、钢结构等）的不同而呈现出不同的适宜性表现，这些因素对比例的表现力有着决定性的影响。

总之，比例的作用可以使构图获得和谐，建筑工程中的比例从本质上说来源于图形相似关系的建立，结构类型的逻辑表达以及功能需要对尺寸关系的支配和调整等一系列综合作用。

然而，在建筑构图中仅仅考虑比例关系还不够，当一幢建筑物要表现某些特别部分的重要性时，此时便涉及与比例密切相关的另一范畴——尺度。

一般地，尺度的含义是作为建筑设计和构图的基本手段之一，用来表现建筑形式、体量和规模的宏大程度的。

尺度同比例的作用一样，是建立在两个因素之间的比较和衡量关系之中的。但这仅是问题的开始。当我们比较两个体积相等的建筑物时，建筑师又根据什么说一个剧院的尺度能够比一组绝对体积和该剧院相等的住宅的建筑尺度更大呢？这样看来，比例与尺度所衡量的内容是有根本区别的。比例关系是从属于数量定义的，而尺度则是一个质量概念，涉及建筑物的主题（纪念性与非纪念性、居住与公共等），涉及纯数量关系之外的形式力度感。如强弱、大小、轻重等。此外还涉及由于位置和环境的关系而要求建筑物的形象性和象征性等在主观、客观上的满足等。

由于上述原因，我们在实际经验中知道，建筑物的绝对尺寸小时也可能有很大的尺度（如陵墓），而绝对尺寸大的建筑物尺度却可能很小（如多层住宅），因此，实际体积相同的建筑物由于所处环境、位置和使用性质的不同而产生不同的尺度表现。

如果说，比例的运用追求的是一种形状"相似"的和谐，那么，尺度的运用则是追求一种"相称"的和谐,即与人们的知识、经验和期望相称。

在建筑设计中,要取得和谐的比例感和相称的尺度感,是没有捷径可以走的,只有细致入微的推敲,三番五次地放宽、收窄、拉长或缩短图形关系,不断地试验不同关系的效果才能获得。对于这样的工作,物美价廉的草图纸是最好的帮手之一。

此外,良好的尺度感总是建立在建筑物同周围环境相称、与建筑物内在主题相称、与人的尺度和期望相称这三者综合考量之中的。因此,在尺度推敲方面,建立一个包括环境、现状的全景模式是极其理想的直观手段。

总之,建筑构图中的比例感和尺度感虽然是最基本的要求,但却需要花费大量的心血才能达到,为了能够正确理解、真实地评价建筑物的组合、地位、意义及其与周围环境的相互关系,多投入一些时间、精力和物质成本是非常值得的。因为,尺度感的建立是跨入建筑艺术殿堂的一道门槛。

3. 对比与微差

了解了比例的概念就不难理解,建筑学中的对比与微差是反映和说明建筑物中同类性质和特性元素之间相似或相区别程度的一对构图范畴。对比与微差关系,可以在尺寸、形式、色彩、材料的表面特性处理、光影变化和室内照度等方面被发现。

首先,对比关系是指性质相同但又存在明显的差异,如形状、大小、轻重、水平与垂直之间的关系,如图 5-13 所示。

其次,微差关系则相反,是指尺寸、形式和色彩等彼此区别不大的细微差别,微差关系反映出一种性质和状态向另一种性质和状态转变的连续性的趋势。如形状从全等图形到相似图形,尺寸由大至中到小的变化,色彩由白到灰再到黑等渐变的趋势。如图 5-14 所示。

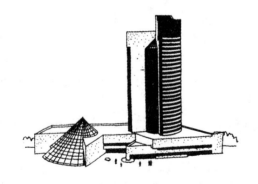

图 5-13　中国珠海国际海员俱乐部　　　　图 5-14　微差

在建筑构图中,运用对比和微差时应符合两个条件。其一,并非建筑物的任何性质和特性的随意比较都能称之为对比或微差,作为不同种类和性质的要素之间不存在比较的基础,即相异元素之间是没有可比性的,如工业建筑物和住宅建筑物之间、门与窗之间等。其二,同类元素之间在大小、形式、色彩、表面处理方面进行比较时,还必须考虑到人们处于正常状态下的感觉的敏感度。也就是说,只有当观众能够通过视觉直接、直观地识别出差异时,微差才能作为构图的艺术因素而起到作用。如果实际的差异难以被直观感知和识别,甚至只有通过仪器测量或推测才能判断,那么,微差的艺术表现力也就消失了。

在建筑设计实践中,对比和微差在构图中的价值取决于对建筑物整体效果的贡献,也就是说,从整体效果来考虑,在什么情况下应该显示和强调这种关系,而在什么情况下则应相反地缓和或者避免这种关系。尤其是对尺寸方面的微差来说,对微差知识的应用通常不取决于艺术效果因素,而常常受制于建筑物构件的标准化、模式化以及建造的经济性等现实要求。

在运用对比和微差时还应特别注意这样一个事实,即建筑物中的对比和微差关系是一个动态效果。例如光线的影响就是一个重要因素,在白天强烈的日照下,我们能明确地辨别出建筑物的主要构图和划分的特点,建筑物受光部分与阴影部分的对比大大加强;晚上的情况显然就不同了,光照产生的对比和微差关系消失了,但随之又会产生新的对比,建筑物在夜空的背景上显出了清晰的轮廓。

同时,在建筑物轮廓图形之内,明亮的窗户与暗淡的墙面的对比正好是白天对比关系之相反。

4. 韵律与节奏

在建筑构图中,韵律与节奏均是由于构图要素的重复而形成的。重复的类型有两种:韵律的重复和节奏的重复。

首先,韵律来自简单的重复,在建筑物中经常表现为窗、窗间墙等均匀地交替布置;其次,节奏是较为复杂的重复,当构图要素不是均匀地交替,而是有疏密急缓等变化时,则出现了节奏上的重复。如图 5-15 所示。

某些要素在重复过程中还伴有其他视觉属性(如形状、大小、数量、方向等)的变化时,则表现为韵律与节奏的配合。

形式要素以上述方式重复,归根结底是建筑物的结构和功能的直接表现。从原则上讲,美学的构图应服从这个根据。如果从结构和功能的角度来看待韵律与节奏,那么,我们在一些复杂的结构体系中会看到韵律与节奏重复的一些变体,如在高层建筑物中,除了水平方向的窗、窗间墙、柱间距等韵律构成之外,在垂直方面还会有由于层高的变化而形成节奏构图。如图 5-16 所示。

图 5-15 复杂的重复　　　　　　图 5-16 节奏与韵律的垂直变化

表面上看来，在建筑构图中，形成韵律与节奏的建筑要素之间的关系可以呈现出几何级数比（等比序列），也可以换算成算术级数比（等差序列）。但是，精确的数学比不是节奏的基本性质。同前面提到的"对比和微差"问题一样，节奏与韵律效果的形成不一定要依据某些数学比，但首先必定是视觉所能感觉到的排列。此外，在创造节奏排列的表现力时，不仅是节奏因素的特点和布置手法起着重要作用，还在于节奏因素的数量。相关研究表明，形成最简单的韵律排列或者节奏排列，至少应需要 3~4 个能造成连续变化的因素，数量越多，越能反映出排列的性质和特点。但是，数量的增加虽然可以加强节奏的表现力，但这只是在一定的限度之内。如果没有任何限度，必将导致相反的结果，产生千篇一律和单调冗长的感觉。因此，关于节奏与韵律的运用实际上包含两个问题：一个是上面提到的关于形成节奏与韵律的条件问题，另一个则是关于节奏的结束或停顿问题。

此时，我们只要回顾一下关于"对比和微差"的讨论，就会发现其中已经蕴含了解决节奏停顿问题的一般处理方法。利用微差处理手法，节奏序列与其相邻的形式特点之间可以产生和谐的过渡关系，从而使节奏序列自然地结束。而通过对比，则可以使节奏序列产生明确的中断。在这种情况下，节奏序列的美学特性很大程度上取决于中断因素的位置和性质。如果把节奏序列看成是一系列的主动因素和被动因素的交替过程，那么，节奏的中断和停顿可以通过加强中央要素的对比变化而使节奏序列呈现出明确收敛效应，也可以通过加强因素的对比关系而使节奏序列呈现出某种运动的趋势。而运动倾向的终点就形成了一种有力的停顿。

5.1.2 基本原理

前面我们已经从形式美学的角度探讨了若干关于基本范畴的性质和特点，在建筑物的整体构图中，对范畴的选择和运用最重要的方面在于要服从一定的基本原理。这种并列的层级思想最早的表述就是众所周知的古罗马建筑师维特鲁威在他所著的《建筑十书》中首先提出建筑三原则：坚固、适用、美观。（维特鲁威著. 高履泰译. 建筑十书. 中国建筑工业出版社，1986.）。1 000 多年以后，在西方资本主义初期，另一位建筑大师沙利文在美国芝加哥的摩天大楼设计实践中更是极而言之地指出了建筑构图中的本质问题。1896 年他写道："全部物质的与形而上学之物……都存在一条普遍法则，即形式永远追随功能，这就是法则。"在随后的半个世纪中，这条法则极大地影响了建筑构图和建筑设计。从某种意义上讲，在 21 世纪所谓的生态建筑设计中又再次证明了这一法则的价值和潜力。

在我国的现代建筑初期，曾把"适用、经济，在可能条件下注意美观"作为建筑设计的总方针（1952 年，第一次全国建筑工程会议）。即使在当代，适用、经济、美观也一直是指导建筑构图和评价建筑设计的基本依据。

由上述可见，古今中外，虽然建筑设计的基本原则、方针或法则在表述上各有侧重，但其观点都有一致性的地方，那就是对功能的强调。因此，功能法则是建筑构图原理的第一层含义。

从功能的角度来看，建筑物的实际用途或使用上的完整性是构图的首要条件。因为我们知道，办一件事情总要依次经过一定的手续或程序。人们活动范围的统一性或使用上的完整性要求各个相关房间在位置安排上应该有一种合理的联系。同样，相关经验表明，房间窗户的尺寸、天花楼板的高度以及许多物体的一般形状只适合于某些目的（功能）而不会适应别的目的。从这个意义上讲,"形式追随功能"所确立的是一种合理性原则。鉴于这条法则本身所遭致的种种批评,尽管有些时候是不公正的,但我们不妨把这条法则作为一种底线策略,假如建筑构图损害了功能的合理性,显然就不会是一个好的方案。使用的完整性和行为逻辑的连贯性一旦受到破坏,不管其他方面设计得如何,看上去都会使人觉得无目的,而且表面化。

建筑构图原理的第二层含义是建筑主题的相称性。建筑的主题除了形式和空间之外,还有更为广泛和深奥的内容,例如上面提到的功能(目的主题)。建筑物对人们精神状态(如信念、意志、期望等)的象征性表现也构成了建筑主题要反映的重要方面,例如,建筑师在接到设计任务的同时,常常会听到业主这样的要求:"我们想通过建筑来表现我们的……"或"……象征我们公司的……"。这时候,业主的某些意志和期望便构成了建筑的主题内容之一。

如何把上述那样抽象的概念同建筑的形象性联系起来,的确很困难,但却是建筑师无法推脱的责任。对于某一文化背景中的大多数人来说,概念和形象之间已经建起了牢固的联系,这是一种习惯的联系。认知的相称性在心理学中有一个相应的理论,叫做"期待状态理论"。其实,在没有理论的时候,生活事实总在教导我们怀有这样的期待。

在建筑形式和体量构图中,公共建筑物看上去就要像公共建筑,住宅看上去就要像住宅,而纪念性建筑物看上去就要有纪念性。造成类型上差别的根本原因在于不同尺度的运用,这一点已经明确了。而在同一类型中(如在公共建筑类型中),不同建筑物之间形象上的差别首先也根源于尺度和比例因素的不同,其次才是其他美学范畴的表现。

建筑构图原理的第三层含义也是最高级的原则统一。许多学者认为,统一性是古典建筑美学的最高原则,这是非常正确的,但如果说,统一性已经退位于现代或当代建筑美学的核心范畴,则是非常片面的。

当代建筑美学和建筑构图原理经过"后现代"的洗礼之后,要想从中找出一个可以替代统一性的另一个核心范畴或原则,是非常困难的,也是徒劳的。在所谓的"现代建筑"之后的建筑理论和实践中,理性与感性之争、个性表现与时代新风格等理论纯属一笔糊涂账。设计理论家往往过多地注重前卫的设计、探索性的设计、形成(局部)运动的设计,其结果是往往忽视了现实中主流的、大量的与普通人的审美趣味和要求相称的设计。这种只见树木、不见森林的媒体导向加重了混乱的理论状况。

当然,从社会发展的角度来看,我们处于知识迅速膨胀、更新较快的信息时代中,建筑杂志的数量和理论的视角也随之增加和扩大,这是一个不争的事实。但是,从"知识"和"经济"的角度来想,知识的年折旧率是多少?知识的淘汰率又几何呢?显然,其答案随着行业和领域的不同而有着不同的运算。

对于建筑艺术理论而言具有双重特点,一方面建筑艺术理论表现为随着时代的进程而呈现整体膨胀的特点,即共性方面;另一方面则是由其专业特性所决定的,即建筑艺术理论的艺术属性决定了所谓的折旧和淘汰问题是毫无意义的。在过去的若干年中,建筑的艺术表现方面只不过是以某种方式卷入了对过去百年或千年知识、价值、情感的重复。我们的历史、建筑的历史所允许的只是置换、重组和重复。从古希腊和古罗马风格到中国的汉唐神韵、大屋顶以及乡土民居风情等均构成了现代生活的有机部分。它们的物质式样连同其中的构图理想——统一原则,在今天仍然制约和规范着当代建筑设计,成为所向往的经典。

在基本方面，统一性的含义和效果常常用和谐、协调、呼应、完整性和一致性等次一级的量度来体现。统一性的含义要求建筑构图中部分与整体之间的主从关系，细部构件和装饰同主体尺度感的协调，以及建筑材料质感、色彩之间的匹配与和谐等外在的统一性；同时，统一性的含义也要求使用功能的完整性和连贯性，功能、结构与形式之间的逻辑关系，以及平面、立面和剖面之间的技术合理性等内在的统一性。

近年来，随着社会的文明进步，评价建筑构图的统一标准已从美学的范畴中走了出来，向着提高城市环境质量和社会生活质量的综合的方向发展。例如，建筑构图与场地综合开发利用之间的综合平衡关系，建筑构图与城市人文环境之间的关系，建筑构图与地域的自然环境之间的关系等。也就是说，场地周边的现状、城市景观规划、所处地段的历史文脉以及建筑物所处地域的气候、阳光、日照、风向、雨量等生态因素都可以是建筑构图中统一的一致性基础。

由上述可见，从过去到现在，建筑构图中的统一思想没有改变，但是形成统一的基础因素随时代的发展而变得多元和深入，从有形的因素到无形的因素，从可见的形态标准到不可见的质量标准等。但应该知道，变化过程本身反映了统一性具有不同的层次性，而不意味着可以用一个层面的要求来替代甚至取消另一层面的要求。在建筑设计中，失败的原因往往在于：统一问题并没有统一地考虑过。

§5.2 建筑体型设计

在进行建筑平面、空间组合设计时，应注意到可能形成的建筑外部体型和立面效果，并根据建筑功能特点、环境条件和结构布置的可能性，对体型和立面进行研究和探索。对建筑造型来说，体型和立面是相互联系密不可分的，建筑体型是建筑物形象的基本雏形，建筑体型反映了建筑物外形总的体量、比例、尺度等方面，对建筑物形象的总体效果具有重要影响。但粗糙的雏形还有待于立面设计的进一步刻画和深化，才能趋于完善。体型和立面各有不同的设计特点和处理方法，但基本的构图原则都是一致的，并且在设计时都应遵循构图原则，结合功能使用要求和结构特点，从大处着眼逐步深入每一个局部和细部，进行反复推敲，相互协调，以达到完美统一的地步。现分述如下。

5.2.1 不同体型特点和处理方法

1. 单一性体型

单一性体型建筑物的特点，平面和体型都较完整单一，平面形式有各方均对称的，如正方形、等边三角形、等边多角形等，此外还有简单的矩形或其他形状，体型上常以等高处理。由广东省建筑设计院设计的63层广东国际大厦是切角的四棱柱建筑物，如图5-17所示，建筑物的顶层略收分，建筑物的基部则下大上小，有一种稳定感，建筑物在体量上没有明显的主次关系和组合关系，整个造型统一完整、简洁大方、轮廓分明，给人印象强烈，富有雕塑感。

把复杂的功能关系，多种不同用途的大小房间，合理地、有效地加以简化，概括在简单的平面空间形式之中，便于采取统一的结构布置，是造型设计中一个极其重要的处理方法。在选择方案时应优先加以考虑。

2. 单元组合体型

单元组合体型是单一性体型的进一步发展，以便满足更大规模空间的需要，把整体建筑分解成相同的若干单元，有许多优点，如便于分段施工，便于因发展需要时任意拼装，而不影响整体造型和风格，因此在设计中得到广泛应用。如图 5-18 所示，由于体型上的连续重复而造成强烈的节奏效果。对于相同单元、相同高度组成的建筑物整体没有明显的中轴线和体型上主次对比关系而给人以自然、平静、和谐、统一和连续不断的深邃感，这类建筑体型的特点要求单元本身具有良好的造型及一定的数量，一般说来，宁长毋短，宁多毋少。

图 5-17　广东国际大厦

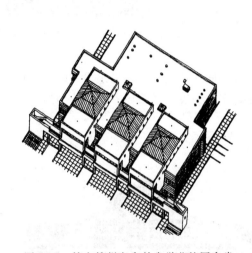

图 5-18　俄亥俄州奥布林大学北校园食堂

3. 复杂组合体型

复杂组合体型的特点是由于各种原因不能按上述两种体型方式处理而使得整个建筑物是由不同大小数量和形状的体量所组成的较为复杂的体型，因此在不同体量之间存在着彼此相互关系的问题，如何正确处理这些关系问题是复杂组合体型构图的重要问题。如果处理不当，就如一盘散沙，成为杂乱无章的堆积物。一般说来首先应从整体出发，做好分析综合工作，将不同体量的数目减少至最低限度，然后将不同的体量分为主体部分和副体部分，或称主要部分和从属部分，使之成为有重点、有中心、有规律的完整的统一体。在处理主体、副体关系上一般应考虑对比关系、联系呼应协调关系、均衡稳定关系等构图原则。

只有通过体量的大小、形状、方向、高低、色彩等方面的对比才能突出主体，使整个建筑物形成中心。在组合上常利用不同大小、高低、体量的特点采用错落、纵横穿插等方法达到体型有起伏，轮廓丰富的效果，如图 5-19 所示，就是通过各种对比突出整体。利用轴线关系，把建筑主体部分布置在主轴线上，以突出建筑物中心，如图 5-20 所示。或者将不同大小复杂的体量组织在封闭的内院，形成整齐统一的外观，如图 5-21 所示。但主体、副体间如果仅考虑对比关系而没有在某些方面具有一定的联系，没有彼此协调、呼应，势必造成主体、副体之间相互脱节，甚至矛盾而不能达到变化中有统一的效果。

图 5-19　美国马里兰州巴尔的摩市港口的美术馆

在处理不同体量间的均衡稳定关系时，不论对称式或非对称式，一般均采取以主体为中心的多种多样的展开式布局方法，按照组合体量的多寡，或简或繁，以达到平衡稳定的效果。

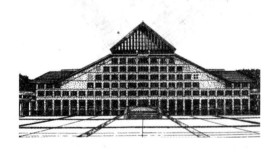 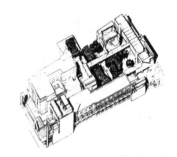

图 5-20　日本东北艺术工科大学行政管理大楼　　图 5-21　通过围合，协调不同的体型

4. 成对式体型

成对式体型在构图中较为少见，因此也是常被人们忽视的一种，成对式体型和第一类体型的不同点在于成对式体型是成双的不是单一的，成对式体型和第二类体型的不同点在于成对式体型不是考虑需要组合的单元体而是具有独立完整性的建筑，成对式体型和第三种体型的不同点在于成对式体型是等高的相同体型的组合。这类建筑造型的特点是采取或分或合的等体结对形式没有主体、副体之分，因而也没有主体中心，符合自然的对称、均衡、统一、协调、呼应的构图原则，重复而不枯燥，独立而不孤单，从而给人留下深刻的印象。如图 5-22 所示。

除了上面所说的几种体型外，也还有许多其他类型，如平面单一但并不是等高的，而是形成阶梯形式的，或者平面较为复杂，但体型是等高处理的，这些类型处理比较简单，实践中也有较好的例子。

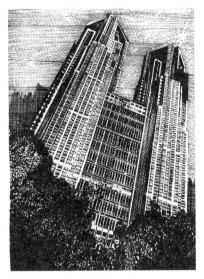

图 5-22　日本东京都新厅舍大厦

5.2.2　体型的转折和转角处理

体型的转折和转角，都是在特定的地形、位置条件下强调建筑整体性、完整性的一种处理方法，如在十字路口、丁字路口以及其他任意角度和数量的道路交叉口的转角地段，和不同程度地形变化曲折的不规则地段，建筑物也常相应地作转角或转折处理以保持和地形、地段相协调，从而达到既充分利用地形完整统一的目的，又使建筑形象化顺着自然地形或折或曲。建筑转折体型实际上是矩形平面的一种简单变形和延伸，而且常常有可能保留有价值的树木、水池，具有适应性强的优点，以及使建筑造型具有自然大方、简洁流畅、统一完整的艺术效果，因此这种体型成为等高单一性体型中的重要组成部分，也是转角地段常见的重要处理方式之一。如图 5-23 所示。

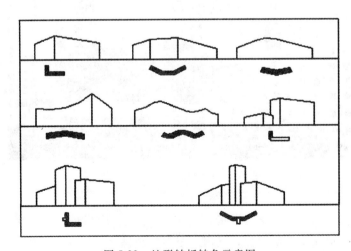

图 5-23　地形转折转角示意图

在转角地段还有以主体、副体相结合的建筑体型处理方式和以局部升高的塔楼为重点的建筑体型处理方式,如果把等高的单一性转折体型称为整体式,那么后两种建筑体型就是组合体式。以主体、副体形式处理时常把建筑物主体面临主要街道,一般在长度上或高度上均大于副体,而副体则起到陪衬作用而面临次要街道。这种由两三块体量组成的体型,主次分明、体型简洁,在公共建筑物和居住建筑物的转角布置中都是常见的,适合于道路主次分明的交叉口,一般常作不对称形式处理。

以局部升高的塔楼为重点的转角处理,由于把建筑物的中心移向转角处,使道路交叉口非常突出、醒目,而常形成建筑布局的"高潮",塔楼不但起着联系左右副体,而且常形成控制左右道路和广场的作用,是一般市中心、繁华街道以及具有宽阔广场的交叉口处常常采取的主要建筑造型手法,以取得宏伟、壮观的城市面貌。在街道两边布置对称的转角塔楼还常作为重要道路强调其入口的一种处理方式。

除上述三种情况外,还有许多其他的转折和转角的处理方式,如不同形式的单元体可以组合成各种不同的转折和转角方式。在高低起伏变化的山地也有许多相应的特殊处理手法,在体型组合上也可能比上述体型更为复杂,应结合具体条件灵活处理。

5.2.3 体型之间的联系和交接

由不同大小、高低、形状、方向的体量组合成的建筑物都存在着体型之间的联系和交接问题,虽然这是属于体型的细部处理,但这项工作会直接影响建筑体型的完善性。如图 5-24 所示。

图 5-24 中国北京华普国际广场

一般说来不同方向体型的交接以正交(90°)为宜,应尽量避免产生过小的锐角,因为产生锐角不论在房间功能使用上,室内外空间的观感上,以及施工操作上都会带来不利影响。若因地形关系造成锐角应尽可能加以适当修正，或者将锐角布置在楼梯间、管井或辅助用房处，留出较宽敞的使用空间。在连接的方式上可以采取不同的处理，例如除了直接连接外，还可以利用空廊等插入体作为过渡的连接，特别在进深大，直接连接在内部容易造成许多暗角时，或由于体量形状不同直接连接会造成结构上的某些困难和造型上的生硬感觉时，常常采用其他方式连接。直接连接给人以联系紧密，整体性强的效果，而过渡连接常给人以轻松空透的效果，并可以保持被连接体各自独立完整的建筑造型。

体型上的局部突起或升高，在立面上常形成"凸"字形，"L"字形或阶梯形，造成立面的不定型性和不完整性。一个完整的、干净利落的体量组合，不管如何复杂，都应该能被分解成若干独立完整的简单几何体。所谓组合就是互相重叠、相嵌、穿插的关系，这样才能给人们以体型分明、交接明确的感觉。

§5.3 建筑物立面设计

5.3.1 建筑物立面设计的空间性和整体性

建筑艺术是一种空间艺术，是立面设计师在符合功能使用和结构构造等要求的基础上对建筑空间造型的进一步美化。反映在立面的各种建筑物部件上，诸如门窗、墙柱、雨篷、屋顶、檐口、凹廊、阳台等是立面设计的主要依据和凭借因素。这些不同部件在立面上所反映的几何形线、它们之间的比例关系、进退凹凸关系、虚实明暗关系、光影变化关系以及不同材料的色泽、质感关系等是立面设计的主要研究对象。一般在建筑物立面造型设计中包括正面、背面和两个侧面。这是为了满足施工需要按正投影方法绘制的。但是实际上我们所看到的建筑物都是透视效果，因此除了在建筑物立面图上对造型进行仔细推敲外，还必须对实际的透视效果或模型加以研究和分析。例如各个立面在图纸上经常是分开绘制的，但透视上经常同时看到的是两个面或三个面。又如雨篷、阳台底部在立面图上反映一根线，而实际透视上经常可以看到雨篷或阳台的底面。而山地建筑，由于地形高差，提供的视角范围更是多种多样。在居高临下的俯视情况下，屋顶或屋面的艺术造型就显得十分重要。

由于透视的遮挡效果和不同视点位置和视角关系，透视和立面上所表现的也有很大的出入。因此，由于建筑艺术的空间性，要求在立面设计时，从空间概念和整体观念出发来考虑实际的透视效果，并且应根据建筑物所处的位置、环境等方面的不同，把人们最多最经常看到的建筑物的视角范围，作为立面设计的重点，按照实际存在的视点位置和视角来考虑建筑物各部位的立面处理。

建筑物不同方向相邻立面关系的处理是立面设计中的一个比较重要的问题，如果不注意相邻立面的关系，即使各个立面单独看来可能较好，但联系起来看就不一定好，这在实践中是不少见的。对相邻面的处理方法一般常用统一或对比、联系或分割的处理手法。采用转角窗、转角阳台、转角遮阳板等就是使各个面取得联系的一种常用的方法，以便获得完整统一的效果。有时甚至可以把许多方面联系起来处理以达到完整、统一、简洁的造型艺术效果。分割的方法比较简单，两个面在转角处作完善清晰的结束交代即可，并常以对比方法重点突出主立面。

5.3.2 建筑物立面虚实关系的处理

"虚"指的是立面上的空虚部分,如玻璃、门窗洞口、门廊、凹廊、空廊等,这些部位给人以不同程度的空透、开敞、轻盈的感觉。"实"指的是立面上的实体部分,如墙柱、屋面、拦板等,这些部位给人以不同程度的封闭、厚重、坚实的感觉。在自然光线作用下"虚"具有幽暗深邃的效果,"实"具有明亮突出的效果。

许多公共建筑物恰当地安排整片玻璃窗,并通过玻璃看到内部,或者建筑底层或屋顶采取成排的柱廊布置,这些处理都给人以轻盈、开朗、深远的效果。许多居住建筑物由于利用了凹廊或楼梯间的整片花窗和其他敞开式布置,使实中有虚,大大改善了窗子较小以及实墙面多的笨重感觉。悬挑部分采取开敞式,漏空遮阳和整片玻璃等虚的处理就不显得沉重。我国许多古代庭园建筑物充分利用列柱、空廊、落地窗、漏花窗,使许多亭、棚、楼、阁轻快灵活,玲珑剔透。以虚为主,或虚多实少的明朗轻快格调在国内外都得到了广泛采用。如巴西利亚总统府,如图 5-25 所示。

另一方面以实为主,或实多虚少的建筑处理在造型上也有其独特的性质和用途,例如我国天安门城楼,其所以如此雄伟壮观,除了其他条件之外,夸张的色彩、壮丽的城墙给人以坚实、雄厚的感觉是一个重要因素。

除了以虚为主和以实为主的处理外,还有虚实均匀布置,虚实成片集中布置,虚实交错布置,以强烈的虚实对比达到突出重点的效果,或按一定规律的连续重复的虚实布置造成某种节奏和韵律效果,如图 5-26 所示。随着玻璃材料工业的发展,具有各种色彩和性能的玻璃使建筑物"虚"的部分具有新的面貌,许多建筑物采用了隔热的蓝色、茶色吸热玻璃,使建筑物增加了不少色彩,大片的镜面玻璃反映着周围环境时刻变幻的景色,更显得光怪陆离。但是更多的色彩还是靠实体墙面实现的。不少公共建筑物和居住建筑物恰当地利用了这个条件,非常注意实墙面的装饰色彩作用,使建筑艺术得到了充分的发挥。不论虚或实,都要结合恰当的比例、尺度以及其他构图原则,力求避免可能产生的或轻佻、单薄,或笨重、呆板等不良效果。

图 5-25 巴西利亚总统府

图 5-26 某高校图书馆

5.3.3 建筑物立面凹凸关系的处理

建筑物立面上的凹进部分,如凹廊、凹进的门洞等,凸出部分如挑檐、雨篷、遮阳、阳台、凸窗以及其他突出部分等，大多是根据使用上、结构构造上的需要形成的。凹凸关系和虚实关系一样都是相对的，互为依存、相辅相成的，立面上通过各种凹凸部分的处理，可以丰富立面轮廓，加强光影变化，组织节奏韵律，突出重点，增加装饰趣味，等等。大的凹凸变化犹如波涛澎湃，给人以强烈的起伏感；小的凹凸变化犹如微波荡漾给人以平静柔和的感觉，突然孤立的凸出或凹进，犹如平地惊雷，接天洪峰，给人触目惊心的感觉。如图5-27、图5-28所示。

图5-27 马来西亚国际乡野大厦

图5-28 凸窗

5.3.4 建筑物立面线条处理

在虚、实、凹、凸面上的交界，面的转折，不同色彩、材料的交接，在立面上自然地反映出许多线条来，对庞大的建筑物来说，所谓线条一般还泛指某些空间实体，如窗台线、雨篷线、阳台线、柱子，等等。而对尺度较小的面，如小窗洞、挑出的梁头等，在立面上相对而言也不过是一个点而已。因此从某种意义上讲，整个建筑立面也就是这些具有空间实体的点、线、面的组合，而其中对线条的处理，诸如线条的粗、细、长、短、横、竖、曲、直、阴、阳，以及起、止、断、续、疏、密、刚、柔等对建筑物性格的表达、韵律的组织、比例的权衡、联系和分隔的处理等均具有格外重要的影响。粗犷有力的线条，使建筑物显得庄重、豪放，而纤细的线条使建筑物显得轻巧秀丽。还有不少建筑物采用粗、细线条结合的手法使立面富有变化，强调垂直线条给人以严肃、庄重的感觉，强调水平线条给人以轻快的感觉。由水平线条组成均匀的网格，富有图案感。在以垂直、水平线条中穿插着折线处理，使整个建筑物更富有变化，如图5-29所示。曲线给人以柔和、流畅、轻快、活跃、生动的感受，这在许多薄壳结构中得到广泛应用。由连续重复线条组成的韵律在一般建筑物中都有反映。由此可见线条在反映建筑物性格方面具有非常重要的作用，设计者应对此狠下功夫。

线条同时又是划分良好比例的重要手段。建筑物立面上各部分的比例主要通过线条的联系和分隔反映出来。良好的比例是建筑物美观的重要因素，但由于功能使用等方面的原因，往往层高有高有低，窗子有大有小，如果不加适当处理，就可能产生立面零乱的效果。如图 5-30 所示。

图 5-29　垂直线条与水平线条的穿插　　　　图 5-30　皓撒瓦雷基奥医疗中心

5.3.5　建筑物立面色彩和质感的处理

由不同性质材料组成的建筑物，都以其不同的质地和色泽同时反映出来。整个建筑物形象的感染力主要取决于形和色。因此，二者不可偏废。如何正确地运用色彩的特点，加强建筑物的表现力乃是设计中的重要课题。一般说来处理建筑色彩主要包括两方面的问题：一是基本色调的选择和确定，二是建筑色彩构图问题。色彩基调的选择有冷暖之分，色彩构图有简繁之别，应视具体情况而定。

通常考虑建筑色彩时常注意以下若干因素：首先是气候条件，我国幅员辽阔，各地气候相差很大。以四川地区的气候特点来讲，夏季炎热期长，冬季温暖多雾，常年阴雨天多；而北京情况不同，晴天多，雨天少，冬季寒冷，夏季虽热但不闷。考虑建筑色彩如何与当地气候相适应，其中包含许多复杂的因素。一般说来应该考虑两方面问题。其一，是色彩对人的心理作用，如在炎热的条件下，如果建筑物再以其色彩在人的心理上"增加"热量，就非常不妥了，这就是为什么在炎热地区一般喜欢偏向于冷色调的原因。如重庆市人民大礼堂屋面选择了蓝绿色的玻璃瓦，其他许多建筑采用灰白色和淡绿色的冷色基调也非常普遍。其二，应该把天空色彩作为衬托整个建筑物的重要背景来考虑。虽然建筑物不能像人们更换衣服一样，随着不同季节和时间变换颜色，但应该以常年最多时间的气候天空条件为依据，例如重庆、成都，由于常年阴雨天气多，天空常呈灰暗颜色，而北京、昆明、拉萨等城市经常是碧空万里，因此像重庆、成都等地灰暗的天空背景下，如果不适当加强色彩的明朗光亮的效果，也是不妥当的，这就是为什么像成都地区许多建筑物普遍采用了与灰暗天色相对比较鲜明的浅红，浅黄等暖色调，而重庆炎热地区仍然还有不少建筑物局部采用非常明快、强烈的暖色的缘故。由此可见，结合气候条件选择建筑色彩是非常复杂的，有时甚至是矛盾的，但只要综合分析、掌握分寸、统筹考虑，既能解决主要矛盾，又能全面照顾，也是办得到的。

其次，与周围环境的配合，也常作为考虑建筑色调的重要因素之一，例如毛主席纪念堂的紫红色基座和天安门城楼的红墙遥相呼应，汉白玉栏杆、灰白色柱廊和天安门金水桥、人民英雄纪念碑、人民大会堂的列柱等色调取得协调，金色的琉璃重檐和故宫建筑群的琉璃屋顶以及人民大会堂等的琉璃檐口取得一致，从而使整个建筑在色彩上和天安门广场的建筑群交相辉映，更显得宏伟壮丽，气势磅礴，取得十分和谐、完整、统一的效果。

对于不同类型、性质的建筑物，也常常有不同的要求。例如有些建筑物要求表现出一定的庄严气氛，如某些行政建筑物和纪念建筑物以及某些其他公共建筑物；某些建筑物要求有清静的环境造成安静的气氛，如医院、学校、图书馆等；而另外一些建筑物，如娱乐场所、商业性建筑物一般要求表现较为活跃，热闹繁华的气氛，等等。不同类型的建筑物在不同性质、规模、条件等情况下也各有特点，各有相应的具体要求，因此在色调的选择和配置上，应视不同情况分别处理。

对某些建筑物而言，还要求表现一定的民族特色和乡土风貌，而其中如何运用传统色彩是很重要的因素。

对结构形式的选择，地方材料的运用，以及对施工和经济造价等条件的考虑，都会对一幢建筑物的色彩基调的确定起着一定的制约作用。当一幢建筑物的色彩基调确定以后，总的色彩构图就十分重要了，色彩构图应该为实现总的色彩基调和气氛服务，同时又要统筹兼顾，全面规划，弥补基调的某些不足。除了某些建筑物只采用一个颜色外，不少建筑物具有两种或多种色彩，因此这些色彩的色相和明度的选择，色块分配比例的权衡，用色部位的确定等就是色彩构图的基本问题。一般情况，在选择对基调色彩的补充色彩时应以对比色为宜，即应该在色相上加以区别，这些对比色的使用面积不宜过大，并且限于局部，这样才能达到对比、协调的效果，而不会喧宾夺主，同时在选择补充色彩时还应结合建筑性格和装饰效果来统一考虑。

同时，建筑物立面处理中常常运用不同材料质感的适当配置来达到所要求的建筑气氛。一般来说，表面粗糙的材料质感，从感官上显得厚重坚实；表面光滑的材料质感，显得轻巧细腻。石块墙面显得粗犷厚重；清水砖墙显得简洁亲切；而混凝土、抹灰、涂料或面砖墙面，却显得平静、轻快；玻璃墙面，则显得轻松、活泼。在立面设计时，往往先确立质感基调，然后在统一基调的基础上，通过建筑物各部分材质之间的对比和变化，使立面表现出强烈的质感特色。在一些地区，运用当地材料建造建筑物，也取得了浓郁的地域性特色。如图 5-31 所示。

5.3.6 建筑物立面重点处理

建筑物的重点处理应有明确的目的，例如一般建筑物的主要出入口，在使用上需加强人们的注意，且在观瞻上首当其冲，而常作重点处理，如图 5-32 所示。如车站的钟塔、商店的橱窗等，除了在功能上需要引人注意外，还要作为这类建筑物的性格特征或主要标志而加以特别强调。重点处理有利于反映建筑物的特点。某些建筑物由许多不同大小的空

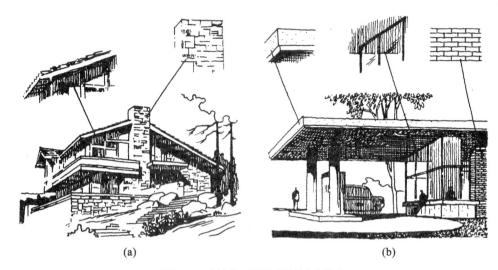

图 5-31 建筑物立面中材料质感处理

间所组成，不论在功能上、体量上客观地存在明显的主次之分，因此在建筑设计和构图时，为了使建筑形式真实地表达内容，突出其中的主要部分，加强建筑形象的表现力，也很自然地反映出重点来。另外，为了使建筑物统一中有变化，避免单调以达到一定的美观要求，也常在建筑物的某些部位，如住宅的阳台、凹廊，公共建筑物中的柱头、檐部、主要入口大门等处加以重点装饰。重点处理主要通过各种对比手法而取得。此外，通过加强主要轴线上的布置以强调重点，也是十分重要的方法。

除了入口，建筑的顶部或檐口也往往是立面设计的重点处理部位，需要精心设计。如图 5-33 所示。

图 5-32

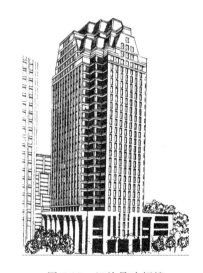

图 5-33 纽约曼哈顿楼

5.3.7 建筑物立面局部和细部处理

建筑物局部和细部都是建筑物整体中不可分割的组成部分，例如建筑物入口的局部一般包括踏步、雨篷、大门、花台等，而其中每一部分又包括许多细部的做法。建筑造型应首先从大处着眼，但并不意味着可以忽视局部和细部的处理，诸如墙面、柱子、门窗、檐口、雨篷、遮阳、阳台、凹廊以及其他装饰线条等。例如墙面可以有许多种不同材料、饰面、做法；柱子也可以采取不同的断面形式；门、窗在窗框、窗扇等划分设计方面的形式和种类也比较多；阳台有不同的形式、不同的扶手、栏杆、拦板等处理方式。凡此种种都应在整体要求的前提下，精心设计，才能使整体、局部和细部达到完整统一的效果。在某种情况下，有些细部的处理甚至会影响全局的效果。对于不同远近高低位置的细部，应予以不同的处理，对于接近人们视线的近处装修细部，应充分发挥材料之色泽、纹理、质感和光洁度等美感。在许多现代建筑物中从勒脚至屋顶已经很少见繁琐的线脚处理，这是建筑设计中的很大进步和发展，当然这也并非意味着愈简单愈好，或者如有人所说的所谓"简单就是美"其实任何细部处理从建筑艺术构图要求来说也只是反映建筑物性格和某种表现意向的一种手段。如图 5-34 所示。

虽然现代建筑物的细部装饰不能像过去那样依靠手工业方式去费工费时费料地精雕细刻，但人们对建筑美的要求并不能因为随着工业化时代的发展可以降低，恰恰相反，应该随着生产、技术、文化的不断发展，需要更多地考虑最大限度地发挥建筑艺术的作用，满足人们精神上、审美心理上的要求。因此我们应该充分利用结构、构造本身的特点，从整体到局部，不放过任何点滴细部的察之入微的认真推敲，在符合现代人们的审美观念的条件下，去创造现代化的装饰效果。

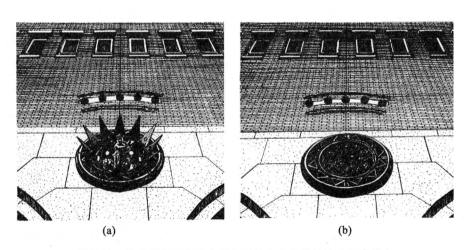

图 5-34 日本东京某商业大厦入口处上方的挂钟成为观赏焦点

复习思考题

1. 建筑造型创作大致可以分为哪些类型？

2. 试简述构图的基本范畴。
3. 试简述构图基本原理的三重含义。
4. 试简述不同建筑体型的特点以及设计要点。
5. 试简述建筑体型的转折与连接处理要点。
6. 试简述建筑立面设计要点。

第二篇 建筑构造

第6章 民用建筑构造概论

本章提要：本章内容主要包括建筑物的建筑组成及各部分的作用；影响建筑构造的因素和建筑构造的设计原则。

§6.1 建筑构造研究的对象及其任务

建筑构造是研究建筑物的构成、各组成部分的组合原理和构造方法的学科。其主要任务是根据建筑物的使用功能、技术经济和艺术造型要求提供合理的构造方案，作为建筑设计的依据。

中国先秦典籍《考工记》对当时营造宫室的屋顶、墙、基础和门窗的构造已有记述。唐代的《大唐六典》，宋代的《木经》和《营造法式》，明代成书的《鲁班经》和清代的清工部《工程做法》等，都记述了关于建筑构造方面的内容。

公元前1世纪罗马维特鲁威所著《建筑十书》，文艺复兴时期的《建筑四论》和《五种柱式规范》等著作均有对当时建筑结构体系和构造的记述。在19世纪，由于科学技术的进步，建筑材料、建筑结构、建筑施工和建筑物理等学科的成长，建筑构造学科也得到充实和发展。

在进行建筑设计时，不但要解决空间的划分和组合，外观造型等问题，而且还必须考虑建筑构造上的可行性。为此，就要研究能否满足建筑物各组成部分的使用功能；在构造设计中综合考虑结构选型、材料的选用、施工的方法、构配件的制造工艺，以及技术经济、艺术处理等问题。

建筑构造是为建筑设计提供可靠的技术保证。现代化的建筑工程如果没有技术依据，所作的设计只能是纸上的方案，没有实用价值可言。建筑构造作为建筑技术，自始至终贯穿于建筑设计的全过程，即方案设计、初步设计、技术设计和施工详图设计等每个步骤。

在方案设计和初步设计阶段，首先应根据所论工程的社会、经济、文化传统、技术条件等环境来选择合宜的结构体系，使所设计的建筑空间和外部造型具有可行性和现实性；在技术设计阶段还要进一步落实设计方案的具体技术问题，并对结构和给水排水、供暖、供电、空调设备等工程项目进行统一规划，协调各工程项目之间的交叉矛盾。施工详图设计阶段是技术设计的深化，处理局部与整体之间的关系，并为工程的实施提供制作和安装的具体技术条件。

§6.2 建筑物的建筑组成及各部分的作用

建筑的物质实体一般由承重结构、围护结构、饰面装修及附属部分组合而成。承重部分可以分为基础、承重墙体、楼板、屋面板等。围护结构可以分为外围护墙、内墙等。饰面装修一般按其部位分为内外墙面、楼地面、顶棚等饰面装修。附属部件一般包括楼梯、电梯、门窗、遮阳、阳台、雨篷、台阶等。

建筑的物质实体按其所处部位和功能的不同，为叙述的方便，又可以分为基础、墙、柱、楼地层、楼梯、电梯、屋顶、门窗等，如图 6-1 所示。

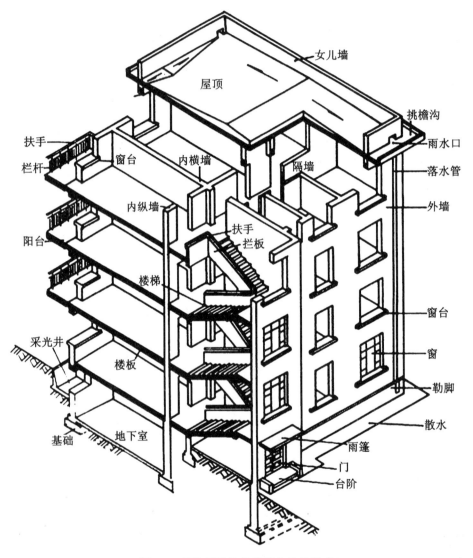

图 6-1　墙体承重结构建筑构造的组成

基础：基础是建筑物下部的承重构件。其作用是承受建筑物的大部分荷载，并传递给地基。基础应具有足够的强度、刚度及耐久性，并能抵抗地下各种不良因素的侵袭。

墙和柱：墙是建筑物的承重与围护构件：作为承重构件，墙要承受屋顶和楼层传来的荷载，并将这些荷载传递给基础。墙体的围护作用主要体现在抵御各种自然因素的影响与破坏。因此墙体应具有足够的强度、稳定性，良好的热工性能及防火、隔声、防水、耐久性能。在框架承重的建筑物中，柱和梁形成框架承重结构系统，柱应具有足够的强度和稳定性。

楼地层：包括楼板层和地坪层。楼板既是承重构件，又是分隔楼层空间的维护构件。楼板要承受楼层上的家具、设备和人的荷载，并将这些荷载传递给墙或柱，因此楼板应有足够的承载力和刚度，楼板的性能还应满足使用和维护的要求。地坪层作为底层空间与地基之间的分隔构件，也支承着家具、设备和人的荷载，并将这些荷载传递给地基，地坪层应具有足够的承载力和刚度，还应满足耐磨、防潮、防水、保温等要求。

楼梯：楼梯是楼房建筑物中联系上、下各层的垂直交通设施。其作用是供人们平时上、下，并供紧急疏散时使用，因此楼梯在宽度、坡度、数量、位置、布局形式、细部构造及防火性能等方面均有严格的要求。电梯是建筑物的垂直运输工具，应具有足够的运送能力和方便快捷性能。

屋顶：屋顶是建筑物顶部的围护和承重构件，由屋面和屋面承重结构两部分组成。屋面抵御自然界雨、雪的侵袭，屋面承重结构承受屋面设施和风霜雨雪荷载。

门和窗：门的主要作用是提供建筑物室内外及不同房间之间的联系，应满足交通、消防疏散、防盗、隔声、热工等要求；窗的作用是采光和通风，应满足防水、防盗、隔声、热工等要求。门和窗均属于非承重构件。

在建筑物中，除上述六大组成部分以外，还有一些附属部分，如阳台、雨篷、台阶、烟囱等。建筑物各组成部分起着不同的作用，但概括起来主要是两大类，也就是承重作用，围护与分隔作用。

§6.3 影响建筑构造的因素

6.3.1 外力因素的影响

外力又称为荷载。作用在建筑物上的荷载有静荷载（如自重等）和活荷载（如使用荷载等）；垂直荷载（如自重引起的荷载）和水平荷载（如风荷载、地震荷载等）。

荷载对选择结构类型和构造方案以及进行细部构造设计都是非常重要的依据，外力的作用是影响建筑物构造的主要因素。

6.3.2 自然因素的影响

自然因素的影响是指风吹、日晒、雨淋、积雪、冰冻、地下水、地震等因素给建筑物带来的影响。为了防止自然因素对建筑物的破坏和保证建筑物的正常使用，在进行建筑设计时，必须采取相应的防潮防水、防寒隔热、排水组织、防温度变形、防震等构造措施。

6.3.3 人为因素的影响

人为因素的影响是指火灾、机械摩擦与振动、噪声、化学腐蚀、虫害等因素对于建筑物的影响。在进行构造设计时，必须采取防火、防摩擦、防振、隔声、防腐和防虫害等相应的措施。

6.3.4 技术因素的影响

技术因素的影响是指建筑材料、建筑结构类型、建筑施工方法等建筑技术条件对于建筑物的设计与建造的影响。随着这些技术的发展与变化，建筑构造的做法也在改变。例如砌体结构建筑构造的做法与过去的砖木结构有明显的不同。同样，钢筋混凝土建筑构造体系又与砌体结构建筑构造有很大的区别，等等。所以建筑构造做法不能脱离一定的建筑技术条件而存在。

6.3.5 建筑经济因素的影响

建筑经济因素对建筑构造的影响，主要是指特定建筑的造价要求对建筑装修标准、设备标准和建筑构造的影响。标准高的建筑，装修质量好，设备齐全，档次较高，构造做法考究，反之，建筑构造只能采取一般的简单做法。

§6.4 建筑构造的设计原则

6.4.1 满足建筑物的使用功能及全寿命周期变化的要求

建筑物使用功能不同，往往对建筑构造的要求也不同，而且由于建筑物的使用周期普遍较长，改变原设计使用功能的情况屡有发生。同时，建筑物在长期的使用过程中，还需要经常性的维修。因此，在对建筑物进行构造设计的时候，应当充分考虑这些因素并提供相应的可能性。

6.4.2 确保结构安全

房屋中的绝大多数构件是根据其承受荷载的大小，通过结构计算和设计确定的，一些构配件的安全使用主要是通过构造措施来保证，即在构造方案上应考虑结构安全，保证建筑物的整体承载力和刚度，使之安全可靠，经久耐用。

6.4.3 注意建筑施工的要求

在满足建筑物使用功能、艺术形象的前提下，为了提高建设速度，改善劳动条件，保证施工质量，在构造设计时，应尽量采用标准设计和通用构配件，使构配件的生产工厂化，节点构造定型化、通用化，为机械化施工创造条件，以满足建筑工业化的需要。此外施工现场的条件及操作的可能性是建筑构造设计时必须予以充分重视的。有时有的构造节点仅仅因为设计时没有考虑留有足够的操作空间而在实施时不得不进行临时修改，费工费时，又使得原有设计不能实现。

6.4.4 注意美观

构造设计使得建筑物的构造连接合理，同时又赋予构件以及连接节点以相应的形态。这样，在进行构造设计时，就必须兼顾其形状、尺度、质感、色彩等方面给人的感官印象以及对整个建筑物的空间构成所造成的影响。

6.4.5 讲究经济效益、社会效益和环境效益

工程建设项目是投资较大的项目，保证建设投资的合理运用是每个设计人员义不容辞的责任，在构造设计方面同样如此。其中牵涉到材料价格、加工和现场施工的进度、人员的投入、关于运输和管理等方面的相关内容。此外，选用材料和技术方案等方面的问题还涉及建筑物长期的社会效益和环境效益，应做到节能、节地、节水、节材，实现建筑业的可持续发展。

总之，在建筑构造设计中，全面考虑坚固适用，美观大方，技术先进，经济合理，是最根本的原则。读者可以通过以下各章节所讨论的具体内容，加深对这些要求的了解。

复习思考题

1. 建筑物主要由哪几部分组成？
2. 影响建筑构造的主要因素有哪些？
3. 建筑构造的设计原则有哪些？

第7章 墙 体

本章提要： 墙体是房屋的重要承重结构，墙体也是建筑物的主要围护结构。墙体在建筑物中所处的位置、功能与作用不同，有着不同的设计要求。本章内容主要包括块材墙体构造、隔墙与隔断的构造、幕墙的构造做法。对外墙体保温隔热等知识也作了适当的介绍。

§7.1 概 述

7.1.1 墙体类型

1. 按墙体所在位置及方向分类

建筑物的墙体依其在房屋中所处位置的不同，有内墙和外墙之分。凡位于建筑物周边的墙体称为外墙，凡位于建筑物内部的墙体称为内墙。外墙属于房屋的外围护结构，起着界定室内外空间，并且遮风、挡雨、保温、隔热、保护室内空间环境良好的作用；内墙则用来分隔建筑物的内部空间。其中，凡沿建筑物短轴方向布置的墙体称为横墙，外横墙俗称为山墙，凡沿建筑物长轴方向布置的墙体称为纵墙，如图7-1所示。另外，根据墙体与门窗的位置关系，平面上窗洞之间的墙体可以称为窗间墙，立面上下洞口之间的墙体可以称为窗下墙，屋顶上部的墙称为女儿墙。

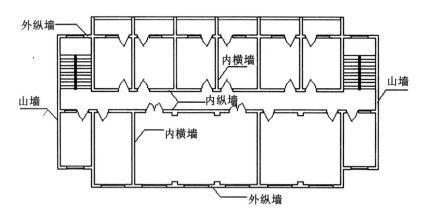

图 7-1 不同位置方向的墙体名称

2. 按受力情况分类

从结构受力的情况来看，墙体又有承重墙和非承重墙两种。在一幢建筑物中，墙体是否承重，应按其结构的支承体系而定。例如在骨架承重体系的建筑物中，墙体完全不承重，而在墙承重体系的建筑物中，墙体又可以分为承重墙和非承重墙。其中，非承重墙包括隔墙、填充墙和幕墙。隔墙的主要作用是分隔建筑物的内部空间，其自重由属于建筑物结构支承系统中的相关构件承担。填充在骨架承重体系建筑柱子之间的墙称为填充墙，填充墙可以分别是内墙或外墙，而且同一建筑物中可以根据需要用不同材料来做填充墙。幕墙一般是指悬挂于建筑物外部骨架外或楼板间的轻质外墙。处于建筑物外围护系统位置上的填充墙和幕墙还要承受风荷载和地震荷载。

3. 按材料分类

根据墙体建造材料的不同，墙体还可以分为砖墙、石墙、土墙、砌块墙、混凝土墙以及其他用轻质材料制作的墙体。其中粘土砖虽然是我国传统的墙体材料，但这种砖越来越受到材源的限制，我国有许多地方已经限制在建筑中使用实心粘土砖。砌块墙是砖墙的良好替代品，由多种轻质材料和水泥等制成，例如加气混凝土砌块。混凝土墙则可以现浇或预制，在高层建筑中应用较多。

4. 按构造方式分类

按构造方式分类墙体可以分为实体墙、空体墙和组合墙三种。实体墙由单一材料组成，如砖墙、砌块墙等。空体墙也是由单一材料组成，可以由单一材料砌成内部空腔，也可以用具有孔洞的材料建造墙，如空斗砖墙、空心砌块墙等。组合墙由两种以上材料组合而成，例如混凝土、加气混凝土复合板材墙。其中混凝土起承重作用，加气混凝土起保温隔热作用。

5. 按施工方法分类

按施工方法分类墙体可以分为块材墙、板筑墙及板材墙三种。块材墙是用砂浆等胶结材料将砖石、块材等组砌而成，例如砖墙、石墙及各种砌块墙等。板筑墙是在现场立模板，现浇而成的墙体，例如现浇混凝土墙等。板材墙是预先制成墙板，在施工现场安装、拼接而成的墙，例如预制混凝土大板墙、各种轻质条板内隔墙等。

7.1.2 墙体的设计要求

1. 结构方面的要求

（1）结构布置方案

墙体是多层砖混房屋的围护构件，也是主要的承重构件。墙体布置必须同时考虑建筑和结构两方面的要求，既满足设计的房间布置，又应选择合理的墙体承重结构布置方案。砖混结构建筑物的结构布置方案，通常有横墙承重、纵墙承重、纵横墙双向承重、内部框架承重几种方式，如图7-2所示。

横墙承重方案是承重墙体主要由垂直于建筑物长度方向的横墙组成。楼面荷载依次通过楼板、横墙、基础传递给地基。适用于房间的使用面积不大，墙体位置比较固定的建筑物，如住宅、宿舍、旅馆等。纵墙承重方案是承重墙体主要由平行于建筑物长度方向的纵墙组成。把大梁或楼板搁置在内、外纵墙上，楼面荷载依次通过楼板、梁、纵墙、基础传递给地基。横墙较少，适用于对空间的使用上要求有较大空间以及划分较灵活的建筑物，但房屋刚度较差。纵横墙承重方案是承重墙体由纵、横两个方向的墙体混合组成。该方案建筑组合灵活，空间刚度较好，墙体材料用量较多，适用于开间、进深变化较多的建筑

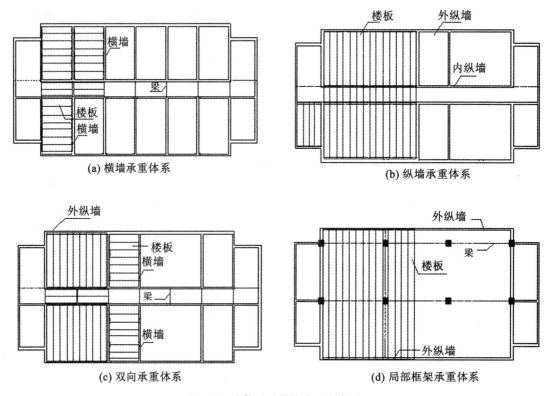

图 7-2 墙体承重结构布置方案图

物。当建筑物需要大空间时,采用内部框架承重,四周为墙承重,称为局部框架承重。

(2) 具有足够的强度和稳定性

强度是指墙体承受荷载的能力,强度与所采用的材料以及同一材料的强度等级有关。作为承重墙的墙体,必须具有足够的强度,以确保结构的安全。

墙体的稳定性与墙的高度、长度和厚度有关。高而薄的墙体稳定性差,矮而厚的墙体稳定性好;长而薄的墙体稳定性差,短而厚的墙体稳定性好。

2. 功能方面的要求

(1) 满足保温、隔热等热工方面的要求

建筑物在使用中对热工环境舒适性的要求带来一定的能耗,从节能的角度出发,也为了降低长期的运营费用,要求作为围护结构的外墙具有良好的热稳定性,使室内温度环境在外界环境气温变化的情况下保持相对的稳定,减少对空调和采暖设备的依赖。

(2) 满足防火要求

选用的材料及截面厚度,都应符合防火规范中相应燃烧性能和耐火极限所规定的要求。在较大的建筑物中应设置防火墙,把建筑物分成若干区段,以防止火灾蔓延。

(3) 满足隔声的要求

建筑物的墙体主要隔离由空气直接传播的噪声。一般采取以下措施:

①加强墙体缝隙的填密处理。

②增加墙厚和墙体的密实性。

③采用有空气间层式多孔性材料的夹层墙。

④在建筑物总平面中考虑隔声问题：将不怕噪声干扰的建筑物靠近城市干道布置，对后排建筑物可以起到隔声作用。也可以尽量利用绿化带来降低噪声。

（4）满足防潮、防水的要求

在卫生间、厨房、实验室等用水房间的墙体以及地下室的墙体应满足防潮、防水的要求。通过选用良好的防水材料及恰当的构造做法，可以保证墙体的坚固耐久，使室内有良好的卫生环境。

（5）满足建筑工业化要求

在大量性民用建筑物中，墙体工程量占相当的比重。因此，建筑工业化的关键是墙体改革，可以通过提高机械化施工程度来提高工效、降低劳动强度，并采用轻质高强的墙体材料，以减轻自重、降低成本。

§7.2 块材墙构造

7.2.1 墙体材料

块材墙所用材料主要分为块材和胶结材料两部分。

1. 常用块材

（1）砖

①烧结砖。凡是通过焙烧而制得的砖称为烧结砖，包括普通粘土砖、烧结多孔砖、烧结空心砖等。

普通粘土砖主要以粘土为原材料，经配料、调制成型、干燥、高温焙烧而制成。普通粘土砖的抗压强度较高，有一定的保温隔热作用，其耐久性较好，因而可以用做墙体材料及砌筑柱、拱、烟囱及基础等。但由于粘土材料占用农田，各大中城市已分批逐步"在住宅建设中限制禁止使用实心粘土砖"。随着墙体材料改革的进程，在大量性民用建筑中曾经发挥重要作用的实心粘土砖将逐步退出历史舞台。

烧结多孔砖以粘土、页岩等为主要原料，经焙烧而成。砖的大面上规则地安排了若干贯穿孔洞，其特点是：孔多而小，孔洞率≥15%，孔洞垂直于大面，即受压面。这种砖主要用于六层以下建筑物的承重部位。烧结空心砖使用的原料及生产工艺与烧结多孔砖基本相同。烧结空心砖的孔洞与烧结多孔砖相比较具有以下特点：孔洞个数较少但洞腔较大，孔洞率≥30%，孔洞垂直于顶面，平行于大面。因使用时大面受压，所以，这种砖的孔洞与受压面平行，强度不高，因而多用于做自承重墙。

②非烧结砖。以工业废渣为原料制成的砖为非烧结砖。利用工业废渣中的硅质成分与外加的钙质材料在热环境中反应生成具有胶凝能力和强度的硅酸盐，从而使这类砖具有强度和耐久性。非烧结砖的种类主要有：蒸压灰砂砖、粉煤灰砖、炉渣砖等。

砖以抗压强度的大小为标准划分强度等级。强度等级有：MU30、MU25、MU20、MU15、MU10、MU7.5等。

标准机制粘土砖：其实际尺寸为240mm（长）×115mm（宽）×53mm（厚），在实际工程中，通常以其构造尺寸为设计依据，即与砌筑砂浆的厚度加在一起综合考虑。若以10mm为一道灰缝估算，墙身尺寸的比值关系"砖厚加灰缝：砖宽加灰缝：砖长"之间就形成了1：2：4的比值。所以我们通常认为一皮砖的厚度是60mm；一砖墙的厚度是240mm；半砖墙的厚度是120mm，$\frac{3}{4}$砖墙的厚度是180mm（承重砖墙的厚度不得小于180mm）。但在砖的砌筑长度方面两皮砖之间还要加上一道灰缝，所以一砖半是370mm，两砖是490mm，其余依此类推，如图7-3所示。了解这种规律有利于在设计时选择合适的墙体尺寸，尤其是长度较小的墙段的几何尺寸，尽量避免施工时剁砖。空心砖和多孔砖的尺寸规格较多。

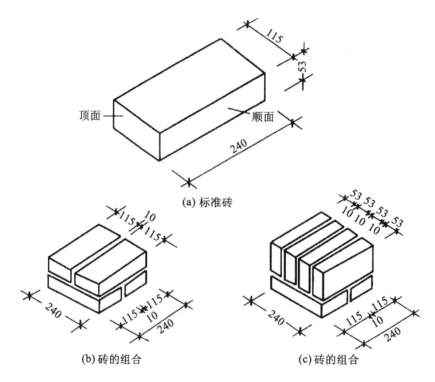

图7-3 标准机制砖的尺寸

（2）砌块

砌块是利用混凝土、工业废料（煤渣、矿碴等）或地方材料制成的人造块材，外形尺寸比砖大，具有设备简单，砌筑速度快的优点，符合建筑工业化发展中墙体改革的要求。

砌块按不同尺寸和质量的大小分为小型砌块、中型砌块和大型砌块。砌块系列中主规格的高度大于115mm而又小于380mm的称为小型砌块，高度为380~980mm的称为中型砌块，高度大于980mm的称为大型砌块，使用中以中小型砌块居多。按构造方式砌块可以分为实心砌块和空心砌块，空心砌块有单排方孔、单排圆孔和多排扁孔三种形式，其中多排扁孔对保温较有利。按砌块在组砌中的位置与作用可以分为主砌块和辅助砌块。

目前常用的有混凝土空心砌块和加气混凝土砌块。混凝土空心砌块按原材料分，有普通混凝土砌块、工业废渣骨料混凝土砌块、天然轻骨料混凝土砌块和人造轻骨料混凝土砌块等。加气混凝土砌块是含硅材料和钙质材料加水并加适量的发气剂和其他外加剂，经混合搅拌、浇注发泡、坯体静停与切割后，再经蒸压或常压蒸气养护制成。加气混凝土制成的砌块具有容重轻、耐火、承重和保温等特殊性能。蒸压加气混凝土砌块则长度多为600mm，其中 a 系列宽度为 75mm、100mm、125mm 和 150mm，厚度为 200mm、250mm 和 300mm；b 系列宽度为 60mm、120mm、180mm 等，厚度为 200mm 和 300mm。

吸水率较大的砌块不能用于长期浸水、经常受干湿交替或冻融循环的建筑部位。

2. 胶结材料

块材需经胶结材料砌筑成墙体，使块材传力均匀。同时胶结材料还起着嵌缝作用，能提高墙体保温、隔热、隔声、防潮等性能。块材墙的胶结材料主要是砂浆。砂浆要求有一定的强度，以保证墙体的承载能力，还要求有适当的稠度和保水性（即和易性），方便施工。

常用的砌筑砂浆有水泥砂浆、混合砂浆、石灰砂浆三种。比较砂浆性能的主要是强度、和易性、防潮性等若干方面。水泥砂浆适用于潮湿环境及水中的砌体工程；石灰砂浆仅用于强度要求低、干燥环境中的砌体工程；混合砂浆不仅和易性好，而且可以配制成各种强度等级的砌筑沙浆，除对耐水性有较高要求的砌体外，可以广泛用于各种砌体工程中。

砂浆的强度等级分为 7 级：M15、M10、M7.5、M5、M2.5、M1、M0.4。在同一段砌体中，砂浆和块材的强度有一定的对应关系，以保证砌体的整体强度不受影响。

7.2.2 组砌方式

组砌是指块材在砌体中的排列。组砌的关键是错缝搭接，使上、下层块材的垂直缝交错，保证墙体的整体性。如果墙体表面或内部的垂直缝处于一条线上，即形成通缝，如图 7-4 所示。在荷载作用下，通缝会使墙体的强度和稳定性显著降低。

1. 砖墙的组砌

在砖墙的组砌中，长边垂直于墙面砌筑的砖称为丁砖；在砖墙的组砌中，长边平行于墙面砌筑的砖称为顺砖。上、下两皮砖之间的水平缝称为横缝；左、右两块砖之间的缝称为竖缝，如图 7-5 所示。标准缝宽为 10mm，可以在 8~12mm 之间进行调节。组砌原则：如砖缝砂浆要饱满；砖缝横平竖直、上下错缝、内外搭接。关于砖墙的砌筑方法不胜枚举，如图 7-6 所示为普通粘土砖的组砌方法，可以作为一种参考。即使完全取消砖块的使用后，有时用仿砖的饰面砖来做装修时，这种机理也还是有用的。

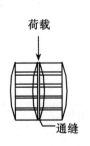

图 7-4 通缝示意图

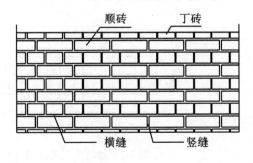

图 7-5 砖墙组砌名称

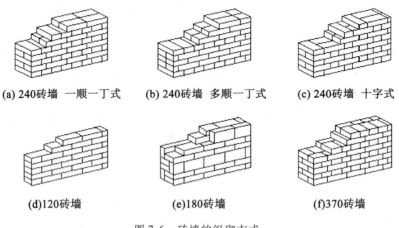

图 7-6 砖墙的组砌方式

2. 砌块墙的组砌

砌块在组砌中与砖墙不同的是,由于砌块规格较多、尺寸较大,为保证错缝以及砌体的整体性,砌块需要在建筑平面图和立面图上进行砌块的排列设计,注明每一砌块的型号,如图 7-7 所示。排列设计的原则是,正确选择砌块的规格尺寸,减少砌块的规格类型;优先选用大规格的砌块作为主砌块,以加快施工速度;上、下皮应错缝搭接,搭接长度为砌块长度的 $\frac{1}{4}$,高度的 $\frac{1}{3} \sim \frac{1}{2}$,并不应小于 90mm。当无法满足搭接长度要求时,在灰缝内应设 $\phi 4$ 的钢筋网片拉接,如图 7-8 所示。内外墙和转角处砌块应彼此搭接,以加强整体性;空心砌块上、下皮应孔对孔、肋对肋,错缝搭接。砌块墙与后砌墙交接处,应沿墙高每 400mm 在水平灰缝内设置 $2\phi 4$ 钢筋、横筋间距不大于 200mm 的焊接钢筋网片。

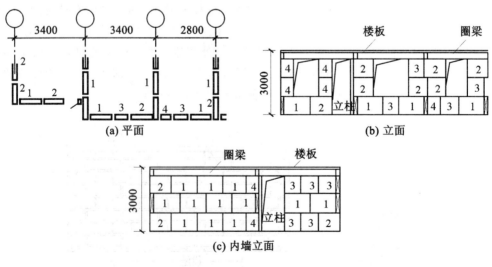

图 7-7 砌块排列示意图(单位:mm)

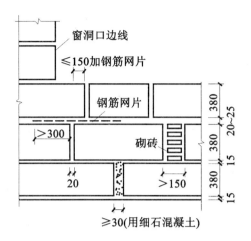

图 7-8 错缝配筋示意图（单位：mm）

由于砌块规格多，外形尺寸往往不像砖那样规整，因此砌块组砌时，缝型比较多，水平缝有平缝和槽口缝（见图 7-9（a）、（b）），垂直缝有平缝、错口缝和槽口缝（见图 7-9（c）、（d）、（e）、（f））等形式。水平灰缝和垂直灰缝的宽度不仅要考虑到安装方便、易于灌浆捣实，以保证足够的强度和刚度，而且还要考虑隔声、保温、防渗等问题。

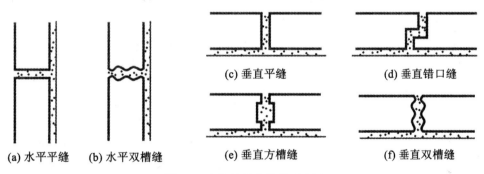

图 7-9 砌块墙的砌筑缝示意图

当采用混凝土空心砌块时，应在房屋四大角、外墙转角、楼梯间四角设芯柱。芯柱用 C15 细石混凝土填入砌块孔中，并在孔中插入通长钢筋，如图 7-10 所示。

当砌体墙作为填充墙使用时，其构造要点主要体现在墙体与周边构件的拉结、合适的高厚比、其自重的支承以及避免成为承重的构件。其中前两点涉及墙身的稳定性，后两点涉及结构的安全性。

在骨架承重体系的建筑物中，柱子上面每 500mm 高左右就会留出拉结钢筋来，以便在砌筑填充墙时将拉结钢筋砌入墙体的水平灰缝内。拉结钢筋不少于 $2\phi6$，深入墙内距离一、二级框架沿全长设置；三、四级框架不小于 $\frac{1}{5}$ 墙长，且不小于 700mm。如果是针对混合结构体系的后砌隔墙，则最好是在新砌墙两端原有的墙体上有间隔地掏去部分砌筑块

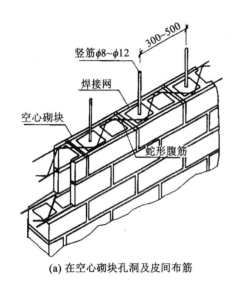 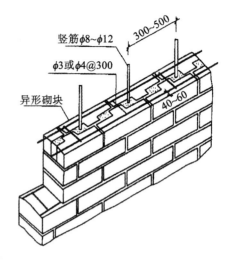

(a) 在空心砌块孔洞及皮间布筋　　　　(b) 在异形砌块围合成的孔洞及皮间布筋

图 7-10　用空心砌块做配筋砌体

材（形成马牙槎），使得新墙体砌筑时有可能局部嵌入原有墙体，做到新墙体、旧墙体有效搭接。

高厚比是涉及砌体墙稳定性的重要因素。高大的填充墙虽然有可能通过增加厚度来达到稳定的目的，但这样势必会增加填充墙的自重。需要时可以采取构造方法来解决。可以在砌体墙中局部添加钢筋混凝土的小梁或构造柱，其中小梁又可以称为压砖槛，是指每隔一定高度就在墙身中浇筑约60mm厚的配筋细石混凝土，内置2φ6的通长钢筋。例如砖墙高度不宜超过4m，长度不宜超过5m，否则每砌筑1.2m的高度，就应该做一道压砖槛。若有可能，该钢筋可以与从填充墙两端柱子中伸出的拉结钢筋绑扎连通，这样相当于分段降低了填充墙的高度，既不必增加墙的厚度，又保证了其稳定性。同样，在填充墙中增加构造柱，构造柱是与墙体同步施工的，从构造柱中每隔一定距离就伸出拉结钢筋与分段的墙体拉结，这样也就加强了整段墙体的稳定性。添加钢筋混凝土的压砖槛以及构造柱的方法，可以在高大的填充墙体中同时使用。

砌体墙所用的砌筑块材的重量一般都较大，在骨架承重体系建筑物中添加填充墙或是在混合结构体系建筑物中添加隔墙，都应考虑其下部的构件是否能够支承其自重。例如楼板如果是采用的预制钢筋混凝土多孔板，则原来在工厂预制时是按照板面均布荷载来设计的，在跨中不允许有较大的集中荷载。那么，楼层的某些位置就不能添加像这样自重较大的填充墙或是重隔墙。

此外，为了保证填充墙上部结构的荷载不直接传到该墙体上，即保证其不承重，当墙体砌筑到顶端时，应将顶层的一皮砖斜砌。

7.2.3　墙体尺度

墙体的尺度是指墙段厚和墙段长两个方向的尺度。要确定墙体的尺度，除应满足结构和功能的要求外，还必须符合块材自身的规格尺寸。

1. 墙厚

墙厚主要由块材和灰缝的尺寸组合而成。以标准砖的规格 240mm×115mm×53mm 为例，用砖块的长、宽、高作为墙厚度的基数，在错缝或墙厚超过砖块时，均按灰缝 10mm 进行组砌。从尺寸上可以看出，墙厚以砖厚加灰缝、砖宽加灰缝后与砖长形成 1∶2∶4 的比例为其基本特征，组砌灵活。常见砖墙厚度如图 7-11 所示。当采用复合材料或带有空腔的保温隔热墙体时，墙厚尺寸在块材基数的基础上根据构造层次计算即可。

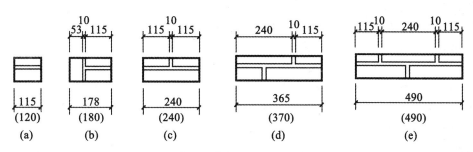

图 7-11　墙厚与砖规格的关系（单位：mm）

2. 洞口尺寸

洞口尺寸主要是指门窗洞口，其尺寸应按模数协调统一标准制定，这样可以减少门窗规格，提高建筑工业化的程度。因此一般门窗洞口宽、高的尺寸采用 300mm 的倍数，但是在 1 000mm 以内的小洞口可以采用基本模数 100mm 的倍数。例如：600mm、700mm、800mm、900mm、1 000mm、1 200mm、1 500mm、1 800mm，等等。

3. 墙段尺寸

墙段尺寸是指窗间墙、转角墙等部位墙体的长度。墙段由砖块和灰缝组成，以普通粘土砖为例，最小单位为 115mm 砖宽加上 10mm 灰缝，共计 125mm，并以此为组合模数。按这种砖模数的墙段尺寸有：240mm、370mm、490mm、620mm、740mm、870mm、990mm、1 120mm、1 240mm 等数列。而我国现行的《建筑模数协调统一标准》的基本模数为 100mm。房间的开间、进深采用了扩大模数 3M 的倍数。这样，在一栋房屋中采用两种模数，必然会在设计施工中出现不协调的现象；而砍砖过多会影响砌体强度，也会给施工带来麻烦。解决这一矛盾的另一办法是调整灰缝的大小。由于相关施工规范允许竖缝宽度为 8~12mm，使墙段有少许调整余地。但是墙段短时，灰缝数量少，调整范围小。故当墙段长度小于 1.5m 时，设计时宜使其符合砖模数；当墙段长度超过 1.5m 时，可以不考虑砖模数。

另外，墙段长度尺寸尚应满足结构需要的最小尺寸，以避免应力集中在小墙段上而导致墙体的破坏，对转角处的墙段和承重窗间墙尤应注意。

7.2.4　墙身细部构造

为了保证砖墙体的耐久性和墙体与其他构件的连接，应在相应的位置进行细部构造处理。墙体的细部构造包括墙脚、门窗洞口、墙身加固措施等。

1. 墙脚构造

墙脚是指室内地面以下、基础以上的这段墙体。内、外墙都有墙脚，外墙的墙脚又称为勒脚。由于砖砌体本身存在许多微孔以及墙脚所处的位置,常有地表水和土壤中的水渗入,影响室内卫生环境。因此,必须做好墙脚防潮,增强勒脚的坚固及耐久性,排除房屋四周地面水。

吸水率较大、对干湿交替作用敏感的砖和砌块不能用于墙脚部位,如加气混凝土砌块。

(1) 墙身防潮

墙身防潮是在墙脚铺设防潮层,以便防止土壤中的水分由于毛细作用上升使建筑物墙身受潮,提高建筑物的耐久性,保持室内干燥、卫生。

墙身防潮层应在所有的内、外墙中连续设置,且按构造形式的不同分为水平防潮层和垂直防潮层两种。

防潮层的位置:当室内地面垫层为混凝土等密实材料时,防潮层设在垫层厚度中间位置,一般低于室内地坪60mm,同时还应至少高于室外地面150mm;当室内地面垫层为三合土或碎石灌浆等非刚性垫层时,防潮层的位置应与室内地坪平齐或高于室内地坪60mm;当室内地面低于室外地面或内墙两侧的地面出现高差时,除了应分别设置两道水平防潮层外,还应对两道水平防潮层之间靠土一侧的垂直墙面做防潮处理,如图7-12所示。

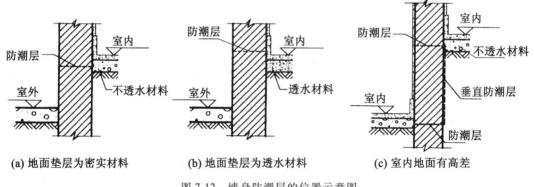

图 7-12 墙身防潮层的位置示意图

墙身防潮的方法是在墙脚铺设防潮层,防止土壤和地面水渗入砖墙体。墙身水平防潮层的构造方法常用的有以下三种:第一,防水砂浆防潮层,采用1:2水泥砂浆加3%~5%防水剂,厚度为20~25mm或用防水砂浆砌三皮砖作防潮层。第二,细石混凝土防潮层,采用60mm厚的细石混凝土带,内配三根φ6钢筋,其防潮性能好。第三,油毡防潮层,先抹20mm厚水泥砂浆找平层,上铺一毡二油。该方法防水效果好,但因油毡隔离削弱了砖墙的整体性,不应在刚度要求高或地震区采用。如果墙脚采用不透水的材料(如条石或混凝土等),或设有钢筋混凝土地圈梁时,可以不设防潮层,如图7-13所示。墙身垂直防潮层的具体做法是在垂直墙面上先用水泥砂浆找平,再刷冷底子油一道、热沥青两道或采用防水砂浆抹灰防潮,如图7-14所示。

(2) 勒脚

勒脚是外墙的墙脚,是墙身接近室外地面的部分。一般情况下,其高度为室内地坪与室外地面的高差部分。有的工程将勒脚高度提高到底层室内踢脚线或窗台的高度。勒脚所处的位置使其容易受到外界的碰撞和雨、雪的侵蚀。同时,地表水和地下水所形成的地潮

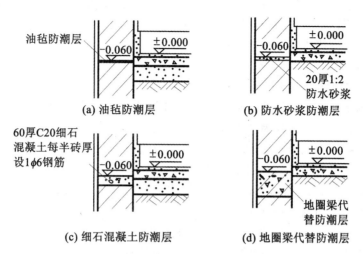

图 7-13 墙身水平防潮层示意图

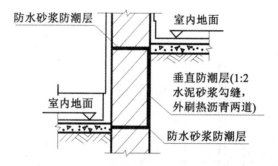

图 7-14 墙身垂直防潮层示意图

还会因勒脚与墙壁的毛细作用而沿墙身不断上升,如图 7-15 所示,既容易造成对勒脚部位的侵蚀和破坏,又容易致使底层室内墙面的底部发生抹灰粉化、脱落,装饰层表面生霉等现象,影响人体健康。在寒冷地区,冬季潮湿的墙体部分还可能产生冻融破坏的后果。因此,在构造上必须对勒脚部分采取相应的防护措施。

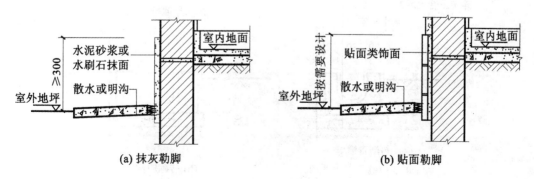

图 7-15 勒脚

勒脚的做法、高矮、色彩等应结合建筑造型，选用耐久性高的材料或防水性能好的外墙饰面。一般采用以下几种构造方法：抹水泥砂浆、水刷石、斩假石；或外贴面砖、天然石板等。我国江南一些水乡临水的建筑物，往往直接用天然石块来砌筑基础以上直到勒脚高度部分的墙体。

（3）外墙周围的排水处理

为保护墙基不受雨水的侵蚀，常常在外墙四周将地面做成向外倾斜的坡面，以便将屋面雨水排至远处，这一坡面称为散水或护坡。还可以在外墙四周做明沟，将通过水落管流下的屋面雨水等有组织地导向地下集水井（又称为集水口），然后流入排水系统。一般雨水较多的地区多做明沟，干燥的地区多做散水。散水所用材料与明沟相同，散水坡度约5%，宽一般为600～1 000mm。散水的做法通常是在基层土壤上现浇混凝土或用砖、石铺砌，水泥砂浆抹面，如图7-16所示。明沟通常采用素混凝土浇筑，也可以用砖、石砌筑，并用水泥砂浆抹面，如图7-17所示。其中散水和明沟都是在外墙面的装修完成后再做的。散水、明沟与建筑物主体之间应留有缝隙，用油膏嵌缝。因为建筑物在使用过程中会发生沉降，散水、明沟与建筑物主体之间如果用普通粉刷，砂浆很容易被拉裂，雨水就会顺缝而下。

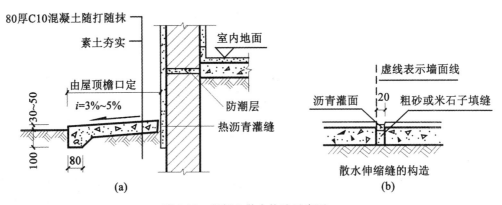

图 7-16 混凝土散水构造示意图

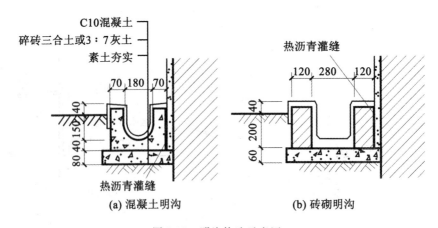

图 7-17 明沟构造示意图

2. 门窗洞口构造

门窗过梁为了支承洞口上部砌体所传递来的各种荷载,并将这些荷载传递给窗间墙,常在门、窗洞孔上设置横梁,该梁称为过梁。一般地,由于砌筑块材之间错缝搭接,过梁上墙体的重量并不全部压在过梁上,仅有部分墙体重量传递给过梁,即图7-18中三角形部分的荷载。只有当过梁的有效范围内出现集中荷载时,才另行考虑。

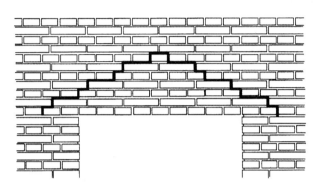

图 7-18 墙体洞口上方荷载的传递情况示意图

过梁的形式较多,但常见的有砖拱过梁、钢筋砖过梁和钢筋混凝土过梁等。

(1) 砖拱过梁

砖拱(平拱、弧拱和半圆拱)是我国传统式做法,通常将立砖和侧砖相间砌筑而成的,砖拱利用灰缝上大下小,使砖向两边倾斜,相互挤压形成拱的作用来承担荷载,如图7-19所示。砖拱过梁不宜用于上部有集中荷载,或有较大振动荷载,或可能产生不均匀沉降和有抗震设防要求的建筑物中。

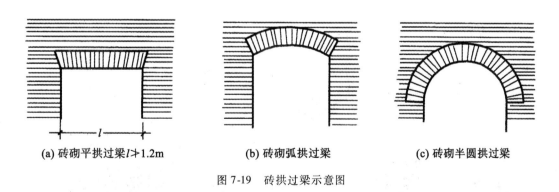

(a) 砖砌平拱过梁 $l \not> 1.2m$　　　　(b) 砖砌弧拱过梁　　　　(c) 砖砌半圆拱过梁

图 7-19 砖拱过梁示意图

(2) 钢筋砖过梁

钢筋砖过梁是配置了钢筋的平砌砖过梁,砌筑形式与墙体一样,一般用一顺一丁或梅花丁。通常将间距小于120mm 的 $\phi 6$ 钢筋埋在梁底部30mm 厚 1:2.5 的水泥砂浆层内,钢筋伸入洞口两侧墙内的长度不应小于240mm,并设90°直弯钩,埋在墙体的竖缝内。在洞口上部不小于 $\frac{1}{4}$ 洞口跨度的高度范围内(且不应小于5皮砖),用不低于 M5.0 的水泥砂浆砌筑，如图 7-20 所示。钢筋砖过梁净跨宜小于或等于 1.5m，不应超过 2m。钢筋砖过梁适用于跨度不大，上部无集中荷载的洞口上。

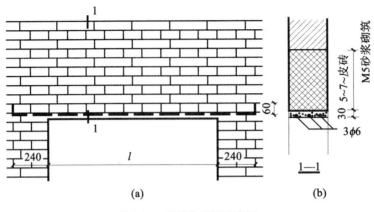

图 7-20 钢筋砖过梁示意图

（3）钢筋混凝土过梁

当门窗洞口较大或洞口上部有集中荷载时，常采用钢筋混凝土过梁。一般过梁宽度同墙厚，高度及配筋应由计算确定，梁高与砖的皮数相适应。过梁在洞口两侧伸入墙内的长度应不小于 240mm。对于外墙中的门窗过梁，在过梁底部抹灰时应注意做好滴水处理。过梁的断面形式有矩形和 L 形，矩形多用于内墙和混水墙，L 形多用于外墙和清水墙。在寒冷地区，为防止钢筋混凝土过梁产生冷桥问题，也可以将外墙洞口的过梁断面做成 L 形或组合式过梁。其形式如图 7-21 所示。

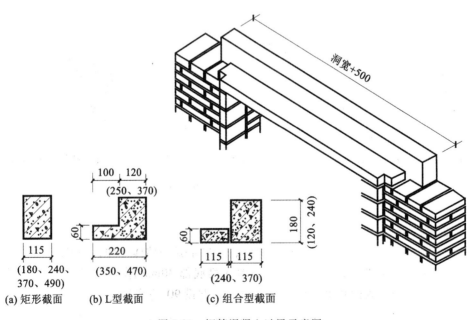

图 7-21 钢筋混凝土过梁示意图

当室外雨水沿窗扇下淌时，为避免雨水聚积窗下并侵入墙身且沿窗下槛向室内渗透，可以于窗下靠室外一侧设置泻水构件——窗台。窗台必须向外形成一定坡度，以利于排水。

窗台有悬挑窗台和不悬挑窗台两种。悬挑窗台可以用改变墙体砌体的砌筑方式的方法，使其局部倾斜并突出墙面。例如砖砌体采用顶砌一皮砖的方法，悬挑60mm，外部用水泥砂浆抹灰，并于外沿下部做出滴水线设置窗台。做滴水的目的在于引导上部雨水沿着所设置的槽口聚集而下落，以防止雨水影响窗下墙体，如图7-22所示。

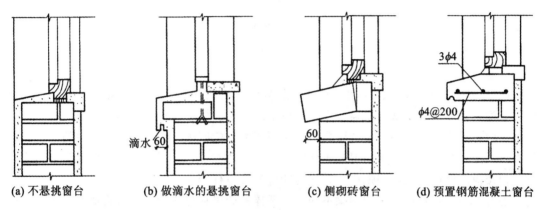

图 7-22　砖墙窗台构造示意图

从实践中发现，悬挑窗台不论是否作了滴水处理，对不少采用抹灰的墙面，往往绝大多数窗台下部墙面都出现脏水流淌的痕迹，影响立面美观。为此，许多建筑物取消了悬挑窗台，代之以不悬挑的仅在上表面抹水泥砂浆斜面的窗台。由于窗台不悬挑，一旦窗上水下淌时，便沿墙面流下，而流到窗下墙上的脏迹，大多借窗上不断流下的雨水冲洗干净，反而不易留下污渍。

3．墙身加固措施

（1）门垛和壁柱

在墙体上开设门洞一般应设门垛，特别是在墙体转折或丁字墙处，用于保证墙身稳定和门框安装。门垛宽度同墙厚、长度与块材尺寸规格相对应。如砖墙的门垛长度一般为120mm或240mm。门垛不宜过长，以免影响室内使用。

当墙体受到集中荷载或墙体过长时（如240mm、长超过6m）应增设壁柱，使之和墙体共同承担荷载并稳定墙身。壁柱的尺寸应符合块材规格。如砖墙壁柱通常突出墙面120mm或240mm、宽370mm或490mm。

（2）圈梁

圈梁是沿建筑物外墙、内纵墙及部分横墙设置的连续且封闭的梁。圈梁的作用是提高建筑物的整体刚度及墙体的稳定性，减少由于地基不均匀沉降而引起的墙体开裂，提高建筑物的抗震能力。当圈梁被门窗洞口（如楼梯间、窗洞口）截断时，应在洞口上部设置附加圈梁，进行搭接补强。附加圈梁与圈梁的搭接长度不应小于两梁高差的两倍，亦不小于1 000mm，如图7-23所示。

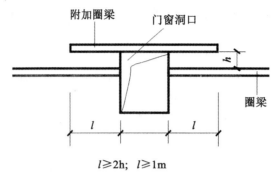

图 7-23 附加圈梁示意图

圈梁的数量和位置与建筑物的高度、层数、地基状况和地震烈度有关。在地震设防区，装配式钢筋混凝土楼、屋盖或木楼、屋盖的砖房，横墙承重时按表 7-1 中的要求设置圈梁；纵墙承重时每层均应设置圈梁，且抗震横墙上的圈梁间距应比表 7-1 中的要求适当加密。现浇或装配整体式钢筋混凝土楼、屋盖与墙体有可靠连接的房屋，应允许不另设圈梁，但楼板沿墙体周边应加强配筋并应与相应的构造柱钢筋可靠连接。

混合结构建筑物墙体中的圈梁不同于骨架体系的梁那样先于填充墙完成，作为受弯构件承担楼面传递来的荷载。圈梁是在墙体砌筑到适当高度时才连同构造柱一起整浇的。大部分圈梁都直接"卧"在墙体上，是墙体的一部分，与墙体共同承重。因此圈梁只需构造配筋，当圈梁兼过梁时或圈梁局部下有走道等时，才需进行结构方面的计算和补强。

表 7-1 圈梁设置要求及配筋

圈梁设置及配筋		设 计 烈 度		
		6～7 度	8 度	9 度
圈梁设置	沿外墙及内纵墙	屋盖处必须设置，楼盖处隔层设置	屋盖处及每层楼盖处	屋盖处及每层楼盖处
	沿内横墙	同上；屋盖处间距不大于 7m；楼盖处间距不大于 15m；构造柱对应部位	同上屋盖出沿所有横墙；屋盖处间距不大于 7m；楼盖处间距不大于 7m；构造柱对应部位	屋盖处及每层楼盖处；各层所有的横墙
配筋	最小配筋	4φ8	4φ10	4φ12
	箍筋最大间距	250mm	200mm	150mm

圈梁有钢筋砖圈梁（见图 7-24（c））和钢筋混凝土圈梁两种。钢筋混凝土圈梁整体刚度好，应用广泛，钢筋混凝土圈梁宜设置在与楼板或屋面板同一标高处（称为板平圈梁）；或紧贴板底（称为板底圈梁）(见图 7-24（a）、（b））。

 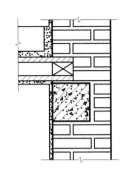 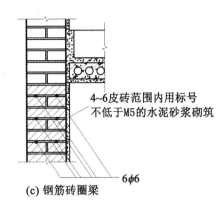

(a) 钢筋混凝土板平圈梁　　(b) 钢筋混凝土板底圈梁　　(c) 钢筋砖圈梁

图 7-24　圈梁的构造示意图

（3）构造柱

抗震设防地区，为了增强建筑物的整体刚度和稳定性，在使用块材墙承重的墙体中，还需设置钢筋混凝土构造柱，使之与各层圈梁连接，形成空间骨架，加强墙体抗弯、抗剪能力，使墙体在破坏过程中具有一定的延伸性，减缓墙体的酥碎现象产生。设置构造柱是防止房屋倒塌的一种有效措施。

多层砖房构造柱的设置部位是：外墙转角、内外墙交接处、较大洞口两侧、较长墙段的中部及楼梯、电梯四角等。由于房屋的层数和地震烈度不同，构造柱的设置要求也有所不同。砖墙构造柱设置要求如表 7-2 所示。

表 7-2　　　　　　　　　砖墙构造柱设置要求

房屋层数				各种层数和烈度均应设置的部位	随层数或烈度变化而增设的部位
6度	7度	8度	9度		
四、五	三、四	二、三		外墙四角、错层部位横墙与外纵墙交接处，较大洞口两侧，大房间内外墙交接处。	7~9度时，楼梯间、电梯间的横墙与外墙交接处。
六、七	五、六	四	二		各开间横墙（轴线）与外墙交接处，山墙与内纵墙交接处，7~9度时，楼梯间、电梯间横墙与外墙交接处。
八	七	五、六	三、四		内墙（轴线）与外墙交接处，内墙局部较小墙垛处，7~9度时，楼梯间、电梯间横墙与外墙交接处，9度时内纵墙与横墙（轴线）交接处。

构造柱必须与圈梁紧密连接，使之形成空间骨架。构造柱的最小截面尺寸为 240mm×180mm，当采用粘土多孔砖时，最小构造柱的最小截面尺寸为 240mm×240mm。最小配筋量是：纵向钢筋 $4\phi12$，箍筋 $\phi6@200\sim250$。构造柱下端应锚固在钢筋混凝土基础

或基础梁内，无基础梁时应伸入底层地坪下500mm处，上端应锚固在顶层圈梁或女儿墙压顶内，以增强其稳定性。为加强构造柱与墙体的连接，构造柱处的墙体宜砌成"马牙槎"，并沿墙高每隔500mm设2φ6拉结钢筋，每边伸入墙内不少于1 000mm。施工时，先放置构造柱钢筋骨架，后砌墙，并随着墙体的升高而逐段现浇混凝土构造柱身，以保证墙柱形成整体，如图7-25所示。

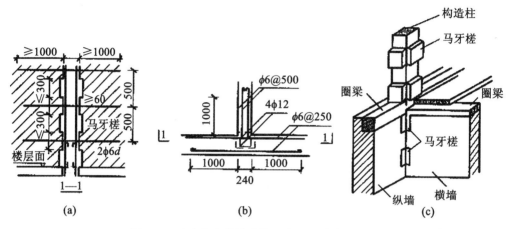

图7-25　砖砌体中的构造柱示意图（单位：mm）

（4）空心砌块墙墙芯柱

当采用混凝土空心砌块时，应在房屋四大角，外墙转角、楼梯间四角设置芯柱。芯柱用C15细石混凝土填入砌块孔中，并在空中插入通长钢筋，如图7-26所示。

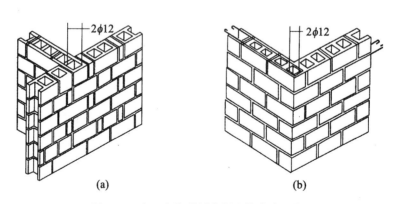

图7-26　空心砌块利用孔洞配筋成为芯柱

§7.3　隔墙与隔断构造

隔墙与隔断是分隔空间的非承重构件。其作用是对空间的分隔、引导和过渡。

隔墙与隔断的不同之处在于分隔空间的程度和特点不同。隔墙通常是做到顶，将空间完全分为两个部分，相互隔开，没有联系，必要时隔墙上设有门。隔断可以到顶也可以不到顶，空间似分非分，相互可以渗透，视线可以不被遮挡，有时设门，有时设门洞，比较灵活。

7.3.1 隔墙

隔墙构造设计时，应注意自重轻，有利于减轻楼板的荷载；强度、刚度、稳定性好；墙体薄，增加建筑物的有效空间；隔声性能好，使各使用房间互不干扰；满足防火、防水、防潮等特殊要求；便于拆除，能随使用要求的改变而变化。

隔墙的类型很多，按构造方式的不同可以分为块材隔墙、轻骨架隔墙、板材隔墙三类。

1. 块材隔墙

块材隔墙是采用普通粘土砖、空心砖、加气混凝土砌块、玻璃砖等块材砌筑而成的非承重墙。

普通粘土砖隔墙一般有$\frac{1}{2}$砖隔墙和$\frac{1}{4}$砖隔墙。$\frac{1}{2}$砖墙用全顺式砌筑，高度不宜超过4m，长度不宜超过6m，否则应加设构造柱和拉梁加固，如图7-27所示。$\frac{1}{4}$砖墙用砖侧砌而成，一般用于小面积隔墙，如图7-28所示。

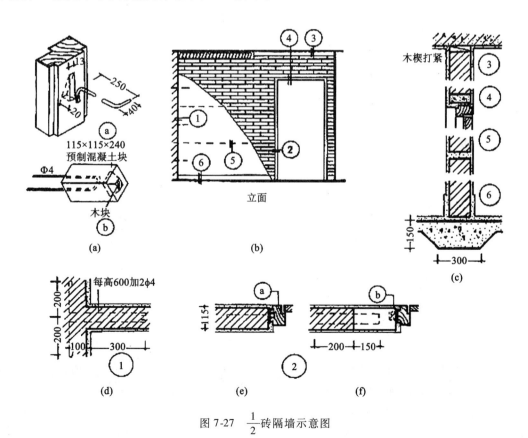

图7-27 $\frac{1}{2}$砖隔墙示意图

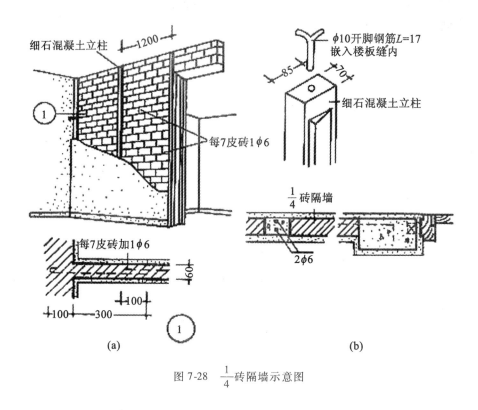

图 7-28 $\frac{1}{4}$ 砖隔墙示意图

空心砖隔墙和轻质砌块隔墙重量轻，隔热性能好，也应采取加固措施，如图 7-29 所示。

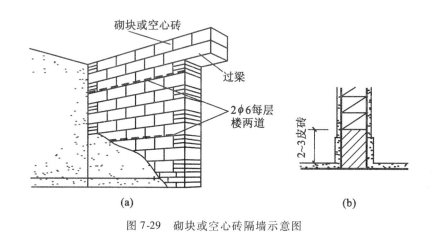

图 7-29 砌块或空心砖隔墙示意图

玻璃砖隔墙美观、通透、整洁、光滑，保温、隔声性能好。玻璃砖侧面有凹槽，采用水泥砂浆或结构胶拼砌，缝隙一般 10mm。若砌筑曲面时，最小缝隙 3mm，最大缝隙 16mm。玻璃砖隔墙高度控制在 4.5m 以下，长度也不宜过长。凹槽中可以加钢筋或扁钢进行拉接，提高其稳定性。墙面积超过 12～15m² 时，应增加支撑加固，如图 7-30 所示。

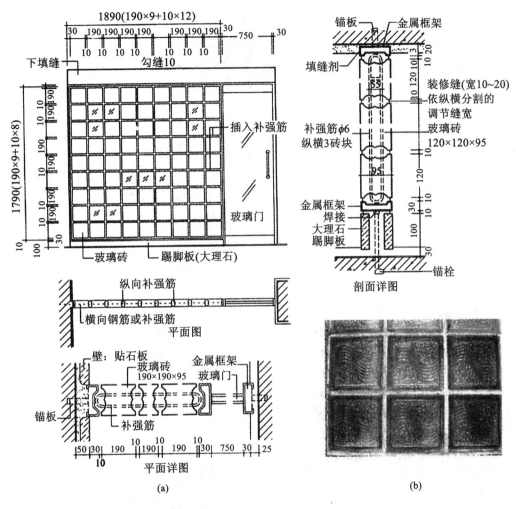

图 7-30 玻璃砖隔墙示意图

2. 轻骨架隔墙

骨架隔墙是由骨架（龙骨）和饰面材料组成的轻质隔墙。常用的骨架有木骨架和金属骨架，饰面有抹灰饰面和板材饰面。抹灰饰面骨架隔墙是在骨架上加钉板条、钢板网、钢丝网，然后做抹灰饰面，还可以在此基础上另加其他饰面，这种抹灰饰面骨架隔墙已很少采用。板材饰面骨架隔墙自重轻、材料新、厚度薄、干作业、施工灵活方便，目前室内采用较多。

（1）木骨架隔墙

板材饰面木骨架隔墙是由上槛、下槛、立柱（墙筋）、横档或斜撑组成骨架，然后在立柱两侧铺钉饰面板，如图7-31所示。这种隔墙质轻、壁薄、装拆方便，但防火、防潮、隔声性能差，并且耗用木材较多。

① 木骨架

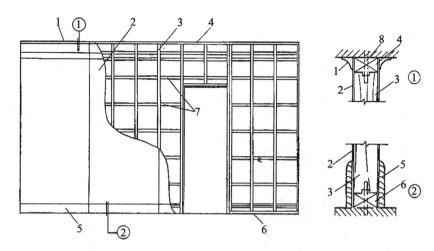

1—木线脚；2—罩面板；3—立筋；4—上槛；5—踢脚板；6—下槛；7—横撑；8—金属螺栓

图 7-31　木骨架隔墙构造组成示意图

木骨架通常采用 50mm×(70~100)mm 的方木。立柱之间沿高度方向每隔 1.5m 左右设横档一道，两端与立柱撑紧、钉牢，以增加强度。立柱间距一般为 400~600mm，横档间距为 1.2~1.5m。有门框的隔墙，其门框立柱加大断面尺寸或双根并用。档间距为 1.2~1.5m。

②饰面板

木骨架隔墙的饰面板多为胶合板、纤维板等木质板。

饰面板可以经油漆涂饰后直接作隔墙饰面，也可以做其他装饰面的衬板或基层板，如镜面玻璃装饰的基层板，壁纸、壁布裱糊的基层板，软包饰面的基层板，装饰板及防火板的粘贴基层板。

饰面板的固定方式有两种：一种是将面板镶嵌或用木压条固定于骨架中间，称为嵌装式；另一种是将面板封于木骨架之外，并将骨架全部掩盖，称为贴面式。

(2) 金属骨架隔墙

金属骨架隔墙一般采用薄壁轻型钢、铝合金或拉眼钢板做骨架，两侧铺钉饰面板，如图 7-32 所示。这种隔墙因其材料来源广泛、强度高、质轻、防火、易于加工和大批量生产等特点，近几年得到了广泛的应用。

①金属骨架

金属骨架由沿顶龙骨、沿地龙骨、竖向龙骨、横撑龙骨和加强龙骨及各种配件组成。其通常的做法是将沿顶龙骨和沿地龙骨用射钉或膨胀螺栓固定，构成边框，中间设置竖向龙骨，若需要还可以加横撑和加强龙骨，龙骨间距为 400~600mm。骨架和楼板、墙或柱等构件连接时，多用膨胀螺栓固定，竖向龙骨、横撑之间用各种配件或膨胀铆钉相互连接在竖向龙骨上，每隔 300mm 左右预留一个准备安装管线的孔。龙骨的断面多数用 T 形或 C 形。

②饰面板

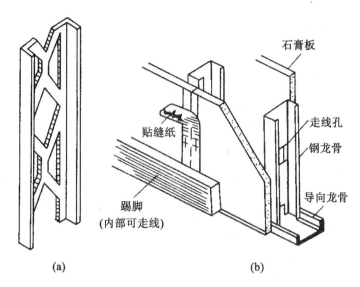

图 7-32 金属骨架隔墙的组成示意图

金属骨架的饰面板采用纸面石膏板、金属薄钢板或其他人造板材。目前应用最多的是纸面石膏板、防火石膏板和防水石膏板。

3. 板材隔墙

板材隔墙是指单板高度相当于房间净高，面积较大，且不依赖骨架，直接拼装而成的隔墙。通常分为复合板材、单一材料板材、空心板材等类型。常见的有金属夹芯板、石膏夹芯板、石膏空心板、泰柏板、增强水泥聚苯板（GRC 板）、加气混凝土条板、水泥陶粒等。板材隔墙墙面上均可以做喷浆、油漆、贴墙纸等多种饰面。图 7-33 为增强石膏空心条板的安装节点，图 7-34 为碳化石灰板材的安装节点。

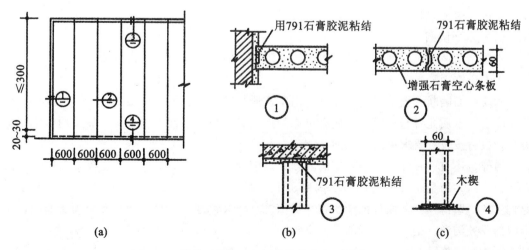

图 7-33 增强石膏空心条板的安装节点（单位：mm）

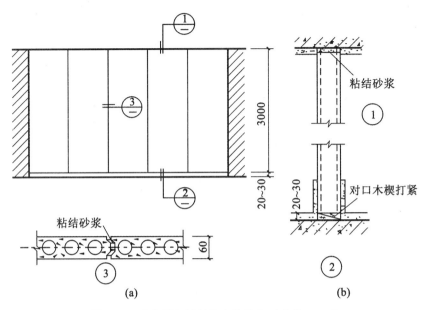

图 7-34　碳化石灰板材的安装节点（单位：mm）

7.3.2　隔断

隔断的种类很多。从限定程度上分有：空透式隔断、隔墙式隔断；从固定方式分有：固定式隔断、活动式隔断；从材料上分有：竹木隔断、玻璃隔断、金属隔断、混凝土花格隔断等。另外还有硬质隔断、软质隔断、家具式隔断、屏风式隔断等。下面按固定方式介绍隔断构造。

1. 固定式隔断

固定式隔断所用材料有木质、竹质、玻璃、金属及水泥制品等，可以做成花格、落地罩、飞罩、博古架等各种形式，俗称空透式隔断。下面介绍几种常见的固定式隔断。

（1）木质隔断

木质隔断通常有两种，一种是木质饰面隔断；另一种是硬木花格隔断。

①木质饰面隔断

木质饰面隔断一般采用木质龙骨上固定木质板条、胶合板、纤维板等面板，做成不到顶的隔断。木质龙骨与楼板、墙应有可靠的连接，面板固定在木质龙骨上后，用木质压条盖缝，最后按设计要求罩面或贴面。

另外，还有一种开放式办公室的隔断，高度为1.3~1.6m，用高密度板做骨架，防火装饰板罩面，用金属（镀铬铁质、铜质、不锈钢等）连接件组装而成。这种隔断便于工业化生产，壁薄体轻，面板色泽淡雅、易擦洗、防火性好，并且能节约办公用房面积，便于内部业务沟通，是一种流行的办公室隔断。

②硬木花格隔断

如图 7-35 所示，硬木花格隔断常用的木材多为硬质杂木，这种杂木自重轻，加工方便，制作简单，可以雕刻成各种花纹，做工精巧、纤细。

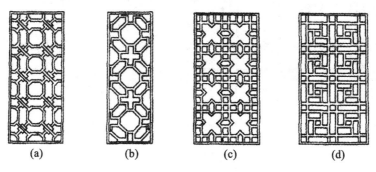

图 7-35 几种硬木花格隔断示意图

硬木花格隔断一般用板条和花饰组合，花饰镶嵌在木质板条的裁口中，可以采用榫接、销接、钉接和胶接，外边钉有木质压条，为保证整个隔断具有足够的刚度，隔断中立有一定数量的板条贯穿隔断的全高和全长，其两端与上下梁、墙应有牢固的连接。

（2）玻璃隔断

玻璃隔断是将玻璃安装在框架上的空透式隔断。这种隔断可以到顶也可以不到顶，其特点是空透、明快，而且在光的作用下色彩有变化，可以增强装饰效果。

玻璃隔断按框架的材质不同有落地玻璃木质隔断、铝合金框架玻璃隔断、不锈钢圆柱框玻璃隔断等。

2. 活动式隔断

活动式隔断又称为移动式隔断，其特点是使用时灵活多变，可以随时打开和关闭，使相邻空间根据需要成为一个大空间或若干个小空间，关闭时能与隔墙一样限定空间，阻隔视线和声音。也有一些活动式隔断全部或局部镶嵌玻璃，其目的是增加透光性，不强调阻隔人们的视线。活动式隔断构造较为复杂，下面介绍几种常见的活动式隔断。

（1）拼装式隔断

拼装式活动隔断是用可以装拆的壁板或门扇（通称隔扇）拼装而成，不设滑轮和导轨。隔扇高 2～3m，宽 600～1200mm，厚度视材料及隔扇的尺寸而定，一般为 60～120mm。隔扇可以用木材、铝合金、塑料做框架，两侧粘贴胶合板及其他各种硬质装饰板、防火板、镀膜铝合金板，也可以在硬纸板上衬泡沫塑料，外包人造革或各种装饰性纤维织物，再镶嵌各种金属和彩色玻璃饰物制成美观高雅的屏风式隔扇。

为装拆方便，隔断的顶部应设置通长的上槛，用螺钉或铅丝固定在顶棚上。上槛一般应安装凹槽，设置插轴来安装隔扇。为便于安装和拆卸隔扇，隔扇的一端与墙面之间应留空隙，空隙处可以用一个与上槛大小、形状相同的槽形补充构件来遮盖。隔扇的下端一般都设置下槛，需高出地面，且在下槛上也设置凹槽或与上槛相对应处设置插轴。下槛也可以做成可卸式，以便将隔扇拆除后不影响地面的平整，拼装式隔断立面与构造如图 7-36 所示。

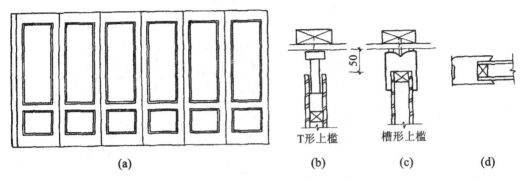

图 7-36 拼装式隔断立面与构造示意图

（2）直滑式隔断

直滑式隔断是将拼装式隔断中的独立隔扇用滑轮挂置在轨道上，可以沿轨道推拉移动的隔断。轨道可以布置在顶棚或梁上，隔扇顶部安装滑轮，并与轨道相连，如图 7-37 所示。隔扇下部地面不设置轨道，主要为避免轨道积灰损坏。

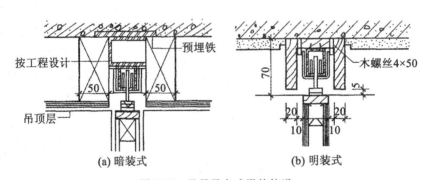

图 7-37 悬吊导向式滑轮轨道

面积较大的隔断，当把活动扇收拢后会占据较多的建筑空间，影响使用和美观，所以多采取设置贮藏壁柜或贮藏间的形式加以隐蔽，如图 7-38 所示。

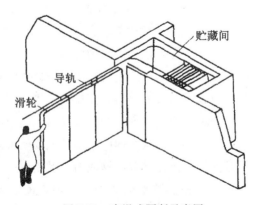

图 7-38 直滑式隔断示意图

(3) 折叠式隔断

折叠式隔断是由多扇可以折叠的隔扇、轨道和滑轮组成。多扇隔扇用铰链连接在一起，可以随意展开和收拢，推拉快速方便。但由于隔扇本身重量、连接铰链五金重量以及施工安装、管理维修等诸多因素造成的变形会影响隔扇的活动自由度，所以可以将相邻两隔扇连接在一起，此时每个隔扇上只需安装一个转向滑轮，先折叠后推拉收拢，便增加了灵活性，如图 7-39 所示。

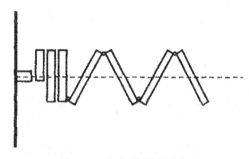

图 7-39 折叠式隔断示意图

(4) 帷幕式隔断

帷幕式隔断是用软质帷幕材料、硬质帷幕材料利用轨道、滑轮、吊轨等配件组成的隔断。帷幕式隔断占用面积少，能满足遮挡视线的要求，使用方便，便于更新，一般多用于住宅、旅馆和医院。

帷幕式隔断的软质帷幕材料主要是棉、麻、丝织物或人造革。硬质帷幕材料主要是竹片、金属片等条状硬质材料。这种帷幕隔断最简单的固定方法是用一般家庭中固定窗帘的方法，但比较正式的帷幕隔断，构造要复杂得多，且固定时需要一些专用配件。

§7.4 外墙的保温与隔热措施

适宜的室内温度和湿度状况是人们生活和工作的基本要求。对于建筑物的外墙来说，由于在大多数情况下，建筑物室内外都会存在温差，特别是处于寒冷地区冬季需要采暖的建筑物以及在有些地区因夏季炎热而需要在室内使用空调制冷的建筑物，其外墙两侧的温差有时甚至可以达到数十度之多。因此，在外墙设计中，根据各地的气候条件和建筑物的使用要求，合理解决建筑物外墙的保温与隔热问题，是建筑构造设计的重要内容。

7.4.1 建筑物外围维护结构热工构造的基本知识

热量从高温处向低温处转移的过程中，存在热传导、热对流和热辐射三种方式。其中热传导是指物体内部高温处的分子向低温处的分子连续不断地传送热能的过程；热对流是指流体（如空气）中温度不同的各部分相对运动而使热量发生转移；热辐射则是指温度较高的物质的分子在振动激烈时释放出辐射波，热能按电磁波的形态传递。

上述这三种传热的基本方式，在建筑物外围结构传热的过程中表现为：其某个表面首先通过与附近空气之间的对流与导热以及与周围其他表面之间的辐射传热，从周围温度较高的空气中吸收热量；然后在维护结构内部由高温向低温的一侧传递热量，此间的传热主要是以材料内部的导热为主；接下去维护结构的另一个表面将继续向周围温度较低的空间散发热量。

由此可见，在建筑物室内外存在温差，尤其是在较大温差的情况下，如果要维持建筑物室内的热稳定性，使室内温度在设定的舒适范围内不作大幅度的波动，而且要节省能耗，就必须尽量减少通过建筑物外围结构传递的热流量。其中，减少建筑物外围结构的表面积，以及选用导热系数较小，即其传热阻较大的材料来做建筑物的外围构件，是减少热量通过外围结构传递的重要途径。

7.4.2 外墙的保温措施

为了提高建筑物外墙的保温能力减少热损失，可以从以下几个方面采取措施：

1. **材料的选择**

通过对材料的选择，提高外墙保温能力减少热损失一般有三种做法：第一，增加墙体厚度、使传热过程延缓，达到保温目的。例如在我国北方曾将低层或多层住宅的实心粘土砖墙都做到了370mm或490mm的厚度，这是很不经济的。如今实行墙体改革，减少或取消使用实心粘土砖，但许多外墙材料的导热系数都比普通实心粘土砖的导热系数大。例如为了达到新颁采暖居住建筑物节能设计的标准，若使用粘土多孔砖，其厚度在西安地区需370mm，在北京地区需490mm，在沈阳地区需760mm，在哈尔滨地区甚至多达1020mm。普通钢筋混凝土墙体的热工性能就更不行。因此加大构件厚度并不是好方法；第二，选用孔隙率高的轻质材料做外墙，如加气混凝土等。这些材料导热系数小，保温效果好，但导热系数小的材料一般都是孔隙多、密度小的轻质材料，大部分没有足够的强度，当外围结构兼有承重结构的作用时，不适合于直接用做外墙的基材；第三，采用多种材料的组合墙，形成保温构造系统解决保温与承重双重问题。外墙保温系统根据保温材料与承重材料的位置关系，有外墙外保温、外墙内保温和夹芯保温等若干种方式。以下将就这三种情况下常用的外墙保温构造方法，结合对"热桥"部分的处理分别加以介绍。

（1）外墙内保温构造

做在外墙内侧的保温层，一般有以下几种构造方法：

①外墙硬质保温板内贴

具体做法是在外墙内侧用胶贴剂粘贴增强石膏聚苯复合保温板等硬质建筑保温制品，然后在其表面抹粉刷石膏，并在里面压入中碱玻纤涂塑网格布（满铺），最后用腻子嵌平，做涂料，如图7-40所示。由于石膏的防水性能较差，因此在卫生间、厨房等较潮湿的房间内不宜使用增强聚苯石膏板。

②保温层挂装

保温层可以采用半硬质矿（岩）棉板、矿（岩）棉毡、半硬质玻璃棉板等具有耐火、环保功能的天然纤维材料。护面层可以采用纸面石膏板，无石棉硅酸钙板等材料。

具体做法是先在外墙内侧固定衬有保温材料的保温龙骨，在龙骨的间隙中填入石棉等保温材料，然后在龙骨表面安装面板，如图7-41所示。

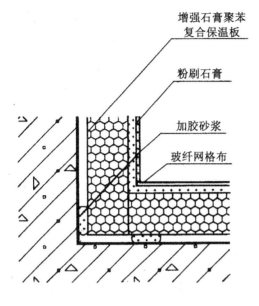
图 7-40 外墙硬质保温板内贴示意图

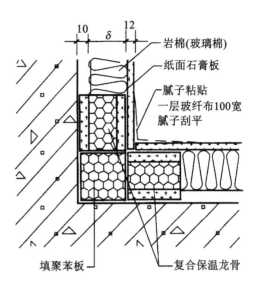
图 7-41 外墙保温层挂装示意图

外墙内保温的优点是不影响外墙外饰面及防水等构造的做法，但需要占据较多的室内空间，减少了建筑物的使用面积，而且用在居住建筑物中，会给用户的自主装修造成一定的麻烦。并且由于外墙受到的温差大，直接影响到墙体内表面应力变化，这种变化一般比外保温墙体大得多。昼夜和四季的更替，易引起内表面保温材料的开裂，特别是保温板之间的裂缝尤为明显。另外在热桥处保温困难，易出现结露现象。

（2）外墙外保温构造

外墙外保温与外墙内保温相比较，其优点是可以不占用室内使用面积，而且可以使整个外墙墙体处于保温层的保护之下，冬季不至于产生冻融破坏，延长建筑物寿命。还有利于旧建筑物进行节能改造。同时基本消除了"热桥"的现象，较好地发挥了材料的保温节能功能。

但因为外墙的整个外表面是连续的，不像内墙面那样可以被楼板隔开。同时外墙面又会直接受到阳光照射和雨雪的侵袭，所以外保温构造在对抗变形因素的影响、防止材料脱落以及防火等安全方面的要求更高。

常用外墙外保温构造有以下几种：

①保温浆料外粉刷

具体做法是先在外墙外表面做一道界面砂浆，然后粉刷胶粉聚苯颗粒保温浆料等保温砂浆。如果保温砂浆的厚度较大，应在里面钉入镀锌钢丝网，以防止开裂（但满铺金属网时应有防雷措施）。保护层及饰面用聚合物砂浆加上耐碱玻纤布，最后用柔性耐水腻子嵌平，涂刷表面涂料。

②外墙外贴保温板材

用于外墙外保温的板材最好是自防水及阻燃型的，如阻燃性挤塑型聚苯板和聚氨酯外墙保温板等，可以省去做隔蒸汽层及防水层等麻烦，又较安全。此外，出于高层建筑物进一步的防火方面的需要，在高层建筑物 60m 以上高度的墙面上，窗口以上的一截保温应用矿棉板来做。

外贴保温板材的外墙外保温构造的基本做法是：用粘结胶浆与辅助机械锚固方法一起固定保温板材，保护层用聚合物砂浆加上耐碱玻纤布，饰面用柔性耐水腻子嵌平，涂刷表面涂料，如图 7-42 所示。

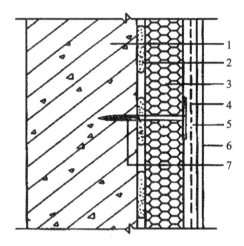

1—基层；2—聚合物胶粘剂；3—XPS 聚苯保温板；4—涂塑耐碱玻纤网；
5—薄抹面层（抗裂砂浆底层）；6—饰面涂层；7—锚栓

图 7-42 外墙外贴保温板材示意图

对于诸如砌体墙上的圈梁、构造柱等热桥部位，可以利用砌块厚度与圈梁、构造柱的最小允许截面厚度尺寸之间的差，将圈梁、构造柱与外墙的某一侧做平，然后在其另一侧圈梁、构造柱部位墙面的凹陷处填入一道加强保温材料，如聚苯保温板等，厚度以与墙面做平为宜，如图 7-43 所示。当加强保温材料做在外墙外侧时，考虑适应变形及安全的因素，聚苯保温板等应该用钉加固。

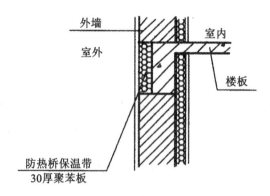

图 7-43 外墙热桥部位保温层加强处理示意图

(3) 外墙夹芯保温构造

在按照不同的使用功能设置多道墙板或做双层砌体墙的建筑物中,外墙保温材料可以放置在这些墙板或砌体墙的夹层中,或并不放入保温材料,只是封闭夹层空间形成静止的空气间层,并在里面设置具有较强反射功能的铝箔等,起到阻挡热量外流的作用。

2. 防止外墙出现凝结水

空气中含有水蒸汽,处于不同温度下的空气,其中所含水蒸汽的质量是不同的。温度越低,所含水蒸汽的量就越少。因此,当空气的温度下降时,如果其中水蒸汽的含量达到了相对饱和,多余的水蒸汽就会从空气中析出,在温度较低的物体表面凝结成冷凝水,这种现象称为结露。结露时的临界温度被称为露点温度。

由于建筑物外围结构的两侧存在温差,当室内外空气中的水蒸汽含量不相等时,水蒸汽分子会从压力高的一侧通过建筑物外围结构向压力低的一侧渗透。在此过程中,如果温度达到了露点温度,在外墙中就有可能出现结露的现象,这时材料就受潮。若结露现象发生在保温层中,因为水的导热系数远比干燥的空气要高,这样就会降低材料的保温效果。如果水汽不能够被排出,就可能使材料发生霉变,影响其使用寿命。在冬季室外温度较低的情况下,如果水汽进而受冻结冰,体积膨胀,就会使材料的内部结构遭到破坏,这种现象称为冻融性破坏。因此,在对建筑物的外墙进行热工设计时,不能不考虑水汽的影响。其基本原则一是要阻止水汽进入保温材料内,二是要安排通道以使进入建筑物外墙中的水汽能够排出。其具体做法视材料的内部结构而定。如果材料内部的孔隙相互间不连通,或者表面具有自防水的功能可以阻止水或水汽进入,就可以不做任何处理。否则应在温度较高的一侧先设置隔蒸汽层,阻止水汽进入墙体,同时将受阻隔的水汽排到维护结构外。隔气层常用卷材、防水涂料或薄膜等材料。

3. 防止外墙出现空气渗透

墙体材料一般都不够密实,有许多微小孔洞。墙体上设置的门窗等构件,因安装不严密或材料收缩等,会产生一些贯通性缝隙。由于这些孔洞和缝隙的存在,外墙就会出现空气渗透,为了防止外墙出现空气渗透,一般采取以下措施:选择密实度高的墙体材料,墙体内外加抹灰层,加强构件间的密缝处理等。

7.4.3 外墙隔热措施

炎热地区夏季太阳辐射强烈,室外热量通过外墙传入室内,使室内温度升高,产生过热现象,影响人们的工作和生活,甚至损害人的健康。外墙应有足够的隔热能力,具体措施有:外墙表面做浅色、光滑的饰面,如采用浅色粉刷、涂层或面砖,以反射太阳辐射热;设置通风间层,形成通风墙,以空气的流通带走大量的热;采用多排孔混凝土或轻骨料混凝土空心砌块墙,或采用复合墙体;设置带铝箔的封闭空气间层,利用空气间层隔热。当为单面贴铝箔时,铝箔宜贴在温度较高的一侧。

§7.5 幕 墙

幕墙是由金属构件与各种板材组成的悬挂在主体结构上、不承担结构荷载的将防风、遮雨、保温、隔热、防噪声、防空气渗透等使用功能与建筑装饰功能有机融合为一体的建筑物外围维护结构，也是当代建筑物经常使用的一种装饰性很强的外墙饰面。

7.5.1 幕墙的种类

按幕墙的安装形式分类可以分为元件式幕墙、单元式幕墙、半单元式幕墙。元件式幕墙又称为散装幕墙，是用一根根元件（立梃、横档）安装在建筑物主框架上形成框格体系，再镶嵌面板，最终组装成幕墙。其优点是运输方便，运输费用低，其缺点是要在现场逐件安装，安装周期相对较长；单元式幕墙是在工厂中预制并拼装成单元组件，运到工地后，以单元的形式连接组合成幕墙。半单元式幕墙又称为元件单元式幕墙，这种幕墙综合了以上两种幕墙的特点，在现场安装立梃，再将在工厂组装好的组件安装到立梃上。

按幕墙的面板材料分类可以分为玻璃幕墙、金属幕墙、非金属幕墙。本书主要介绍玻璃幕墙及金属幕墙。

7.5.2 幕墙的构造

1. 玻璃幕墙

随着高层建筑物的发展，玻璃幕墙的使用已很广泛。玻璃幕墙将建筑美学、功能、技术和施工等因素有机地统一起来。玻璃幕墙的特点是装饰效果好，质量轻，安装速度快，通过采用不同的玻璃可以形成丰富多彩的装饰效果。当然，玻璃幕墙也存在一定的局限性。例如：光污染，能源消耗较大等问题。随着新技术、新材料的不断进步，这些问题是可以逐步解决和减轻的。

（1）玻璃幕墙的组成材料

①骨架材料

如图 7-44 所示，玻璃幕墙的骨架材料有框材，多采用铝合金型材，也可以采用型钢、不锈钢、青铜等材料制作；紧固件，主要有膨胀螺栓、铝铆钉、射钉等；还有连接件，如图 7-45 所示，多采用角钢、槽钢、钢板加工而成。连接件的形状因不同部位、不同幕墙结构而有所变化，幕墙铝框连接构造如图 7-46 所示。

②玻璃

玻璃的合理选择是玻璃幕墙设计的重要内容。当前，玻璃工业发展十分迅速，可以提供许多种类的玻璃，其性能各不相同。在选择玻璃时，主要应考虑玻璃的安全性能和热工性能。

从热工性能方面看，可以考虑选择热反射玻璃、吸热玻璃、中空玻璃等。从安全性能方面看，可以考虑选择钢化玻璃、夹层玻璃、夹丝玻璃等。幕墙玻璃须满足抗风压、采光、隔热、隔声等性能要求。

③封缝材料

封缝材料有填充材料，填充材料主要用于幕墙型材凹槽两侧间隙内的底部，起填充作用，以避免玻璃与金属之间的硬性接触，起缓冲作用。填充材料多为聚乙烯泡沫胶系，有片状、圆柱条等多种规格，也可以用橡胶压条。在填充材料上部多用橡胶密封材料和硅酮系列的防水密封胶覆盖；密封固定材料，在玻璃幕墙的玻璃装配中，密封材料不仅具有密封作用，同时也具有缓冲、粘结作用，使玻璃与金属之间形成柔性缓冲接触。密封固定材料采用橡胶密封压条，断面形状有许多种，其规格主要取决于凹槽的尺寸及形状；密封防

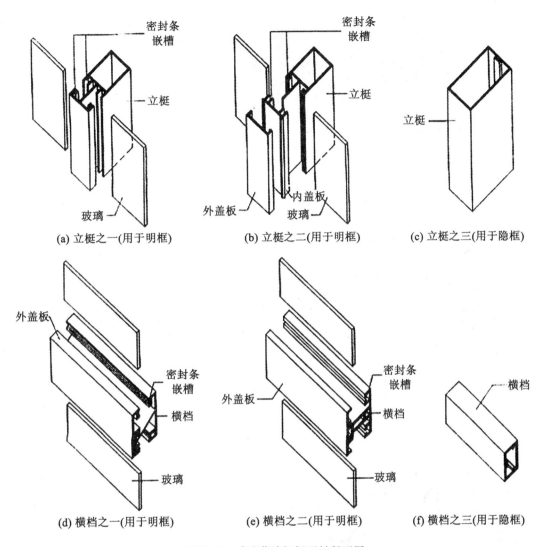

图 7-44 玻璃幕墙铝框型材断面图

水材料,铝合金玻璃幕墙用的密封防水材料为密封胶,有结构密封胶、建筑密封胶(耐候胶)、中空玻璃二道密封胶、管道防火密封胶等。结构玻璃装配使用的结构密封胶只能是硅酮密硅胶,这种胶具有良好的抗紫外线、抗腐蚀性能。

(2) 玻璃幕墙的构造

玻璃幕墙按构造方式可以分为有框式玻璃幕墙、无框式玻璃幕墙和点支承式玻璃幕墙等,下面分别作介绍。

1) 框式玻璃幕墙的构造

框式玻璃幕墙一般由结构框架、填衬材料和幕墙玻璃所组成。根据幕墙玻璃和结构框架的不同构造方式和组合形式,又可以分为明框式玻璃幕墙、隐框式玻璃幕墙和半隐框式玻璃幕墙三种。

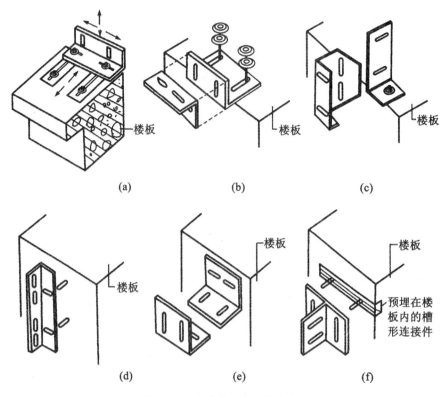

图 7-45 玻璃幕墙连接件实例图

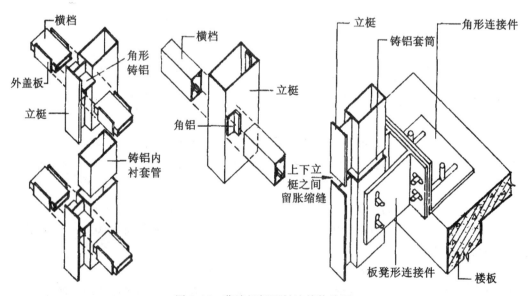

图 7-46 幕墙铝框型材连接构造图

①明框式玻璃幕墙

明框式玻璃幕墙框架结构外露，立面造型主要由外露的横竖骨架决定，依据其施工方法的不同又可以分为元件式和单元式两种。

元件式幕墙如图7-47所示，幕墙用一根根元件（立梃、横档）安装在建筑物主框架上形成框格体系，再镶嵌玻璃，组装成幕墙。对以竖向受力为主的框格，先将立梃固定在建筑物每层的楼板（梁）上，再将横档固定在立梃上；对以横向受力为主的框格，则先安装横档，立梃固定在横档上，再镶嵌玻璃。所有工作均在施工现场完成。

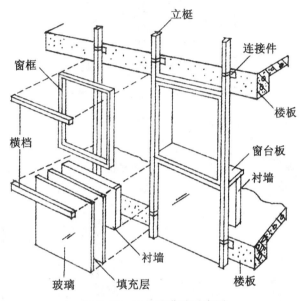

图7-47 元件式幕墙示意图

单元式幕墙如图7-48所示，幕墙在工厂中预制并拼装成单元组件。这种单元组件一般为一个楼层高度，也可以2~3层楼高，一个单元组件就是一个受力单元。安装时将单元组件固定在楼层楼板（梁）上，组件的竖边对扣连接，下一层组件的顶部与上一层组件的底部横框对齐连接。这种形式的幕墙安装周期短，能使建筑物很快封闭，但要求制造厂有较大的装配车间，运输体积大、运费高，要求工厂制作质量高，对建筑物的尺寸偏差要求严格，因而应注意安装程序，否则到最后阶段封闭困难。

②全隐框式玻璃幕墙

如图7-49所示，全隐框式玻璃幕墙是采用结构玻璃装配方法安装玻璃的幕墙。玻璃用硅酮密封胶固定在金属框上，所以玻璃外表面没有明露的框料槽板，同时全隐框式玻璃幕墙均采用镀膜玻璃。由于镀膜玻璃的单向透像特性，从外侧看不到框料，达到隐框的效果。全隐框式玻璃幕墙四边都用硅酮密封胶将玻璃固定在金属框架的适当位置上，可以采用单片玻璃或中空玻璃，结构玻璃装配要求硅酮胶对玻璃与金属有良好的粘结力。

③半隐框式玻璃幕墙

半隐框式玻璃幕墙有两种做法，第一种为竖向或横向两组对边中，一组对边采用结构玻璃装配方法安装玻璃，另一组对边采用镶嵌槽安装玻璃；第二种为四边都采用结构玻璃

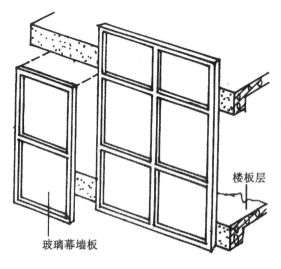

图 7-48 单元式幕墙示意图

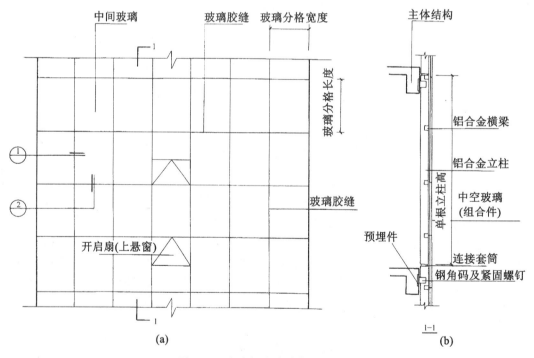

图 7-49 全隐框式玻璃幕墙构造图

装配方法安装玻璃（和全隐框式玻璃幕墙一样），而在需要有线条装饰的部位加上扣板，可以在竖向或横向加线条，扣板有矩形、梯形、三角形、半圆形等形状。

2）无框式玻璃幕墙

如图 7-50 所示，无框式玻璃幕墙又称为全玻璃幕墙，是指在视线范围内不出现金属框料，大片玻璃与支撑框架均为玻璃的幕墙。这种幕墙是一种全透明、全视野的玻璃幕墙，一般用于厅堂和商店橱窗等处形成无遮挡、透明墙面。为了减小玻璃的厚度和增强玻璃墙面的刚度，一般每隔一定的距离用条形玻璃作为加劲肋，固定在楼层楼板（梁）上，作为大片玻璃的支点，这种条形玻璃称为肋玻璃。肋玻璃的布置方式有后置式、骑缝式、平齐式、突出式四种，如图 7-51 所示。

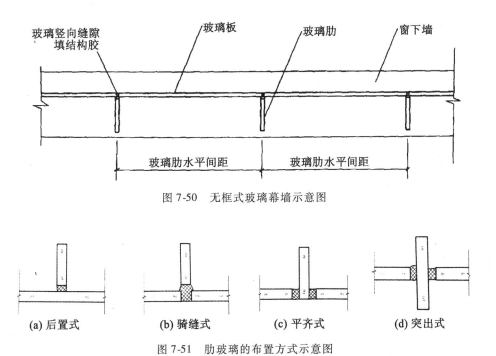

图 7-50　无框式玻璃幕墙示意图

图 7-51　肋玻璃的布置方式示意图

3）点支承式连接玻璃幕墙

点支承式玻璃幕墙又称为点支式玻璃幕墙、点驳接式玻璃幕墙。点支承式连接玻璃幕墙采用透明的白色玻璃，从室外直接可以看到室内空间，只有拉杆、钢索等简单的结构，没有框格结构影响视线，室内具有明亮开阔、通透晶莹的效果，适用于大型公共建筑物，如歌剧院、展览大厅、机场候机厅、建筑物的大堂等。

点支承式玻璃幕墙是由玻璃面板、支承结构、连接玻璃面板与支承结构的支承装置组成。

点支承式连接玻璃幕墙是由驳接头和玻璃通过穿透式驳接或背栓式驳接而组成，玻璃是重要的连接件和受力件。穿透式点支承式连接玻璃幕墙是不锈钢驳接头穿透玻璃上的圆孔，驳接头露在玻璃外面。背栓式点支承式连接玻璃幕墙是不锈钢驳接头不穿透玻璃，驳接头深入玻璃厚度的 60% 左右。

支承结构是点支承式玻璃幕墙重要的组成部分，支承结构能把玻璃表面承受的风荷载、温度差作用、自身重量和地震荷载传递给主体结构。支承结构必须有足够的强度和刚度，支承结构相对于主体结构有特殊的独立性，又是整体建筑不可分离的一部分。支承结构既要与主体结构有可靠的连接，又要不承担主体结构因变形对幕墙产生的复合作用，其形式有多种，如图 7-52 ~ 图 7-54 所示。

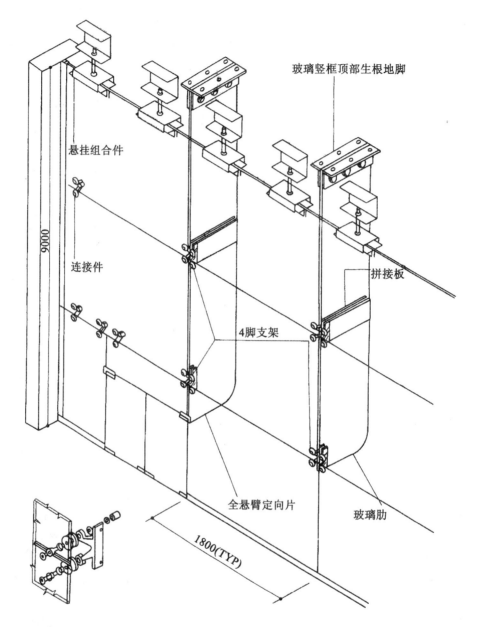

图 7-52 玻璃肋点支承式玻璃幕墙示意图

(3) 玻璃幕墙的防火构造

玻璃幕墙的防火设计是一个非常重要的问题，一般玻璃幕墙均不耐火，在 250℃ 即会炸裂，而且垂直幕墙与水平楼板之间往往存在缝隙，如果未经处理或处理不当，火灾初起时，浓烟即已通过该缝隙向上层扩散，火焰也可以通过这一缝隙窜到上一楼层。当幕墙玻璃炸裂掉落后，火焰可以从幕墙外侧窜到上层墙面，烧裂上层玻璃幕墙后，窜入上层室内，造成火势扩大。因此《高层民用建筑设计防火规范》(GB50045—1995) 对玻璃幕墙

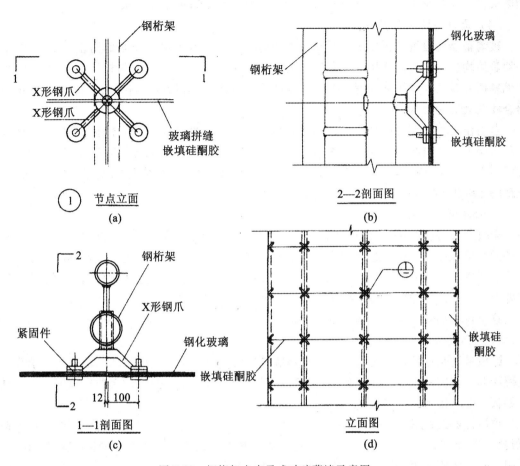

图 7-53 钢桁架点支承式玻璃幕墙示意图

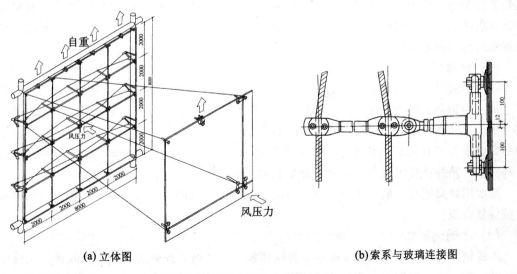

图 7-54 拉索点支承式玻璃幕墙示意图

的防火作了专门规定，要求玻璃幕墙的设计应符合相关防火安全要求。

（4）玻璃幕墙的避雷构造

玻璃幕墙应设置防雷系统。玻璃幕墙的防雷系统应和整幢建筑物的防雷系统相连通，一般采用均压环做法。均压环是利用梁的主筋，采用焊接连接，再与柱子钢筋焊接连通。玻璃幕墙的骨架与均压环连通。防雷系统的构造做法应按相关规定执行，其接地电阻必须符合相关规定的要求。

幕墙位于均压环处的预埋件的锚筋必须与均压环处的梁纵向钢筋连通，固定在设置均压环楼层上的立梃必须与均压环连通，位于均压环处与梁纵向钢筋连通的立梃上的横梁，必须与立梃连通。在幕墙立面上，每10m以内位于未设均压环楼层的立梃，必须与固定在设均压环楼层的立梃连通，接地电阻均应小于4Ω。

2. 金属薄板幕墙

金属薄板幕墙的构造类似于隐框式玻璃幕墙，这种幕墙是由工厂定制的折边金属薄板作外围维护墙面，与窗一起组合成幕墙，形成风格独特、具有强烈现代艺术感的墙面。

金属薄板材料采用铝板、不锈钢板、搪瓷钢板等，为了达到建筑物外围维护结构的热工要求，金属薄板的内侧均应用矿棉等材料做保温层和隔热层。

这里仅介绍金属薄板幕墙的面板材料。

（1）铝板幕墙

铝板幕墙是用铝板取代玻璃制作成幕墙结构装配组件而形成的幕墙。常在窗间墙部分使用铝板，在窗洞口部分使用玻璃，两种材料交叉混合使用。铝板常用的有单层铝板、复合铝板、蜂窝铝板三种。

单层铝板是用2.5mm（3mm）厚铝板冲成槽形，在铝板中部适当部位设加固角铝（槽铝）作加劲肋，加劲肋的铝螺栓用电栓焊焊接于铝板上，将角铝（槽铝）套上螺栓并紧固；也有将铝管用结构胶固定在铝板上作加劲肋的。

复合铝板是用铝板与聚乙烯泡沫塑料层制造的夹层板。泡沫塑料与两层0.5mm厚的铝板紧密粘结，常用的复合铝板厚度有3mm、4mm、6mm三种规格。外层铝板表面喷涂聚氟碳脂涂层，内层铝板表面喷涂树脂涂层。用于幕墙的复合铝板有平板式、槽板式、平板加肋式与槽板加肋式等。

（2）蜂窝铝板

蜂窝铝板是由两层铝板与蜂窝芯材粘结的一种复合材料。面板一般用LD型铝材，蜂窝芯材常用铝箔，厚度为0.025~0.08mm，蜂窝形状有正六边形、扁六边形、长方形、正方形、柔性蜂窝偏置六角形、十字形、扁方形、折弯六角形、交叉折弯六角形等。幕墙用蜂窝铝板大多采用正六角形芯材，六角形边长有2mm、3mm、4mm、5mm、6mm等若干种。除铝箔外，还可以采用玻璃钢蜂窝板和纸蜂窝板。

幕墙用蜂窝铝板一般为20mm厚，两层铝板各厚0.8mm，中间为蜂窝芯材，用结构胶粘结成复合板。

（3）不锈钢板幕墙

不锈钢板幕墙是用0.8~2mm厚不锈钢薄板冲压成槽形镶板制成的幕墙嵌板，在板中部用肋加强，将不锈钢板的四边折成槽形，中部用结构胶将铝方管粘结在钢板适当部位使之成为加劲肋。不锈钢薄板的表面处理方法有磨光面（镜面）、拉毛面、蚀刻面等。

复习思考题

1. 墙体的主要作用有哪些？墙体是如何分类的？
2. 墙体的设计应满足哪些功能要求？
3. 墙体中为什么要设水平防潮层？水平防潮层应设在什么位置？一般有哪些？
4. 什么情况下应设垂直防潮层？
5. 常见的散水和明沟的做法有哪几种？
6. 常见的过梁有哪几种？这类过梁的适用范围和构造特点是什么？
7. 窗台构造中应考虑哪些问题？
8. 墙身加固措施有哪些？有什么设计要求？
9. 常见隔墙有哪些？试简述各种隔墙的构造做法。
10. 砌块墙的组砌要求有哪些？
11. 试简述玻璃幕墙的分类和构造做法。
12. 试简述外墙保温的构造有哪些做法。

第8章 基　　础

本章提要：本章内容主要包括地基、基础、基础埋深的基本概念；基础的分类和基础的一般构造。

§8.1　地基与基础的基本概念

基础是建筑物上部承重结构向下的延伸和扩大，基础承受建筑物的全部荷载，并把这些荷载连同本身的重量一起传递到地基上。地基则是承受由基础传递来荷载的土层，不是建筑物的组成部分。其中具有一定的地耐力，直接承受建筑物的荷载，并需进行力学计算的土层为持力层。持力层以下的土层为下卧层，如图8-1所示。

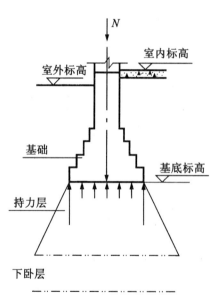

图 8-1　基础与地基示意图

8.1.1　地基的分类

地基按土层性质的不同，分为天然地基和人工地基两大类。凡天然土层具有足够的承载力，不需经人工加固或改良便可以作为建筑物地基的被称为天然地基。当建筑物上部的荷载较大或地基的承载力较弱，必须预先对土壤进行人工加固或改良后才能作为建筑物地基的称为人工地基。人工加固地基通常采用压实法、换土法、打桩法以及化学加固法等。

8.1.2 地基与基础的设计要求

1. 地基应具有足够的承载能力和均匀程度

建筑物应尽量选择地基承载力较高而且均匀的地段。地基土质应均匀，否则基础处理不当会使建筑物发生不均匀沉降，引起墙体开裂，严重时会影响建筑物的正常使用。

2. 基础应具有足够的强度和耐久性

基础是建筑物的重要承重构件，基础承受着上部结构的全部荷载，是建筑物安全的重要保证。因此基础必须具有足够的强度，才能保证将建筑物的荷载可靠地传递给地基。

3. 经济技术要求

要求设计时尽量选择土质好的地段、优先选用地方材料、合理的构造形式、先进的施工技术方案，以降低消耗，节约成本。

8.1.3 基础的埋置深度

由室外设计地面到基础底面的距离称为基础的埋置深度，简称基础的埋深，如图 8-2 所示。埋深大于等于 5m 为深基础，小于 5m 为浅基础。在满足地基稳定和变形要求的前提下，地基宜浅埋，当上层地基的承载力大于下层土时，宜利用上层做持力层。除岩石地基外，基础埋深不宜小于 0.5m。

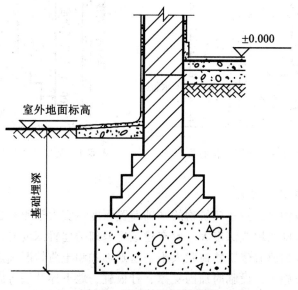

图 8-2 基础的埋深示意图

基础埋深的大小关系到地基的可靠性、施工的难易程度及造价的高低。影响基础埋深的因素很多，其主要因素如下：

1. 建筑物的用途，基础的形式和构造

当建筑物设置地下室、设备基础或地下设施时，基础埋深应满足其使用要求；高层建筑物基础埋深应随建筑物高度的增大而增大，才能满足其稳定性要求。

2. 作用在地基上的荷载大小和性质

一般荷载较大时应加大基础埋深；受上拔力的基础应有较大埋深，以满足抗拔力的要求。

3. 工程地质和水文地质条件

基础应建立在坚实可靠的地基上，不能设置在承载力低，压缩性高的软弱土层上。

存在地下水时，确定基础埋深一般应考虑将基础埋置于地下水位以上不小于 200mm 处。当地下水位较高，基础不能埋置在地下水位以上时，宜将基础埋置于最低地下水位以下 200mm 处，如图 8-3 所示。这种情况下，基础应采用耐水材料，且同时考虑施工时基坑的排水和坑壁的支护等因素。

4. 土的冻结深度的影响

对于冬天地表土会结冰的地区，将结冰的土层厚度处称为冰冻线。为了防止冻融时土内所含水的体积发生变化会对基础造成不良影响，基础底面应埋置于冰冻线以下 200mm 处，如图 8-4 所示。

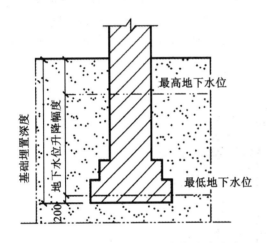

图 8-3 基础的埋深和地下水位的关系图

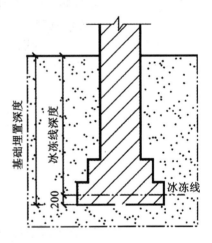

图 8-4 基础的埋深和冻土线的关系图

5. 相邻建筑物基础的埋深

当存在相邻建筑物时，新建建筑物的基础埋置深度不宜大于原有建筑物的基础埋置深度。当新建建筑物基础的埋置深度大于原有建筑物基础的埋置深度时，两基础间应保持一定净距，其数值应根据原有建筑物荷载大小、基础形式和土质情况确定。当上述要求不能满足时，应采取分段施工，设临时加固支撑、打板桩、地下连续墙等施工措施，或加固原有建筑物基础。

§8.2 基础的类型及构造

研究基础的类型是为了经济合理地选择基础的形式和材料，确定其构造，对于民用建筑物的基础，可以按形式、材料和传力特点进行分类。

8.2.1 按基础的构造形式分类

基础按构造形式的不同可以分为条形基础、独立柱基础、联合基础（井格式基础、片筏式基础、箱形基础）、桩基础等。

1. 条形基础

当建筑物上部结构采用砖墙或石墙承重时，基础沿墙身设置，多做成长条形，这种基础称为条形基础或带形基础，所以条形基础往往是砖石墙的基础形式。条形基础分墙下条形基础和柱下条形基础，如图 8-5 所示。

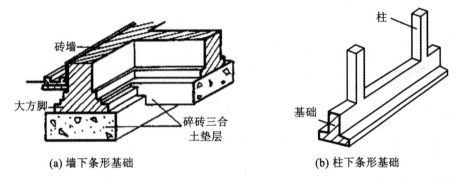

(a) 墙下条形基础　　　　(b) 柱下条形基础

图 8-5　条形基础示意图

2. 独立式基础

当建筑物上部结构采用框架结构或单层排架及门架结构承重时，其基础常采用方形或矩形的单独基础，这种基础称为独立式基础或柱式基础，如图 8-6（a）所示。

独立式基础是柱下基础的基本形式。当柱采用预制构件时，则基础做成杯口形，然后将柱子插入。并嵌固在杯口内，故称为杯形基础，如图 8-6（b）所示。

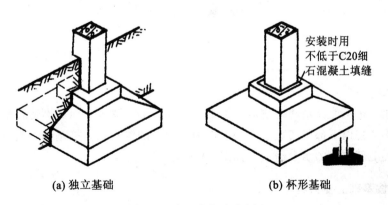

(a) 独立基础　　　　(b) 杯形基础

图 8-6　独立式基础示意图

3. 联合基础

联合基础类型较多，常见的有井格式基础、片筏式基础和箱形基础。

(1) 井格式基础

当框架结构处在地基条件较差的情况时，为了提高建筑物的整体性，以免各柱子之间产生不均匀沉降，常将柱下基础沿纵、横方向连接起来，做成十字交叉的井格式基础，故又称为十字带形基础。

(2) 片筏式基础

当建筑物上部荷载较大，或地基土质很差，承载能力小，采用独立式基础或井格式基础不能满足要求时，可以采用片筏式基础。片筏式基础有平板式和梁板式之分，如图 8-7 所示。

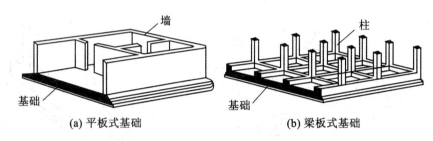

图 8-7　片筏式基础示意图

(3) 箱形基础

箱形基础是一种刚度很大的整体基础，箱形基础是由钢筋混凝土顶板、底板和纵、横墙组成的，如图 8-8 所示。

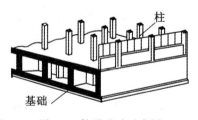

图 8-8　箱形基础示意图

4. 桩基础

当浅层地基土不能满足建筑物对地基承载力和变形的要求，而又不适宜采取地基处理措施时，就要考虑以下部坚实土层或岩层作为持力层的深基础。桩基础一般由设置于土中的桩柱和承接上部结构的承台组成，如图 8-9 所示。

8.2.2　按基础的受力特点分类

1. 刚性基础

用刚性材料制作的基础，底面宽度扩大受刚性角的限制的基础称为刚性基础。在常用的建筑材料中，砖、石、素混凝土等抗压强度高，而抗拉、抗剪强度低，均属刚性材料。由这些材料制作的基础都属于刚性基础。

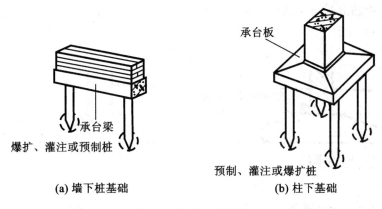

图 8-9 桩基础示意图

从受力和传力角度考虑，由于土壤单位面积的承载能力小，上部结构通过基础将其荷载传递给地基时，只有将基础底面积不断放脚加大面积，才能适应地基受力的要求。根据相关试验得知，上部结构（墙或柱）在基础中传递压力是沿一定角度分布的，这个传力角度称为压力分布角，或称为刚性角，以 α 表示。由于刚性材料抗压能力强，抗拉能力弱，因此，压力分布角只能在材料的抗压范围内控制。如果基础底面宽度超过控制范围，致使刚性角扩大。这时，基础会因受拉而破坏，如图 8-10 所示。所以刚性基础底宽度的增大要受刚性角的限制。

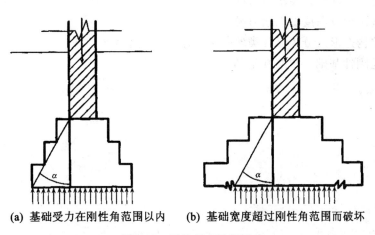

图 8-10 刚性基础示意图

不同材料基础的刚性角是不同的，通常砖砌基础的刚性角控制在 26°～33°之间为佳，素混凝土基础的刚性角应控制在 45°以内。

2. 非刚性基础

当建筑物的荷载较大时，基础底面加宽，若仍采用混凝土材料，势必导致基础深度加大。这样，既增加了挖土工作量，而且还使材料用量增加，对工期和造价都十分不利。

如果在混凝土基础的底部配以钢筋，利用钢筋来承受拉力，使基础底部能够承受较大弯矩，这时，基础宽度的加大不受刚性角的限制，故称钢筋混凝土基础为柔性基础。在同样条件下，将钢筋混凝土基础与混凝土基础相比较，可以节省大量的混凝土材料和挖土工作量，如图 8-11 所示。

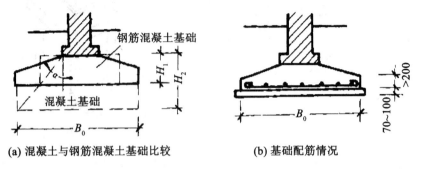

图 8-11　钢筋混凝土基础示意图

为了保证钢筋混凝土基础施工时，钢筋不致于陷入泥土中，常需在基础与地基之间设置混凝土垫层。

复习思考题

1. 什么是基础和地基？基础和地基有何区别？
2. 地基与基础的设计要求有哪些？
3. 影响基础埋置深度的因素有哪些？
4. 基础按构造形式分为哪几类？一般适用于什么情况？
5. 什么是刚性基础、非刚性基础？

第 9 章 楼地面构造

本章提要：本章内容主要包括楼板层、地坪层的基本概念，楼板层与地坪层的组成和设计要求，钢筋混凝土楼板的类型和构造。对楼板层防水与隔声构造，阳台和雨篷的构造也作了适当介绍。

§9.1 概 述

楼地层包括楼板层和地坪层，楼板层和地坪层是房屋的重要组成部分。楼板层是建筑物中水平分隔空间的结构构件，能承受楼板层上的全部活荷载和恒久荷载，并将这些荷载传递给墙体或柱子，对墙体也能起到水平支撑的作用，可以增强建筑物的整体刚度。此外，建筑物中的各种水平管线，也可以敷设在楼板层内。地坪层是建筑物中与土层直接接触的水平构件，承受着作用在地坪层上面的各种荷载，并将其传递给地基，地坪层有防潮等要求。

9.1.1 楼板层的基本组成及设计要求

1. 楼板层基本组成

为了满足各种使用功能的要求，楼板层一般由面层、结构层和顶棚组成。有特殊要求的楼板，还需设置附加层，如图 9-1(a) 所示。

(1) 面层

楼板层的面层位于楼板层的最上层，起着保护楼板层、分布荷载、室内装饰等作用。根据室内使用要求的不同，有多种做法。

(2) 结构层

楼板层的结构层又称为楼板，位于面层之下，由梁、板或拱组成，承担着整个楼板层的荷载。同时还有水平支撑墙体、增强建筑物整体刚度的作用。

(3) 顶棚层

顶棚层又称为天花板或天棚，是楼板层的最下面部分，起着保护楼板、安装灯具、遮掩各种水平管线设备和装饰室内的作用。根据不同建筑物的要求，有直接抹灰顶棚、粘贴类顶棚和吊顶棚等多种形式。

(4) 附加层

附加层又称为功能层，根据使用功能的不同，对某些具有特殊要求的楼板，还需设置附加层，用以满足隔声、防水、隔热、保温和绝缘等作用，附加层是现代楼板结构中不可缺少的部分。根据需要，有时和面层合二为一，有时又和吊顶合成一体。

2. 地坪层基本组成

地坪层是建筑物底层房间与土壤相接触的水平构件，承担自重和其上人、家具、设备的各种荷载，并将其直接传递给下面的支承土层或通过其他构件传递给地基。同楼层一样是构成室内空间的底界面，是人们接触和使用最多的部分。为实现其功能，地坪层的基本构造由面层、垫层、基土层组成，根据使用要求和构造做法的不同，也需要设置结合层、隔离层、填充层、找平层等附加层。面层、附加层同楼层有所不同的构造层是垫层、基土层，如图9-1(b)所示。

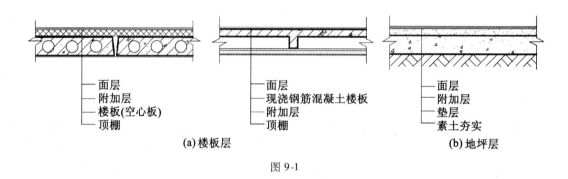

图 9-1

（1）面层

地坪层的面层又称为地面，和楼板层的面层一样，是直接承担人、家具、设备等各种荷载的表面层，其做法和楼板层的面层相同。

（2）垫层

垫层承担地坪层以上的全部荷载，并将其传递给基土的构造层，垫层也是地坪层的结构层。垫层一般采用80~100mm厚的C10混凝土，称为刚性垫层，刚性垫层受力后不产生塑性变形，多用于整体性、防潮防水要求较高的地坪；柔性垫层常采用80~100mm厚的碎石加水泥砂浆，或60~100mm厚的石灰炉渣，或100~150mm厚的三合土。由于柔性垫层受力后会产生塑性变形，所以多用于块材面层下面。

（3）基土层

基土层是地坪层垫层下的地基土层（含地基加强或软土地基表面加固处理），又称为地基。一般为原土层夯实或填土分层夯实。当上部荷载较大时，可以增设100~150mm厚的二八灰土，或三合土夯实。

（4）附加层

当地坪层有防水、防潮、隔声、保温、敷设管线等特殊功能要求时，需增设附加层。

3. 楼地层的设计要求

（1）具有足够的强度和刚度

强度要求是指楼板层应保证在自重和活荷载作用下安全可靠，不发生任何破坏。这主要是通过结构设计来满足要求。刚度要求是指楼板层在一定荷载作用下不发生过大变形，以保证正常使用状况。足够的刚度是指楼板的变形应在允许的范围内，刚度的技术指标是用相对挠度（即绝对挠度与跨度的比值）来衡量的。根据相关结构规范规定，当为现浇楼板时，其相对挠度不大于跨度的 $\frac{L}{350} \sim \frac{L}{250}$；当为装配式楼板时，相对挠度不大于跨度的 $\frac{L}{200}$（L 为构建的跨度）。

（2）满足隔声、防火、防水、防潮等性能

不同使用性质的房间对隔声的要求不同，如我国对住宅楼板的隔声标准中规定：一级隔声标准为65dB，二级隔声标准为75dB等。对一些特殊性质的房间如广播室、录音室、演播室等的隔声要求则更高，如表9-1、表9-2所示。

表9-1　　　　　　　　　　　　　　公用建筑允许噪声标准

建 筑 名 称	允许噪声标准（A声级）/（dB）		
	甲等	乙等	丙等
剧场观众厅	≤35	≤40	≤45
影院观众厅	≤40	≤45	≤45
电影院、医院病房、小会议室	35～42		
教室、大会议室、电视演播室	30～38		
音乐厅、剧院	25～30		
测听室、广播录音室	20～30		

表9-2　　　　　　　　　　　　　　民用建筑允许噪声标准

房 间 名 称	允许噪声标准（A声级）/（dB）			
	一级	二级	三级	四级
卧室（或卧室兼起居室）	≤40	≤45	≤50	
起居室	≤45	≤50	≤50	
学校教学用房	≤40①	≤50②	≤55③	
病房、医护人员休息室	≤40	≤45	≤50	
门 诊室		≤60	≤65	
手术室		≤45	≤50	
测听室		≤25	≤30	
旅馆客房	≤35	≤40	≤45	≤50
会议室	≤40	≤45	≤50	≤50
多用途大厅	≤40	≤45	≤50	
办公室	≤45	≤50	≤50	≤55
餐厅、宴会厅	≤50	≤55	≤60	

注：①特殊要求房间是指语音教室、录音室、阅览室等。
　　②一般教室是指普通教室、自然教室、音乐教室、琴房、阅览室、视听教室、美术教室、舞蹈教室等。
　　③无特殊要求的房间是指健身房、以操作为主的实验室、教师办公室及休息室等。

噪声的传播途径有空气和固体两种。空气传声如说话声及吹号、拉提琴等乐器声都是通过空气来传播的。隔绝空气传声可以采取使楼板密实、无裂缝等构造措施来达到。楼板主要是隔绝固体传声，如人的脚步声、拖动家具、敲击楼板等都属于固体传声，防止固体传声可以采取以下措施：

在楼地层表面铺设地毯、橡胶、塑料毡等柔性材料，如图 9-2(a) 所示。在钢筋混凝土楼板上铺设地毯，噪声通过量可以控制在 75dB 以内（钢筋混凝土不作隔声处理，通过噪声为 80～85dB；钢筋混凝土槽板、密肋板不作隔声处理，通过噪声在 85dB 以上）。这种方法比较简单，隔声效果较好，同时还能起到装饰美化室内的作用，是采用比较广泛的方法。

在楼板与面层之间加片状、条形状的弹性垫层以降低楼板的振动，即"浮筑式楼板"，如图 9-2(b) 所示，用该方法来减弱由面层传来的固体声能。在楼板下加设吊顶，使固体噪声不直接传入下层空间。在楼板和顶棚间留有空气层，吊顶与楼板采用弹性挂钩链接，使声能减弱。对隔声要求高的房间，还可以在顶棚铺设吸声材料加强隔声效果，如图 9-2(c) 所示。

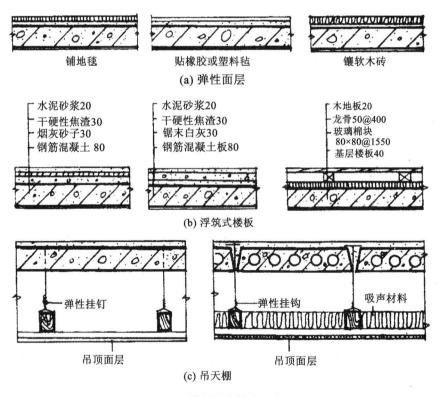

图 9-2 楼板隔声构造示意图

对于防固体传声的第三种措施，以面层处理效果最好，又便于工业化；浮筑式楼板虽增加造价不多，效果也较好，但施工比较麻烦，因而采用较少。

楼板层应根据建筑物的等级、对防火的要求进行设计。建筑物的耐火等级对构件的耐火极限和燃烧性能有一定的要求,防火要求应符合建筑设计防火规范中的规定:一级耐火等级建筑物的楼板耐火极限不少于1.5h;二级耐火等级建筑物的楼板耐火极限不少于1h;三级耐火等级建筑物的楼板耐火极限不少于0.5h;四级耐火等级建筑物的楼板耐火极限不少于0.25h。保证在火灾发生时,在一定时间内不至于因楼板塌陷而给生命和财产带来损失。

楼板层还应满足一定的热工要求。对于有一定温度、湿度要求的房间,常在楼板层中设置保温层,使楼面的温度与室内温度一致,减少通过楼板的冷热损失。一些有水的房间,如厨房、厕所、卫生间等地面潮湿、易积水,应处理好楼板层的防渗漏问题,以防水的渗漏,影响相邻空间的正常使用或渗入墙体,使结构内部产生冷凝水,破坏墙体和内部饰面。

(3)满足建筑经济的要求

在一般情况下,多层砖混结构房屋楼板层的造价占房屋土建造价的20%~30%。因此,应注意结合建筑物的质量标准、使用要求以及施工技术条件,选择经济合理的结构形式和构造方案,尽量减少材料的消耗和楼板层的自重,同时考虑便于在楼地层中敷设各种管线,并为工业化生产创造条件,以加快建设速度。

9.1.2 楼板的类型及选用

根据所采用材料的不同,楼板可以分为木楼板、砖拱楼板、钢筋混凝土楼板以及钢楼板等多种型式,如图9-3所示。

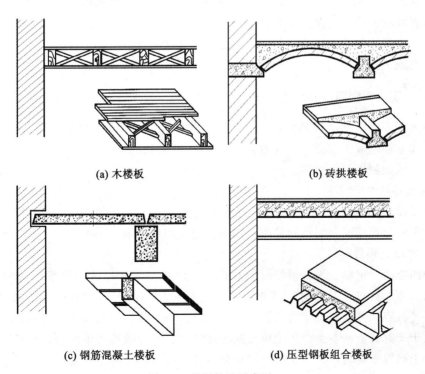

(a) 木楼板　　(b) 砖拱楼板

(c) 钢筋混凝土楼板　　(d) 压型钢板组合楼板

图9-3 楼板构造示意图

1. 木楼板

木楼板是在墙或梁支承的木搁栅上铺钉木板，木搁栅间设置增强稳定性的剪刀撑构成的。木楼板具有自重轻，保温、隔热性能好，舒适、有弹性，只在木材产地采用较多，但耐火性和耐久性均较差，且造价偏高，为节约木材和满足防火要求，现采用较少。

2. 砖拱楼板

砖拱楼板虽可以节约钢材、木材、水泥，但其自重大，承载力及抗震性能较差，且施工较复杂，目前也很少采用。

3. 钢筋混凝土楼板

钢筋混凝土楼板具有强度高，刚度好，耐火性和耐久性好，还具有良好的可塑性，在我国便于工业化生产，应用最为广泛。

4. 压型钢板组合楼板

压型钢板组合楼板是在钢筋混凝土基础上发展起来的，利用钢衬板作为楼板的受弯构件和底模，既提高了楼板的强度和刚度，又加快了施工进度，是目前正大力推广的一种新型楼板，但由于需要钢材多，实际应用起来受到一定限制。

§9.2 钢筋混凝土楼板层构造

钢筋混凝土楼板按其施工方法的不同，可以分为现浇式、装配式和装配整体式三种。现浇式钢筋混凝土楼板的整体性好，刚度大，利于梁板布置灵活，能适应各种不规则形状和需要留孔洞等特殊要求的建筑，但模板材料的消耗大，施工速度慢。装配式钢筋混凝土楼板能节省模板，并能改善构建制作时工人的劳动条件，有利于提高劳动生产率和加快施工进度，但楼板的整体性较差，房屋的刚度也不如现浇式的房屋刚度好。一些房屋为节省模板，加快施工进度和增强楼板的整体性，常做成装配整体式楼板。

9.2.1 现浇式钢筋混凝土楼板层

现浇式钢筋混凝土楼板是指在现场支模、绑扎钢筋、浇捣混凝土，经养护而成的楼板。现浇式钢筋混凝土楼板根据受力和传力情况的不同，分为板式楼板、梁板式楼板、无梁式楼板和压型钢板组合板等。

1. 板式楼板层

板内不设梁，板直接搁置在四周墙上的板称为板式楼板。因支承方式不同，现浇式钢筋混凝土板式楼板层又分为两种情况：墙承式楼板层和柱承式楼板层。

（1）墙承式楼板层

板的四边由承重墙支承，板将荷载直接传递给墙体，多用于小跨度的房间（居住建筑物中的居室、厨房、卫生间）或走廊。这种楼板层结构具有整体性好、板底面平整、隔水性好等特点。楼板依其受力特点和支承情况有单向板和双向板之分，当板的长边与短边之比大于2时，板基本上沿短边单方向传递荷载，这种板称为单向板；当板的长边与短边之比小于或等于2时，作用于板上的荷载沿双向传递，在两个方向产生弯曲，称为双向板，如图9-4所示。

（2）柱承式楼板层

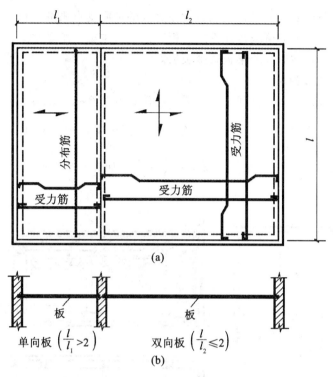

图 9-4　单向板和双向板示意图

楼板结构直接由柱子支承，亦称为无梁楼板层或无梁楼盖。由于柱子直接支承楼板，为减小板跨和防止局部破坏，应增大柱子与楼板的接触面积，通常应在柱的顶部设置柱帽和托板，柱帽形式有方形、多边形、圆形等，如图 9-5 所示。

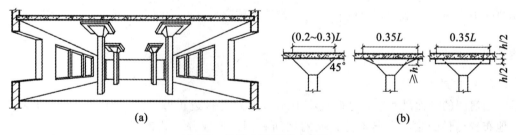

图 9-5　柱承式楼板层示意图

无梁楼板层柱网的布置应为方形或接近方形，这样比较经济。常用的柱网尺寸在 6m 左右，楼面活荷载大于 5kPa，一般板厚不宜小于 150mm，通常取柱网短边尺寸的 $\frac{1}{30} \sim \frac{1}{25}$。这种楼板结构天棚平整，室内净高大，采光通风好，通常用于商场、仓库、展厅等大型建筑物空间中。

2. 梁板式楼板层

当房间或柱距尺寸较大时,应设置梁作为板的中间支点来减小板的跨度,以免板厚过大。这时作用于楼板上的荷载传递方式为板、次梁、主梁、承重墙或柱。依梁的布置及尺寸的不同,有以下几种形式的梁板式楼板层。

（1）主次梁式楼板层

常用于面积较大的有柱空间中。主梁的经济跨度为 6~8m,最大可以达 12m,梁高为跨度的 $\frac{1}{14} \sim \frac{1}{8}$,梁宽为梁高的 $\frac{1}{3} \sim \frac{1}{2}$；次梁的经济跨度为 4~6m（次梁跨度即为主梁间距）,梁高为跨度的 $\frac{1}{18} \sim \frac{1}{12}$,梁宽为梁高的 $\frac{1}{3} \sim \frac{1}{2}$,如图 9-6 所示。

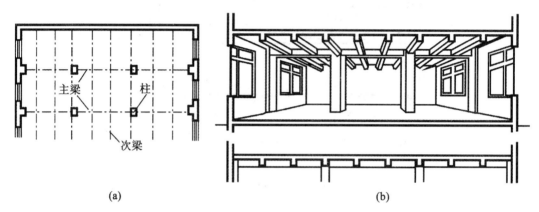

图 9-6 主、次梁式楼板层示意图

板的经济跨度为 1.5~3m,单向板板厚 60~80mm,一般为板跨的 $\frac{1}{35} \sim \frac{1}{30}$；双向板板厚 80~160mm,一般为板跨的 $\frac{1}{40} \sim \frac{1}{35}$。若施加预应力（"宽梁"情况）,则梁的跨度可以达到 20m 左右,梁高为跨度的 $\frac{1}{22} \sim \frac{1}{18}$。

（2）井式楼板层

当房间的平面尺寸较大（跨度在 10m 以上）并接近正方形时,通常沿两个方向等尺寸地布置构件,主、次梁不分,梁的截面相同,形成井格式的梁板结构形式,如图 9-7 所示。

井式楼板多用于正方形平面,也可以用于长方形平面,但长边与短边之比 $\frac{L_2}{L_1} \leq 1.5$；井式楼板可以利用结构本身形成较美观的顶棚,有装饰效果,但需要现浇,且造价较高,多用于公共建筑物的门厅、大厅或跨度较大的房间。梁跨一般在 10m 左右,根据需要也可以增加至 20~30m,如北京政协礼堂井字楼板跨度达 28.5m。

（3）压型钢板式楼板层

压型钢板组合楼板是利用截面为凹凸相间的压型钢板做衬板,与现浇混凝土面层浇筑

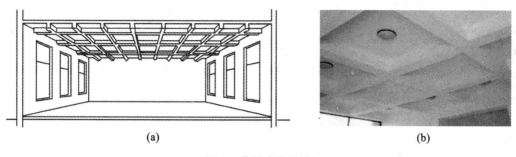

图 9-7 井梁式楼板图

在一起支承在钢梁上的板,成为整体性很强的一种楼板。这种楼板主要由楼面层、组合板(包括现浇混凝土与钢衬板)及钢梁等若干部分组成,如图 9-8 所示。

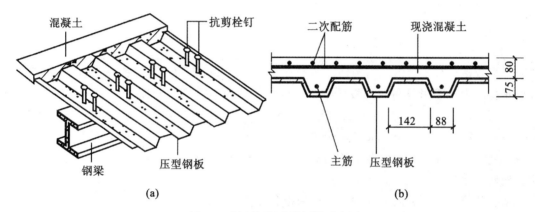

图 9-8 压型钢板式楼板层示意图

压型钢板式楼板层的特点是压型钢板起到了现浇混凝土的永久性模板和受拉钢筋的双重作用,同时又是施工的台板,简化了施工程序,加快了施工进度。另外,还可以利用压型钢板肋间的空间敷设电力管线或通风管道。

9.2.2 预制装配式钢筋混凝土楼板层

预制装配式钢筋混凝土楼板是指楼板的梁、板等构件,在预制加工厂或施工现场外预先制作成各种形式和规格的构件,然后运送到工地现场进行安装。预制装配式钢筋混凝土楼板具有节省模板,便于机械化施工,施工速度快,降低劳动强度,提高生产率,工期大大缩短的优点,但其整体性差。由于有利于建筑工业化水平的提高,应大力推广。凡是建筑设计中平面形状规则,尺度符合模数要求的建筑物,都应尽量采用预制楼板,其长度一般为 300mm 的倍数;板的宽度根据制作、吊装和运输条件以及有利于板的排列组合确定,一般为 100mm 的倍数。另外,预制构件分预应力和非预应力两种。

1. 预制楼板构件类型

(1) 实心平板

预制实心平板的跨度一般小于 2.5m；板厚为跨度的 $\frac{1}{30}$，一般为 60~80mm；板宽为 600~900mm。具有板面上、下平整，制作简单等优点。但由于板跨受到限制，隔声效果差，若板跨增加，板亦较厚，故其经济性差。适用于小跨度铺板，多用在房物的走道、厨房、卫生间、阳台等处，也常用做架空隔板和管沟盖板，如图 9-9 所示。

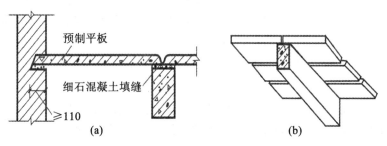

图 9-9　实心平板示意图

（2）槽形板

槽形板是一种梁板结合的构件，即实心板的两侧设有纵肋，作用在板上的荷载主要由边肋承担。为便于搁置和提高板的刚度，板的两端通常设端肋封闭。为加强槽形板的刚度，当板跨达到 6m 时，应在板的中部每隔 500~700mm 增设横肋一道。一般尺度为板跨 3~7.2m，板宽 600~1200mm，板厚 30~35mm，肋高 150~300mm。槽形板的自重轻，用料省，便于开孔和打洞，但由于板底不平整，隔声效果差，不够美观，常用于实验室，厨房，厕所，屋顶。

依板的槽口向下和向上分别称为正槽板和反槽板，如图 9-10 所示。

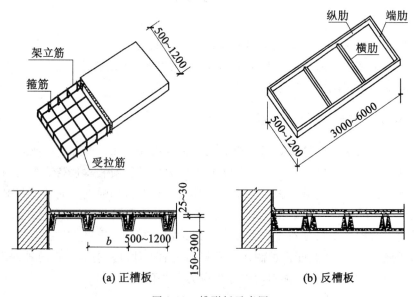

图 9-10　槽形板示意图

正置：是指肋向下搁置，板受力合理。板底不平，不利于室内采光，一般装修时需要设置吊顶棚。

倒置：是指肋向上搁置，板底平整。但需做面板，板受力不合理。考虑到楼板的隔声和保温，需在槽内填充轻质多孔材料，其用量多。

（3）空心板

空心板是将板沿纵向抽孔而成，空心板也是一种梁、板合一的预制构件，其结构计算理论与槽形板相似，材料消耗也相近。根据板内抽孔方式的不同，有矩形孔板、圆孔板、椭圆孔板等，如图9-11所示。矩形孔板能节约一定量的混凝土，但脱模困难且易出现板面开裂，已不采用；椭圆孔板和圆孔板增大了板肋的截面面积，使板的刚度增强，对受力有利，但相比之下圆孔板抽芯脱模更省事，故目前预制多孔板基本上采用圆孔板。

空心板的板厚一般为120~300mm，宽度为500~1200mm，板跨在2.4~7.2m范围内居多。空心板具有板面上下平整，隔声效果好，便于施加预应力，板跨度大的优点。但不能在板上任意开洞，若需开孔，应在板制作时就预留出孔洞的位置。

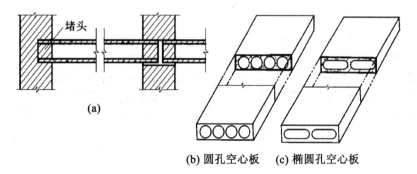

图9-11 空心板示意图

2. 楼板的布置

根据房间的开间、进深大小确定板的支承方式，板沿短向布置较为经济，一般有两种搁置方式。一种是预制板直接搁置在墙上，称为板式结构布置；另一种是预制板搁置在梁上，称为梁板式结构布置，如图9-12所示。

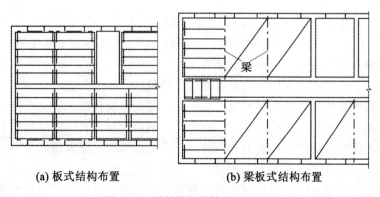

图9-12 预制楼板结构布置示意图

楼板直接支承在墙上，对一个房间进行板的布置时，通常以房间的短边为板跨进行布置，如房间为 3600×4500mm，采用板长为 3600mm 的预制板铺设，为了减少板的规格，也可以考虑以长边作为板跨。如另一个房间的开间为 3000mm、进深为 3600mm，此时仍可以选用板跨为 3600mm 的预制楼板。

3. 梁的截面形式

梁的截面形式有矩形、T 形、十字形、花篮形等，如图 9-13 所示。矩形截面梁外形简单，制作方便；T 形截面梁较矩形截面梁自重轻；采用十字形或花篮形可以减少楼板所占的空间高度。通常，梁的跨度尺寸为 5～8m 较为经济，如图 9-14 所示。

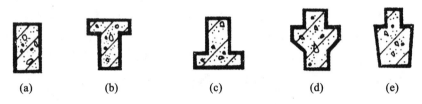

图 9-13 梁的截面形式示意图

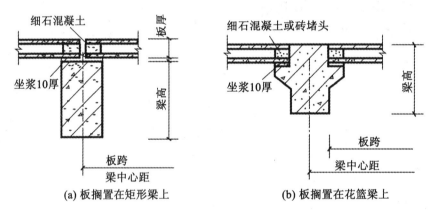

图 9-14 板在梁上搁置示意图

4. 楼板的细部构造

(1) 铺板应注意细则

①在墙上的搁置长度不小于 90mm；在梁上的搁置长度不小于 60mm；

②采用 M5 砂浆坐浆不小于 10mm 厚，板端搁置部位应用水泥砂浆坐浆；

③板的端缝用细石混凝土或水泥砂浆灌实；

④空心板支承端的两端孔内用砖块或混凝土块填塞。

空心板平板布置时，只能两端搁置于墙上，应避免出现板的三边支承情况，即板的纵边不得伸入砖墙内，否则在荷载作用下，板会产生纵向裂缝。且使压在边肋上的墙体因受局部承压影响而削弱墙体的承载能力，因此空心板的纵长边只能靠墙。

(2) 板与墙、板与板之间的钢筋锚固

为了增强楼板的整体刚度，特别是处于地基条件较差或地震区，应对板与墙、板与板之间用钢筋进行拉结,锚固钢筋,如图9-15所示。

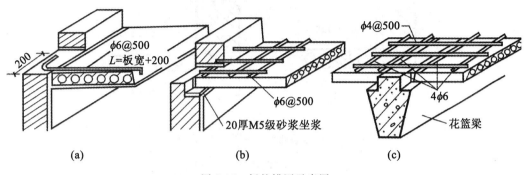

图9-15 板的锚固示意图

①板靠墙:空心板的纵向长边靠墙布置,板面每隔1 000mm设置拉筋,拉筋在板缝为弯钩,钢筋伸入墙内,在墙体上为长300mm的水平弯钩。

②板进墙:空心板的支承端搁置在墙上,除了板端搁置部位坐浆外,应在每板缝设置拉筋一根,板缝内为向下的直弯钩,伸入墙上的一端为长300mm的水平弯钩。

③内墙:在内墙上,板端钢筋连接,并在每板缝内设置拉筋,分别伸入两房间各500mm。

(3) 板缝的处理

为了便于板的铺设,预制板之间应留有10~20mm的缝隙,板与板之间的接缝有端缝和侧缝两种。板端缝一般需将板缝内灌以砂浆或细石混凝土,并可以将板端露出的钢筋交错搭接在一起,或加设钢筋网片,然后用细石混凝土灌缝。侧缝有三种形式:V形缝、U形缝和槽(双齿)形缝。灌以细石混凝土(粗缝)或水泥砂浆(细缝),如图9-16所示,V形缝与U形缝板缝构造简单,便于灌缝,所以应用较广,槽形缝有利于加强楼板的整体刚度,板缝能起到传递荷载的作用,使相邻板能共同工作,但施工较麻烦。

(a) V形缝　　　　(b) U形缝　　　　(c) 槽形缝

图9-16 板缝的形式图

在排板过程中,当板的横向尺寸与房间平面尺寸出现差额(这个差额称为板缝差)时,可以采用以下办法调整板缝:

①当板缝差在60mm以内时,通过细石混凝土调整板缝宽度即可;

②当板缝差在60~120mm时,可以沿墙边挑两皮砖解决,如图9-17(a)所示;

③当板缝差在120~200mm时,或因竖向管道沿墙边通过时,则用局部现浇板带的办法解决,如图9-17(b)所示;

④当板缝差超过200mm时,重新选择板的规格。

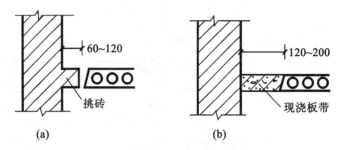

图 9-17 板缝的处理示意图（单位：mm）

（4）隔墙与楼板的关系处理

1）轻质隔墙：可以直接搁置在楼板上任一位置。

2）自重较大的隔墙（砖隔墙）：为了避免将隔墙的荷载集中在一块楼板上，可以采取下列措施。

①采用槽形板，隔墙可以搁置在槽形板的边肋上（见图 9-18（a））。

②上、下隔墙相对时，结合板缝加设钢筋砖带或设梁（见图 9-18（b））。

③为了板底平整，可以使梁的截面与板厚度相同或在板缝内配筋（见图 9-18（c））。

④若采用空心板，可以在隔墙下板缝设现浇钢筋混凝土板带或设梁支承隔墙（见图 9-18（d））。

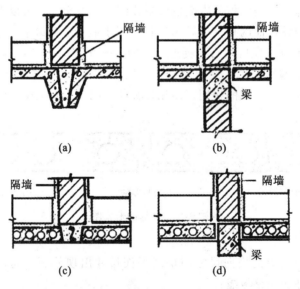

图 9-18 隔墙与楼板的关系图

（5）板的面层处理

由于预制构件的尺寸误差或施工上的原因造成板面不平，需做找平层，通常采用 20~30mm 厚水泥砂浆或 30~40mm 厚的细石混凝土找平，然后再做面层，电线管等小口径管线可以直接埋置在整浇层内。装修标准较低的建筑物，可以直接将水泥砂浆找平层或细石混凝土整浇层表面抹光，即可以作为楼面，如果要求较高，则必须在找平层上另做面层。

9.2.3 装配整体式钢筋混凝土楼板层

装配整体式钢筋混凝土楼板是先预制部分构件，然后在现场安装，再以整体浇筑方法连成一体的楼板。这类楼板克服了现浇板消耗模板量大、预制板整体性差的缺点，整合了现浇式楼板整体性好和装配式楼板施工简单、工期短的优点。装配整体式钢筋混凝土楼板按其结构及构造方式可以分为密肋填充块楼板和预制薄板叠合楼板。

1. 密肋填充块楼板

密肋填充块楼板是指在填充块之间现浇钢筋混凝土密肋小梁和面层而形成的楼板层，也有采用在预制倒 T 形小梁上现浇钢筋混凝土楼板的做法，填充块有空心砖、轻质混凝土块等。这种楼板能够充分利用不同材料的性能，能适应不同跨度，并有利于节约模板，其缺点是结构厚度偏大。密肋填充块楼板有现浇密肋楼板、预制小梁现浇楼板、带骨架芯板填充楼板等，如图 9-19 所示。

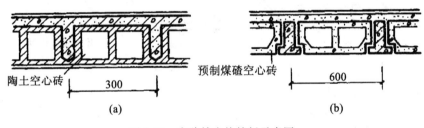

图 9-19 密肋填充块楼板示意图

密肋板由布置得较为密的肋（梁）与板构成。肋的间距及高应与填充物尺寸配合，通常肋的间距小于 700mm，肋宽 60~120mm，肋高 200~300mm，肋的跨度 3.5~4m，不宜超过 6m，板的厚度为 50mm 左右，楼面荷载不宜过大。

现浇密肋填充块楼板通常是以陶土空心砖、矿碴混凝土实心块等作为肋间填充块来现浇密肋和面板而成。预制小梁填充块楼板是在预制小梁之间填充陶土空心砖、矿碴混凝土实心块、煤碴空心块，上面现浇面层而成。密肋填充块楼板板底平整，有较好的隔声、保温、隔热效果，在施工中空心砖还可以起到模板作用，也有利于管道的敷设。这种楼板常用于学校、住宅、医院等建筑物中。

2. 叠合式楼板层

近年来，随着城市高层建筑物和大开间建筑物的不断涌现，从而在建筑设计中要求加强建筑物的整体性，采用现浇钢筋混凝土楼板愈来愈多。现浇钢筋混凝土楼板需要消耗大量模板，很不经济。为解决这些矛盾，便出现了预制薄板与现浇混凝土面层叠合而成的装配整体式楼板，或称为预制薄板叠合楼板。

叠合式楼板可以分为普通钢筋混凝土薄板和预应力混凝土薄板两种。叠合式楼板形式中预制混凝土薄板既是永久性模板承担施工荷载，也是整个楼板结构的一个组成部分。预应力混凝土薄板内配以高强钢丝作为预应力筋，同时也是楼板的跨中受力钢筋。板面现浇混凝土叠合层，所有楼板层中的管线事先埋置在叠合层内。现浇层内只需配置少量支座负弯矩钢筋。预制薄板底面平整，作为顶棚可以直接喷浆或粘贴装饰顶棚壁纸。

叠合楼板跨度一般为 3~6m，最大可以达 9m，以 5.4m 以内较为经济。预应力薄板厚通常为 50~70mm，板宽 1.1~1.8m，板间应留缝 10~20mm。为了保证预制薄板与叠合层有较好的连接，薄板上表面需做处理，常见有两种：一种是在表面做刻槽处理，刻槽直径 50mm，深 20mm，间距 150mm；另一种是在薄板上表面露出较规则的三角形状的结合钢筋，如图 9-20 所示。

现浇叠合层采用 C20 混凝土，厚度一般为 70~120mm。叠合楼板的总厚度取决于板的跨度，一般为 150~250mm。楼板厚度以大于或等于薄板厚度的两倍为宜。

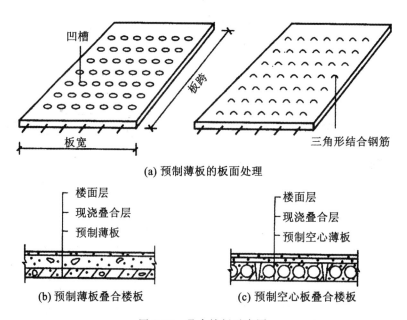

图 9-20 叠合楼板示意图

§9.3 楼板层防水与隔声构造

9.3.1 地层防潮

1. 设防潮层

通常对无特殊防潮要求的房间，其地层防潮采用 C10 混凝土垫层 60mm 厚即可。

对防潮要求较高的房间，其地层防潮的具体做法是在混凝土垫层上、刚性整体面层下先刷一道冷底子油，然后刷憎水的热沥青两道或二布三涂防水层，如图 9-21（a）、（b）

所示。

2. 设保温层

设保温层有两种做法：第一种是在地下水位低、土壤较干燥的地层，可以在垫层下铺一层 1 : 3 水泥炉渣或其他工业废料做保温层；第二种是在地下水位较高的地区，可以在面层与混凝土垫层之间设保温层，并在保温层下做防水层，如图 9-21（c）、（d）所示。

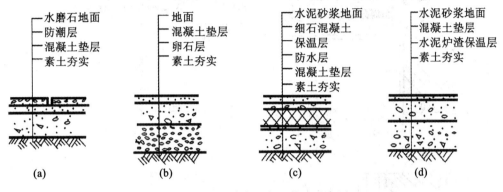

图 9-21　地层防潮、保温构造示意图

3. 架空地层

将地层底板搁置在地垄墙上，将地层架空，形成空铺地层，使地层与土壤之间形成通风道，可以带走地下潮气。

9.3.2　楼地层防水

1. 楼面排水

为便于排水，首先应设置地漏，并使地面由四周向地漏有一定的坡度，从而引导水流入地漏。地面排水坡度一般为 1% ~ 1.5%。

2. 楼层防水

有防水要求的楼层，其结构应以现浇钢筋混凝土楼板为佳。面层也宜采用水泥砂浆、水磨石地面或缸砖、瓷砖、陶瓷锦砖等防水性能好的材料，并将防水层沿房间四周墙边向上深入踢脚线内 100 ~ 150mm，遇到开门处，防水层应铺出门外至少 250mm。常见的防水材料有防水卷材、防水砂浆和防水涂料等，如图 9-22（a）、（b）所示。

在有穿楼板的立管处做防水，一般采用两种办法：一是在管道穿过的周围用 200 号干硬性细石混凝土捣固密实，再以两布二油橡胶酸性沥青防水涂料作密封处理；二是对某些暖气管、热水管穿过楼板层时，通常在楼板铺设管的位置埋设一个比热水管直径稍大的套管，套管比楼面高出 30mm 左右，如图 9-22（c）、（d）所示。

9.3.3　楼板层隔声

结合前面在 §9.1 概述中提到的，楼板的设计原则中，楼板需做隔声处理。楼层隔声的重点是对撞击声的隔绝，可以从以下三个方面进行改善：第一，采用弹性面层；第二，采用弹性垫层；第三，采用吊顶。

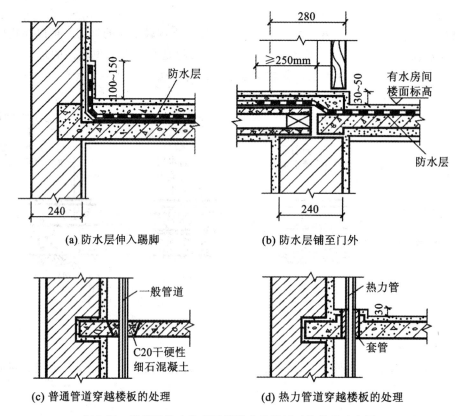

图 9-22 楼板层防水处理及管道穿越楼板时的处理示意图

§9.4 阳台与雨篷

阳台是多层建筑物及高层建筑物中供人们室外活动的平台。阳台的设置对建筑物外部形象起到了重要作用。

9.4.1 阳台

1. 阳台的类型和设计要求

（1）阳台类型

①按位置分：阳台按其与外墙面的关系分为悬挑阳台，凹阳台，半挑半凹阳台；按其在建筑物中所处的位置可以分为中间阳台和转角阳台，如图 9-23 所示。

②按功能分：阳台按使用功能的不同又可以分为生活阳台（靠近卧室或客厅）和服务阳台（靠近厨房）。由承重梁、板和栏杆组成。

（2）设计时的要求

①安全适用

悬挑阳台的挑出长度不宜过大，应保证在荷载作用下不发生倾覆现象，以 1.2～1.8m

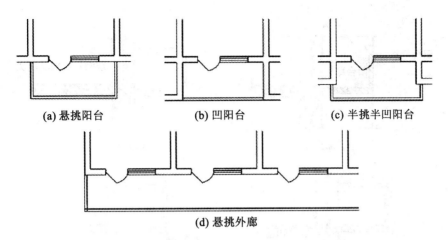

图 9-23　阳台类型示意图

为宜。低层、多层住宅阳台栏杆净高不低于 1.05m，中高层住宅阳台栏杆净高不低于 1.1m，但也不大于 1.2m。阳台栏杆形式应防坠落（垂直栏杆之间净距不应大于 110mm）、防攀爬（不设水平横杆）、防倾覆，以免造成事故恶果。放置花盆处，也应采取防坠落措施。

②坚固耐久

阳台所用材料和构造措施应经久耐用，承重结构宜采用钢筋混凝土，金属构件应做防锈处理，表面装修应注意色彩的耐久性和抗污染性。

③排水顺畅

为防止阳台上的雨水流入室内，设计时要求将阳台地面标高低于室内地面标高 60mm 左右，并将地面抹出 5‰的排水坡将水导入排水孔，使雨水能顺利排出。

应考虑地区气候特点，南方地区宜采用有助于空气流通的空透式栏杆，北方寒冷地区和中高层住宅应采用实体栏杆，并满足立面美观的要求，为建筑物的形象增添风采。

2. 阳台结构布置方式

阳台结构布置方式如图 9-24 所示。

(1) 墙承式

将阳台板直接搁置在墙上。这种结构形式稳定、可靠、施工方便，多用于凹阳台。

(2) 挑梁式

从横墙内外伸挑梁，其上搁置预制楼板，这种结构布置简单、传力直接明确、阳台长度与房间开间一致。挑梁根部截面高度 H 为 $\left(\dfrac{1}{6} \sim \dfrac{1}{5}\right) L$，$L$ 为悬挑净长，截面宽度为 $\left(\dfrac{1}{3} \sim \dfrac{1}{2}\right) h$。为美观起见，可以在挑梁端头设置面梁，既可以遮挡挑梁头，又可以承担阳台栏杆重量，还可以加强阳台的整体性。

(3) 挑板式

当楼板为现浇楼板时，可以选择挑板式阳台，悬挑长度一般为 1.2m 左右。即从楼板

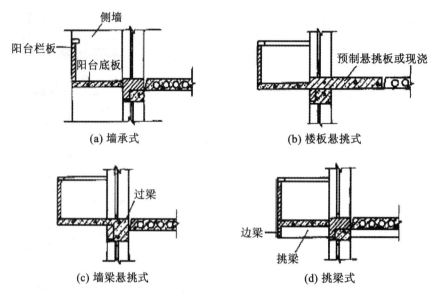

图 9-24 阳台结构布置示意图

外延挑出平板,板底平整美观而且阳台平面形式可以做成半圆形、弧形、梯形、斜三角形等各种形状。挑板厚度不小于挑出长度的 $\frac{1}{12}$。

3. 阳台细部构造

(1) 阳台栏杆类型与构造

1) 栏杆类型

阳台栏杆(栏板)是设置在阳台外围的垂直构件;主要供人们倚扶之用,以保障人身安全,且对整个建筑物起装饰美化作用。

按阳台栏杆空透情况的不同,阳台栏杆有空花式、混合式和实体式,如图 9-25 所示。

图 9-25 阳台栏杆形式示意图

按砌筑材料的不同,阳台栏杆可以分为砖砌、钢筋混凝土和金属栏杆,如图 9-26 所示。

金属栏杆若采用钢栏杆易锈蚀,若为其他合金,则造价较高;砖栏杆自重大,抗震性

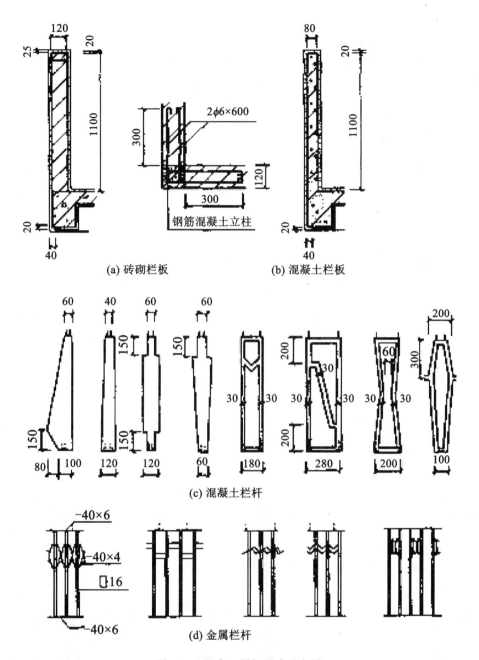

图 9-26 阳台、栏杆形式示意图

能差,且立面显得厚重;钢筋混凝土栏杆造型丰富,可虚可实,耐久、整体性好,自重较砖栏杆轻并常做成钢筋混凝土栏板,拼接方便。因此,钢筋混凝土栏杆应用较为广泛。

2) 栏杆构造

栏杆(栏板)净高应高于人体的重心,不宜小于1.05m,也不应超过1.2m。栏杆一般由金属杆或混凝土杆制作,其垂直杆件之间净距不应大于110mm,栏板有钢筋混凝土栏板和玻璃栏板等。阳台细部构造主要包括栏杆扶手、栏杆与扶手的连接、栏杆与面梁（或称为止水带）的连接、栏杆与墙体的连接等。

①栏杆扶手。扶手是供人们手扶使用的，有金属和钢筋混凝土两种。金属扶手一般为钢管与金属栏杆焊接。钢筋混凝土扶手应用广泛，形式多样，一般直接用做栏杆压顶，宽度有80mm、120mm、160mm。当扶手上需放置花盆时，必须在外侧设保护栏杆，一般高180～200mm，花台净宽为240mm。

钢筋混凝土扶手用途广泛，形式多样，有不带花台、带花台、带花池等，如图9-27所示。

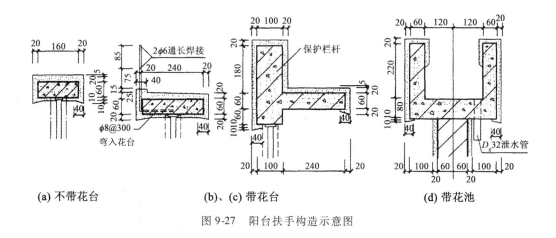

(a) 不带花台　　(b)、(c) 带花台　　(d) 带花池

图9-27　阳台扶手构造示意图

②栏杆与扶手的连接方式有焊接、现浇等方式，如图9-28所示。

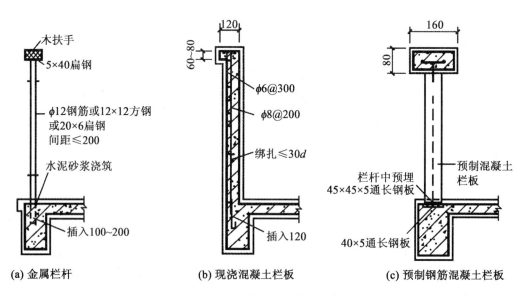

(a) 金属栏杆　　(b) 现浇混凝土栏板　　(c) 预制钢筋混凝土栏板

图9-28　阳台栏杆（栏板）与扶手构造示意图

③栏杆与面梁或阳台板的连接方式有预埋铁件焊接、榫接坐浆、插筋现浇连接等,如图 9-29 所示。

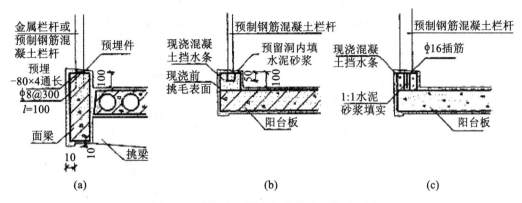

图 9-29　栏杆与面梁或阳台板的连接示意图

④扶手与墙体的连接,应将扶手或扶手中的钢筋伸入外墙的预留孔洞中,采用细石混凝土或水泥砂浆填实固牢;现浇钢筋混凝土栏杆与墙连接时,应在墙体内预埋 240mm(宽)×180mm(深)×120mm(高)的洞,用 C20 细石混凝土块填实,从中伸出 2Φ6、长 300mm 的钢筋,与扶手中的钢筋绑扎后再进行现浇,如图 9-30 所示。

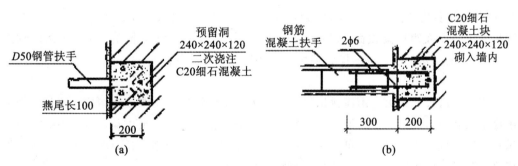

图 9-30　扶手与墙体的连接示意图

(2)阳台的排水

阳台排水有外排水和内排水。外排水适用于低层建筑物,即在阳台外侧设置泄水管将水排出。内排水适用于多层建筑物和高层建筑物,即在阳台内侧设置排水立管和地漏,将雨水直接排入地下管网,保证建筑物的立面美观,如图 9-31 所示。

9.4.2　雨篷

雨篷是在房屋的入口处,为了保护外门免受雨淋而设置的水平构件。当代建筑物的雨篷形式多样,以其结构形式分为悬板式雨篷、梁板式雨篷、吊挂式雨篷等。

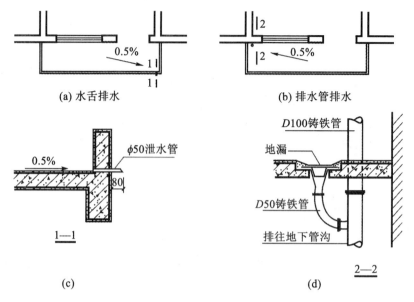

图 9-31 阳台排水处理示意图

1. 悬板式雨篷

悬板式雨篷外挑长度一般为 0.9~1.5m，板根部厚度不小于挑出长度的 $\frac{1}{8}$，且不小于 70mm，雨篷宽度比门洞每边宽 250mm，雨篷排水方式可以采用无组织排水和有组织排水两种。雨篷顶面距过梁顶面 250mm 高，板底抹灰可以抹 15mm 厚的 1∶2 水泥砂浆内掺 5% 防水剂的防水砂浆 15mm 厚，多用于次要出入口处，如图 9-32（a）所示。

2. 梁板式雨篷

当门洞口尺寸较大，雨篷挑出尺寸也较大时，雨篷应采用梁板式结构。梁板式雨篷即雨篷由梁和板组成，为使雨篷底面平整，梁一般翻在板的上面成倒梁，如图 9-32（b）所示；当雨篷尺寸更大时，也可以在雨篷下面设柱支撑。如影剧院、商场等主要出入口处悬挑梁从建筑物的柱上挑出，为使板底平整，多做成倒梁式。

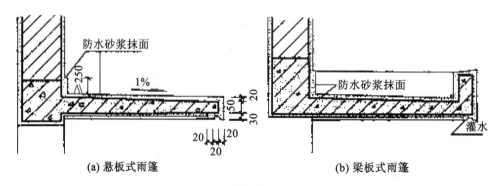

图 9-32

3. 吊挂式雨篷

对于钢构架金属雨篷和玻璃组合雨篷常采用钢斜拉杆，以抵抗雨篷的倾覆。有时为了建筑物立面效果的需要，立面挑出跨度大，也可以采用钢构架带钢斜拉杆组成的雨篷，如图 9-33 所示。

(a)

(b)

图 9-33 吊挂式雨篷

4. 雨篷的排水和防水

雨篷顶面应做好防水和排水处理，一般采用 20mm 厚的防水砂浆抹面进行防水处理，防水砂浆应沿墙面上升，高度不小于 250mm，同时在板的下部边缘做滴水，防止雨水沿板底漫流。雨篷顶面需设置1%的排水坡,并在一侧或双侧设排水管将雨水排除。为了建筑物立面的需要,可以将雨水由雨水管集中排除,这时雨篷外缘上部需做挡水边坎,如图9-34所示。

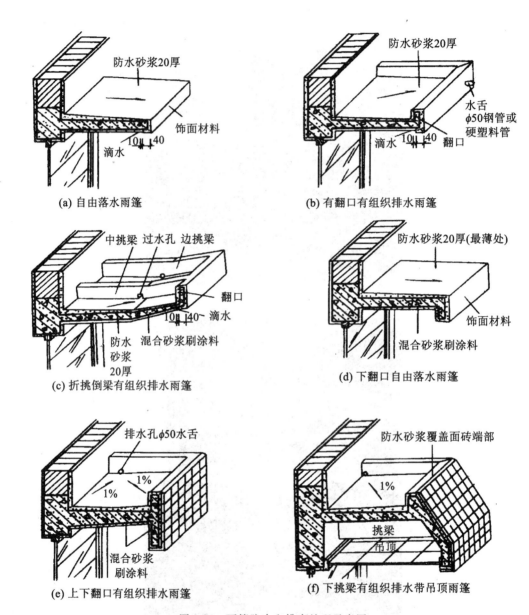

图9-34 雨篷防水和排水处理示意图

复习思考题

1. 楼板层的基本组成是什么?地坪层的基本组成是什么?
2. 楼地层的设计要求有哪些?

3. 楼板有哪些类型？
4. 现浇钢筋混凝土楼板的特点有哪些？
5. 压型钢板组合楼板有何特点？
6. 预制装配钢筋混凝土楼板有哪些类型？
7. 什么是叠合楼板？
8. 装配式钢筋混凝土楼板的结构布置原则有哪些？试绘图表示板与板、板与墙和板梁的连接构造。
9. 地层如何防潮？有水房间的楼层如何防水？
10. 阳台有哪些类型？阳台板的结构布置形式有哪些？
11. 阳台栏杆有哪些形式？各有何特点？

第10章 建筑饰面构造

本章提要：本章内容主要包括饰面装修的作用和设计要求；墙面、楼地面、顶棚装饰的常见类型和构造做法。

§10.1 概　述

随着人们生活水平的提高，人们对自己所处的空间的质量提出了更高的要求，要求环境美观、有一定的舒适度。因而一幢建筑物在结构主体完成之后，还需要对结构表面的内、外墙面，楼、地面，顶棚等相关部位进行一系列的加工处理，即进行装修。如果说建筑主体工程构成了建筑物的骨架，那么通过装修的建筑物则形成了有血有肉的有机整体，最终以丰富、完善的面貌呈现在人们的面前。建筑装修因此也就成为现代建筑工程中的一个不可缺少的重要组成部分。

10.1.1 饰面装修的作用

1. 保护作用

建筑业是百年大计，如何延长建筑物的使用年限，从古到今都是人们所关心的问题。建筑物结构构件暴露在大气中，在风、霜、雨、雪和太阳辐射等作用下，水泥制品会疏松，钢铁构配件会由于氧化而锈蚀，构件可能因热胀冷缩导致结构节点被拉裂，影响建筑物的牢固与安全。如果采用抹灰、涂料、贴面等饰面装修进行处理。这样，一方面能提高建筑物的防水、防火、防锈、防酸、防碱的能力；另一方面，可以保护建筑主体结构不直接受外力的磨损、碰撞和破坏，从而提高建筑物结构构件的耐久性，延长其使用年限。

2. 改善环境条件

通过对建筑物的表面装修，不仅可以改善室内外清洁、卫生条件，还能增强建筑物的采光、保温、隔热、隔声性能，这些装修效果在某些特殊的空间中表现得非常明显。例如，通过影剧院观众厅的内墙壁与顶棚的装饰，可以改善其声学效果。砖砌体抹灰后不但能提高建筑物室内及环境照度，而且能防止冬天砖缝可能引起的空气渗透。

3. 美观作用

对建筑进行装修不仅具有功能保护作用，还有美化和装饰作用，这种作用也称为"建筑的精神功能"，建筑空间通过装饰，可以创造出优美、和谐、统一且丰富的空间环境，以满足人们对美的要求。

10.1.2 饰面装修的设计要求

1. 满足建筑空间的使用要求

由于人类活动的多样化,人们会根据使用需要建造不同类型的建筑空间,这也就带来了建筑装饰的多样化。建筑空间使用要求的不同,装修的要求也就不同,装修效果也各异。

同时,不同等级和功能的建筑物除了在建筑设计中满足其要求外,还应采取不同装修的质量标准,选择相应的装修材料,构造方案和施工措施。

2. 正确合理地选用材料

建筑装修材料是建筑装饰工程的重要物质基础,也是表现室内装饰效果的基本要素。建筑装饰工程的质量、效果和经济性及其各种构造方法的选择,在很大程度上取决于对建筑装修材料的选择及其合理使用。

建筑装修材料由于受产量、产地、加工难易程度和产品性能等诸多因素的影响,其价格档次不同,高档建筑装修材料的运用关键在于构思和创意,中低档建筑装修材料,只要运用得当、搭配合理,也能达到雅俗共赏的装饰效果。因此,利用产地优势,就地取材,是创造建筑装修特色、节省投资的好渠道。目前,人工合成的建筑装修材料层出不穷、大量涌现。由于这类材料具有性能优良、轻质高强、色泽丰富、易于加工、价格适中等优点,因而应用十分广泛。人工合成建筑装修材料已部分地取代了传统的天然材料,因而使有限的自然资源得以有计划地开采,同时也降低了造价。只要合理利用材料,就既能达到经济节约的目的,又能保证良好的装饰效果。

3. 充分考虑施工技术条件

装修工程是通过施工来实现的。如果仅有良好的设计、材料,没有好的施工技术条件,难以实现理想的装修效果。因此,在设计阶段就应充分考虑影响装修做法的各种因素:工期长短、施工季节、施工队伍的技术熟练程度等,这些因素对于保证工程质量、缩短工期、节省材料、降低总造价,具有十分重要的意义。

10.1.3 饰面装修的基本要求

在结构层表面起保护美观作用的覆盖层为饰面层。饰面装修的基本要求如下。

1. 确保饰面层附着牢固

饰面层附着于结构层表面应牢固可靠。但在实际工程中,不论地面、墙面、顶棚到处可见饰面层出现开裂、起壳、脱落现象。其原因往往是由于构造措施处理不当,面层材料与基层材料膨胀系数不一致或粘结材料的选择不当等因素所致。所以应根据不同部位、不同性质的饰面材料和基层材料选择相应的构造连接措施,如粘、钉、抹、涂、贴、挂等使其饰面层附着牢固。

2. 饰面层的厚度与分层次

饰面装修往往分为若干个层次。由于饰面层的厚度与材料的耐久性、坚固性成正比,因而在构造设计时必须保证饰面层具有相应的厚度。但是,饰面层厚度的增加又会带来构造方法与施工技术的复杂化,这就需要对饰面层进行分层施工或采取其他的构造加固措施。

3. 饰面应均匀与平整

饰面的质量标准，除要求附着牢固外，还应均匀、平整，色泽一致，清晰美观。要达到这些效果，必须从选料到施工，都要严把质量关。

建筑物主要装修的部位有内外墙面、楼地面及顶棚三大部分。各部分的饰面种类很多，本书只介绍一般民用建筑物的普通饰面装修。

§10.2 墙面装饰构造

墙面装饰可以分为室外墙面装饰与室内墙面装饰两部分。室外墙面直接影响到建筑物外观和城市面貌，可以根据建筑物本身的使用要求、功能特性、审美取向和技术经济条件，选用具有一定防水和耐风化性能的材料及适当的构造作法，保护墙体结构，保持外观清洁。室内墙面装饰则是运用色彩、质感、形体及光影等的变化来美化室内环境，满足室内环境审美趣味，选择各种具有易清洁、易安装、易更新以及具有良好物理性能（耐高温、防火、无毒、无害）的材料，以满足建筑多方面的使用功能。

墙面装修按装修材料和构造工艺可以分为抹灰类、贴面类、裱糊类、清水墙面类等。其中裱糊类适于室内墙面，清水墙面类适于室外墙面，其他若干类墙面装修室内外均可。

10.2.1 抹灰类墙面装修

抹灰类饰面是指建筑物内、外表面为水泥砂浆、混合砂浆等做成的各种饰面抹灰层。这类装修包括一般抹灰、装饰抹灰。

这种做法的优点是取材容易、施工方便、造价低等。其缺点是劳动强度高、湿作业量大。属中低档装饰。可以用于室内、外墙面。

1. 一般抹灰的构造

为保证抹灰质量，做到表面平整、粘贴牢固、色彩均匀、不开裂，施工时必须分层操作。抹灰一般分三层，即底灰、中灰、面灰。

底灰的作用是保证饰面层与墙体连接牢固及饰面层的平整度。不同的基层，底层的处理方法也不同。当墙体基层为砖、石时，一般水泥砂浆、混合砂浆做底层。当基层为轻质砌块时，先在墙面上涂刷一层108胶封闭基层，再做底层抹灰。装饰要求较高的墙面，还应满钉细钢丝网片再做抹灰。当为现浇混凝土墙体时，做底灰之前对基层进行处理，处理方法有除油垢、凿毛、甩浆、划纹等。

中灰的作用是找平与粘结，弥补底层的裂缝。根据要求可以分为一层或多层，用料与底灰基本相同。

面灰的作用是装饰。要求平整、色彩均匀、无裂纹。可以做成光滑和粗糙等不同质感。

根据抹灰质量的不同，一般抹灰分普通抹灰、中级抹灰和高级抹灰三种标准。普通抹灰由底灰、面灰构成。或不分层次，一遍成型，适用于简易住宅、大型临时设施以及地下室、储藏室等辅助用房。中级抹灰由底灰、中灰、面灰构成，适用于一般住宅、公共建筑物、工业建筑物以及高级建筑物中的附属建筑。高级抹灰由底灰、多层中灰、面灰构成，适用于大型公共建筑物、纪念性建筑物以及有特殊功能要求的高级建筑物。

2. 装饰抹灰构造

按照不同施工方法和不同面层材料形成不同装饰效果的抹灰,可以分为石碴类(水刷石、斩假石、干粘石),水泥、石灰类(拉条灰、拉毛灰、洒毛灰、假面砖)和聚合物水泥砂浆(喷涂、弹涂、滚涂)类等。石碴类饰面材料是装饰抹灰中使用较多的一类,以水泥为胶结材料,以石碴为骨料做成水泥石碴浆作为抹灰面层,然后用水洗、斧刹、水磨等方法除去表面水泥浆皮,或在水泥砂浆面上甩沾小粒径石碴,使饰面显露出石碴的颜色、质感,具有丰富的装饰效果。

(1) 斩假石饰面

斩假石饰面是以水泥石碴浆作面层,待凝结硬化后,用斧子或凿子在面层上剁斩出石雕的纹路即成。

按其质感分为主纹剁斧、棱点剁斧和花锤剁斧三种。这种饰面质朴素雅、美观大方,装饰效果好,但手工量大,一般多用于建筑物的重点部位。

构造做法:15mm 厚水泥砂浆打底;刷一遍素水泥浆,即抹 10mm 厚水泥石碴浆(可以掺入颜色)剁斩面层,在阴阳转角处和分格线周边留 15~20mm 左右不剁斩。

(2) 水刷石饰面

水刷石饰面是采用水泥石碴浆抹面,干后用水冲去水泥浆,半露石碴的饰面。

构造做法:15mm 厚水泥砂浆打底刮毛;刮一层 1~2mm 厚的薄水泥浆;抹水泥石碴浆;半凝固后,用喷枪、水壶喷水或硬毛刷蘸水,刷去表面的水泥浆,使石子半露。施工时应将墙面用引条线分格,也可以按不同颜色分格分块施工。用于外墙面装饰,如图 10-1 所示。

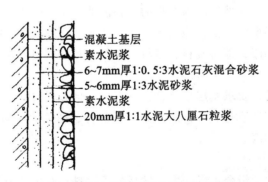

图 10-1 水刷石饰面分层构造示意图

(3) 干粘石饰面

干粘石饰面是将彩色石粒直接粘在砂浆层上的饰面。比水刷石饰面节约材料,且功效高。

构造做法:12mm 厚水泥砂浆打底,扫毛或划出纹道;中层用 6mm 厚水泥砂浆,面层为粘结砂浆,面层抹平后,立即开始用拍子和托盘甩石粒,待砂浆表面均匀粘满石碴后,用拍子压平拍实,如图 10-2 所示。

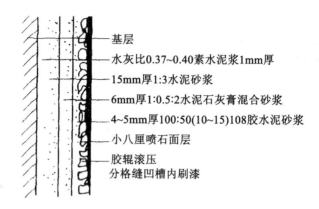

图 10-2　干粘石饰面分层构造示意图

10.2.2　涂料类墙面装修

涂料类饰面是在墙面已有的基层上，刮批腻子找平，然后涂刷选定的建筑涂料所形成的一种饰面。涂料类饰面具有工效高、工期短、材料用量少、自重轻、造价低等优点。其耐久性略差，但维修、更新方便，且简单易行。装饰效果方面最大的优点是几乎可以配制成任何一种需要的颜色，这也是其他饰面材料所不能及的，故在饰面装修工程中得到较为广泛的应用。根据饰面涂刷材料的性能和基本构造，可以将涂料类饰面分为油漆饰面、涂料饰面、刷浆饰面。

1. 油漆饰面

油漆是指以合成树脂或天然树脂为原料的涂料。油漆墙面耐水、易清洗，但涂层的耐光性差，有时对墙面基层要求较高，施工工序繁、工期长。需要显现墙体材料的质感时，使用清漆，否则使用调和漆，即将基料、填料、颜料及其他辅料调制成的漆，可以将饰面做成各种色彩。

用油漆做墙面装饰时，要求基层平整，充分干燥，且无任何细小裂纹。一般构造做法是先在墙面上用水泥石灰砂浆打底，再用水泥、石灰膏、细黄砂粉面两层，总厚度 20mm 左右，最后刷清漆或调和漆。

2. 涂料饰面

建筑装饰涂料按其化学组合可以分为无机高分子涂料、有机高分子涂料、有机无机复合涂料。按涂料的分散介质可以分为溶剂型涂料、水溶性涂料、乳液型涂料。按建筑涂料的功能分类，可以分为装饰涂料、防火涂料、防水涂料、防腐涂料、防霉涂料等。

（1）溶剂型涂料

溶剂型涂料产生的涂膜细腻坚韧，且耐水性能、耐老化性能均较好，成膜温度可以低于零摄氏度，但易燃、挥发的有机溶剂对人体有害。常用的溶剂型涂料有氯化橡胶涂料、丙烯酸酯涂料、丙烯酸聚氨酯涂料、环氧聚氨酯涂料等。这类涂料主要用于外墙饰面。

（2）乳液型涂料

常用的乳液型涂料有乳胶漆和乳液厚涂料两类。当填充料为细粉末，所得涂料可以形成类似油漆漆膜的平滑涂层时，称为乳胶漆；而掺用类似云母粉、粗砂粒等填料所得的涂料，称为乳液厚涂料。其主要优点是以水为分散介质，无毒、施工操作方便，且耐久性能较好，具有一定的透气性和耐碱性；但施工时温度不能太低，一般为 8℃ 以上，且耐暴晒性和耐水性不够理想，因此大量用于室内装修。近年来，由于采取了许多改进措施，使其性能大大改善，既可以用在室内也可以用在室外，成为应用最广泛的一种涂料。常用的内墙涂料有聚醋酸乙烯乳液涂料、乙烯乳液涂料、苯丙-环氧乳液涂料等；外墙涂料常用的有乙丙、纯丙、苯丙乳液涂料以及丙烯酸性涂料等若干种。

（3）水溶性涂料

水溶性涂料是以水溶性合成树脂为主要成膜物质，以水为稀释剂，加入适量颜料、填料及辅助材料，共同研磨而成的涂料，其特性类似乳液涂料，但其耐水性和耐污染性差，若掺入有机高分子材料可以改善涂料的这些性能。常用的主要有聚乙烯醇水玻璃内墙涂料和聚乙烯醇缩甲醛胶内墙涂料等。

无机高分子涂料是以无机材料为胶结剂，加入固化剂、颜料、填料及分散剂等经搅拌混合而成的涂料。大致可以分为水泥系、碱金属硅酸盐系、胶态氧化硅系等若干类。相对于有机涂料，无机涂料形成的涂膜具有更好的长期耐水性和耐候性。常用的有硅酸盐无机建筑涂料、硅溶胶无机建筑涂料等。

建筑装饰涂料按其施工厚度分为厚质、薄质两类。薄质因其形成的涂层较薄，不能形成凹凸的质感，所以，涂料的装饰作用主要在于改变墙面色彩，如采用厚质涂料则既可以改变颜色，也可以改变质感。

3. 刷浆饰面

刷浆饰面是指在墙体表面喷刷浆料或水性涂料，通常有以下若干种：

（1）聚合物水泥浆饰面

聚合物水泥浆的主要成分为：水泥、高分子材料、分散剂、憎水剂和颜料。

聚合物水泥浆的强度高，施工方便，但其耐久性、耐污染性和装饰效果都存在较大的局限性。大面积使用易出现色差，基层的盐析物很容易析出，从而影响装饰效果，因此只适用于一般等级工程的线脚及局部装饰。

（2）大白浆饰面

大白浆涂料是以大白粉、胶结料为原料加水调和而成的涂料。其盖底能力较高，涂层外观较石灰浆细腻、洁白，且货源充足，价格较低，施工更新方便，故广泛用于室内墙面及顶棚。

大白浆可以配成色浆使用。若加入 108 胶或聚醋酸乙烯乳液（大白粉的 15%~20% 或 8%~10%）作为胶料，可以提高其粘结性能；一般在抹灰面上局部或满刮腻子后，喷刷两遍或三遍即可，具体视装饰效果等级要求而定。

（3）可赛银浆饰面

可赛银浆涂料是以硫酸钙、滑石粉为填料，以酪素为粘结料，掺入颜料混合而成的粉末状材料，又称为酪素涂料。使用时，先用温水隔夜将粉末充分浸泡，使酪素充分溶解，然后调至施工稠度即可。与大白浆涂料相比较，其质地更细腻，均匀性更好，色彩更易取得均匀一致的效果，这种涂料的耐碱性和耐磨性也较好，属中档内墙涂料。在已做好的墙面基层上刷两遍即可。

(4) 水泥避水色浆

水泥避水色浆又称为憎水水泥浆,是在白水泥中掺入消石灰粉、石膏、氯化钙等无机物作为保水和促凝剂,另外还掺入硬酯酸钙作为疏水剂,以减少涂层的吸水性,延缓其被污染的过程。

根据需要可以适当掺颜料,但大面积使用时,颜色不易做匀。水泥避水色浆强度比石灰浆高,但其成分太多,量又很小,现场施工条件下不易掌握。硬酯酸钙若不充分搅匀,涂层疏水效果不明显,耐污染效果也不会显著改进,特别是砖墙盐析较大,但比石灰浆要好。

10.2.3 贴面类墙面装修

一些天然的材料或人造的材料根据材质加工成大小不同的块材后,在现场通过构造连接或镶贴于墙体表面,由此而形成的墙饰面称为贴面类饰面。贴面类饰面材料品种多样,装饰效果丰富,坚固耐用,色泽稳定,易清洗,耐腐,防水。

贴面类墙体饰面按饰面部位的不同分为内墙饰面、外墙饰面;按工艺形式的不同分为直接镶贴饰面、贴挂类饰面。

1. 直接镶贴饰面

直接镶贴饰面构造比较简单,大体上由底层砂浆、粘结层砂浆和块状贴面材料面层组成,底层砂浆具有使饰面与基层之间粘附和找平的双层作用,粘结层砂浆的作用是与底层形成良好的整体,并将贴面材料粘附在墙体上。常见的直接镶贴饰面材料有面砖、瓷砖、陶瓷锦砖、玻璃锦砖等。外墙面砖的基本构造做法如图10-3所示。

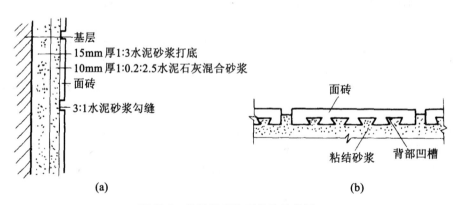

图10-3 外墙面砖饰面构造示意图

2. 贴挂类饰面

大规格饰面板材(边长500~2 000mm)通常采用"挂"的方式。例如各种大规格的天然石材和人工石材。

(1) 钢筋网挂贴法

外墙饰面板传统钢筋网挂贴法又称为钢筋网挂贴湿作业法。这种构造方法历史悠久,造价比较便宜。传统钢筋网挂贴法构造是指将饰面板打眼、剔槽,用钢丝或不锈钢丝绑扎在钢筋网上,再灌1∶2.5水泥砂浆将板贴牢,如图10-4所示。

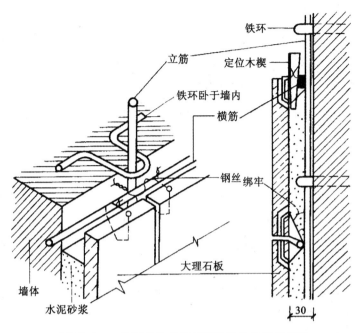

图 10-4　饰面板传统钢筋网挂贴法构造示意图

(2) 干挂法

干挂法是用高强度螺栓和耐腐蚀、高强度的柔性连接件将饰面板直接吊挂于墙体上或空挂于钢骨架上的构造方法，不需要再灌浆粘贴。这样有助于面层的维修更换。甚至于对面层板材之间的缝隙也做离缝处理。这种方法应用在外墙面上时，间层中空气的流通可以帮助起到隔热作用。饰面板干挂法的基本构造有两种：一是直接干挂法，其构造做法如图10-5（a）所示。二是间接干挂法，其构造做法如图10-5（b）所示。

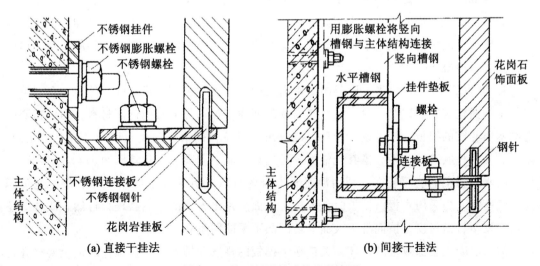

图 10-5　饰面板干挂法构造示意图

10.2.4 清水墙饰面

清水墙饰面是指墙体砌成之后,墙面不加其他覆盖性装饰面层,只是利用原结构墙或混凝土的表面进行勾缝或模纹处理的一种墙面装饰方法。具有淡雅凝重的装饰效果,而且其耐久,不易变色,不易污染,也没有明显的褪色和风化现象。即使是在新型墙体材料及工业化施工方法已居主导地位的今天,清水砖墙和清水混凝土墙仍在墙面装饰中占有重要地位。其特点是朴素淡雅、耐久性好、不易变色、不易污染、不易褪色和风化。

1. 清水砖墙饰面

清水砖墙通常用粘土砖来砌筑。适宜于砌筑清水墙的砖应质地密实、表面晶化、砌体规整、棱角分明、色泽一致、抗冻性好、吸水率低。粘土砖主要有青砖和红砖两种,红砖是在生产的过程中,烧结好在窑中自然冷却的,颜色是红色;青砖是淋水强制冷却的砖,颜色是青色。还有一种过火砖,是垛在窑内靠近燃料投入口的部位,由于温度高而烧成的一种次品砖,颜色深红、质地坚硬,是装饰用的上好佳品。过火砖往往被用来砌筑小品或室内壁炉部分的清水墙,装饰效果非常明显。近年来,国外产生了一些专门用于清水墙装饰的砖,如日本生产的劈裂砖等。

清水砖墙的砌筑方法,一般以普通的满丁满条为主,此时灰缝的处理显得尤为重要。改变灰缝的颜色能够有效地影响整个墙面的色调与明暗程度,这是因为灰缝的面积占砖墙面的$\frac{1}{6}$的缘故。墙面的勾缝采用1:1.5水泥砂浆,可以在砂浆中掺入一定量的颜料。也可以在勾缝之后再涂刷颜色或喷色以加强效果。

灰缝的主要形式有凹缝、斜缝、圆弧凹缝、平缝等。砖缝的颜色变化,整个墙面的效果也会变化。但是勾凹缝才产生一定的阴影,形成鲜明的线条和质感。

2. 清水混凝土墙

装饰混凝土饰面是利用混凝土所形成的图案、线型或水泥和骨料的颜色、质感来装饰墙面。装饰混凝土饰面分为清水混凝土和露骨料混凝土两类。混凝土经过处理,保持原有外观质感纹理的为清水混凝土;将表面水泥浆膜剥离,露出混凝土粗细骨料的颜色、质感的为露骨料混凝土。

自20世纪60年代以来,以英国史密斯夫妇为代表的粗野派建筑师设计的一系列清水混凝土饰面建筑物曾风靡一时,这些建筑物的墙面不加以任何其他饰面材料,而以精心挑选的木质花纹的模板,经过设计排列,浇筑出独具特色的清水混凝土墙。其特点是坚固、耐久、外表朴实自然,不会像其他饰面容易出现冻胀、剥离、褪色等问题。

清水混凝土的墙面装饰,利用混凝土本身的特点进行装饰,可以节省造价,避免脱壳、脱落等。当采用木板做模板时,混凝土表面呈现出木材的天然纹理,自然、质朴。还可以用硬塑料做衬模,使混凝土表面呈现凹凸不平的图案。

清水混凝土装饰效果的好坏,关键在于模板的挑选和排列。拉接螺杆的定位要整齐且有规律。在模板的设计安装,混凝土配合比和浇筑方法上都必须考虑周全,才能达到预期的效果。为保证脱模时不损坏边角,墙柱的转角部位最好处理成斜角或圆角。为了使壁面有变化,也可以将模板面设计成各种形状,有时也可以对壁面进行斩刻,修饰成毛面。

10.2.5 裱糊与软包墙体饰面

裱糊与软包类饰面是采用柔性装饰材料,利用裱糊、软包方法所形成的一种内墙面饰面。这种饰面具有装饰性强、经济合理、施工简便、可以粘贴等特点。现代室内墙面装饰常用的柔性装饰材料有各类壁纸、墙布、棉麻织品、织锦缎、皮革、微薄木等。裱糊与软包类饰面按其构造大致可以分为:壁纸裱糊、锦缎裱糊、软包饰面。

1. 壁纸裱糊饰面

壁纸裱糊饰面常用的材料有各类壁纸、壁布和配套的粘结材料。其中常用的壁纸类型有:PVC塑料壁纸(以聚氯乙烯塑料或发泡塑料为面层材料,衬底为纸质或布质),纺织物面壁纸(以动植物纤维做面料复合于纸质衬底上),金属面壁纸(以铝箔、金粉、金银线配以金属效果饰面),天然木纹面壁纸(以极薄的木皮衬在布质衬底上)等。常用的壁布类型有:人造纤维装饰壁布(以人造纤维如玻璃纤维等的织物直接作为饰面材料),锦缎类壁布(以天然纤维织物如织锦缎等直接作为饰面材料)等。

2. 锦缎裱糊饰面

丝绒和锦缎是一种高级墙面装饰材料,其特点是绚丽多彩、质感温暖、典雅精致、色泽自然逼真,属于较高级的饰面材料,仅用于室内高级装修。但其材料较柔软、易变形、不耐脏,在潮湿环境中易霉变,故其应用受到了很大的限制。锦缎裱糊的基本构造如图10-6所示。

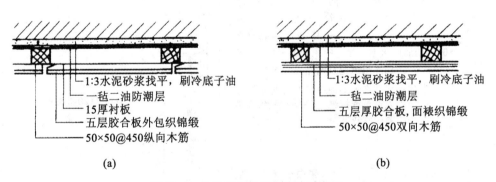

图10-6 丝绒和锦缎裱糊构造示意图

3. 软包饰面

软包饰面是现代室内墙面装修的常用做法,该方法具有吸声、保温、防儿童碰伤、质感舒适、美观大方等特点。特别适用于有吸声要求的会议厅、会议室、多功能厅、娱乐厅、消声室、住宅起居室、儿童卧室等处。软包饰面由底层、吸声层、面层三大部分组成。

软包饰面主要有胶合板压钉面料构造和吸声层压钉面料构造两种做法,如图10-7、图10-8所示。

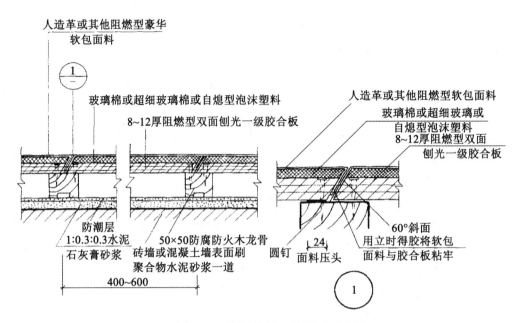

图 10-7 胶合板压钉面料构造示意图

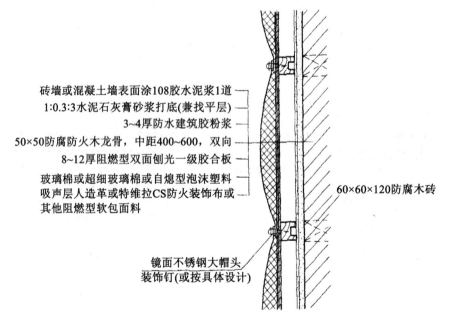

图 10-8 吸声层压钉面料构造示意图

§10.3 楼地面装饰构造

楼地面装修主要是指楼板层和地坪层的面层。面层由饰面材料和其下面的找平层两部分组成。楼地面装修的种类很多,可以从不同的角度进行分类。

楼地面按其材料和做法可以分为四大类:整体地面、块料地面、人造软质制品地面和木地面。根据不同的要求设置不同的地面。

10.3.1 整体地面

按设计要求选用不同材质和相应配合比,经施工现场整体浇筑的楼地面面层称为整体式楼地面。整体式楼地面的面层无接缝,可以通过加工处理,获得丰富的装饰效果,一般造价较低。这类地面包括水泥砂浆楼地面、细石混凝土楼地面、现制水磨石楼地面、涂布楼地面等。

1. 水泥砂浆楼地面

水泥砂浆楼地面构造简单,施工方便,造价较低,但热导率大,易起灰、起砂,天气过潮时易产生凝结水。水泥砂浆楼地面饰面做法有单层和双层两种,如图 10-9 所示。双层做法虽增加了工序,但不易开裂。

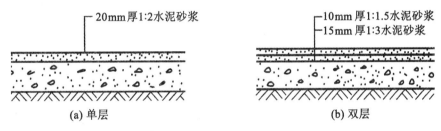

图 10-9 水泥砂浆楼地面面层示意图

2. 细石混凝土楼地面

细石混凝土楼地面强度高、整体性和耐久性好,干缩小,不易起砂,但其厚度较大（35～50mm）,面层材料为细石混凝土,混凝土标号 C20 以上,石子粒径应不大于 15mm 或不大于面层厚度的 $\frac{2}{3}$。

3. 现浇水磨石楼地面

现浇水磨石楼地面是在刚性垫层或结构层上用 10～20mm 厚的 1:3 水泥砂浆找平,采用白水泥与水泥加颜料（普通水磨石）或彩色水泥与大理石屑（美术水磨石）拌和为面层,待面层达到一定承载力后加水用磨石机磨光、打蜡而成。

为适应地面变形可能引起的面层开裂以及施工和维修方便,做好找平层后,用嵌条把地面分成若干小块。分块形状可以设计成各种图案。嵌条用料常为玻璃、塑料或金属条（铜条、铝条）。

现浇水磨石楼地面具有色彩丰富、图案组合多种多样的饰面效果,面层平整平滑,坚固耐磨,整体性好,防水,耐腐蚀,易于清洁。常用于公共建筑物中人流较多的门厅等楼地面。其构造如图 10-10 所示。

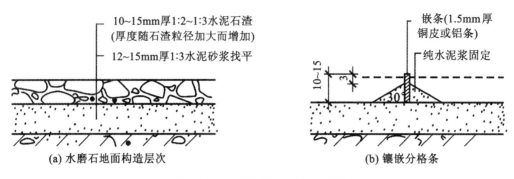

图 10-10 现浇水磨石楼地面示意图

4. 涂布楼地面

涂布楼地面主要是用合成树脂代替水泥或部分水泥,再加入填料、颜料等混合调制而成的材料,硬化以后形成整体无缝的面层。该饰面易清洁、施工简捷、功效高、更新方便、造价低。

10.3.2 块料地面

块料楼地面是指用陶瓷地砖、陶瓷锦砖、水泥砖、预制水磨石板、大理石板、花岗岩石板等板材铺砌的地面。块材式楼地面目前应用十分广泛,一般具有以下的特点:花色品种多样,耐磨、耐水、易于清洁;施工速度快,湿作业量少;对板材的尺寸与色泽要求高;弹性、保温性、消声性都较差。

1. 陶瓷地砖楼地面

陶瓷地砖是以优质陶土为原料,经半干压成型再在1100℃左右高温下焙烧而成,分无釉和有釉两种。其背面有凹凸条纹,便于镶贴时增强面砖与基层的粘结力。铺贴时一般用15~20mm厚的1:3水泥砂浆找平,同时作为结合材料,铺贴要求平整,如图10-11所示。

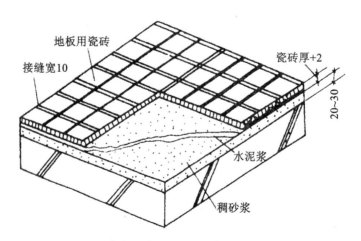

图 10-11 陶瓷地砖地面构造示意图(单位:mm)

陶瓷地砖的种类及尺寸规格、花色品种较多，适用于公共建筑物及居住的大部分房间楼地面。地砖的表面质感多种多样，有平面、麻面、磨光面、抛光面、纹点面、仿大理石（或花岗岩）表面、压花浮雕表面等多种表面形状。也可以获得丝网印刷、套花图案、单色及多色等装饰效果。

2. 水泥制品块楼地面

水泥制品块楼地面常见的有水泥砂浆砖、预制水磨石块、预制混凝土块等。水泥制品块与基层粘结有两种方式，当预制块尺寸较大且较厚时，常在板下干铺一层20~40mm厚细砂或细炉渣，待校正后，板缝用砂浆嵌填。这种做法施工简单、造价低，便于维修更换，但不易平整。当预制块小而薄时，则采用12~20mm厚的1∶3水泥砂浆做结合层，铺好后再用1∶1水泥砂浆嵌缝。这种做法坚实，平整，但施工较复杂，造价也较高。

3. 饰面石材楼地面

饰面石材主要有大理石、花岗岩、石灰岩等，是从天然岩体中开采出来的、经过加工成块材或板材，再经过粗磨、细磨、抛光、打蜡等工序，可以加工成各种不同质感的高级装饰材料。其构造如图10-12所示。

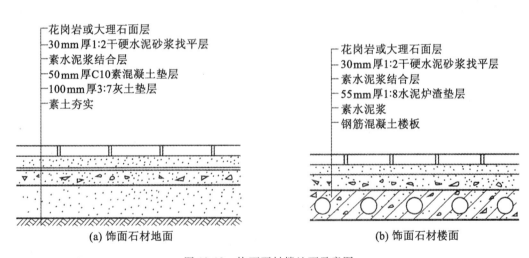

图10-12 饰面石材楼地面示意图

10.3.3 人造软质楼地面

软质制品地面是指以质地较软的地面覆盖材料所形成的楼地面饰面，如橡胶地毡、聚氯乙烯塑料地板、地毯等地面。

1. 橡胶地毡楼地面

橡胶地毡是以天然橡胶或合成橡胶为主要原料，加入适量的填充料加工而成的地面覆盖材料。橡胶地毡地面具有较好的弹性、保温、隔撞击声、耐磨、防滑、不导电等性能，适用于展览馆、疗养院等公共建筑物，也适用于车间、实验室的绝缘地面以及游泳池边、运动场等防滑地面。

橡胶地毡表面有平滑或带肋两类，其厚度为 4~6mm，橡胶地毡与基层的固定一般用胶粘剂粘贴在水泥砂浆基层上。

2. 塑料地板楼地面

塑料地板楼地面是指用聚氯乙烯或其他树脂塑料地板作为饰面材料铺贴的楼地面。塑料地面具有美观、质轻、耐腐、绝缘、绝热、防滑、易清洁、施工简便、造价较低的优点，但其不耐高温、怕明火、易老化。多用于一般性居住环境和公共建筑物，不适宜人流较密集的公共场所。

塑料地板的种类很多，从不同的角度划分如下：按产品形状，分为块状塑料地板和卷状塑料地板；按其结构，分为单层塑料地板、双层复合塑料地板、多层复合塑料地板；按其材料性质，分为硬质塑料地板、软质塑料地板、半硬质塑料地板；按树脂性质，分为聚氯乙烯塑料地板、氯乙烯—醋酸乙烯塑料地板和聚丙烯塑料地板。

塑料地板与基层的固定一般用胶粘剂粘贴在水泥砂浆基层上。

3. 地毯楼地面

地毯是一种高级地面饰面材料。地毯楼地面具有美观、脚感舒适、富有弹性、吸声、隔声、保温、防滑、施工和更新方便的特点。广泛应用于宾馆、酒家、写字楼、办公用房、住宅等建筑物中。地毯的种类很多，按其材料分为纯毛地毯、混纺地毯、化纤地毯、剑麻地毯和塑料地毯等；按加工工艺，分为机织地毯、手织地毯、簇绒编织地毯和无纺地毯等。

地毯的铺设方式有固定和不固定两种。不固定铺设是将地毯浮搁在基层上，不需将地毯与基层固定。地毯固定铺设的方法又分为两种，一种是胶粘剂固定法，另一种是倒刺板固定法。胶粘剂固定法用于单层地毯，倒刺板固定法用于有衬垫地毯，如图 10-13、图 10-14 所示。

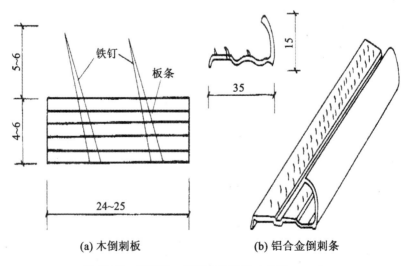

(a) 木倒刺板　　(b) 铝合金倒刺条

图 10-13　倒刺板、倒刺条示意图（单位：mm）

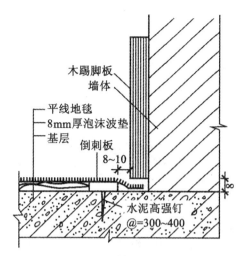

图 10-14 倒刺板固定地毯示意图（单位：mm）

10.3.4 木质楼地面

木质楼地面是近年来常用的楼地面装饰方式，木质楼地面具有以下的特点：纹理及色泽自然美观，具有较好的装饰效果；有弹性，行走有舒适感；自重轻；具有良好的保温隔热性能；不起尘，易清洁等。但其耐火性、耐久性较差，潮湿环境下易腐朽，易产生裂缝和翘曲变形。

1. 木质楼地面的基本材料

木质楼地面所用的材料可以分为：面层材料、基层材料和粘结材料三类。

（1）面层材料

面层是木质楼地面直接受磨损的部位，也是室内装饰效果的重要组成部分。因此要求面层材料耐磨性好、纹理优美清晰、有光泽，不易腐朽、开裂及变形。

根据材质的不同，面层可以分为普通纯木地板、软木地板、复合木地板、竹地板等。

（2）基层材料

基层的主要作用是承托和固定面层。基层可以分为水泥砂浆（或混凝土）基层和木基层。水泥砂浆（或混凝土）基层，一般多用于粘贴式木地面。常用水泥砂浆配合比为1∶2.5～1∶3，混凝土强度等级一般为C10～C15。

木质基层有架空式和实铺式两种，由木搁栅、剪刀撑、垫木、沿游木和毛地板等部分组成。一般选用松木和杉木作木质基层材料。

（3）粘结材料（胶粘剂）

粘结材料的主要作用是将木地板条直接粘结在水泥砂浆或混凝土基层上，目前应用较多的粘贴剂有：氯丁橡胶剂、环氧树脂剂、合成橡胶溶剂、石油沥青、聚氨酯及聚醋酸乙烯乳液等。具体选用，应根据面层及基层材料、使用条件、施工条件等综合确定。

2. 木质楼地面的基本构造

木质楼地面一般有实铺式和空铺式两种方式，实铺式又分为粘贴式和铺钉式两种。

(1) 实铺粘贴式木质楼地面

在钢筋混凝土楼板上或底层地面的素混凝土垫层上做找平层，再用粘结材料将各种木板直接粘贴在找平层上而成，如图 10-15 所示。这种做法构造简单、造价低、功效快、占空间高度小，但弹性较差。

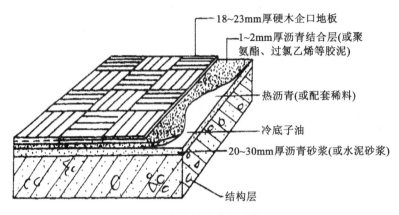

图 10-15 实铺粘贴式木质楼地面

(2) 实铺铺钉式木质楼地面

这种木质楼地面是直接在基层的找平层上固定木搁栅，然后将木质地面铺钉在木搁栅上，如图 10-16 所示。这种做法施工较简单，地面弹性好，所以实际工程中应用较多。

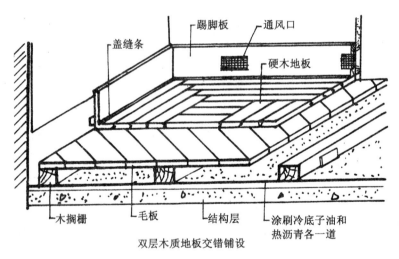

图 10-16 实铺铺钉式木质楼地面

(3) 空铺式木质楼地面

这种木质楼地面主要是用于因使用要求弹性好，或面层与基底距离较大的场合。通过地垄墙、砖墩或钢木支架的支撑来架空，如图 10-17 所示。其优点是使木质地板富有弹性、脚感舒适、隔声、防潮。其缺点是施工较复杂、造价高。

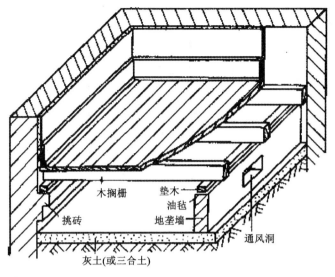

图 10-17 空铺式木质楼地面

10.3.5 楼地面特殊构造

1. 弹性木质楼地面

弹性木质楼地面适用于某些专业性较强的木质楼楼地面，如舞台、舞厅、练习房、比赛场等。

弹性木质楼地面构造上分为衬垫式和弓式。衬垫式如图 10-18 所示。弓式又分为木弓和钢弓，如图 10-19 所示。

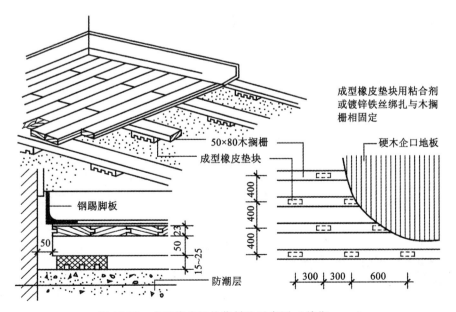

图 10-18 成型橡皮垫块作衬垫示意图（单位：mm）

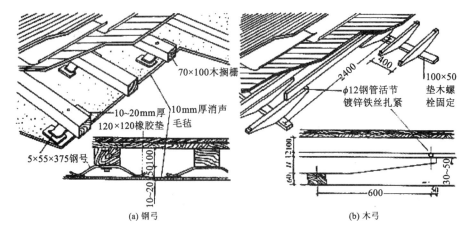

图 10-19 弓式弹性木质楼地面构造示意图（单位：mm）

2. 活动地板

活动夹层楼地面是由各种装饰板材经高分子合成胶粘剂胶合而成的活动木地板、抗静电的铸铅活动地板和复合抗静电活动地板等，配以龙骨、橡胶垫、橡胶条和可调节的金属支架等组成的楼地面，如图 10-20 所示。

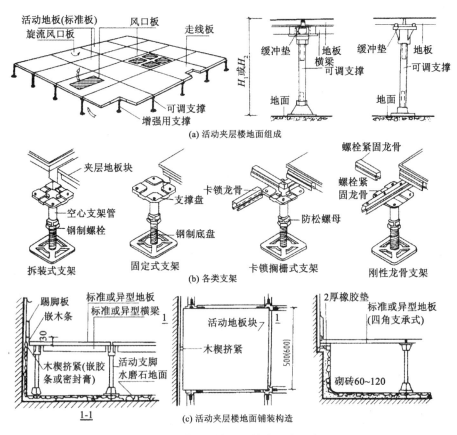

图 10-20 活动夹层楼地面构造组成示意图

活动夹层楼地面具有安装、调试、清理、维修简便,板下可以敷设多条管道和各种管线,并可以随意开启检查、迁移等,多用于计算机房、通讯中心、电化教室等建筑物中。

10.3.6 楼地面的细部构造

踢脚是楼地面与墙面相交处的构造处理。设置踢脚板的作用是遮盖楼地面与墙面的接缝,保护墙面根部免受外力冲撞以及避免清洗楼地面时被玷污,同时满足室内美观的要求。踢脚的高度一般为 100~150mm。

踢脚的构造方式有与墙面相平、凸出、凹进三种,如图 10-21 所示。踢脚按材料和施工方式分有抹灰类踢脚、铺贴类踢脚、木质踢脚等。

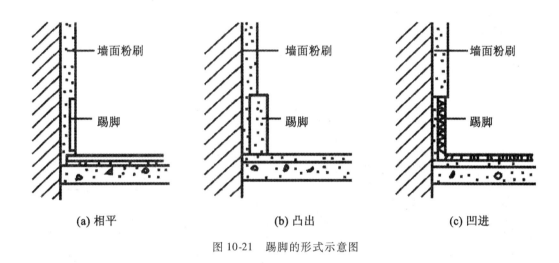

图 10-21 踢脚的形式示意图

§10.4 顶棚装饰构造

顶棚是位于楼盖和屋盖下的装饰构造,又称为天棚、天花板。顶棚的设计与选择应考虑到建筑功能、建筑声学、建筑热工、设备安装、管线敷设、维护检修、防火安全等各种因素。

顶棚按饰面与基层的关系可以归纳为直接式顶棚与悬吊式顶棚两大类。

10.4.1 直接式顶棚

直接式顶棚是在屋面板或楼板结构底面直接做饰面材料的顶棚。这类顶棚具有构造简单、构造层厚度小,施工方便,可以取得较高的室内净空,造价较低等特点。但这类顶棚没有供隐蔽管线、设备的内部空间,故一般适用于普通建筑物或空间高度受到限制的房间。

直接式顶棚按施工方法可以分为直接式抹灰顶棚、直接喷刷式顶棚、直接粘贴式顶棚、直接固定装饰板顶棚以及结构顶棚。

10.4.2 悬吊式顶棚

悬吊式顶棚是指饰面与板底之间留有悬挂高度做法的顶棚。悬吊式顶棚可以利用这段悬挂高度布置各种管道和设备，或对建筑物起到保温隔热、隔声的作用，同时，悬吊式顶棚的形式不必与结构形式相对应。但要注意：若无特殊要求时，悬挂空间越小越有利于节约材料和造价；必要时应留检修孔，铺设走道以便检修，防止破坏面层；饰面应根据设计留出相应灯具、空调等电器设备安装的位置以及送风口、回风口的位置。这类顶棚多适用于中、高档次的建筑物顶棚装饰。

悬吊式顶棚一般由悬吊部分、顶棚骨架、饰面层和连接部分组成，如图 10-22 所示。

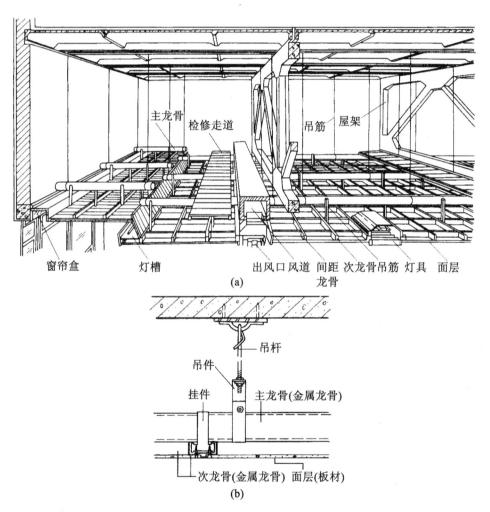

图 10-22 悬吊式顶棚的构造组成示意图

1. 悬吊部分

悬吊式顶棚的悬吊部分包括吊点、吊杆和连接杆。

吊杆与楼板或屋面板连接的节点为吊点。在荷载变化处和龙骨被截断处应增设吊点。

吊杆（吊筋）是连接龙骨和承重结构的承重传力构件。吊杆的作用是承担整个悬吊式顶棚的重量（如饰面层、龙骨以及检修人员），并将这些重量传递给屋面板、楼板、屋架或屋面梁，同时还可以调整、确定悬吊式顶棚的空间高度。

吊杆按其材料分为钢筋吊杆、型钢吊杆、木吊杆。钢筋吊杆的直径一般为6~8mm，用于一般悬吊式顶棚；型钢吊杆用于重型悬吊式顶棚或整体刚度要求高的悬吊式顶棚，其规格尺寸应通过结构计算确定；木吊杆用40mm×40mm或50mm×50mm的方木制作，一般用于木龙骨悬吊式顶棚。

2. 顶棚骨架

顶棚骨架又称为顶棚基层，是由主龙骨、次龙骨、小龙骨（或称主搁栅、次搁栅）所形成的网格骨架体系。其作用是承担饰面层的重量并通过吊杆将重量传递给楼板或屋面板。

悬吊式顶棚的龙骨按其材料分为木龙骨、型钢龙骨、轻钢龙骨、铝合金龙骨等。

3. 饰面层

饰面层又称为面层，其主要作用是装饰室内空间，并且还兼有吸声、反射、隔热等特定的功能。饰面层一般有抹灰类、板材类、开敞类。

4. 连接部分

连接部分是指悬吊式顶棚龙骨之间，悬吊式顶棚龙骨与饰面层之间，龙骨与吊杆之间的连接件、紧固件。一般有吊挂件、插挂件、自攻螺钉、木螺钉、圆钢钉、特制卡具、胶粘剂等。

（1）吊杆、吊点连接构造

空心板、槽形板缝中吊杆的安装如图10-23所示。现浇钢筋混凝土板上吊杆的安装如图10-24所示。

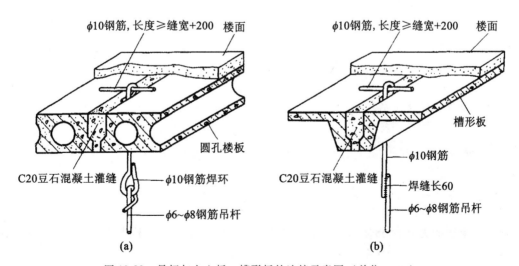

图10-23 吊杆与空心板、槽形板的连接示意图（单位：mm）

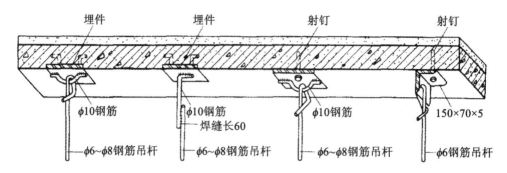

图 10-24　吊杆与现浇钢筋混凝土板的连接示意图（单位：mm）

(2) 龙骨的布置与连接构造

①龙骨的布置要求

主龙骨是悬吊式顶棚的承重结构，又称为承载龙骨、大龙骨。主龙骨吊点间距应按设计要求选择。当顶棚跨度较大时，为保证顶棚的水平度，其中部应适当起拱，一般地，$7\sim 10\mathrm{m}$ 的跨度，按 $\frac{3}{1000}$ 高度起拱；$10\sim 15\mathrm{m}$ 的跨度，按 $\frac{5}{1000}$ 高度起拱。

次龙骨也称为中龙骨、覆面龙骨，主要用于固定面板。次龙骨与主龙骨垂直布置，并紧贴主龙骨安装。

小龙骨也称为间距龙骨、横撑龙骨，一般与次龙骨垂直布置，个别情况也可以平行。小龙骨底面与次龙骨底面相平行，其间距和断面形状应配合次龙骨并利于面板的安装。

②龙骨的连接构造

木龙骨连接构造：木龙骨的断面一般为方形或矩形。主龙骨的尺寸为 50mm×70mm，钉接或栓接在吊杆上，间距一般为 1.2～1.5m；主龙骨的底部钉装次龙骨，其间距由面板规格而定。次龙骨一般双向布置，其中一个方向的次龙骨的尺寸为 50mm×50mm 断面，垂直钉于主龙骨上，另一个方向的次龙骨的尺寸一般为 30mm×50mm，可以直接钉在尺寸为 50mm×50mm 的次龙骨上。木龙骨使用前必须进行防火、防腐处理，处理的基本方法是：先涂氟化钠防腐剂 1～2 道，然后再涂防火涂料 3 道，龙骨之间用榫接、粘钉方式连接，如图 10-25 所示。木龙骨多用于造型复杂的悬吊式顶棚。

型钢龙骨的连接构造：型钢龙骨的主龙骨间距为 1～2m，其规格应根据荷载的大小确定。主龙骨与吊杆常用螺栓连接，主龙骨与次龙骨之间采用铁卡子、弯钩螺栓连接或焊接。当荷载较大、吊点间距很大或在特殊环境下时，必须采用角钢、槽钢、工字钢等型钢龙骨。

轻钢龙骨的连接构造：轻钢龙骨由主龙骨、中龙骨、横撑小龙骨、次龙骨、吊件、接插件和挂插件组成。主龙骨一般用特制的型材，断面有 U 形、C 形，一般多为 U 形。主龙骨按其承载能力分为 38、50、60 三个系列，38 系列龙骨适用于吊点距离为 0.9～1.2m 的不上人悬吊式顶棚；50 系列龙骨适用于吊点距离为 0.9～1.2m 的上人悬吊式顶棚，主龙骨可以承担 80kg 的检修荷载；60 系列龙骨适用于吊点距离为 1.5m 的上人悬吊式顶棚，可以承担 80～100kg 检修荷载。注意龙骨的承载能力还与型材的厚度有关，荷载大时必须

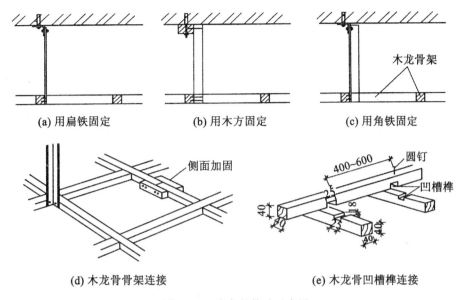

图 10-25　木龙骨构造示意图

采用厚形材料。中龙骨、小龙骨断面有 C 形和 T 形两种。吊杆与主龙骨、主龙骨与中龙骨、中龙骨与小龙骨之间是通过吊挂件、接插件连接的，如图 10-26 所示。

U 形轻钢龙骨悬吊式顶棚的构造方式有单层和双层两种。中龙骨、横撑小龙骨、次龙骨紧贴主龙骨底面的吊挂方式（不在同一水平面）称为双层构造；主龙骨与次龙骨在同一水平面的吊挂方式称为单层构造。单层轻钢龙骨悬吊式顶棚仅用于不上人悬吊式顶棚。当悬吊式顶棚面积大于 120m² 或长度方向大于 12m 时，必须设置控制缝，当悬吊式顶棚面积小于 120m² 时，可以考虑在龙骨与墙体连接处设置柔性节点，以控制悬吊式顶棚整体的变形量。

铝合金龙骨的连接构造：铝合金龙骨断面有 T 形、U 形、LT 形及各种特制龙骨断面，应用最多的是 LT 形龙骨。LT 形龙骨的主龙骨断面为 U 形，次龙骨、小龙骨断面为倒 T 形，边龙骨断面为 L 形。吊杆与主龙骨之间、主龙骨与次龙骨之间的连接如图 10-27 所示。

（3）悬吊式顶棚饰面层连接构造

①抹灰类饰面层

抹灰类饰面层是在龙骨上钉木板条、钢丝网或钢板网，然后再做抹灰饰面层。目前这种做法已不多见。

②板材类饰面层

板材类饰面层也称为悬吊式顶棚饰面板。最常用的饰面板有植物板材（木材、胶合板、纤维板、装饰吸声板、木丝板）、矿物板（各类石膏板、矿棉板）、金属板（铝板、铝合金板、薄钢板）。各类饰面板与龙骨的连接有以下几种方式。

钉接：用铁钉、螺钉将饰面板固定在龙骨上。木龙骨一般用铁钉，轻钢、型钢龙骨用螺钉，钉距视板材材质而定，要求钉帽应埋入板内，并作防锈处理，如图 10-28（a）所

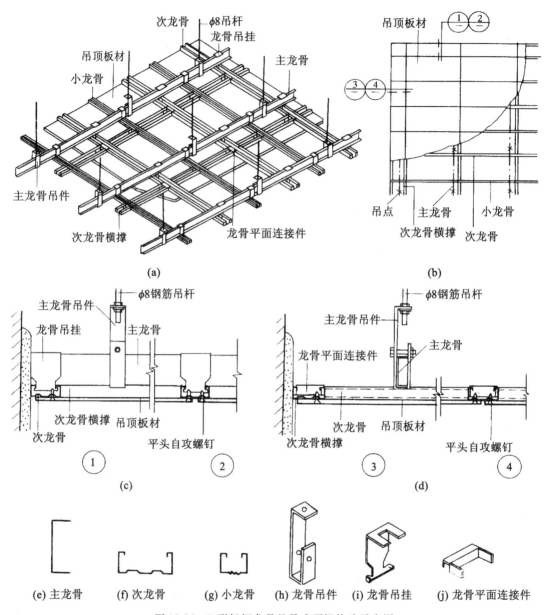

图 10-26 U 形轻钢龙骨悬吊式顶棚构造示意图

示。适用于钉接的板材有植物板、矿物板、铝板等。

粘接：用各种胶粘剂将板材粘贴于龙骨底面或其他基层板上，如图 10-28（b）所示。也可以采用粘、钉结合的方式，使连接更牢靠。

搁置：将饰面板直接搁置在倒 T 形断面的轻钢龙骨或铝合金龙骨上，如图 10-28（c）所示。有些轻质板材采用该方式固定，遇风易被掀起，应用物件夹住。

卡接：用特制龙骨或卡具将饰面板卡在龙骨上，这种方式多用于轻钢龙骨、金属类饰面板，如图 10-28（d）所示。

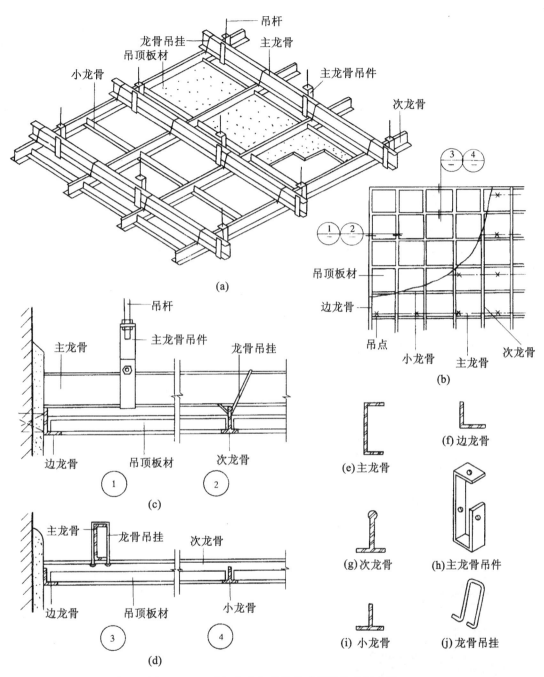

图 10-27 T形铝合金龙骨悬吊式顶棚构造示意图

吊挂：利用金属挂钩龙骨将饰面板按排列次序组成的单体构件挂于其下，组成开敞式悬吊式顶棚，如图 10-28（e）所示。

③饰面板的拼缝

对缝：对缝也称为密缝，是板与板在龙骨处对接，如图 10-29（a）所示。粘、钉固定饰面板时可以采用对缝。对缝适用于裱糊、涂饰的饰面板。

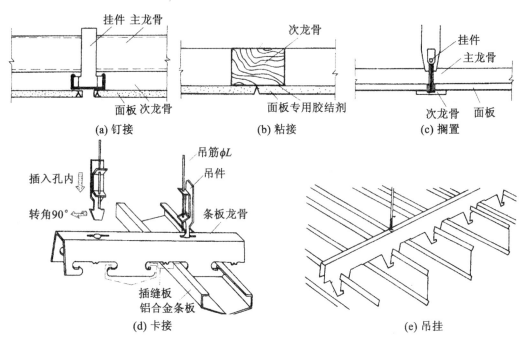

图 10-28 悬吊式顶棚饰面板与龙骨的连接构造示意图

凹缝：凹缝是利用饰面板的形状、厚度所形成的拼接缝，也称为离缝，凹缝的宽度不应小于 10mm，如图 10-29（b）所示。凹缝有 V 形和矩形两种，纤维板、细木工板等可以刨破口，一般做成 V 形缝。石膏板做矩形缝，镶金属护角。

盖缝：盖缝是利用装饰压条将板缝盖起来，如图 10-29（c）所示，这样可以克服缝隙宽窄不均、线条不顺直等施工质量问题。

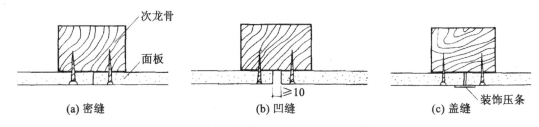

图 10-29 悬吊式顶棚饰面板拼缝示意图（单位：mm）

复习思考题

1. 饰面装修的作用有哪些？
2. 饰面装修的基本要求有哪些？
3. 什么是墙面装饰的作用？有哪些基本类型？

4. 墙面抹灰通常由哪几层组成？各层的作用是什么？
5. 什么是石材的干挂法？试绘制任一种石材干挂法构造图。
6. 什么是清水墙饰面？
7. 地面装饰的基本类型有哪些？
8. 试简述水磨石地面的构造。
9. 试绘制实铺铺钉式木质楼地面的构造。
10. 顶棚的作用是什么？有哪两种基本形式？
11. 吊顶由哪几部分组成？
12. 轻钢龙骨吊顶的构造是什么？面板如何固定？

第11章 楼梯及其他垂直交通设施构造

本章提要：本章内容主要包括楼梯的组成、类型和尺度；钢筋混凝土楼梯的构造和楼梯的细部构造。对室外台阶、坡道以及电梯、自动扶梯等知识也作了适当的介绍。

建筑空间的竖向组合交通联系，依托于楼梯、电梯、自动扶梯、台阶、坡道等竖向交通设施。其中，楼梯作为竖向交通和人员紧急疏散的主要交通设施，使用最为普遍。因此对楼梯的设计要求首先是应具有足够的通行能力，即保证楼梯有足够的宽度和合适的坡度；其次为使楼梯通行安全，应保证楼梯有足够的强度、刚度，并具有防火、防烟和防滑等方面的要求；其三是楼梯造型要美观，增强建筑物内部空间的观瞻效果。本章以一般大量性民用建筑物中广泛使用的楼梯为重点加以阐述。

§11.1 楼梯的组成、类型、尺度

11.1.1 楼梯的组成

楼梯一般由梯段、平台、栏杆扶手三个部分组成，如图11-1所示。

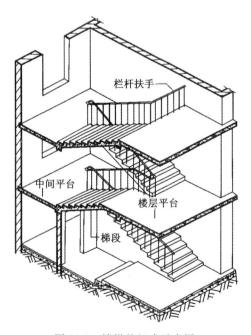

图11-1 楼梯的组成示意图

1. 梯段

梯段，俗称梯跑，是联系两个不同标高平台的倾斜构件。通常为板式梯段，也可以由踏步板和梯斜梁组成梁板式梯段。为了减轻疲劳，梯段的踏步步数一般不超过 18 级，但也不宜少于 3 级。

2. 平台

按照所处位置的标高不同，平台有中间休息平台和楼层平台之分。中间休息平台起到休息和转向的作用。楼层平台的作用除了具有中间休息平台功能外，还有分配人流的作用。

3. 栏杆扶手

栏杆扶手是设在梯段及平台边缘的安全保护构件。当梯段宽度不大，如不大于两股人流时，可以只在梯段临空侧设置。当梯段宽度大，如大于三股人流时，应在梯段墙面侧加设靠墙扶手。如大于四股人流时，应在梯段中间加设中间扶手。

11.1.2 楼梯的类型

建筑物中楼梯的类型很多，一般有以下几种分类：

1. 按照楼梯的主要材料分，有钢筋混凝土楼梯、钢楼梯、木楼梯等。
2. 按照楼梯在建筑物中所处的位置分，有室内楼梯和室外楼梯。
3. 按照楼梯的使用性质分，有主要楼梯、辅助楼梯、疏散楼梯、消防楼梯等。
4. 按照楼梯的形式分，有单跑楼梯、双跑折角楼梯、双跑平行楼梯、双跑直楼梯、三跑楼梯、四跑楼梯、双分式楼梯、双合式楼梯、八角形楼梯、圆形楼梯、螺旋形楼梯、弧形楼梯、剪刀式楼梯、交叉式楼梯等，如图 11-2 所示。
5. 按照楼梯间的平面形式分，有封闭式楼梯、非封闭式楼梯、防烟楼梯等，如图 11-3 所示。

11.1.3 楼梯的尺度

1. 楼梯的坡度

楼梯的坡度是指楼梯段的坡度，即楼梯段的倾斜角度。楼梯的坡度有两种表示法，即角度法和比值法。

一般楼梯的坡度在 23°~45°之间，30°为适宜坡度。坡度超过 45°时，应设爬梯；坡度小于 23°时，应设坡道，如图 11-4 所示。

2. 楼梯踏步尺寸

楼梯梯段是由若干踏步组成的，每个踏步由踏面和踢面组成。楼梯梯段是供人通行的，因此踏步尺寸要与人行走有关，踢面高度和踏面宽度之比也决定楼梯的坡度。踏面是人脚踩的部分，其宽度不应小于成年人的脚长，一般为 260~320mm。踏步的高度，成人以 150mm 左右较适宜。

楼梯踏步的最小宽度、最大宽度以及踏步常用高度尺寸如表 11-1 所示。

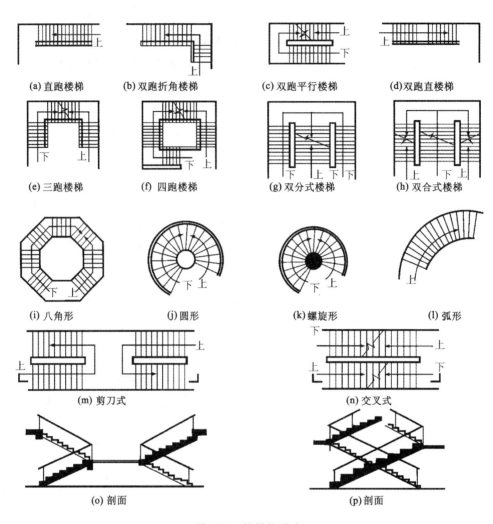

图 11-2　楼梯的形式

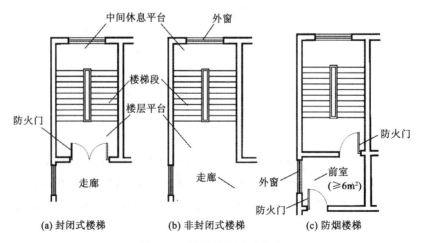

图 11-3　楼梯间的平面形式

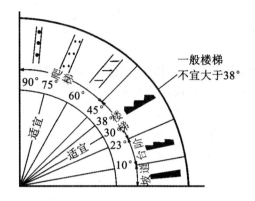

图 11-4 楼梯、爬梯及坡道的坡度范围图

表 11-1 常见的民用建筑物楼梯的适宜踏步尺寸表

楼梯类别	踏面宽/（mm）	踢面高/（mm）
住宅公用楼梯	260～300	150～175
幼儿园楼梯	260～280	120～150
医院、疗养院等楼梯	300～350	120～150
学校、办公楼等楼梯	280～340	140～160
剧院、会堂等楼梯	300～350	120～150

当踏步尺寸较小时，可以采取加做踏口或使踢面倾斜的方式加宽踏面。踏口的挑出尺寸为 20～25mm，这个尺寸过大时行走不方便。

3. 栏杆（或栏板）扶手高度

扶手高度是指踏步前沿到扶手顶面的垂直距离。一般室内扶手高度取 900mm；平台上水平扶手长度超过 500mm 时，其高度不应小于 1 000mm。托幼建筑物中楼梯扶手高度应适合儿童身材，扶手高度一般取 500～600mm；但注意在 600mm 处设一道扶手，900mm 处仍应设扶手，此时楼梯为双道扶手。室外楼梯扶手高度也应适当加高一些，常取 1 100mm。

4. 楼梯段的宽度

楼梯段的宽度是指楼梯段临空侧扶手中心线到另一侧墙面（或靠墙扶手中心线）之间的水平距离。应根据楼梯的设计人流股数、防火要求及建筑物的使用性能等因素确定。一般每股人流按 550～600mm 宽度考虑，双人通行时为 1 100～1 200mm，三人通行时为 1 650～1 800mm，依此类推。

5. 楼梯平台宽度

楼梯平台是楼梯段的连接，也供行人稍加休息之用。为了保证通行顺畅和搬运家具设备的方便，楼梯平台的宽度应不小于楼梯段的宽度。

6. 梯井尺度

楼梯两梯段的间隙称为楼梯井,梯井的作用是便于施工和安装。有时梯井过大,对儿童不是很安全,应该采取一定的安全措施。一般梯井的宽度以 60~200mm 为宜。

7. 楼梯的净空高度

楼梯的净空高度包括楼梯段的净高和平台处的净高。楼梯段的净高是指自踏步前缘线(包括最低一级踏步和最高一级踏步前缘线以外 0.3m 范围内)量至正上方突出物下缘间的垂直距离。平台过道处净高是指平台梁底至平台梁正下方踏步或楼地面上边缘的垂直距离。为保证在这些部位通行或搬运物件时不受影响,其净空高度在平台过道处应大于 2m;在楼梯段处应大于 2.2m,如图 11-5 所示。

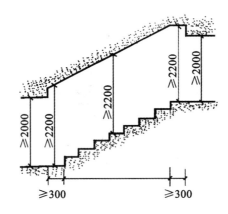

图 11-5 楼梯段上的净空高度示意图(单位:mm)

当在平行双跑楼梯底层中间平台下需设通道时,为保证平台下净空高度满足通行要求,通常采用以下几种处理方法。

(1) 在底层变作长短跑梯段。起步第一跑为长跑,以提高中间平台标高(见图 11-6 (a))。这种方式仅在楼梯间进深较大时适用。

(2) 局部降低底层中间平台下地坪标高(见图 11-6 (b)),这种处理方式可以保持等跑梯段,使梯段构件统一,但这样实际是抬高了室内地坪标高,可能增加填土方量或将底层地面架空。

(3) 将上述两种方法结合(见图 11-6 (c)),采取长短跑梯段的同时,又适当降低中间平台下地坪标高,这种处理方式可以兼有前两种方式的优点,并弱化其缺点,较常用。

(4) 底层用直行单跑楼梯,直达二楼(见图 11-6 (d))。这种处理方式楼梯段较长,同时还应注意一段梯跑不要超过 18 级。

(5) 取消平台梁,即平台板和梯段组合成一块折形板。

11.1.4 楼梯设计

1. 楼梯设计的一般步骤

在对建筑物的楼梯进行设计时,先应决定楼梯所在的位置,然后可以按照以下步骤进

第 11 章 楼梯及其他垂直交通设施构造 ———————————————————————— 235

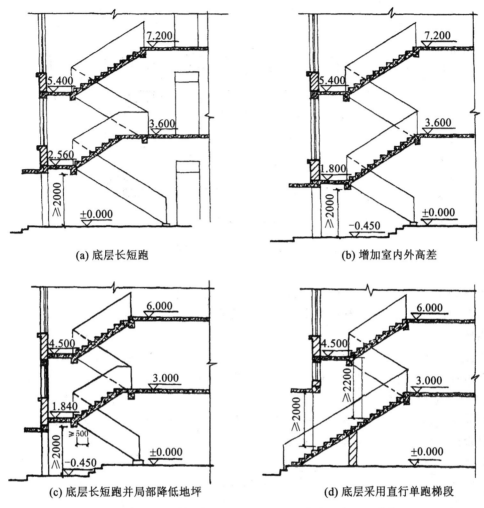

图 11-6 底层中间平台下作出入口的几种处理方式示意图（单位：mm）

行设计。

（1）根据建筑物的类别和楼梯在平面中的位置，确定楼梯的形式。在建筑物的层高及平面布局一定的情况下，楼梯的形式由楼梯所在的位置及交通的流线决定。楼梯在层间的梯段数必须符合交通流线的需要，而且每个梯段所有的踏步数应在相关规范所规定的范围内。

图 11-7 是平行双跑楼梯底层、中间层和顶层楼梯平面的示意图。从中可以反映楼梯的基本布局以及转折的关系。

（2）根据楼梯的性质和用途，确定楼梯的适宜坡度，选择踏步高，踏步宽，确定踏步级数。用房屋的层高除以踏步高，得出踏步级数，踏步应为整数，结合楼梯的形式，确定每个楼梯段的级数。

（3）决定整个楼梯间的平面尺寸。根据楼梯在紧急疏散时的防火要求，楼梯往往需要设置在符合防火规范规定的封闭楼梯间内。扣除墙厚以后，楼梯间的净宽度为梯段总宽

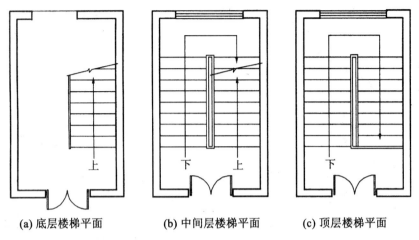

(a) 底层楼梯平面　　(b) 中间层楼梯平面　　(c) 顶层楼梯平面

图 11-7　平行双跑楼梯平面示意图

度及中间的楼梯井宽度之和，楼梯间的长度为平台总宽度与最长的梯段长度之和。其计算基础是符合相关规范规定的梯段的设计宽度以及层间的楼梯踏步数。

当楼梯平台通向多个出入口或有门向平台方向开启时，楼梯平台的深度应考虑适当加大，以防止碰撞。如果梯段需要设置两道及以上的扶手或扶手按照相关规定必须伸入平台较长距离时，应考虑扶手设置对楼梯和平台净宽的影响。

（4）用剖面检验楼梯的平面设计。楼梯在设计时必须单独进行剖面设计，检验其通行的可能性，尤其是检验与主体结构交汇处有无构件安置方面的矛盾，以及其下面的净空高度是否符合相关规范的要求。如果发现问题，应及时修改。

2. 楼梯的尺度设计

如图 11-8 所示，以双跑楼梯为例，说明楼梯尺寸的计算方法。

（1）根据层高 H 和初步选择的步高 h 确定每层步数 N，$N = \dfrac{H}{h}$。为了减少构件规格，一般尽量采用等跑梯段，因此 N 宜为偶数。若所求出 N 为奇数或非整数，可以反过来调整步高 h。

（2）根据步数 N 和初步选择的步高 h 决定梯段的水平投影长度 L

$$L = \left(\dfrac{N}{2} - 1\right) b \tag{11-1}$$

（3）确定梯井宽度。供儿童使用的楼梯梯井的宽度不应大于 120mm，以利于安全。

（4）根据楼梯间的净宽 A 和梯井宽 C，确定梯段宽度 a。

$$a = \dfrac{A - C}{2} \tag{11-2}$$

必须注意检验楼梯梯段的通行能力是否符合紧急疏散宽度的要求。

（5）根据中间平台宽度 D_1（$D_1 \geq a$）和楼层平台宽度 D_2（$D_2 \geq a$），以及梯段水平投影长度 L 检验确定楼梯间的进深净长度 B。

$$B = D_1 + L + D_2 \tag{11-3}$$

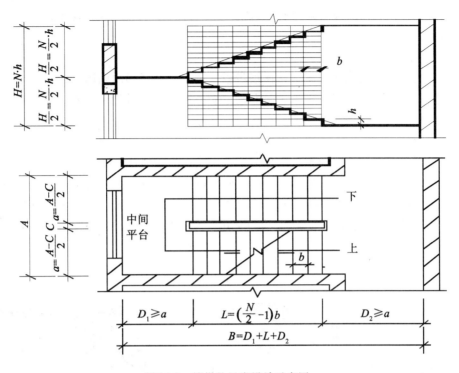

图 11-8 楼梯的尺度设计示意图

若不能满足上述要求，则对 L 值进行调整（即调整 b 值）。此外，楼梯常见开间和进深轴尺寸还应考虑符合楼梯建筑模数规定。一般是 100mm 或 300mm 的倍数。

§11.2 预制装配式钢筋混凝土楼梯构造

钢筋混凝土楼梯具有结构坚固耐久、节约木材、防火性能好、可塑性强等优点，得到广泛应用。按其施工方式可以分为预制装配式和现浇整体式。现浇整体式钢筋混凝土楼梯整体刚度好，但现场施工量大。预制装配式钢筋混凝土楼梯有利于节约模板、提高施工速度。本节讨论预制装配式钢筋混凝土楼梯的构造。根据构件的划分情况，预制装配式钢筋混凝土楼梯又可以分为大中型构件装配式以及小型构件装配式。

11.2.1 小型构件预制装配式钢筋混凝土楼梯

1. 基本形式

预制装配式钢筋混凝土楼梯按其构造方式可以分为墙承式、墙悬臂式和梁承式等类型。

（1）墙承式

预制装配墙承式钢筋混凝土楼梯踏步板两端支撑在墙体上，踏步板一般采用一字形、L形或倒L形断面。没有平台梁、梯斜梁和栏杆，需要时设置靠墙扶手。但由于踏步板直接安装入墙体，对墙体砌筑和施工速度影响较大。同时，踏步板入墙端的形状、尺寸与墙体砌块模数不容易吻合，砌筑质量不易保证。这种楼梯由于梯段间有墙，不易搬运家具，转弯处视线被遮挡，需要设置观察孔，对抗震不利，施工也较麻烦，现在只用于一般性小型建筑物中。

（2）墙悬臂式

预制装配墙悬臂式钢筋混凝土楼梯踏步板一端嵌固在楼梯的侧墙上，另一端悬挑在空中。踏步板一般采用L形或倒L形断面。没有平台梁、梯斜梁，栏杆安装在悬挑一端。由于对抗震不好，现在基本不采用了。

（3）梁承式

预制装配梁承式钢筋混凝土楼梯是指平台梁支撑在墙体或框架梁上，梯段板架在平台梁上的楼梯构造形式。由于在楼梯平台与斜向梯段交汇处设置了平台梁，避免了构件转折处受力不合理和节点处理的困难，同时平台梁既可以支撑于承重墙上又可以支撑于框架结构梁上，在一般性大量民用建筑物中较为常用。预制构件可以按梯段（板式或梁板式梯段）、平台梁、平台板三部分进行划分，如图11-9所示。

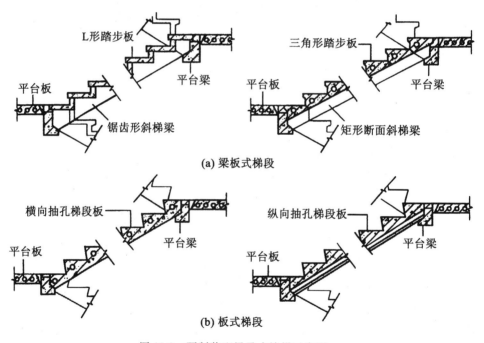

图11-9 预制装配梁承式楼梯示意图

本节以常用的平行双跑楼梯为例，阐述预制装配梁承式钢筋混凝土楼梯的一般构造。

2. 预制装配梁承式钢筋混凝土楼梯构件

（1）梯段

①梁板式梯段

梁板式梯段由梯斜梁和踏步板组成。一般踏步板两端各设一根梯斜梁，踏步板支撑在梯段斜梁上，斜梁支撑在平台梁上。踏步板一般采用一字形、三角形、L形或倒L形断面，如图11-10所示。梯段斜梁一般是锯齿形或矩形，如图11-11所示。

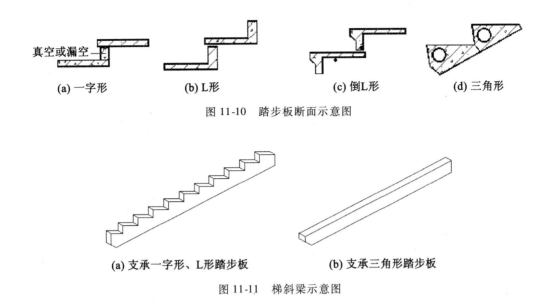

(a) 一字形　　(b) L形　　(c) 倒L形　　(d) 三角形

图 11-10　踏步板断面示意图

(a) 支承一字形、L形踏步板　　(b) 支承三角形踏步板

图 11-11　梯斜梁示意图

② 板式梯段

板式梯段为整块或数块带踏步条板，其上下端直接支撑在平台梁上。由于没有梯斜梁，板段底面平整，结构厚度小，板厚为 $\frac{L}{30} \sim \frac{L}{20}$（$L$ 为梯段水平投影跨度）。

（2）平台梁

为了便于支承梯斜梁或梯段板，平台梁一般是 L 形断面，如图 11-12 所示。断面高度按平台梁跨度的 $\frac{L}{12}$ 估算（L 为平台梁跨度）。

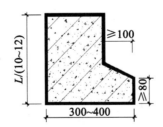

图 11-12　平台梁断面尺寸（单位：mm）

（3）平台板

平台板可以根据需要采用钢筋混凝土平板、槽板或空心板。当有管道穿过平台时，一般应不采用空心板。

3. 梯段与平台梁节点处理

梯段与平台梁的节点处理是构造设计的难点。就两梯段之间的关系而言，一般有梯段齐步和梯段错步两种方式。就平台梁与梯段之间的关系而言，有埋步和不埋步两种方式，如图 11-13 所示。

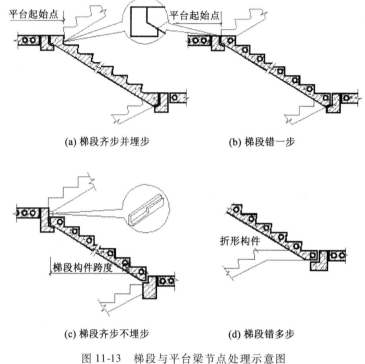

图 11-13 梯段与平台梁节点处理示意图

4. 构件连接

（1）踏步板与梯段斜梁连接

一般水泥砂浆坐浆现浇，若需加强，可以在梯斜梁预设插铁，与踏步板支撑端预留孔插接再用高强度等级砂浆填实，如图 11-14（a）所示。

（2）梯斜梁或梯段板与平台梁连接

首先以水泥砂浆坐浆现浇，再焊接预埋钢板，如图 11-14（b）所示。

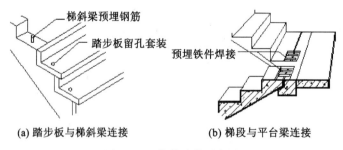

图 11-14 构件连接示意图

11.2.2 大中型构件预制装配式钢筋混凝土楼梯

大中型构件预制装配式钢筋混凝土楼梯其中的大型构件主要是以整个梯段以及整个平

台为单独的构件单元，在工厂预制好后运到现场安装。中型构件主要是沿平行于梯段或平台构件的跨度方向将构件划分成若干块，以减少对大型运输设备和起吊设备的要求。

1. 构件连接

钢筋混凝土的构件在现场可以通过构件上的预埋件焊接，也可以通过构件上的预埋件和预埋孔相互套接，如图 11-15 所示。

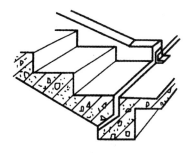
(a) 梯段板与平台梁通过预埋件焊接

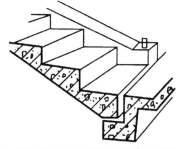
(b) 梯段板与平台梁通过预埋件和预留孔套接

图 11-15　大中型预制梯段构件与平台梁的连接示意图

2. 梯段构件与平台梁的交接关系

在平台梁设在平台口边缘处的情况下，对折楼梯的两个相邻梯段若在该处对齐，则梯段构件会在不同的高度进入同一根平台梁。这种情况在现浇工艺方面不难解决。但如果采用预制装配的工艺，因为两个相邻梯段需要在同一个搁置高度与平台梁相连，所以平台梁的位置只有移动，才能够使上、下梯段仍然在平台口处对齐，但这有可能会影响到梁下的净高。或将上、下梯段在平台口处错开半步或一步，构件就容易在同一高度进支座，但楼梯间的长度会因此而增加。图 11-16 是梯段构件与平台梁交接的几种方式。

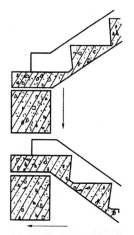
(a) 上下跑对齐时矩形平台梁下移、后移、梁下净空减小

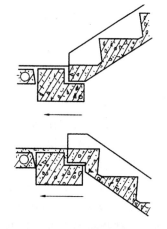
(b) 上下跑对齐时L形平台梁后移，梁下净空不减小

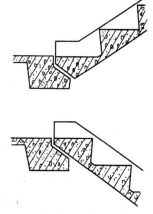
(c) 上下跑错半步，方便平台梁与上下梯段在同一高度相连

图 11-16　装配式楼梯梯段构件与平台梁的交接关系示意图

§11.3 现浇整体式钢筋混凝土楼梯构造

现浇整体式钢筋混凝土楼梯在施工时通过支模、绑扎钢筋、浇筑混凝土,从而与建筑物主体部分浇筑成整体。其整体性好,刚度大,可以现场支模,又为许多非直线形的楼梯的制作提供了方便。一般大量应用在各种建筑物中,也便于与各种材料组合,楼梯形式多样。但施工复杂,模板耗费多。

现浇整体式钢筋混凝土楼梯按其结构形式的不同,分为板式楼梯和梁板式楼梯两种。

11.3.1 板式楼梯

板式楼梯是由楼梯段承担梯段上全部荷载的楼梯。楼梯板分为有平台梁和无平台梁两种情况。有平台梁的板式楼梯,梯段相当于是一块斜放的现浇板,平台梁是支座,梯段内的受力钢筋沿梯段的长向布置,平台梁之间的距离为楼梯段的跨度,如图11-17(a)所示。

无平台梁的板式楼梯是将楼梯段和平台板组合成一块折板,取消平台梁,这时板的跨度为楼梯段的水平投影长度与平台宽度之和,如图11-17(b)所示。

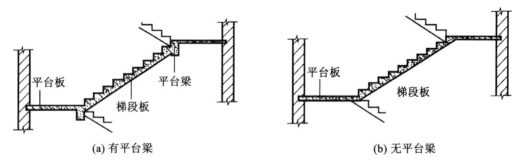

图 11-17 板式楼梯示意图

11.3.2 梁板式楼梯

梁板式楼梯是由梯斜梁承担梯段上全部荷载的楼梯。楼梯段由踏步板和斜梁组成,斜梁两端支撑在平台梁上,踏步板将荷载传递给梯斜梁,梯斜梁将荷载传递给平台梁。梁板式梯段的宽度相当于踏步板的跨度,平台梁的间距即为梯斜梁的跨度。

梁板式梯段的斜梁位于踏步板的下部,这时踏步外露,称为明步楼梯,如图11-18(a)所示。这种做法使梯段下部形成梁的暗角,容易积灰,梯段侧面经常被清洗踏步产生的脏水污染,影响美观。梯斜梁位于踏步板的上部,这时踏步被斜梁包在里面,称为暗步楼梯,如图11-18(b)所示。暗步楼梯弥补了明步楼梯的缺陷,但由于斜梁宽度必须满足结构的要求,往往宽度较大,从而使梯段的净宽变小。

梁板式楼梯的斜梁一般设置在梯段的两侧(见图11-19(b))。但斜梁有时只设一根,

第 11 章　楼梯及其他垂直交通设施构造

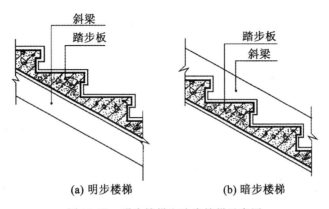

(a) 明步楼梯　　　　　(b) 暗步楼梯

图 11-18　明步楼梯和暗步楼梯示意图

通常有两种形式：一种是在踏步板的一侧设斜梁，将踏步板的另一侧搁置在楼梯间墙上（见图 11-19（a））；另一种是将斜梁布置在踏步板的中间，踏步板向两侧悬挑（见图 11-19（c））。单梁式楼梯受力较复杂，但其外形轻巧、美观，多用于对建筑空间造型有较高要求的场所。

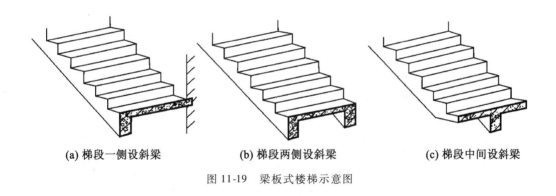

(a) 梯段一侧设斜梁　　　(b) 梯段两侧设斜梁　　　(c) 梯段中间设斜梁

图 11-19　梁板式楼梯示意图

§11.4　楼梯的细部构造

楼梯是建筑物中与人体接触频繁的构件，为了保证楼梯的使用安全，同时也为了楼梯的美观，应对楼梯的踏步面层、踏步细部、栏杆和扶手进行适当的构造处理。

11.4.1　踏步面层及防滑处理

1. 踏步面层

一般公共楼梯的人流量大，使用率高，应该选用耐磨、防滑、美观、不起尘的材料。一般认为，凡是可以用来做室内地坪面层的材料，均可以用来做踏步面层。常见的踏步面层有水泥砂浆面层、水磨石面层、地面砖面层、各种天然石材面层等。

2. 防滑处理

为防止楼梯上行人的滑跌，在踏步前缘应有防滑措施。踏步前缘也是踏步磨损最厉害的部位，设置防滑措施可以提高踏步前缘的耐磨程度，起到保护作用。常见的踏步防滑措施有：在距踏步面层前缘40mm处设2~3道防滑凹槽（见图11-20（a））；在距踏步面层前缘40~50mm处设防滑条（见图11-20（b））；设防滑包口（见图11-20（c））等。

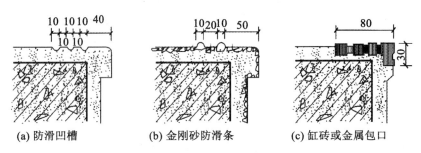

图11-20 踏步防滑处理示意图

11.4.2 栏杆（栏板）与扶手构造

1. 栏杆和栏板

栏杆一般采用方钢、圆钢、扁钢、钢管等制作成各种图案，既起安全防护作用，又有一定的装饰效果（见图11-21（a））。栏杆杆件形成的空花尺寸不宜过大，通常控制在120~150mm之间，以避免不安全感。在托幼及小学等建筑物中，栏杆应采用不易攀登的垂直线饰，且垂直线饰间的净距不大于110mm，以防止儿童从间隙中跌落。

栏板是用实体材料制作的。通常采用钢筋混凝土或配筋的砖砌体、木材、玻璃等（见图11-21（b））。栏板的表面应平整光滑，便于清洗。

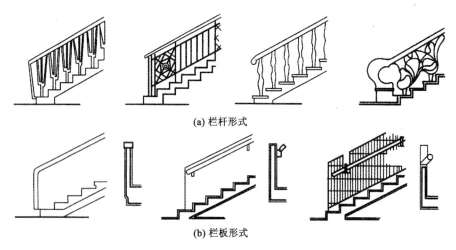

图11-21 楼梯栏杆及栏板示意图

组合栏杆是将栏杆和栏板组合在一起的一种栏杆形式。栏杆部分一般采用金属杆件，栏板部分可以采用预制混凝土板材、有机玻璃、钢化玻璃、塑料板等。

2. 扶手形式

室内楼梯的扶手多采用木制品，也有采用合金或不锈钢等金属材料以及工程塑料等材料的。室外楼梯的扶手较少采用木料，以避免产生开裂及翘曲变形。金属和塑料是常用的室外楼梯扶手材料，此外，采用石料及混凝土预制件材料的也并不少见。

扶手断面形式和尺寸的选择既要考虑人体尺度和使用要求，又要考虑与楼梯的尺度关系和加工制作的可能性。

3. 栏杆扶手连接构造

(1) 栏杆与扶手连接

楼梯扶手一般是连续设置的，除金属扶手可以与金属立杆直接焊接外，木制和塑料扶手与钢立杆连接往往还要借助于焊接在立杆上通长的扁铁来与扶手用螺钉连接或卡接。图 11-22 展示了几种常见的楼梯扶手的断面形式和安装方法。

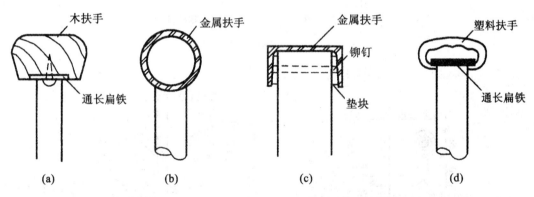

图 11-22 常见扶手的断面形式和安装方法示意图

(2) 栏杆与梯段连接

栏杆与梯段连接的方式有：栏杆与楼梯段上的预埋件焊接（见图 11-23（a））；栏杆插入楼梯段上的预留洞中，用细石混凝土、水泥砂浆或螺栓固定（见图 11-23（b）、(c)）；在踏步侧面预留孔洞或预埋铁件进行连接（见图 11-23（d）、(e)）。

(3) 扶手与墙面连接

当直接在墙上装设扶手，一般在墙上留洞，将扶手连接杆伸入洞内，用细石混凝土嵌固；或预埋钢板或螺栓焊接，如图 11-24 所示。

顶层平台上的水平扶手端部与墙体的连接一般是在墙上预留孔洞，用细石混凝土或水泥砂浆填实（见图 11-25（a））；也可以将扁钢用木螺丝固定在墙内预埋的防腐木砖上（见图11-25（b））；当为钢筋混凝土墙或柱时，则可以预埋铁件焊接（见图 11-25（c））。

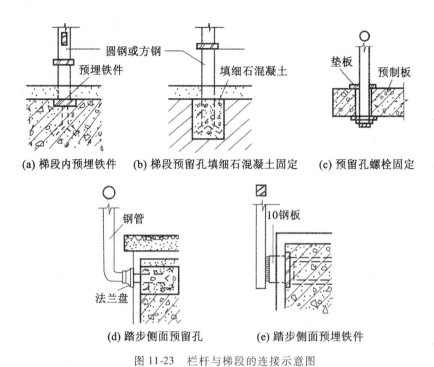

图 11-23　栏杆与梯段的连接示意图

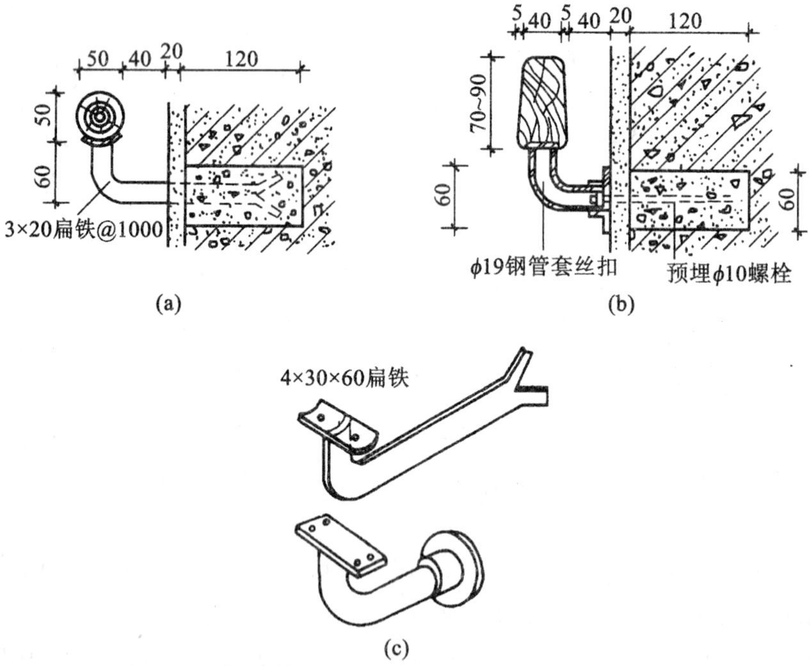

图 11-24　靠墙扶手与墙面连接示意图（单位：mm）

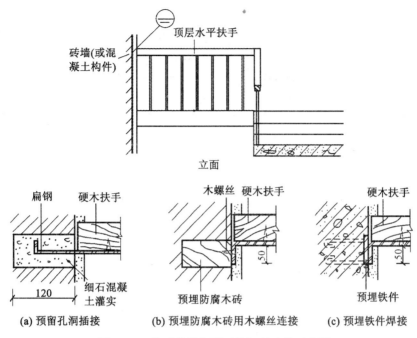

图 11-25 扶手端部与墙（柱）的连接示意图

§11.5 室外台阶与坡道

室外台阶与坡道是建筑物出入口处室内外高差之间的交通联系部件。台阶可以供人们进出建筑物之用，坡道是为车辆进出无障碍而设置的，有时会把台阶与坡道合并在一起共同工作。

11.5.1 台阶

1. 台阶尺度

台阶处于室外，踏步宽度比楼梯大一些。其踏步高一般在 100～150mm 之间，踏步宽在 300～400mm 之间。平台深度一般不应小于 1 000mm，平台需做 3% 左右的排水坡度，以利于雨水排除。如图 11-26 所示。考虑有无障碍设计坡道时，出入口平台深度不应小于 1 500mm。平台处铁篦子空格尺寸不大于 20mm。

2. 台阶的构造

室外台阶由平台和踏步组成。台阶应待建筑物主体工程完成后再进行施工，并与主体结构之间留出约 10mm 的沉降缝。

台阶的构造分实铺和架空两种，大多数台阶采用实铺。台阶由面层、垫层、基层等组成，面层应采用水泥砂浆、混凝土、水磨石、缸砖、天然石材等耐气候作用的材料。严寒地区的台阶还需考虑地基土冻胀因素，可以用含水率低的砂石垫层换土至冻土线以下。图 11-27 为几种台阶做法示例。

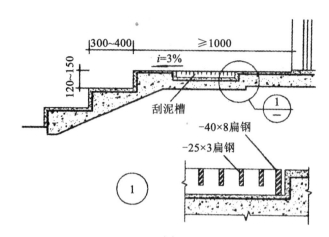

图 11-26 台阶尺度示意图（单位：mm）

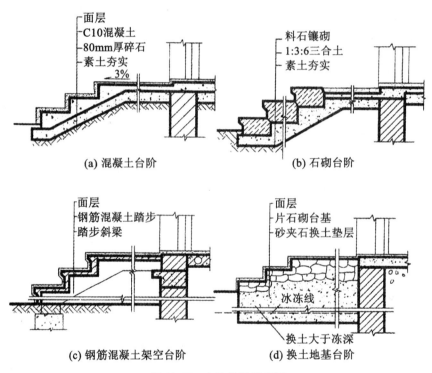

图 11-27 台阶构造示意图

11.5.2 坡道

1. 坡道的分类

坡道按照其用途的不同，可以分成行车坡道和轮椅坡道两类。

行车坡道分为普通行车坡道和回车坡道两种。普通行车坡道布置在有车辆进出的建筑物入口处，如车库、库房等。回车坡道与台阶踏步组合在一起，布置在某些大型公共建筑物入口处，如医院、旅馆等。

轮椅坡道是便于残疾人通行的坡道,轮椅坡道还适合于拄拐杖和借助导盲棍者通过,坡道的形式如图 11-28 所示。轮椅坡道的坡度必须较为平缓,还必须有一定的宽度。以下是有关的一些规定。

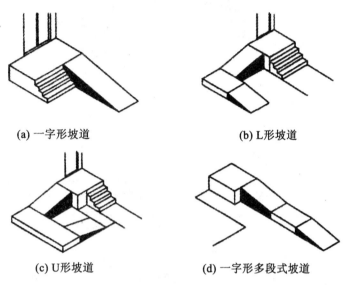

图 11-28 坡道示意图

(1) 坡道的坡度

我国对便于残疾人通行的坡道的坡度标准为不大于 $\frac{1}{12}$,同时还规定与之相匹配的每段坡道的最大高度为 750mm,最大坡段水平长度为 9 000mm。

(2) 坡道的宽度及平台宽度

为便于残疾人使用的轮椅顺利通过,室内坡道的最小宽度应不小于 900mm,室外坡道的最小宽度应不小于 1 500mm。图 11-29 表示相关的坡道平台所应具有的最小宽度。

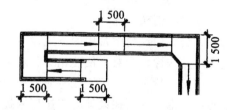

图 11-29 坡道休息平台的最小深度示意图(单位:mm)

(3) 坡道扶手

坡道两侧宜在 900mm 高度处和 650mm 高度处设置上、下层扶手,扶手应安装牢固,能承担身体重量,扶手的形状应易于抓握。两段坡道之间的扶手应保持连贯性。坡道的起点处和终点处的扶手,应水平延伸 300mm 以上。坡道侧面凌空时,栏杆下端宜设置高度不小于 50mm 的安全挡台,如图 11-30 所示。

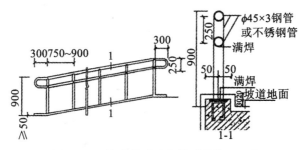

图 11-30 坡道扶手示意图（单位：mm）

2. 坡道的构造

坡道地面应平整，面层宜选用防滑及不易松动的材料，构造做法如图 11-31 所示。

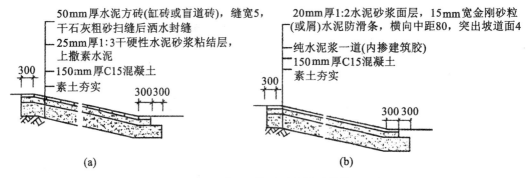

图 11-31 坡道地面构造示意图（单位：mm）

§11.6 电梯与自动扶梯

在多层和高层建筑物以及某些工厂、医院中，为了上、下运行的方便、快速和实际需要，常设有电梯。电梯有乘客电梯和载货电梯两大类，部分高层建筑物及超高层建筑物为了满足疏散和救火的需要，还设置有消防电梯。

自动扶梯是人流集中的大型公共建筑物中常用的建筑设备。在大型商场、展览馆、火车站、航空港等建筑物中设置自动扶梯，会对方便使用者、疏导人流起到很大的作用。

电梯和自动扶梯的安装及调试一般由生产厂家或专业公司负责。不同厂家提供的设备尺寸、运行速度以及对土建的要求都不同，在设计时应按厂家提供的产品尺度进行设计。

11.6.1 电梯

1. 电梯的类型

按照电梯的用途不同，电梯的类型可以分为乘客电梯、载货电梯、客货电梯、病床电梯、观光电梯、杂物电梯等。

按照电梯的速度不同，电梯的类型可以分为高速电梯（速度大于 2m/s）、中速电梯（速度在 1.5~2m/s 之间）和低速电梯（速度在 1.5m/s 以内）。

按照对电梯的消防要求，电梯的类型可以分为普通乘客电梯和消防电梯。

2. 电梯的组成

电梯由井道、机房和轿厢三部分组成，如图 11-32 所示。

电梯井道是电梯轿厢运行的通道，一般采用现浇混凝土墙；当建筑物高度不大时，也可以采用砖墙；观光电梯可以采用玻璃幕墙。

电梯机房一般设在电梯井道的顶部，其平面尺寸及剖面尺寸均应满足设备的布置、方便操作和维修要求，并具有良好的采光和通风条件。

3. 电梯井道的构造设计

电梯井道的构造设计应满足如下要求：

（1）平面尺寸

电梯井道的平面净尺寸应满足电梯生产厂家提出的安装要求。

（2）电梯井道的防火

电梯井道和机房四周的围护结构必须具备足够的防火性能，其耐火极限不低于该建筑物耐火等级的规定。当电梯井道内超过两部电梯时，必须用防火结构隔开。

（3）电梯井道的隔振与隔声

一般在电梯机房的机座下设弹簧垫层隔振，并在电梯机房下部设置 1.5m 左右的隔声层，如图 11-33 所示。

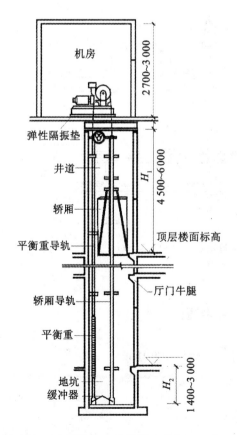
图 11-32 电梯的组成示意图（单位：mm）

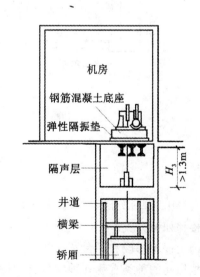
图 11-33 电梯井道的隔振与隔声示意图

(4) 电梯井道的通风

在电梯井道的顶层和中部适当位置（高层时）及坑底处设置不小于 300mm×600mm 或面积不小于电梯井道面积 3.5% 的通风口，通风口总面积的 $\frac{1}{3}$ 应经常开启。

11.6.2　自动扶梯

自动扶梯适用于有大量人流上、下的公共场所，坡度一般采用 30°，按运输能力分为单人自动扶梯、双人自动扶梯两种型号，其位置应设在大厅的突出明显位置。

自动扶梯由电动机械牵引，机房悬挂在楼板的下方，踏步与扶手同步，可以正向、逆向运行，在机械停止运转时，自动扶梯可以作为普通楼梯使用，如图 11-34 所示。

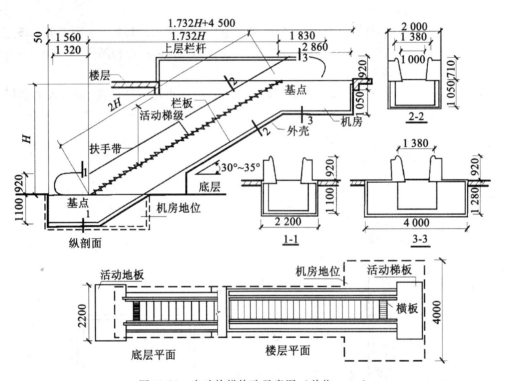

图 11-34　自动扶梯构造示意图（单位：mm）

复习思考题

1. 楼梯由哪些部分所组成？各组成部分有哪些作用及要求？
2. 楼梯如何分类？
3. 确定楼梯梯段和平台宽度的依据是什么？
4. 楼梯间的种类有哪几种？各自的特点是什么？
5. 楼梯的净空高度有哪些规定？如何调整首层通行平台下的净高？

6. 小型构件预制装配式钢筋混凝土楼梯按其构造方式有哪些类型？
7. 现浇整体式钢筋混凝土楼梯的特点是什么？
8. 现浇钢筋混凝土楼梯按结构形式的不同，分为哪几种？
9. 楼梯踏步的防滑措施有哪些？
10. 楼梯栏杆与梯段的连接方式有哪些？试作图表示。
11. 台阶的踢面、踏面和平台深度尺寸如何规定？
12. 轮椅坡道的坡度、长度、宽度如何规定？
13. 电梯如何分类？电梯由哪几部分组成？

第 12 章 屋 顶 构 造

本章提要：本章内容主要包括屋顶的类型、组成和设计要求；平屋顶的排水组织方法和防水构造做法；坡屋顶的类型、组成和坡屋顶的细部构造。对屋顶的保温和隔热等知识也作了适当的介绍。

§12.1 概 述

屋顶是房屋最上部的维护结构，为满足相应的使用功能要求，为建筑物提供适宜的内部空间环境。屋顶也是其自身的承重结构，受到材料、结构、施工条件等因素的制约。屋顶又是建筑物体量的一部分，其形式对建筑物的造型有很大的影响，因而设计中还应注意屋顶的美观问题。在满足其他设计要求的同时，力求创造出适合各种类型建筑物的屋顶。

12.1.1 屋顶的组成与类型

1. 组成

屋顶是房屋上面的构造部分。各种形式的屋顶基本上都是由屋面、屋顶承重结构、保温隔热层和顶棚组成，如图 12-1 所示。

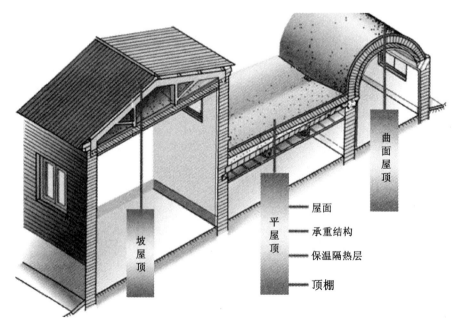

图 12-1 屋顶组成示意图

(1) 屋面

屋面是屋顶的顶层，屋面直接承受大自然的长期侵袭，并应承担施工和检修过程中加在上面的荷载，因此屋面材料应具有一定的强度和很好的防水性能。

(2) 屋顶承重结构

不同的屋面材料应有相应的承重结构。承重结构的种类很多，按其材料分为木结构、钢筋混凝土结构、钢结构等。

(3) 保温层、隔热层

组成屋顶前两部分的材料，即屋面材料和承重结构材料，保温和隔热性能都很差，在寒冷的北方地区必须加设保温层，在炎热的南方地区则必须加设隔热层。

(4) 顶棚

对于每个房间来说，顶棚就是房间的顶面，对于平房或楼房的顶层房间来说，顶棚也就是屋顶的底面，当屋顶结构的底面不符合使用要求时，就需要另做顶棚。顶棚结构一般吊挂在屋顶承重结构上，称为吊顶。

坡屋顶顶棚上的空间称为闷顶，若利用这个空间作为使用房间，称为阁楼，在南方地区可以利用阁楼通风降温。

2. 屋顶的类型

由于不同的屋面材料和不同的承重结构形式，形成了多种屋顶类型，一般可以归纳为常见的三大类：平屋顶、坡屋顶、曲面屋顶，另外还有多波式折板屋顶等，如图12-2所示。

(1) 平屋顶

承重结构为现浇或预制的钢筋混凝土板，屋面上做防水、保温或隔热处理。平屋顶的坡度很小，一般采用5%以下，上人屋顶坡度在2%左右。平屋顶既是承重构件又是维护结构。为满足多方面的功能要求，屋顶构造具有多种材料叠合、多层次做法的特点。

(2) 坡屋顶

坡度在10%以上的屋顶称为坡屋顶。坡屋顶一般由斜屋面组成，坡屋顶包括单坡、双坡、四坡、歇山式、折板式等多种形式。坡屋顶的坡度由屋架形成或把顶层墙体、大梁等结构构件上表面做成一定坡度，屋面板依势铺设形成坡度。

(3) 曲面屋顶

曲面屋顶多用于较大跨度的公共建筑物，如拱屋盖、薄壳屋盖、折板屋盖、悬索屋盖、网架屋盖等。由各种薄壳结构或悬索结构作为屋顶的承重结构，如双曲拱屋顶、球形网壳屋顶等，如图12-3所示。

曲面屋顶的结构形式独特，其传力系统、材料性能、施工及结构技术等都有一系列的理论和规范，再通过结构设计形成结构覆盖空间。建筑设计应在此基础上进行艺术处理，以创造出新型的建筑形式。

12.1.2 屋顶的功能和设计要求

1. 功能

屋顶是建筑物顶部的覆盖构件，屋顶的作用主要有两点：一是作为外围护构件：抵御自然界的风霜雪雨、太阳辐射、气候变化和其他来自外界的不利因素，使屋顶覆盖下的空

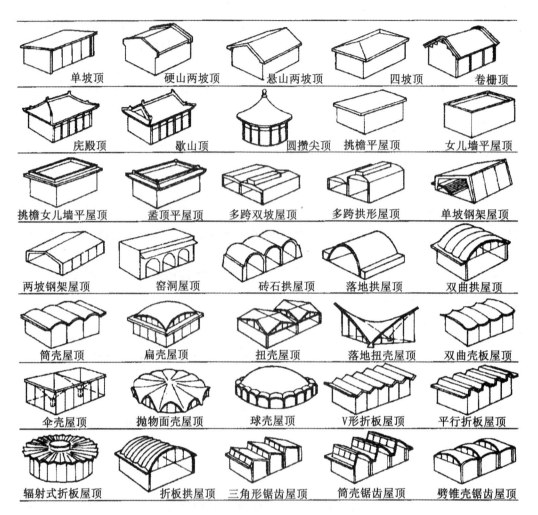

图 12-2 各种类型屋顶的形态

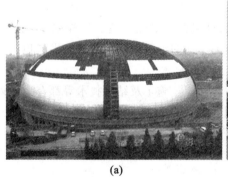

(a)

(b)

图 12-3 曲面屋顶的形态

间有一个良好的使用环境。二是作为承重构件,承担建筑物顶部的荷载并将这些荷载传递给下部的承重构件,同时还起着对房屋上部的水平支撑作用。

2. 设计要求

(1) 承重要求

屋顶除要承担自重外,还应承担风、雨、雪的压力,承担施工、维修时的荷载。

(2) 保温隔热要求

屋面是建筑物最上部的围护结构,应能防止严寒季节室内热量经屋面向外大量传递。

(3) 防水、排水要求

为了防止雨水渗透进入室内,影响房屋的正常使用,屋顶应设置防水、排水系统。屋顶防水是一项综合技术,这项技术涉及建筑及结构的形式、防水材料、屋顶坡度、屋面构造处理等问题,需综合加以考虑。设计中应遵循防水与排水相结合的原则解决屋顶的防漏问题。

我国现行的《屋面工程技术规范》(GB50207—1994)中,根据建筑物的性质、重要程度、使用功能要求及防水耐久年限等,将屋面防水划分为四个等级,各等级均有不同的设防要求,如表12-1所示。

表 12-1　　　　　　　　　　　屋面防水等级和设防要求

项　目	屋面防水等级			
	Ⅰ	Ⅱ	Ⅲ	Ⅳ
建筑物类别	特别重要的民用建筑物和对防水有特殊要求的工业建筑物。	重要的工业与民用建筑物、高层建筑物。	一般的工业与民用建筑物。	非永久性的建筑物。
防水层耐用年限	25 年	15 年	10 年	5 年
防水层选用材料	宜选用合成高分子防水卷材、高聚物改性沥青防水卷材、合成高分子防水涂料、细石防水混凝土等材料。	宜选用高聚物,改性沥青防水卷材,合成高分子防水卷材、合成高分子防水涂料、细石防水混凝土、平瓦等材料。	应选用高聚物改性沥青防水卷材,高聚物改性沥青防水涂料、沥青基防水涂料、刚性防水层、平瓦、油毡瓦等。	可以选用二毡三油沥青防水卷材、高聚物改性沥青防水卷材、波形瓦等材料。
设防要求	三道或三道以上防水设防,其中应有一道合成高分子防水卷材,且只能有一道厚度不小于2mm的合成高分子防水涂膜。	二道防水设防,其中应有一道卷材。也可以采用压型钢板进行一道设防。	一道防水设防,或两种防水材料复合使用。	一道防水设防。

(4) 美观要求

屋顶是建筑物外观类型的反映。屋顶的形式、所用的材料及颜色均与美观有关。

在上述要求中,防水和排水是非常重要的内容。屋顶的防水和排水性能是否良好,取决于屋面材料和构造处理。防水是指屋面材料应具有一定的抗渗能力,或采用不透水材料做到不漏水;排水则是使屋面雨水能迅速排除而不积存,以减少渗漏的可能性。

(5) 其他要求

在社会进步和科技发展的今天,建筑设计中需要考虑屋顶花园、消防扑救和疏散等问题,要注重"节能型"屋面的利用和开发,也有一些屋顶附带有停机坪等功能,这些要求设计者在设计中要协调好屋顶要求之间的关系,以期最大限度地发挥屋顶的综合效益。

§12.2 屋顶排水设计

12.2.1 排水坡度

为了排水,屋面应有适当坡度,而坡度的大小又取决于屋面材料的防水性能。各种屋面的坡度与屋面材料、地理气候条件、屋顶结构形式、施工方法、构造组合方式、建筑造型要求以及经济等方面的影响都有一定的关系。其中屋面覆盖材料的形体尺寸对屋面坡度形成的关系比较大。一般情况下,屋面覆盖材料的面积越小,其厚度越大,屋面排水坡度亦越大。反之,屋面覆盖材料的面积越大,其厚度越薄,则屋面排水坡度就可以较为平坦一些。不同的屋面防水材料有各自的排水坡度范围,如图12-4所示。

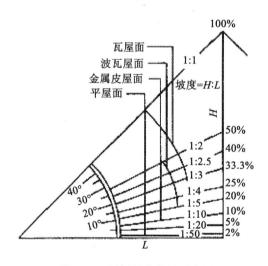

图 12-4 屋面坡度范围示意图

1. 屋面坡度的表示方法

(1) 角度法

角度法是以倾斜屋面与水平面所成的夹角表示。如 $\alpha = 26°$、$30°$ 等,在实际工程中不常用,如图 12-5(a)所示。

(2)斜率法

斜率法以屋顶高度和剖面的水平投影长度之比来表示屋面的排水坡度。如 $H:L=1:2$、$1:20$、$1:50$ 等,用于平屋顶及坡屋顶,如图 12-5(b)所示。

(3)百分比法

百分比法是以屋顶高度与其水平投影长度的百分比来表示排水坡度。如 $i=1\%$、2%、3% 等,主要用于平屋顶,适合于较小的坡度,如图 12-5(c)所示。

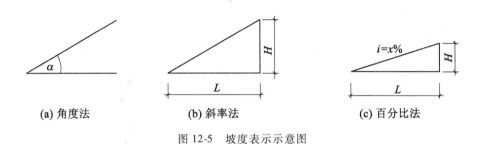

图 12-5 坡度表示示意图

2. 影响屋面排水坡度大小的因素

影响屋面排水坡度大小的主要因素有屋面防水材料的大小和当地降雨量两个方面。

(1)屋面防水材料与排水坡度的关系

防水材料如果尺寸较小,接缝必然较多,容易产生缝隙渗漏,因而屋面应有较大的排水坡度,以便将屋面积水迅速排除。如果屋面的防水材料覆盖面积大,接缝少而且严密,屋面的排水坡度就可以小一些。

(2)降雨量大小与坡度的关系

降雨量大的地区,屋面渗漏的可能性较大,屋顶的排水坡度应适当加大,反之,屋顶排水坡度则宜小一些。我国南方地区年降雨量较大,北方地区年降雨量较小,因而在屋面的防水材料相同时,一般南方地区的屋面坡度大于北方地区的屋面坡度。

(3)其他因素的影响

影响屋面的其他因素主要有屋面排水路线的长短,上人或不上人,屋面蓄水等。

3. 屋面排水坡度的形成

屋面排水坡度的形成应考虑以下因素:建筑构造做法合理,满足房屋室内、外空间的视觉要求;不过多增加屋面荷载;结构经济合理,施工方便等。

(1)材料找坡

材料找坡亦称为填坡,屋顶结构层可以像楼板一样水平搁置,采用价廉、质轻的材料,如炉渣加水泥或石灰来垫置屋面排水坡度,上面再做防水层(见图 12-6(a))。必须设置保温层的地区,也可以用保温材料来形成坡度。材料找坡适用于跨度不大的平屋盖。

(2)结构找坡

结构找坡亦称为撑坡,屋顶的结构层根据屋面排水坡度搁置成倾斜,再铺设防水层等(见图 12-6(b))。这种做法不需另加找坡层,荷载轻、施工简便,造价低,但不另设吊顶棚时,顶面稍有倾斜。房屋平面凹凸变化时应另加局部垫坡。结构找坡一般适用于屋面进深较大的建筑物。

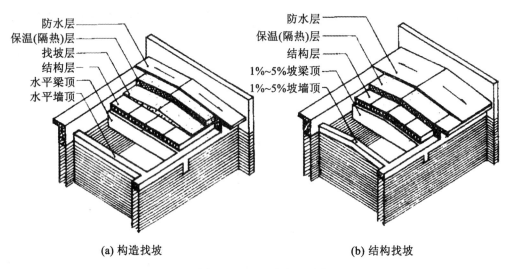

(a) 构造找坡　　　　　　　　(b) 结构找坡

图 12-6　屋面坡度的形成

12.2.2　屋面排水方式

屋面排水方式可以分为无组织排水和有组织排水两大类

1. 无组织排水

无组织排水又称为自由落水，是指屋面雨水直接从檐口落至室外地面的一种排水方式。具有构造简单、造价低廉的优点，但屋面雨水自由落下会溅湿墙面，外墙墙脚常被飞溅的雨水侵蚀，影响到外墙的坚固耐久性，并可能影响人行道的交通（见图 12-7（a））。

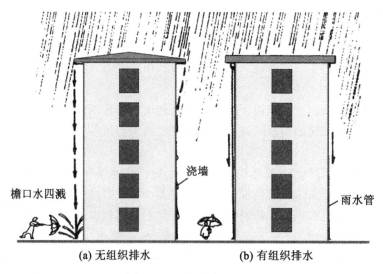

(a) 无组织排水　　　　　　　　(b) 有组织排水

图 12-7　屋面坡度的形成

无组织排水方式主要适用于少雨地区或一般低层建筑物,不宜用于临街建筑物和高度较高的建筑物。坡屋顶无组织排水具体方案,如图12-8所示。

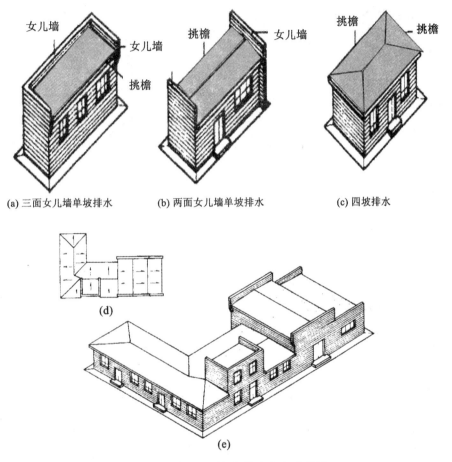

图12-8 坡屋面无组织排水方案示意图

2. 有组织排水

有组织排水是指屋面雨水通过排水系统,有组织地排至室外地面或地下管沟的一种排水方式(见图12-7(b))。这种排水方式具有不妨碍人行交通、不易溅湿墙面的优点,因而在建筑工程中应用非常广泛。但与无组织排水相比较,其构造较复杂,造价相对较高。

(1)外排水

外排水是指雨水管装设在室外的一种排水方案,其优点是雨水管不妨碍室内空间的使用和美观,构造简单,因而被广泛采用。

常用外排水方式主要有檐沟外排水、女儿墙外排水、女儿墙檐沟外排水三种,如图12-9所示。另外还有暗管外排水,如图12-10所示。一般情况下应尽量采用外排水方案,因为有组织排水构造较复杂,极易造成渗漏。

(2)内排水

内排水是指水落管位于外墙内侧,如图12-10(e)所示。多跨房屋的中间跨为简化

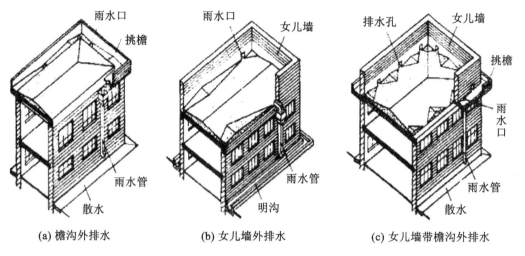

图 12-9 有组织排水常见方式示意图

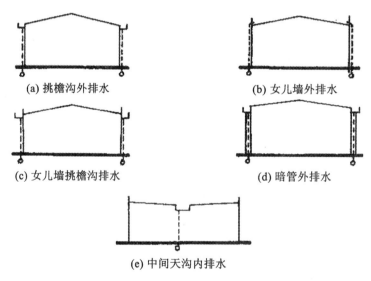

图 12-10 有组织排水方案示意图

构造,以及考虑高层建筑物的外立面美观和寒冷地区防止水落管冰冻堵塞等情况时,可以采用内排水方式。具体方案如图 12-11 所示。

采用有组织排水时,应使屋面流水线路短捷,檐沟或天沟流水通畅,雨水口的负荷适当且布置均匀。对排水系统还有以下要求:

(1) 层面流水线路不宜过长,因而层面宽度较小时可以做成单坡排水;若层面宽度较大,例如 12m 以上时宜采用双坡排水。

(2) 水落口负荷按每个水落口排除 $150\sim200m^2$ 层面集水面积的雨水量计算。当屋面有高差时,若高处屋面的集水面积小于 $100m^2$,可以将高处屋面的雨水直接排在低屋面上,但出水口处应采取防护措施;若高处屋面的集水面积大于 $100m^2$,高屋面则应自成排

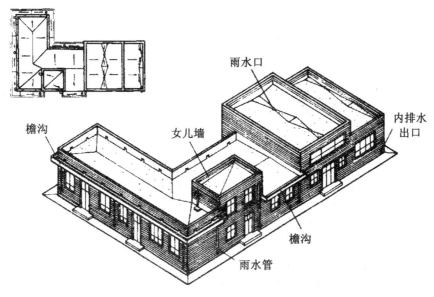

图 12-11 有组织排水示意图

水系统。

为了简化计算,常用水落口的间距来控制负荷。一般建筑物水落口间距宜为 18～24m。

(3) 檐沟或天沟应有纵向坡度使沟内雨水过排至落。纵坡一般为 1%,用石灰炉渣等轻质材料垫置起坡。

(4) 檐沟净宽不小于 200mm,分水线处最小深度大于 120mm。

(5) 水落管的管径有 75mm,100mm,125mm 等,常用 100mm。

12.2.3 屋顶排水组织设计

屋顶排水组织设计的主要任务是将屋面划分成若干排水区,分别将雨水引向雨水管,做到排水线路简捷、雨水口负荷均匀、排水顺畅、避免屋顶积水而引起渗漏。一般按下列步骤进行。

1. 确定排水坡面的数目 (分坡)

一般情况下,临街建筑物平屋顶屋面宽度小于 12m 时,可以采用单坡排水;当其宽度大于 12m 时,宜采用双坡排水。坡屋顶应结合建筑造型要求选择单坡、双坡或四坡排水。

2. 划分排水区

划分排水区的目的在于合理地布置水落管。排水区的面积是指屋面水平投影的面积,每一根水落管的屋面最大汇水面积不宜大于 200m²。雨水口的间距在 18～24m 之间。

3. 确定天沟所用材料和断面形式及尺寸

天沟即屋面上的排水沟,位于檐口部位时又称为檐沟。设置天沟的目的是汇集屋面雨水,并将屋面雨水有组织地迅速排除。天沟根据屋顶类型的不同有多种做法。如坡屋顶中可以用钢筋混凝土、镀锌铁皮、石棉水泥等材料做成槽形或三角形天沟。平屋顶的天沟一般用钢筋混凝土制作，当采用女儿墙外排水方案时，可以利用倾斜的屋面与垂直的墙面构成三角形天沟，图12-12所示；当采用檐沟外排水方案时，通常采用专用的槽形板做成矩形天沟，如图12-13所示。

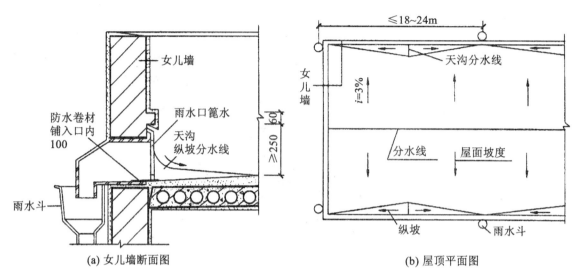

图12-12 平屋顶女儿墙外排水三角形天沟示意图

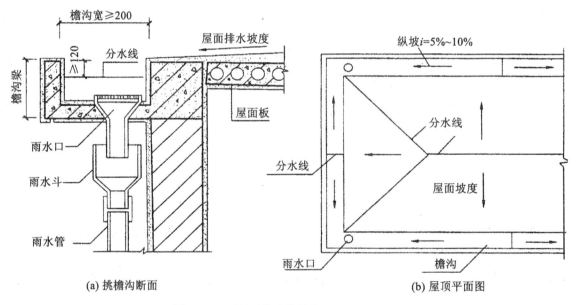

图12-13 平屋顶檐沟外排水矩形天沟示意图

12.2.4 确定水落管规格及间距

水落管按其材料的不同有铸铁管、镀锌铁皮管、塑料管、石棉水泥管和陶土管等，目前多采用铸铁管和塑料管，其直径有50mm、75mm、100mm、125mm、150mm、200mm等若干种规格，一般民用建筑物中最常用的水落管直径为100mm，面积较小的露台或阳台可以采用直径为50mm或75mm的水落管。水落管的位置应在实墙面处，其间距一般在18m以内，最大间距不宜超过24m，因为间距过大，则沟底纵坡面越长，会使沟内的垫坡材料增厚，减少了天沟的容水量，造成雨水溢向屋面引起渗漏或从檐沟外侧涌出。

§12.3　平屋顶设计

12.3.1　平屋顶的排水坡度

平屋顶一般为现浇或预制钢筋混凝土结构，为保证平屋顶的防水质量，现已大多采用现浇屋面板形式。屋面坡度的形式有两种，一是直接将屋面板根据屋面排水坡度铺设成倾斜，称为结构找坡；二是在平铺的屋面板上用轻质材料垫出屋面所需的排水坡度，称为材料找坡。

平屋顶屋面的最小排水坡度：结构找坡宜为3%；材料找坡宜为2%。当屋面跨度大于18m时，应采用结构找坡，以满足排水坡度的要求，同时节约用料。平屋顶的天沟、檐沟其纵向坡度不应小于1%，沟底水落差不得超过200mm，且不得流经变形缝和防火墙。

12.3.2　平屋顶的防水构造

平屋顶的防水构造涉及屋面防水材料，不同的屋面防水材料有着不同的构造要求与做法。目前国内常用的平屋顶防水材料主要分为卷材防水材料、涂膜防水材料和刚性防水材料等若干种。

1. 卷材防水屋面

卷材防水屋面是指以防水卷材和粘结剂分层粘贴而构成防水层的屋面。卷材防水屋面所用卷材有沥青类卷材、高分子类卷材、高聚物改性沥青类卷材等。卷材防水屋面较能适应温度、振动、不均匀沉陷因素的变化作用，能承受一定的水压，其整体性好，不易渗漏。若严格遵守施工操作规程能保证防水质量，但施工操作较为复杂，技术要求较高。适用于防水等级为Ⅰ～Ⅳ级的屋面防水，如表12-2所示。

（1）卷材防水屋面的构造层次和做法

卷材防水屋面由多层材料叠合而成，其基本构造层次按构造要求由结构层、找坡层、找平层、结合层、防水层和保护层组成，如图12-14所示。

①结构层

结构层通常为预制或现浇钢筋混凝土屋面板，要求具有足够的强度和刚度。

②找坡层（结构找坡和材料找坡）

材料找坡应选用轻质材料形成所需要的排水坡度，通常是在结构层上铺1:(6~8)的水泥焦渣或水泥膨胀蛭石等。

表 12-2　　　　　　　　　　　　　柔性防水材料

类别	品种	材料类型		品 名 举 例
防水卷材	合成高分子卷材	橡胶类	硫化型	三元乙丙橡胶卷材（EPDM）
				氯化聚乙烯橡胶共混卷材（CPE）
				氯磺化聚乙烯卷材（CSP）
				丁基橡胶卷材
				硫化型再生橡胶卷材*
			非硫化型	氯化聚乙烯卷材（CPE）
				增强型氯化聚乙烯卷材 LYX-603
				三元丁再生橡胶卷材
				自粘型高分子卷材
		橡塑类		氯化聚乙烯橡塑共聚卷材
				三元乙丙-聚乙烯共聚卷材（TPO）
		树脂类		聚氯乙烯卷材（PVC）
				丙烯酸卷材
				双面丙纶聚乙烯复合卷材
				EVA 卷材
				低密度聚乙烯卷材（LDPE）
				高密度聚乙烯卷材（HDPE）
				丙烯酸水泥基卷材
	聚合物改性沥青卷材	弹性体改性		SBS 橡胶改性沥青卷材
				丁苯橡胶改性沥青卷材
				再生胶改性沥青卷材
				自粘型改性沥青卷材
		塑性体改性		APP（APAO）改性沥青卷材
				PVC 改性焦油沥青卷材
	沥青卷材	普通沥青		石油沥青、焦油煤沥青纸胎油毡
				纸胎油毡
		氧化沥青		氧化石油沥青油毡
	其他	金属卷材		PSS 合金防水卷材
		粉毡		膨润土毯、膨润土板

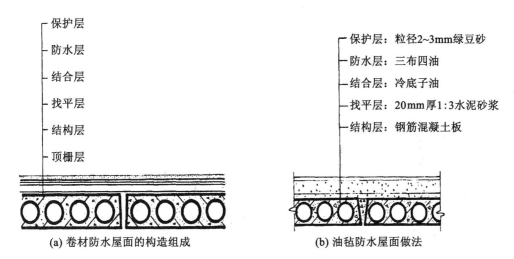

图 12-14

③找平层

柔性防水层要求铺贴在坚固而平整的基层上,因此必须在结构层或找坡层上设置找平层。以防止卷材凹陷或断裂,因而在松软材料上应设找平层;找平层的厚度取决于基层的平整度,一般采用20mm厚1:3水泥砂浆,也可以采用1:8沥青砂浆等。找平层宜留分隔缝,缝宽一般为5~20mm,纵横间距一般不宜大于6m。若屋面板为预制,分隔缝应设在预制板的端缝处。分隔缝上应附加200~300mm宽卷材,和胶粘剂单边点贴覆盖。

④结合层

结合层的作用是使卷材防水层与基层粘结牢固。结合层所用材料应根据卷材防水层材料的不同来选择,如油毡卷材、聚氯乙烯卷材及自粘型彩色三元乙丙复合卷材,用冷底子油在水泥砂浆找平层上喷涂一至二道;三元乙丙橡胶卷材则采用聚氨酯底胶;氯化聚乙烯橡胶卷材需用氯丁胶乳等。冷底子油用沥青加入汽油或煤油等溶剂稀释而成,喷涂时不用加热,在常温下进行,故称冷底子油。

⑤防水层

防水层是由胶结材料与卷材粘合而成,卷材连续搭接,形成屋面防水的主要部分。当屋面坡度较小时,卷材一般平行于屋脊铺设,从檐口到屋脊层层向上粘贴,上下搭接不小于70mm,左右搭接不小于100mm。

油毡屋面在我国已有数十年的使用历史,具有较好的防水性能,对屋面基层变形有一定的适应能力,但这种屋面施工麻烦、劳动强度大,且容易出现油毡鼓泡、沥青流淌、油毡老化等方面的问题,使油毡屋面的寿命大大缩短,平均10年左右就要进行大修。

目前所用的新型防水卷材,主要有三元乙丙橡胶防水卷材、自粘型彩色三元乙丙复合防水卷材、聚氯乙烯防水卷材、氯化聚乙烯防水卷材、氯丁橡胶防水卷材及改性沥青油毡防水卷材等,这些材料一般为单层卷材防水构造,防水要求较高时可以采用双层卷材防水构造。这些防水材料的共同优点是自重轻,适用温度范围广,耐气候性好,使用寿命长,抗拉强度高,延伸率大,冷作业施工,操作简便,大大改善了劳动条件,减少环境污染。

⑥保护层

不上人屋面保护层的做法：当采用油毡防水层时粒径为 3~6mm 的小石子，称为绿豆砂保护层。绿豆砂要求耐风化、颗粒均匀、色浅；三元乙丙橡胶卷材采用银色着色剂，直接涂刷在防水层上表面；彩色三元乙丙复合卷材防水层直接用 CX-404 胶粘结，不需另加保护层。

上人屋面的保护层构造做法：通常可以采用水泥砂浆或沥青砂浆铺贴缸砖、大阶砖、混凝土板等；也可以现浇 40mm 厚 C20 细石混凝土。

（2）卷材防水屋面细部构造

屋顶细部是指屋面上的泛水、天沟、雨水口、檐口、变形缝等部位。

①泛水构造

泛水构造是指屋顶上沿所有垂直面所设的防水构造，突出于屋面之上的女儿墙、烟囱、楼梯间、变形缝、检修孔、立管等的壁面与屋顶的交接处是最容易漏水的地方。必须将屋面防水层延伸到这些垂直面上，形成立铺的防水层，称为泛水，如图 12-15 所示。

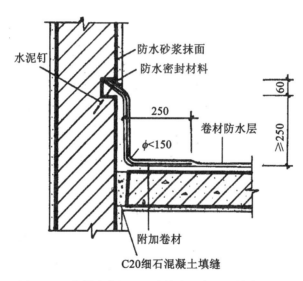

图 12-15　卷材防水屋面泛水构造示意图（单位：mm）

②檐口构造

柔性防水屋面的檐口构造有无组织排水挑檐、有组织排水挑檐沟及女儿墙檐口等，挑檐和挑檐沟构造都应注意处理好卷材的收头固定、檐口饰面，并做好滴水。女儿墙檐口构造的关键是泛水的构造处理，其顶部通常做混凝土压顶，并设有坡度坡向屋面，如图 12-16 所示。

③雨水口构造

雨水口的类型有用于檐沟排水的直管式雨水口和女儿墙外排水的弯管式雨水口两种。雨水口在构造上要求排水通畅、防止渗漏水堵塞。直管式雨水口为防止其周边漏水，应加铺一层卷材并贴入连接管内 100mm，雨水口上用定型铸铁罩或铅丝球盖住，用油膏嵌缝。

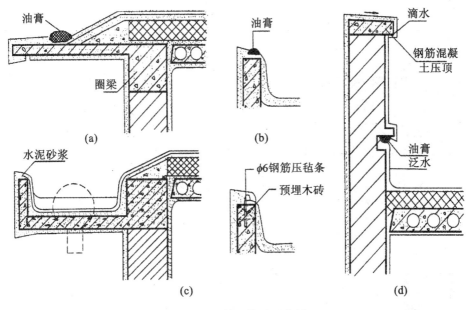

图 12-16 檐口构造示意图

弯管式雨水口穿过女儿墙预留孔洞内，屋面防水层应铺入雨水口内壁四周不小于 100mm，并安装铸铁箅子以防杂物流入造成堵塞，如图 12-17 所示。

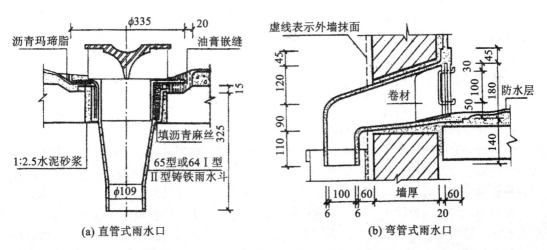

图 12-17 雨水口构造示意图（单位：mm）

④屋面变形缝构造

屋面变形缝的构造处理原则是：既不能影响屋面的变形，又要防止雨水从变形缝渗入室内。屋面变形缝按建筑设计可以设于同层等高屋面上，也可以设在高低屋面的交接处，如图 12-18、图 12-19 所示。

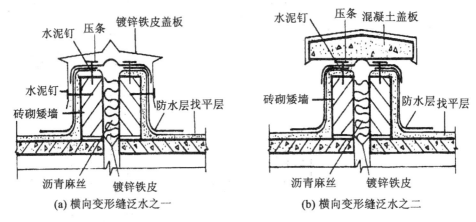

图 12-18 等高屋面变形缝示意图

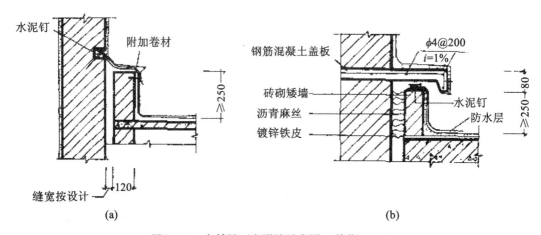

图 12-19 高低屋面变形缝示意图（单位：mm）

⑤屋面检修孔、屋面出入口构造

屋面检修孔：用于不上人屋面，检修孔四周的孔壁可以用砖立砌，也可以在现浇屋面板时将混凝土上翻制成，高度一般为 300mm。壁外的防水层应做成泛水并将卷材用镀锌薄钢板盖缝并压钉好，如图 12-20（a）所示。

屋面出入口：一般设于出屋面的楼梯间，最好在设计中让楼梯间的室内地坪与屋面之间留有足够的高差，以利于防水，否则需在出入口处设门槛挡水。屋面出入口处的构造与泛水构造类同，如图 12-20（b）所示。

2. 涂料防水屋面构造

（1）涂料防水屋面适用范围

涂膜防水屋面又称为涂料防水屋面，是指用可塑性和粘结力较强的高分子防水涂料，直接涂刷在屋面基层上形成一层不透水的薄膜层以达到防水目的的一种屋面做法。防水涂料有塑料油膏、橡胶和改性沥青三大类，常用的有塑料油膏、氯丁胶乳沥青涂料和焦油聚氨酯防水涂膜等。这些材料多数具有防水性好、粘结力强、延伸性大、耐腐蚀、不易老

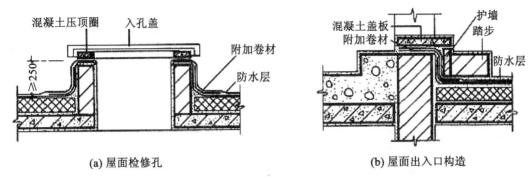

(a) 屋面检修孔　　　　　　　(b) 屋面出入口构造

图 12-20　屋面检修孔、屋面出入口构造示意图

化、施工方便、容易维修等优点，近年来应用较为广泛，主要适用于防水等级为Ⅲ、Ⅳ级的屋面防水，也可以用做Ⅰ、Ⅱ级屋面多道防水设防中的一道防水。在有较大震动的建筑物或寒冷地区则不宜采用。

涂膜防水材料按其溶剂或稀释剂的类型可以分为溶剂型、水溶型、乳液型等类型；按施工时涂料液化方法的不同可以分为热熔型、常温型等类型。同时，可以增强涂层的贴附覆盖能力和抗变形能力。目前，使用较多的胎体增强材料为 0.1mm×6mm×4mm 或 0.1mm×7mm×7mm 的中性玻璃纤维网格布或中碱玻璃布、聚酯无纺布等。

（2）涂膜防水屋面的构造层次和做法

涂膜防水屋面的构造层次与柔性防水屋面相同，由结构层、找坡层、找平层、结合层、防水层和保护层组成。

涂膜防水屋面的常见做法，结构层和找坡层材料做法与柔性防水屋面的做法相同。找平层通常为 25mm 厚 1∶2.5 水泥砂浆。为保证防水层与基层粘结牢固，结合层应选用与防水涂料相同的材料经稀释后满刷在找平层上。当屋面不上人时保护层的做法根据防水层材料的不同，可以采用蛭石或细砂撒面、银粉涂料涂刷等做法；当屋面为上人屋面时，保护层做法与柔性防水上人屋面的做法相同。

1）氯丁胶乳沥青防水涂料屋面

以氯丁胶乳和石油沥青为主要原料，选用阳离子乳化剂和其他助剂，经软化和乳化而成，是一种水乳型涂料，如图 12-21 所示。

①找平层：先在屋面板上用 1∶2.5 或 1∶3 的水泥砂浆做 15～20mm 厚的找平层并设分格缝，分格缝宽 20mm，其间距不大于 6m，缝内嵌填密封材料。找平层应平整、坚实、洁净、干燥、方可作为涂料施工的基层。

②底涂层：将稀释涂料（按质量，防水涂料：0.5～1.0 的离子水溶液＝6∶4 或 7∶3）均匀涂布于找平层上作为底涂，干后再刷 2～3 层涂料。

③中涂层：中涂层为加胎体增强材料的涂层，应铺贴玻璃纤维网格布，有干铺和湿铺两种施工方法：

干铺法：在已干的底涂层上干铺玻璃纤维网格布，开展后加以点粘固定，当铺过两个纵向搭接缝以后依次涂刷防水涂料 2～3 层，待涂层干后按上述做法铺第二层网格布，然

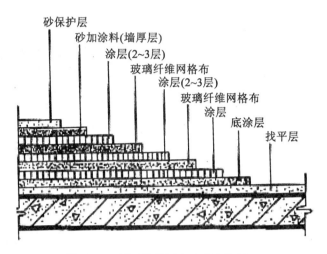

图 12-21 氯丁胶乳沥青防水涂料屋面

后再涂刷 1~2 层涂料。干后在其表面刮涂增厚涂料（按质量，防水涂料：细砂 = 1：1~1：1.2）。

湿铺法：在已干的底涂层上边涂防水涂料边铺贴网格布，干后再刷涂料。一布二涂的厚度通常大于 2mm，二布三涂的厚度大于 3mm。

④面层：根据需要可以做细砂保护层或涂覆着色层。细砂保护层是在未干的中涂层上抛撒 20 目浅色细砂并辊压，使砂牢固地粘结于涂层上；着色层可以使用防水涂料或耐老化的高分子乳液作胶粘剂，加上各种矿物颜料配制成成品着色剂，涂布于中涂层表面。

2）焦油聚氨酯防水涂料屋面

焦油聚氨酯防水涂料又称为 851 涂膜防水胶，是以异氰酸酯为主剂和以煤焦油为填料的固化剂构成的双组分高分子涂膜防水材料，其甲、乙两液混合后经化学反应能在常温下形成一种耐久的橡胶弹性体，从而起到防水的作用。

做法：将找平以后的基层面吹扫干净并待其干燥后，用配制好的涂液（甲、乙二液的重量比为 1：2）均匀涂刷在基层上。不上人屋面可以待涂层干后在其表面涂刷银灰色保护涂料；上人屋面在最后一遍涂料未干时撒上绿豆砂，三天后在其上做水泥砂浆或浇混凝土贴地砖的保护层。

3）塑料油膏防水屋面

塑料油膏以废旧聚氯乙烯塑料、煤焦油、增塑剂、稀释剂、防老化剂及填充材料等配制而成。

做法：先用预制油膏条冷嵌于找平层的分格缝中，在油膏条与基层的接触部位和油膏条相互搭接处刷冷粘剂 1~2 遍，然后按产品要求的温度将油膏热熔液化，按基层表面涂油膏、铺贴玻璃纤维网格布、压实、表面再涂刷油膏、刮板收齐边沿的顺序进行。根据设计要求可以做成一布二油或二布三油。

（3）涂膜防水屋面细部构造

涂膜防水屋面的细部构造要求及做法类同于卷材防水屋面。

①分格缝构造

涂膜防水只能提高表面的防水能力，由于温度变形和结构变形会导致基层开裂而使得屋面渗漏，因此对屋面面积较大和结构变形敏感的部位，需设置分格缝。

②泛水构造

涂膜防水屋面泛水构造的要点与柔性防水屋面基本相同，即泛水高度不小于250mm；屋面与立墙交接处应做成弧形；泛水上端应有挡雨措施，以防渗漏，如图12-22所示。

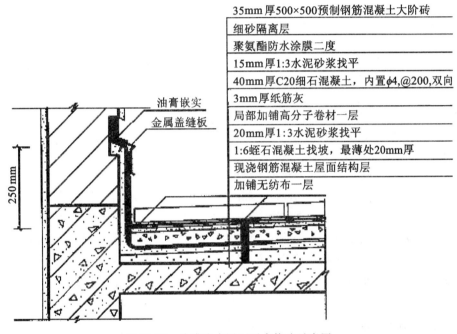

图12-22 涂膜防水屋面泛水构造示意图

3. 刚性防水屋面

刚性防水屋面是指以刚性材料作为防水层的屋面，如防水砂浆屋面、细石混凝土屋面、配筋细石混凝土防水屋面等。这种屋面具有构造简单、施工方便、造价低廉的优点，但对温度变化和结构变形较敏感，容易产生裂缝而渗水。故多用于我国南方地区的建筑物。其主要优点是施工方便、节约材料、造价经济以及维修较为方便。其缺点是对温度变化和结构变形较为敏感，施工技术要求较高，较易产生裂缝而渗漏水，所以刚性防水多用于日温差较小的我国南方地区防水等级为Ⅲ级的屋面防水，也可以用做防水等级为Ⅰ、Ⅱ级的屋面多道设防中的一道防水层。

（1）刚性防水屋面的构造层次及做法

刚性防水屋面一般由结构层、找平层、隔离层和防水层组成。

①结构层

刚性防水屋面的结构层要求具有足够的强度和刚度，一般应采用现浇或预制装配的钢筋混凝土屋面板，并在结构层现浇或铺板时形成屋面的排水坡度。

②找平层

为保证防水层厚薄均匀，通常应在结构层上用 20mm 厚 1∶3 水泥砂浆找平。若采用现浇钢筋混凝土屋面板或设有纸筋灰等材料时，也可以不设找平层。

③隔离层

为减少结构层变形及温度变化对防水层的不利影响，宜在防水层下设置隔离层。隔离层可以采用纸筋灰、低强度等级砂浆或薄砂层上干铺一层油毡等。当防水层中加有膨胀剂类材料时，其抗裂性有所改善，也可以不做隔离层。

④防水层

常用配筋细石混凝土防水屋面的混凝土强度等级应不低于 C20，其厚度宜不小于 40mm，双向配置 $\phi4 \sim \phi6.5$ 钢筋，间距为 100~200mm 的双向钢筋网片。为提高防水层的抗渗性能，可以在细石混凝土内掺入适量外加剂（如膨胀剂、减水剂、防水剂等）以提高其密实性能。

(2) 刚性防水屋面防止开裂的措施

①增加防水剂：防水剂通常为憎水性物质、无机盐或不溶解的肥皂，如硅酸钠（水玻璃）类、氯化物或金属皂类制成的防水粉或浆。掺入砂浆或混凝土后，能与之生成不溶性物质，填塞毛细孔道，形成憎水性壁膜，以提高其密实性。

②采用微膨胀：在普通水泥中掺入少量的矾土水泥和二水石粉等所配置的细石混凝土，在结硬时产生微膨胀效应，抵消混凝土的原有收缩性，以提高抗裂性。

③提高密实性：控制水灰比，加强浇筑时的振捣，均可以提高砂浆和混凝土的密实性。细石混凝土屋面在初凝前表面用铁辊辗压，使余水压出，初凝后加少量干水泥，待收水后用铁板压平、表面打毛，然后盖席浇水养护，从而提高面层的密实性，避免表面的龟裂。

(3) 刚性防水屋面细部构造

刚性防水屋面的细部构造包括屋面防水层的分格缝、泛水、檐口、雨水口等部位的构造处理。

1) 屋面分格缝

屋面分格缝实质上是在屋面防水层上设置的变形缝，如图 12-23 所示。其目的在于：

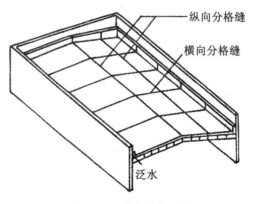

图 12-23 分格缝位置图

①防止温度变形引起防水层开裂;

②防止结构变形将防水层拉坏。因此屋面分格缝的位置应设置在温度变形允许的范围以内和结构变形敏感的部位。一般情况下分格缝间距不宜大于6m。结构变形敏感的部位主要是指装配式屋面板的支承端、屋面转折处、现浇屋面板与预制屋面板的交接处、泛水与立墙交接处等部位。

分格缝的构造要点:

①防水层内的钢筋在分格缝处应断开;

②屋面板缝用浸过沥青的木丝板等密封材料嵌填,缝口用油膏等嵌填;

③缝口表面用防水卷材铺贴盖缝,卷材的宽度为200~300mm,如图12-24所示。

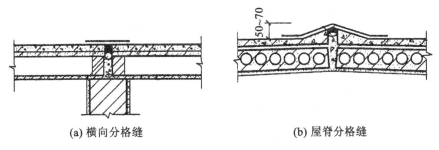

(a) 横向分格缝　　　　(b) 屋脊分格缝

图12-24　分格缝构造示意图（单位：mm）

2) 泛水构造

刚性防水屋面的泛水构造要点与卷材屋面基本相同。不同的地方是:刚性防水层与屋面突出物（女儿墙、烟囱等）之间必须留分格缝,另铺贴附加卷材盖缝形成泛水。

女儿墙与刚性防水层之间留分格缝,使混凝土防水层在收缩和温度变形时不受女儿墙的影响,可以有效地防止其开裂。分格缝内用油膏嵌缝,缝外用附加卷材铺贴至泛水所需高度并做好压缝收头处理,以免雨水渗进缝内,如图12-25所示。

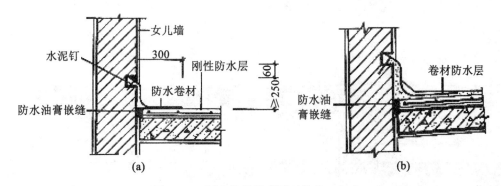

图12-25　泛水构造示意图（单位：mm）

3）檐口构造

刚性防水屋面檐口的形式一般有自由落水挑檐口、挑檐沟外排水檐口和女儿墙外排水檐口、坡檐口等。

①自由落水挑檐口

根据挑檐挑出的长度，有直接利用混凝土防水层悬挑和在增设的现浇或预制钢筋混凝土挑檐板上做防水层等做法。无论采用哪种做法，都应注意做好滴水，如图12-26所示。

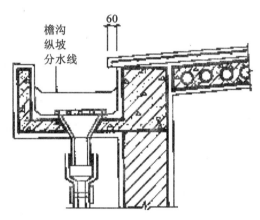

图12-26 自由落水挑檐口（单位：mm）

②挑檐沟外排水檐口

檐沟构件一般采用现浇或预制的钢筋混凝土槽形天沟板，在沟底用低强度等级的混凝土或水泥炉渣等材料垫置成纵向排水坡度，铺好隔离层后再浇筑防水层，防水层应挑出屋面并做好滴水，如图12-27所示。

③坡檐口

建筑设计中出于造型方面的考虑，常常采用一种平顶坡檐即"平改坡"的处理形式，使较为呆板的平顶建筑物具有某种传统的韵味，以丰富城市景观，如图12-28所示。

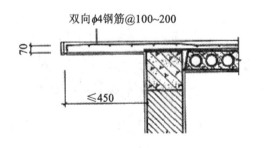 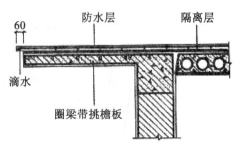

图12-27 挑檐沟外排水檐口（单位：mm）　　图12-28 平屋顶坡檐构造示意图（单位：mm）

4) 雨水口构造

刚性防水屋面的雨水口有直管式和弯管式两种做法,直管式一般用于挑檐沟外排水的雨水口,弯管式一般用于女儿墙外排水的雨水口。

①直管式雨水口

直管式雨水口为防止雨水从雨水口套管与沟底接缝处渗漏,应在雨水口周边加铺柔性防水层并铺至套管内壁,檐口处浇筑的混凝土防水层应覆盖于附加的柔性防水层之上,并于防水层与雨水口之间用油膏嵌实,如图 12-29 所示。

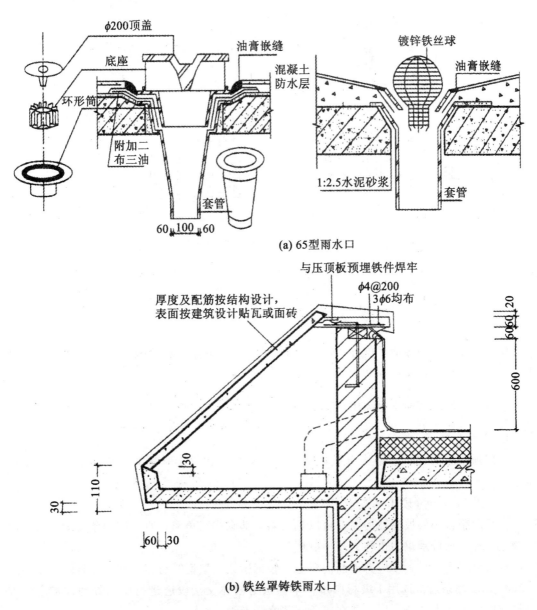

图 12-29 直管式雨水口构造示意图(单位:mm)

②弯管式雨水口

弯管式雨水口一般用铸铁做成弯头。雨水口安装时,在雨水口处的屋面应加铺附加卷材与弯头搭接,其搭接长度不小于100mm,然后浇筑混凝土防水层,防水层与弯头交接处需用油膏嵌缝,如图12-30所示。

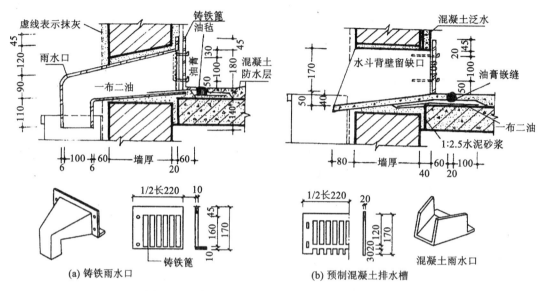

图12-30 弯管式雨水口构造示意图(单位:mm)

§12.4 坡屋顶设计

所谓坡屋顶是指屋面坡度在10%以上的屋顶。与平屋顶相比较,坡屋顶的屋面坡度大,因而其屋面构造及屋面防水方式均与平屋顶不同。

12.4.1 坡屋顶的承重结构

1. 承重类型

坡屋顶中常用的承重结构有横墙承重、屋架承重和梁架承檩式屋架,如图12-31所示。

(1) 横墙承重(硬山搁檩)

横墙间距较小的坡屋面房屋,可以把横墙上部砌成三角形,直接把檩条支承在三角形横墙上,称为横墙承重,也称为硬山搁檩。

檩条可以用木材、预应力钢筋混凝土、轻钢桁架、型钢等材料。檩条的斜距不得超过1.2m。木质檩条通常选用I级杉圆木,木檩条与墙体交接段应进行防腐处理,常用的方法是在山墙上垫上油毡一层,并在檩条端部涂刷沥青。

(2) 屋架承重

当坡屋面房屋内部需要较大空间时,可以把部分横向山墙取消,用屋架作为承重构

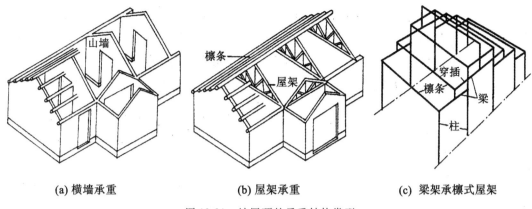

(a) 横墙承重　　　　(b) 屋架承重　　　　(c) 梁架承檩式屋架

图 12-31　坡屋顶的承重结构类型

件。坡屋面的屋架多为三角形（分豪式和芬克式两种）。屋架可以选用木材（Ⅰ级杉圆木）、型钢（角钢或槽钢）制作，也可以用钢木混合制作（屋架中受压杆件为木材，受拉杆件为钢材），或钢筋混凝土制作。若房屋内部有一道或两道纵向承重墙，可以考虑选用三点支承或四点支承屋架。

（3）梁架承檩式屋架

为了防止屋架的倾覆，提高屋架及屋面结构的空间稳定性，屋架之间应设置支撑。屋架支撑主要有垂直剪刀撑和水平系杆等。

房屋的平面有凸出部分时，屋面承重结构有两种做法。当凸出部分的跨度比主体跨度小时，可以把凸出部分的檩条搁置在主体部分屋面檩条上，也可以在屋面斜天沟处设置斜梁，把凸出部分檩条搭接在斜梁上。当凸出部分跨度比主体部分跨度大时，可以采用半屋架。半屋架的一端支承在外墙上，另一端支承在内墙上；当无内墙时，支承在中间屋架上。对于四坡形屋顶，当跨度较小时，在四坡屋顶的斜屋脊下设置斜梁，用于搭接屋面檩条；当跨度较大时，可以选用半屋架或梯形屋架，以增加斜梁的支承点。

2. 承重结构构件

（1）屋架

屋架形式通常为三角形，由上弦、下弦及腹杆组成，所用材料有木材、钢材及钢筋混凝土等。木屋架一般用于跨度不超过12m的建筑物；将木屋架中受拉力的下弦及直腹杆件用钢筋或型钢代替，这种屋架称为钢木屋架。钢木屋架一般用于跨度不超过18m的建筑物；当跨度更大时需采用预应力钢筋混凝土屋架或钢屋架。

（2）檩条

檩条所用材料可以为木材、钢材及钢筋混凝土，檩条材料的选用一般与屋架所用材料相同，使两者的耐久性接近。

3. 承重结构布置

坡屋顶承重结构布置主要是指屋架和檩条的布置，其布置方式视屋顶形式而定，如图12-32所示。

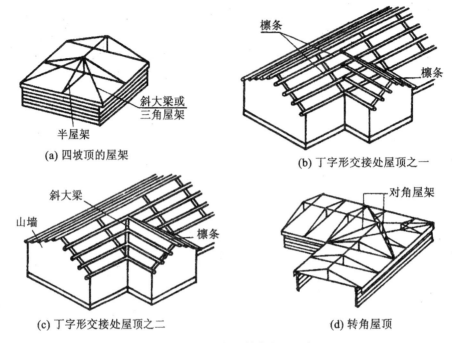

图 12-32　屋架和檩条布置示意图

12.4.2　坡屋顶屋面

1. 平瓦屋面

坡屋顶屋面一般是利用各种瓦材，如平瓦、波形瓦、小青瓦等作为屋面防水材料。近些年来还有不少采用金属瓦屋面、彩色压型钢板屋面等。

平瓦屋面根据基层的不同有冷摊瓦屋面、木望板平瓦屋面和钢筋混凝土板瓦屋面三种做法。

平瓦屋面的主要优点是瓦本身具有防水性，不需特别设置屋面防水层，瓦块之间搭接构造简单，施工方便。其缺点是屋面接缝多，若不设屋面板，雨、雪易从瓦缝中飘进，造成漏水。为保证有效排水，瓦屋面坡度不得小于 1∶2（26°34′）。在屋脊处需盖上鞍形脊瓦，在屋面天沟下需放上镀锌铁皮，以防漏水。平瓦屋面的构造方式有下列几种：

（1）有椽条、有屋面板平瓦屋面。在屋面檩条上放置椽条，椽条上稀铺或满铺厚度为 8~12mm 的木板（稀铺时在板面沙锅内还可以铺芦席等），板面（或芦席）上方平行于屋脊方向铺干油毡一层，钉顺水条和挂瓦条，安装机制平瓦。采用这种构造方案，屋面板受力较小，因而厚度较薄。

（2）冷摊瓦屋面。这是一种构造简单的瓦屋面，在檩条上钉断面为 35mm×60mm，中距为 500mm 的椽条，在椽条上钉挂瓦条（注意挂瓦条间距应符合瓦的标志长度），在挂瓦条上直接铺瓦。由于其构造简单，冷摊瓦屋面只用于简易建筑物或临时建筑物，如图

12-33（a）所示。

（3）木望板瓦屋面。在檩条钉厚度为 15～25mm 的屋面板（板缝不超过 20mm）平行于屋脊方向铺油毡一层，钉顺水条和挂瓦条，安装机制平瓦。这种方案屋面板与檩条垂直布置为受力构件，因而厚度较大，如图 12-33（b）所示。

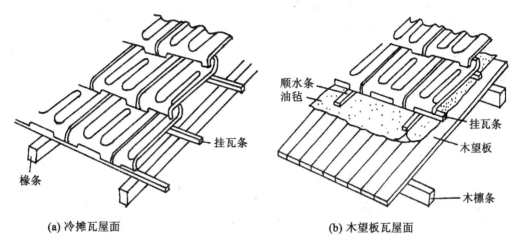

(a) 冷摊瓦屋面　　　　　　(b) 木望板瓦屋面

图 12-33

2. 波形瓦屋面

波形瓦屋面包括水泥石棉波形瓦、钢丝网水泥瓦、玻璃钢瓦、钙塑瓦、金属钢板瓦、石棉菱苦土瓦等。根据波形瓦的波形大小可以分为大波瓦、中波瓦和小波瓦三种。波形瓦具有重量轻，耐火性能好等优点，但易折断破损，其强度较低。

3. 小青瓦屋面

小青瓦屋面在我国传统房屋中采用较多，目前有些地方仍然采用。小青瓦断面呈弧形，尺寸及规格不统一。铺设时分别将小青瓦仰俯铺排，覆盖成垄。仰铺瓦成沟，俯铺瓦盖于仰铺瓦纵向交接处，与仰铺瓦之间搭接瓦长的 $\frac{1}{3}$ 左右。上下瓦之间的搭接长在少雨地区为搭六露四，在多雨区为搭七露三。小青瓦可以直接铺设于椽条上，也可以铺设于望板（屋面板）上。

4. 钢筋混凝土坡屋顶

由于建筑技术的进步，传统坡屋顶已很少在城市建筑物中采用。但因坡屋顶具有其特有的造型特征，因此近年来民用建筑物中多采用钢筋混凝土坡屋顶。

瓦屋面由于保温、防火或造型等的需要，可以将钢筋混凝土板作为瓦屋面的基层盖瓦。盖瓦的方式有两种：一种是在找平层上铺油毡一层，用压毡条钉在嵌于板缝内的木楔上，再钉挂瓦条挂瓦；另一种是在屋面板上直接粉刷防水水泥砂浆并贴瓦或陶瓷面砖或平瓦。在仿古建筑物中也常常采用钢筋混凝土板瓦屋面，如图 12-34 所示。

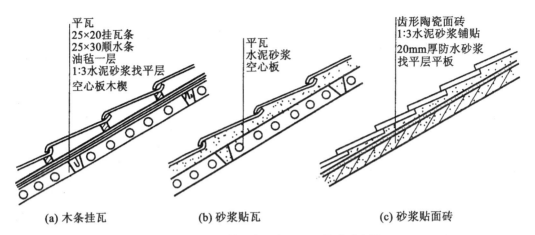

(a) 木条挂瓦　　(b) 砂浆贴瓦　　(c) 砂浆贴面砖

图 12-34　钢筋混凝土板瓦屋面构造示意图

12.4.3　坡屋面的细部构造

1. 檐口

（1）纵墙檐口

纵墙檐口根据造型要求做成挑檐或封檐，如图 12-35 所示。

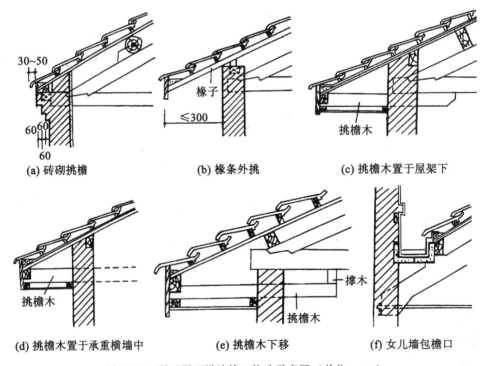

(a) 砖砌挑檐　　(b) 椽条外挑　　(c) 挑檐木置于屋架下

(d) 挑檐木置于承重横墙中　　(e) 挑檐木下移　　(f) 女儿墙包檐口

图 12-35　平瓦屋面纵墙檐口构造示意图（单位：mm）

①砖挑檐。砖挑檐一般不超过墙体厚度的$\frac{1}{2}$，且不大于240mm。每层砖挑长为60mm，砖可以平挑出，也可以把砖斜放，用砖角挑出，挑檐砖上方瓦伸出50mm。

②椽木挑檐。当屋面有椽木时，可以用椽木挑出，以支承挑出部分的屋面。挑出部分的椽条，外侧可以钉封檐板，底部可以钉木条并油漆。

③屋架端部附木挑檐或挑檐木挑檐。若需要较大挑长的挑檐，可以沿屋架下弦伸出附木，支承挑出的檐口木，并附木外侧面钉封檐板，在附木底部做檐口吊顶。对于不设屋架的房屋，可以在其横向承重墙内压砌砖挑檐木并外挑，用挑檐木支承挑出的檐口。

④钢筋混凝土挑天沟。当房屋屋面集水面积大、檐口高度高、降雨量大时，坡屋面的檐口可以设置钢筋混凝土天沟，并采用有组织排水。

（2）山墙檐口

山墙檐口按屋顶形式分为硬山檐口与悬山檐口两种。硬山檐口构造，将山墙升起包住檐口，女儿墙与屋面交接处应作泛水处理。女儿墙顶应作压顶板，以保护泛水，如图12-36所示。

悬山屋顶的山墙檐口构造，先将檩条外挑形成悬山，檩条端部钉木封檐板，沿山墙挑檐的一行瓦，应用1∶2.5的水泥砂浆做出披水线，将瓦封固。

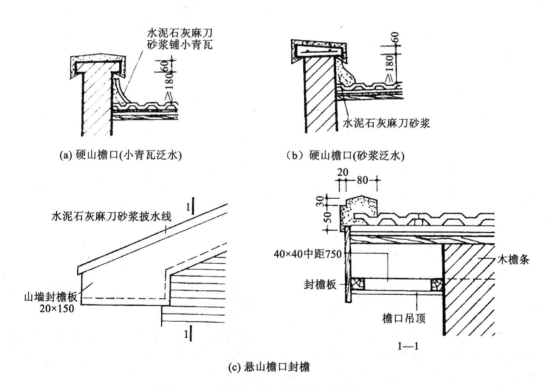

图12-36 山墙檐口构造示意图（单位：mm）

2. 山墙

双坡屋面的山墙有硬山和悬山两种。硬山是指山墙与屋面等高或高于屋面成女儿墙。悬山是把屋面挑出山墙之外。

3. 天沟和斜沟构造

在等高跨或高低跨相交处，常常出现天沟，而两个相互垂直的屋面相交处则形成斜沟。沟应有足够的断面积，上口宽度不宜小于 300～500mm，一般用镀锌铁皮铺于木基层上，镀锌铁皮伸入瓦片下面至少 150mm。高低跨和包檐天沟若采用镀锌铁皮防水层，应从天沟内延伸至立墙（女儿墙）上形成泛水。

坡屋面的房屋平面形状有凸出部分，屋面上会出现斜天沟。构造上常常采用镀锌铁皮折成槽状，依势固定在斜天沟下的屋面板上，以作防水层，如图 12-37 所示。

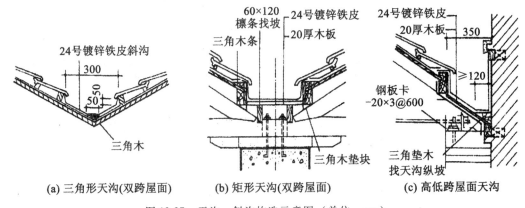

图 12-37　天沟、斜沟构造示意图（单位：mm）

4. 烟囱出屋面构造

烟囱出屋面应注意防水和防火。因屋面木基与烟囱接触，容易引起火灾，故建筑防火规范要求木基层距烟囱保持一定的距离，一般不小于 370mm。烟囱四周应做泛水，以防雨水的渗漏。一种做法是镀锌铁皮泛水，将镀锌铁皮固定在烟囱四周的预埋件上，向下披水。在靠近屋脊的一侧，铁皮伸入瓦下，在靠近檐口的一侧，铁皮盖在瓦面上。另一种做法是用水泥砂浆或水泥石灰麻刀砂浆做抹灰泛水，如图 12-38 所示。

12.4.4　其他屋面构成

1. 金属瓦屋面

金属瓦屋面是用镀锌铁皮或铝合金瓦做防水层的一种屋面，金属瓦屋面自重轻、防水性能好、使用年限长，主要用于大跨度建筑物的屋面。

金属瓦的厚度很薄（厚度在 1mm 以内），铺设这样薄的瓦材必须用钉子固定在木望板上，木望板则支撑在檩条上，为防止雨水渗漏，瓦材下应干铺一层油毡。所有的金属瓦必须相互连通导电，并与避雷针或避雷带连接。

2. 彩色压型钢板屋面

彩色压型钢板屋面简称为彩板屋面，是近十多年来在大跨度建筑物中广泛采用的高效能屋面，这种屋面不仅自重轻、强度高且施工安装方便。彩板的连接主要采用螺栓连接，不受季节气候的影响。彩板色彩绚丽，质感好，大大增强了建筑物的艺术效果。彩板除用于平直坡面的屋顶外，还可以根据造型与结构的形式需要，在曲面屋顶上使用。

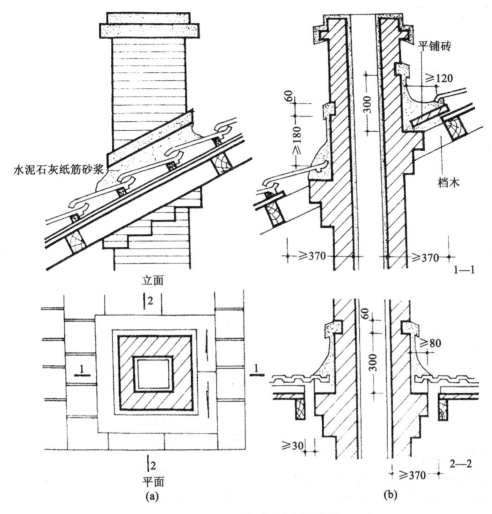

图 12-38 烟囱出屋面构造示意图（单位：mm）

§12.5 屋顶的保温与隔热

12.5.1 屋顶的保温

1. 保温材料类型

保温材料多为轻质多孔材料，容重轻、导热系数小的材料，一般分为散料、板块料和现场浇筑的混合料三大类。一般可以分为以下三种类型：

(1) 散料类：常用炉渣、矿渣、膨胀蛭石、膨胀珍珠岩等。

(2) 板块类：是指利用骨料和胶结材料由工厂制作而成的板块状材料，如加气混凝土、泡沫混凝土、膨胀蛭石、膨胀珍珠岩、泡沫塑料等块材或板材等。

(3) 整体类：是指以散料作骨料，掺入一定量的胶结材料，现场浇筑而成。如水泥炉渣、水泥膨胀蛭石、水泥膨胀珍珠岩及沥青膨胀蛭石和沥青膨胀珍珠岩等。

保温材料的选择应根据建筑物的使用性质、构造方案、材料来源、经济指标等因素综合考虑确定。

2. 平屋顶的保温构造

平屋顶因屋面坡度平缓，适合将保温层放在屋面结构层上（刚性防水屋面不适宜设保温层）。

（1）正置式保温：将保温层设在结构层之上、防水层之下而形成封闭式保温层。也称为内置式保温，如图 12-39（a）所示。

（2）倒置式保温：将保温层设置在防水层之上，形成敞露式保温层。也称为外置式保温，如图 12-39（b）所示。

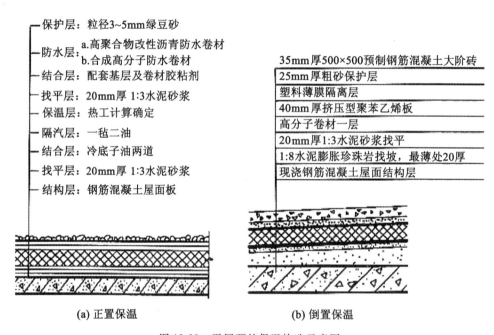

图 12-39 平屋顶的保温构造示意图

保温卷材防水屋面与非保温卷材防水屋面的区别是增设了保温层，其构造需要相应增加找平层、结合层和隔汽层。设置隔汽层的目的是防止室内水蒸汽渗入保温层，使保温层受潮而降低保温效果。隔汽层的一般做法是在 20mm 厚 1：3 水泥砂浆找平层上涂刷冷底子油两道作为结合层，结合层上做一布二油或两道热沥青隔汽层。

3. 坡屋顶保温构造

坡屋顶保温材料可以根据工程的具体要求选用松散材料、块体材料或板状材料。

采用屋面层保温时：保温层设置在瓦材下面或檩条之间；

采用顶棚层保温时：通常需在吊顶龙骨上铺板，板上设保温层，可以收到保温和隔热的双重效果，如图 12-40 所示。

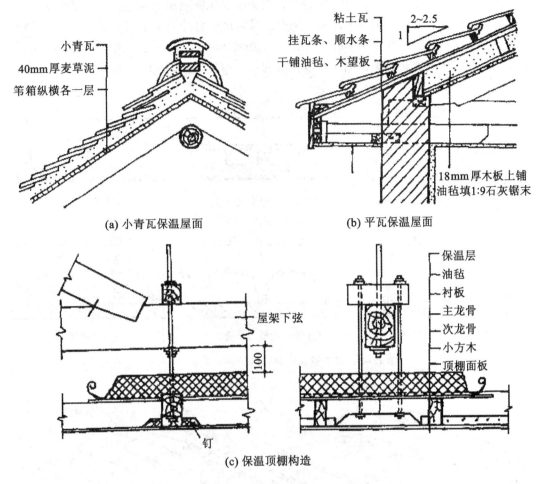

图 12-40　坡屋顶保温构造示意图（单位：mm）

12.5.2 屋顶的隔热

在夏季太阳辐射和室外气温的综合作用下，从屋顶传入室内的热量要比墙体传入室内的热量大得多。在低屋顶多层建筑物中，顶层房间占有很大的比例，屋顶的隔热问题应予以认真的考虑。我国南方地区的建筑物屋面隔热尤为重要，应采取适当的构造措施来解决屋顶的降温和隔热的问题。

屋顶隔热降温的基本原理是：减少直接作用于屋面的太阳辐射热量。所采用的主要构造做法是：屋顶间层通风隔热、屋顶蓄水隔热、屋顶植被隔热、屋顶反射阳光隔热等。

1. 通风隔热屋面

通风隔热屋面是指在屋顶中设置通风间层，使上层表面起着遮挡阳光的作用，利用风压和热压作用把间层中的热空气不断带走，以减少传到室内的热量，从而达到隔热降温的目的。通风隔热屋面一般有架空通风隔热屋面和顶棚通风隔热屋面两种做法。

（1）架空通风隔热屋面

通风层设在防水层之上，其做法很多，为架空通风隔热屋面构造，其中以架空预制板或大阶砖最为常见，如图12-41所示。架空通风隔热层设计应满足以下要求：架空层应有适当的净高，一般以180~240mm为宜；距女儿墙500mm范围内不铺架空板；隔热板的支点可以做成砖垄墙或砖墩，间距视隔热板的尺寸而定，如图12-42所示。

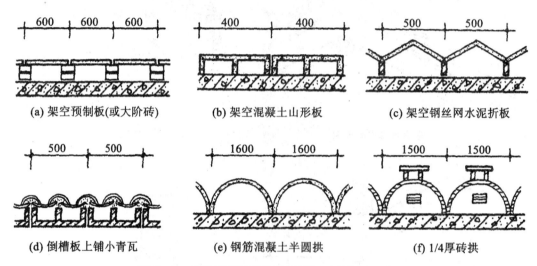

图12-41 架空通风隔热构造示意图（单位：mm）

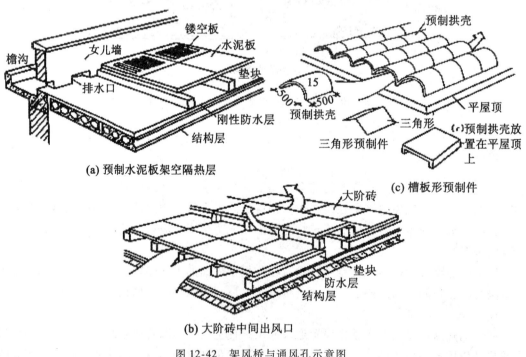

图12-42 架风桥与通风孔示意图

(2) 顶棚通风隔热屋面

这种做法是利用顶棚与屋顶之间的空间作隔热层，顶棚通风隔热层设计应满足以下要求：顶棚通风层应有足够的净空高度，一般为500mm左右，需设置一定数量的通风孔，以利于空气对流，通风孔应考虑防飘雨措施，如图12-43所示。

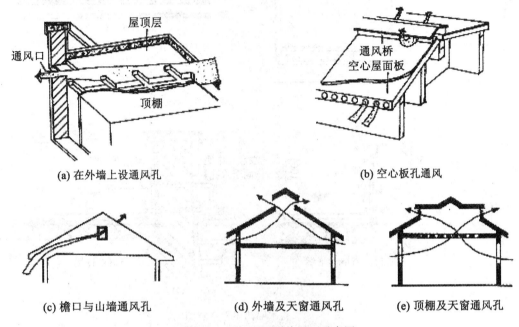

图12-43 顶棚通风隔热屋面示意图

2. 蓄水隔热屋面

蓄水隔热屋面是指在屋顶蓄积一层水，利用水蒸发时需要大量的汽化热，从而大量消耗晒到屋面的太阳辐射热，以减少屋顶吸收的热能，从而达到降温隔热的目的。蓄水隔热屋面的构造与刚性防水屋面基本相同，其主要区别是增加了一壁三孔，即蓄水分仓壁、溢水孔、泄水孔和过水孔。

蓄水隔热屋面的构造应注意以下几点：合适的蓄水深度，一般为150～200mm，根据屋面面积划分成若干蓄水区，每区的边长一般不大于10m（见图12-44（a））；足够的泛水高度，至少高出水面100mm（见图12-44（b））；合理设置溢水孔和泄水孔，并应与排水檐沟或水落管连通，以保证多雨季节不超过蓄水深度和检修屋面时能将蓄水排除（见图12-44（c））；注意做好管道的防水处理。

3. 种植隔热屋面

种植隔热屋面是在屋顶上种植植物，利用植被的蒸腾和光合作用，吸收太阳辐射热，从而达到降温隔热的目的。种植隔热根据栽培介质层构造方式的不同可以分为一般种植隔热和蓄水种植隔热两类。

(1) 一般种植隔热屋面

一般种植隔热屋面是在屋面防水层上直接铺填种植介质，载培植物。其构造要点为：

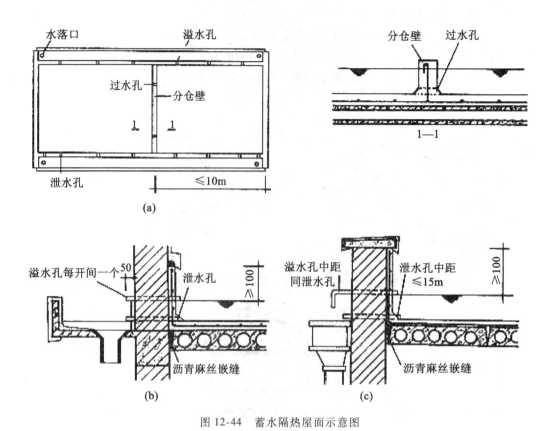

图 12-44 蓄水隔热屋面示意图

①选择适宜的种植介质。宜尽量选用轻质材料作载培介质，常用的有谷壳、蛭石、陶粒、泥碳等，即所谓的无土载培介质。载培介质的厚度应满足屋顶所载种的植物正常生长的需要，可以参考表 12-3 选用，但一般不宜超过 300mm。

表 12-3　　　　　　　　　　　　　种植层的深度

植物种类	种植层深度/（mm）	备　注
草　　皮	150～300	
小　灌　木	300～450	
大　灌　木	450～600	前者为该类植物的最小生存深度，后者为最小开花结果深度。
浅根乔木	600～900	
深根乔木	900～1500	

②种植床的做法。种植床又称为苗床，可以用砖或加气混凝土来砌筑床埂，如图 12-45 所示。

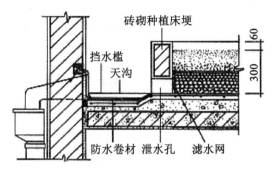

图 12-45 种植隔热屋面构造示意图（单位：mm）

③种植屋面的排水和给水。一般种植屋面应有一定的排水坡度（1%～3%）。通常在靠屋面低侧的种植床与女儿墙之间留出 300～400mm 的距离，利用所形成的天沟有组织排水，并在出水口处设挡水槛，以沉积泥沙，如图 12-46 所示。

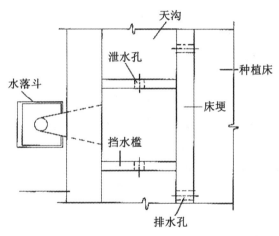

图 12-46 种植隔热屋面的挡水槛示意图

④种植隔热屋面的防水层。种植隔热屋面可以采用一道或多道（复合）防水设防，但最上面一道应为刚性防水层。

⑤注意安全防护问题。种植隔热屋面是一种上人层面，护栏的净保护高度不宜小于 1.1m。

（2）蓄水种植隔热屋面

蓄水种植隔热屋面是将一般种植屋面与蓄水屋面结合起来，其基本构造层次如图 12-47 所示。

①防水层：防水层应采用设置涂膜防水层和配筋细石混凝土防水层的复合防水设施做法。应先做涂膜防水层，再做刚性防水层。

②蓄水层：种植床内的水层靠轻质多孔粗骨料蓄积，粗骨料的粒径不应小于 25mm，蓄水层（包括水和粗骨料）的深度不应小于 60mm。

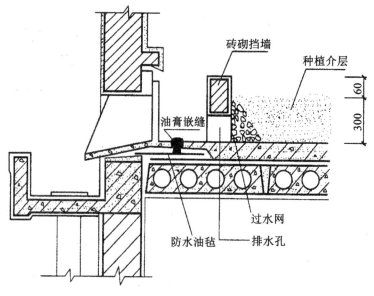

图 12-47 种植隔热屋面构造示意图（单位：mm）

③滤水层：考虑到保持蓄水层的畅通，不至被杂质堵塞，应在粗骨料的上面铺 60～80mm 厚的细骨料滤水层。细骨料按 5～20mm 粒径级配，下粗上细逐层铺填。

④种植层：为尽量减轻屋面板的荷载，载培介质的堆积密度不宜大于 $10kN/m^3$。

⑤种植床埂：蓄水种植屋面应根据屋顶绿化设计用床埂进行分区，每区面积不宜大于 $100m^2$。床埂宜高于种植层 60mm 左右，床埂底部每隔 1 200～1 500mm 设一个溢水孔，溢水孔处应铺设粗骨料或安设滤网以防止细骨料流失。

⑥人行架空通道板：架空板设在蓄水层上、种植床之间，通常可以支承在两边的床埂上。

4. 反射降温屋面

利用材料的颜色和光滑度对热辐射的反射作用，将一部分热量反射回去从而达到降温的目的。例如采用浅色的砾石、混凝土作面，或在屋面上涂刷白色涂料，对隔热降温都有一定的效果。如果在吊顶棚通风隔熟的顶棚基层中加铺一层铝箔纸板，利用第二次反射作用，其隔热效果将会进一步提高。

复习思考题

1. 屋顶由哪些部分所组成？
2. 屋顶有哪些类型？
3. 屋顶的功能是什么？其设计要求有哪些？
4. 影响屋面排水坡度大小的因素有哪些？
5. 屋面有组织排水的方式有哪些？
6. 什么是卷材防水？构造层次如何？

7. 什么是刚性防水？其优、缺点是什么？
8. 如何进行刚性防水屋面和卷材防水屋面的檐口构造和山墙泛水处理？
9. 坡屋顶常用的承重方式有哪些？
10. 平屋顶的保温构造主要有哪两种类型？各构造层次如何？
11. 屋顶的隔热有哪些做法？各做法分别有些什么要求？

第13章 门窗构造

本章提要：本章内容主要包括门窗的作用和设计要求；窗的类型、尺度和构造做法；门的类型、尺度和构造做法。对特殊门窗的构造和建筑遮阳等知识也作了适当的介绍。

§13.1 门窗概述

13.1.1 门窗的作用

1. 门的作用

（1）水平交通与疏散

建筑物给人们提供了各种使用功能的空间，这些空间之间既相对独立又相互联系，门能在室内各空间之间以及室内与室外之间起到水平交通联系的作用；同时，当有紧急情况和火灾发生时，门还起着交通疏散的作用。

（2）围护与分隔

门是空间的围护构件之一，依据其所处环境起着保温、隔热、隔声、防雨、密闭等作用，门还以多种形式按需要将空间分隔开。

（3）采光与通风

当门的材料以透光性材料（如玻璃）为主时，能起到采光的作用，如阳台门等；当门采用通透的形式（如百叶门等）时，可以通风，常用于要求换气量大的空间。

（4）装饰

门是人们进入一个空间的必经之路，会给人留下深刻的印象。门的样式多种多样，和其他的装饰构件相配合，能起到重要的装饰作用。

2. 窗的作用

（1）采光

窗是建筑物中主要的采光构件。开窗面积的大小以及窗的式样决定着建筑物空间内是否具有满足使用功能的自然采光量。

（2）通风

窗是空气进出建筑物的主要洞口之一，对空间中的自然通风起着重要作用。

（3）装饰

窗在墙面上占有较大面积，无论是在室内还是室外，窗都具有重要的装饰作用。

13.1.2 门窗的设计要求

1. 采光和通风方面的要求

按照建筑物的照度标准，建筑物门窗应选择适当的形式以及面积。窗洞口的大小应考虑房间的窗地比，窗地比是窗洞口与房间净面积之比。按照国家相关规范要求，一般居住建筑物的起居室、卧室的窗户面积不应小于地板面积的 $\frac{1}{7}$；公共建筑物方面，学校为 $\frac{1}{5}$，医院手术室为 $\frac{1}{3} \sim \frac{1}{2}$，辅助房间为 $\frac{1}{12}$。

在通风方面，自然通风是保证室内空气质量的最重要因素。这一环节主要是通过门窗位置的设计和适当类型的选用来实现的。在进行建筑设计时，必须注意选择有利于通风的窗户形式和合理的门窗位置，以获得空气对流。

2. 密闭性能和热工性能方面的要求

门窗大多经常启闭，构件之间缝隙较多，再加上启闭时会受震动，或由于主体结构的变形，使得门窗与建筑物主体结构之间出现裂缝，这些缝有可能造成雨水、风沙及烟尘的渗漏，还可能对建筑物的隔热、隔声带来不良影响。因此与其他围护构件相比较，门窗在密闭性能方面的问题更突出。

此外，门窗部分很难通过添加保温材料来提高其热工性能，因此选用合适的门窗材料及改进门窗的构造方式，对改善整个建筑物的热工性能、减少能耗，起着重要的作用。

3. 使用和交通安全方面的要求

门窗的数量、大小、位置、开启方向等，均涉及建筑物的使用安全。例如相关规范中规定了不同性质的建筑物以及不同高度的建筑物，其开窗的高度不同，这完全是出于安全防范方面的考虑。又如在公共建筑物中，相关规范中规定位于疏散通道上的门应朝疏散的方向开启，而且通往楼梯间等处的防火门应有自动关闭的功能，也是为了保证在紧急状况下人群疏散顺畅，而且减少火灾发生区域的烟气向垂直逃生区域的扩散。

4. 建筑视觉效果方面的要求

门窗的数量、形状、组合、材质、色彩是建筑物立面造型中非常重要的部分。特别是在一些对视觉效果要求较高的建筑物中，门窗更是立面设计的重点。

§13.2 窗

13.2.1 窗的分类

按窗的框架材质分为铝合金窗、塑钢窗、彩板窗、木窗、钢窗等。按窗的层数分为单层窗和双层窗。按窗扇的开启方式分为固定窗、平开窗、悬窗、立转窗、推拉窗、百叶窗等，如图 13-1 所示。

1. 固定窗

将玻璃直接镶嵌在窗框上，不设可活动的窗扇。一般用于只要求有采光、眺望功能的窗，如走道的采光窗和一般窗的固定部分。

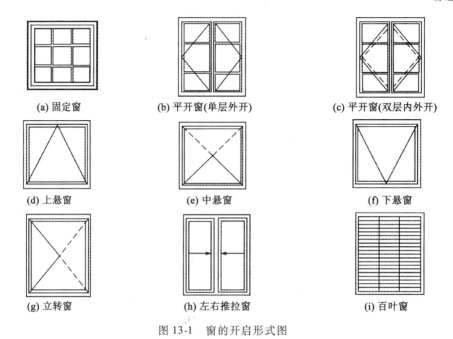

图 13-1 窗的开启形式图

2. 平开窗

窗扇一侧用铰链与窗框相连,窗扇可以向外或向内水平开启。平开窗构造简单,开关灵活,制作与维修方便,在一般建筑物中采用较多。

3. 悬窗

窗扇绕水平轴转动的窗。按照旋转轴的位置可以分为上悬窗、中悬窗和下悬窗,上悬窗和中悬窗的防雨、通风效果好,常用做门上的亮子和不方便手动开启的高侧窗。

4. 立转窗

窗扇绕垂直中轴转动的窗。这种窗通风效果好,但不严密,不宜用于寒冷地区和多风沙的地区。

5. 推拉窗

窗扇沿着导轨或滑槽推拉开启的窗,有水平推拉窗和垂直推拉窗两种。推拉窗开启后不占室内空间,窗扇的受力状态好,适宜安装大玻璃,但通风面积受限制。

6. 百叶窗

窗扇一般用塑料、金属或木材等制成小板材,与两侧框架相连接,有固定式百叶窗和活动式百叶窗两种。百叶窗的采光效率低,主要用做遮阳、防雨及通风。

13.2.2 窗的尺度与组成

1. 窗的尺度

窗的尺度应根据采光、通风的需要来确定,同时兼顾建筑造型和《建筑模数协调统一标准》等的要求。

为了确保窗的坚固、耐久,应限制窗扇的尺寸,一般平开木窗的窗扇高度为 800~1 200mm,宽度不大于 500mm;上悬窗、下悬窗的窗扇高度为 300~600mm;中悬窗窗扇高度不大于 1 200mm,宽度不大于 1 000mm;推拉窗的高宽均不宜大于 1 500mm。

2. 窗的组成

窗一般由窗框、窗扇和五金零件组成，如图 13-2 所示。窗框是窗与墙体的连接部分，由上框、下框、边框、中横框和中竖框组成。窗扇是窗的主体部分，分为活动扇和固定扇两种，一般由上冒头、下冒头、边梃和窗芯（又称为窗棂）组成骨架，中间固定玻璃、窗纱或百叶。五金零件包括铰链、插销、风钩等。

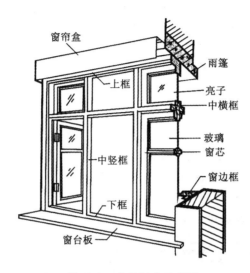

图 13-2　窗的组成示意图

13.2.3　窗在墙洞中的位置与窗框的安装

1. 窗在墙洞中的位置

窗在墙洞中的位置主要根据房间的使用要求和墙体的厚度来确定。一般有三种形式：窗框内平（见图 13-3（a））；窗框外平（见图 13-3（b））；窗框居中（见图 13-3（c））。

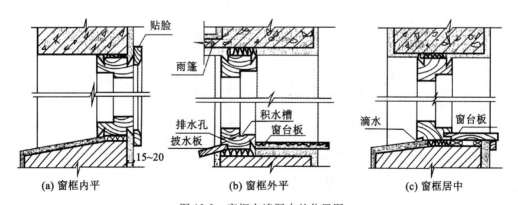

图 13-3　窗框在墙洞中的位置图

2. 窗框的安装

窗框的安装有立口和塞口两种。

（1）立口

砌墙时就将窗框立在相应的位置，找正后继续砌墙。这种做法能使窗框与墙体连接紧密牢固，但安装窗框和砌墙两种工序相互交叉进行，会影响施工进度，并且容易对窗造成损坏。

（2）塞口

砌墙时将窗洞口预留出来，预留的洞口一般比窗框外包尺寸大 30~40mm，当整幢建筑物的墙体砌筑完工后，再将窗框塞入洞口固定。这种做法不会影响施工进度，但窗框与墙体之间的缝隙较大，应加强固定时的牢固性和对缝隙的密闭处理。

13.2.4 窗的构造

1. 铝合金窗的构造

铝合金窗多采用水平推拉式的开启方式，窗扇在窗框的轨道上滑动开启。窗扇与窗框之间用尼龙密封条进行密封，以避免金属材料之间相互摩擦。玻璃卡在铝合金窗框架的凹槽内，并用橡胶压条固定，如图 13-4 所示。

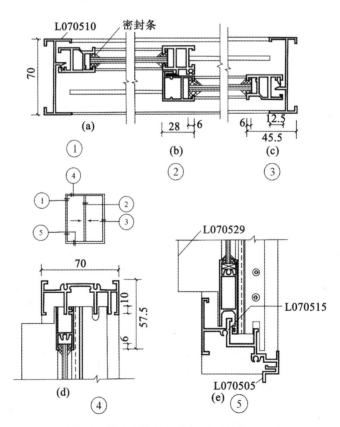

图 13-4 铝合金窗构造实例图（单位：mm）

铝合金窗一般采用塞口的方法安装，固定时，窗框与墙体之间采用预埋铁件、燕尾铁脚、膨胀螺栓、射钉固定等方式连接，如图 13-5 所示。

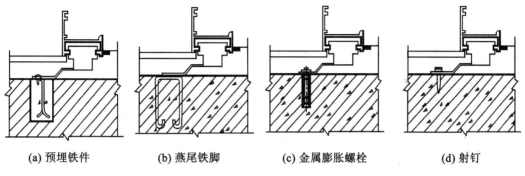

图 13-5 铝合金窗框与墙体的固定方式示意图

2. 塑钢窗的构造

塑钢窗是以 PVC 为主要原料制成空腹多腔异型材，中间设置薄壁加强型钢，经加热焊接而成的窗框架。

塑钢窗的导热系数低，耐弱酸碱，无需油漆并具有良好的气密性、水密性、隔声性等优点，其构造如图 13-6 所示。

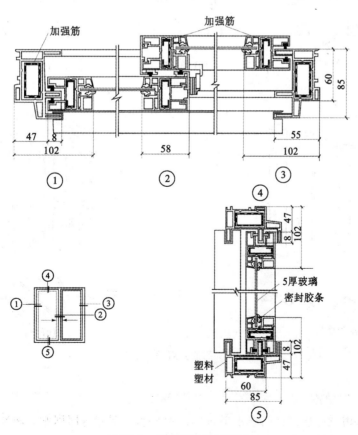

图 13-6 塑钢窗构造示意图

塑钢窗的开启方式及安装构造与铝合金窗基本相同。

§13.3 门

13.3.1 门的分类

按门在建筑物中所处的位置分为内门和外门。按门的使用功能分为一般门和特殊门。按门的框架材质分为木门、铝合金门、塑钢门、彩板门、玻璃钢门、钢门等。按门扇的开启方式分为平开门、弹簧门、推拉门、折叠门、转门、卷帘门、升降门等，如图13-7所示。

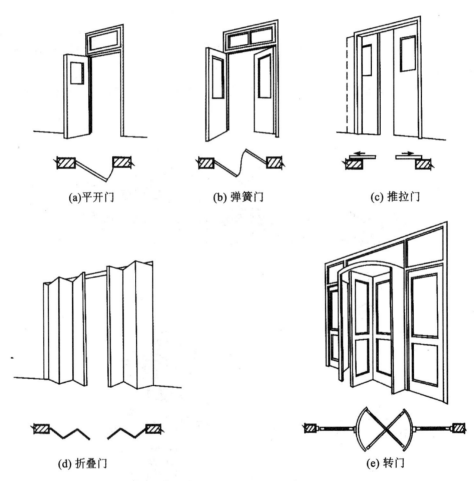

图 13-7 门的开启方式示意图

1. 平开门

门扇与门框用铰链连接，门扇水平开启，有单扇、双扇及向内开、向外开之分。平开门构造简单，开启灵活，安装维修方便。

2. 弹簧门

门扇与门框用弹簧铰链连接，门扇水平开启，分为单向弹簧门和双向弹簧门，其最大优点是门扇能够自动关闭。

3. 推拉门

门扇沿着轨道左右滑行启闭，有单扇门和双扇门之分，开启后，门扇可以隐藏在墙体的夹层中或贴在墙面上。推拉门开启时不占空间，受力合理，不易变形，但其构造较复杂。

4. 折叠门

门扇由一组宽度约为600mm的窄门扇组成，窄门扇之间以铰链连接。开启时，窄门扇相互折叠推移到侧边，占空间少，但其构造复杂。

5. 转门

门扇由三扇或四扇通过中间的竖轴组合起来，在两侧的弧形门套内水平旋转来实现启闭。转门有利于室内的隔视线、保温、隔热和防风沙，并且对建筑物立面有较强的装饰性。

6. 卷帘门

门扇由金属页片相互连接而成，在门洞的上方设转轴，通过转轴的转动来控制页片的启闭。其特点是开启时不占使用空间，但加工制作复杂，造价较高。

13.3.2 门的尺度与组成

1. 门的尺度

门的尺度是指门洞的高宽尺寸，应满足人流疏散，搬运家具、设备的要求，并应符合《建筑模数协调统一标准》(GBJ2—1986)的规定。

一般情况下，门保证通行的高度不小于2 000mm，当上方设亮子时，应加高300~600mm。门的宽度应满足一个人通行，并考虑必要的空隙，一般为700~1 000mm，通常设置为单扇门。对于人流量较大的公共建筑物的门，其宽度应满足疏散要求，可以设置两扇以上的门。

2. 门的组成

门一般由门框、门扇、五金零件及附件组成，如图13-8所示。门框是门与墙体的连接部分，由上框、边框、中横框和中竖框组成。门扇一般由上冒头、中冒头、下冒头和边梃组成骨架，中间固定门芯板。五金零件包括铰链、插销、门锁、拉手等。其附件有贴脸板、筒子板等。

13.3.3 门的构造

1. 平开木门的构造

(1) 门框

门框的断面形状与尺寸取决于门扇的开启方式和门扇的层数，由于门框要承担各种撞击荷载和门扇的重量作用，应有足够的强度和刚度，故其断面尺寸较大，如图13-9所示。

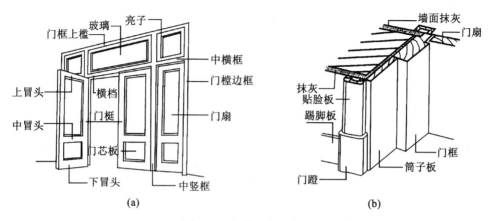

图 13-8 门的组成示意图

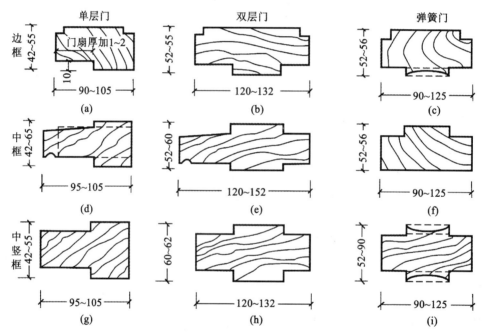

图 13-9 平开木门门框的断面形状和尺寸示意图（单位：mm）

门框在洞口中，根据门的开启方式及墙体厚度的不同分为外平、居中、内平、内外平四种，如图 13-10 所示。

（2）门扇

平开木门的门扇有多种做法，常见的有镶板门、拼板门、夹板门等。

①镶板门

由上冒头、中冒头、下冒头和边梃组成骨架，中间镶嵌门芯板，门芯板可以采用 15mm 厚的木板拼接而成，也可以采用胶合板、硬质纤维板或玻璃等，如图 13-11 所示。

②夹板门

图 13-10 门框在洞口中的位置示意图

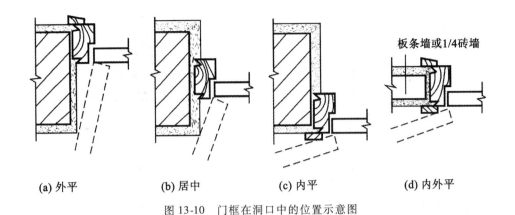

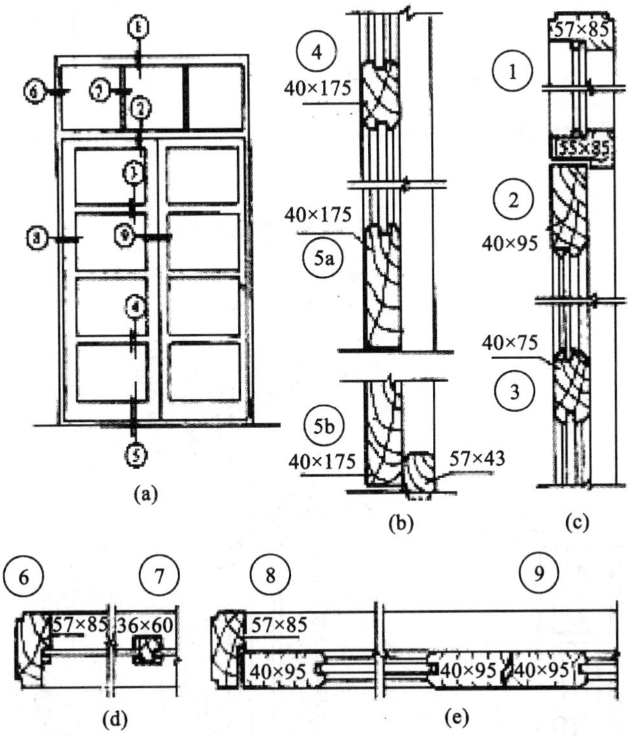

图 13-11 镶板门构造示意图

用小截面的木条（35mm×50mm）组成骨架，在骨架的两面铺钉胶合板或纤维板等，如图 13-12 所示。

③拼板门

拼板门的构造与镶板门相同，由骨架和拼板组成，只是拼板门的拼板用 35~45mm 厚的木板拼接而成，因而自重较大，但坚固耐久，多用于库房、车间的外门，如图 13-13 所示。

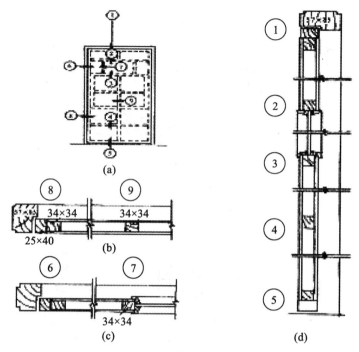

图 13-12　夹板门的构造示意图

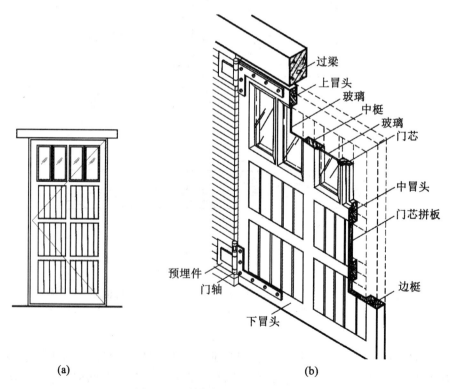

图 13-13　拼板门的构造示意图

④玻璃门

玻璃门的门扇构造与镶板门基本相同，只是门芯板用玻璃代替，用于要求采光与透明的出入口处，如图13-14所示。

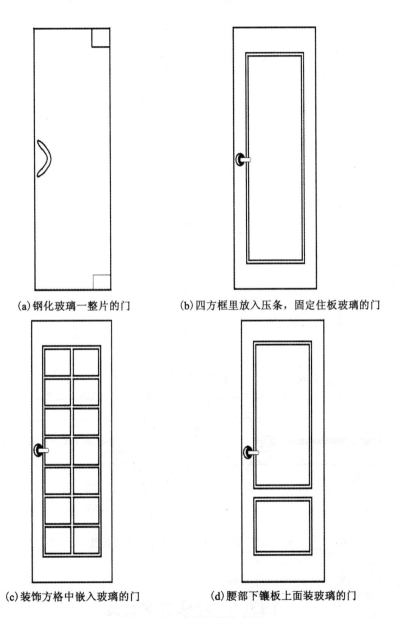

图13-14　玻璃门的样式图

2. 金属门的构造

目前建筑物中金属门包括塑钢门、铝合金门、彩板门等。塑钢门多用于住宅的阳台门或外门，开启方式多为平开或推拉。铝合金门多为半截玻璃门，采用平开的开启方式，门扇边梃的上、下端用地弹簧连接，如图13-15所示。

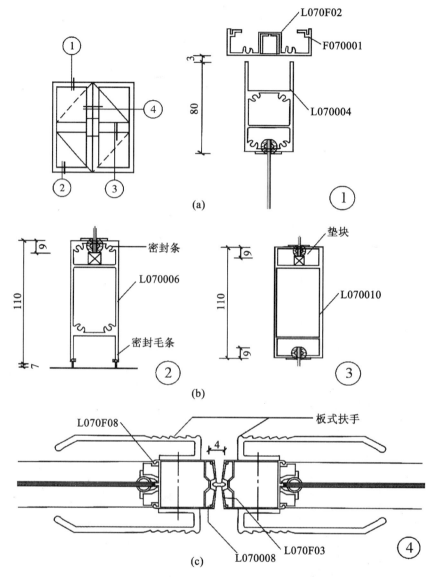

图 13-15 铝合金地弹簧门的构造示意图

§13.4 特殊门窗构造

特殊门窗包括防火、隔声、防射线等类型的门窗。

13.4.1 隔声门窗构造

室内噪声允许级较低的房间，如播音室、录音室、办公室、会议室等以及某些需要防止声响干扰的娱乐场所，如影剧院、音乐厅等，应安装隔声门窗。门窗的隔声能力与材料的密度、构造形式及声波的频率有关。一般门扇越重隔声效果越好,但过重则开关不便,五金件容易损坏,所以隔声门常采用多层复合结构,即在两层面板之间填吸声材料(玻璃棉、玻璃纤维板等)。隔声门窗缝隙处的密闭情况也很重要,可以采用与保温门窗相似的方法,也可以用干燥的毛毡或厚绒布作为缝隙间的密封条,如图 13-16 所示。

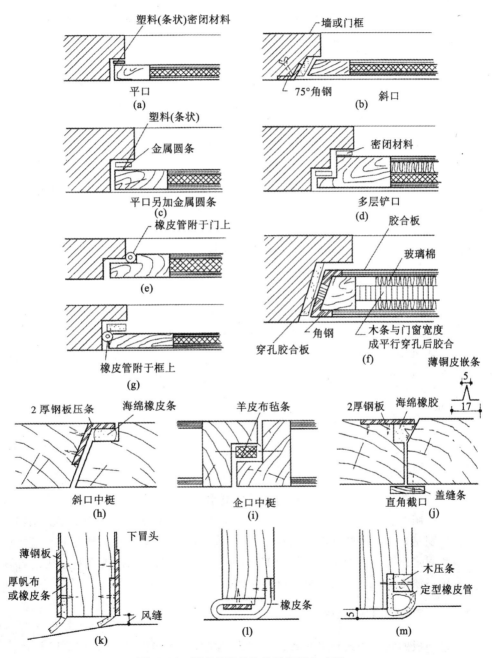

图 13-16 隔声门窗的构造及密闭方式图

13.4.2 防火门窗的构造

在建筑设计中出于安全方面的考虑,并按照相关防火规范的要求,必须将建筑物内部空间按每一定面积划分为若干个防火分区。但是建筑物的使用功能决定了这种划分一般不可能完全由墙体完成,否则建筑物内部空间就无法形成交通联系。因此需要设置既能保证通行又可以分隔不同防火分区的建筑构件,这就是防火门。防火门主要控制的环节是材料的耐火性能及节点的密闭性能。防火门分为甲、乙、丙三级,耐火极限分别应大于 1.2h、0.9h、0.6h。

常见的防火门有木质和钢质两种。木质防火门选用优质杉木制作门框及门扇骨架,材料均经过难燃浸渍处理,门扇内腔填充高级硅酸铝耐火纤维,双面衬硅钙防火板。门扇及门框外表面可以根据用户要求镶贴各种高级木料饰面板。门扇可以单面或双面造型,制成凹凸线条门、平板线条门、铣形门、拼花实木门等系列产品。钢质防火门门框及门扇面板可以采用优质冷轧薄钢板,内填耐火隔热材料,门扇也可以采用无机耐火材料。此外,在地下室或某些特殊场所处还可以用钢筋混凝土的密闭防火门。在大面积的建筑物中则经常使用防火卷帘门,这样平时可以不影响交通,在发生火灾的情况下,可以有效地隔离各防火分区。

防火窗必须采用钢窗,镶嵌铅丝玻璃以免破裂后掉下,并防止火焰窜入室内或窜出窗外。

13.4.3 防射线门窗的构造

放射线对人体有一定程度损害,因此对放射室要做防护处理。放射室的内墙均须装置 X 光线防护门,主要镶钉铅板。铅板既可以包钉于门板外也可以夹钉于门板内。

医院的 X 光治疗室和摄片室的观察窗,均需镶嵌铅玻璃,呈黄色或紫红色。铅玻璃系固定装置,但亦需注意铅板防护,四周均须交叉叠过。

§13.5 遮 阳

13.5.1 遮阳的作用

遮阳是为了防止阳光直接射入室内,避免夏季室内温度过高和产生眩光而采取的构造措施。建筑遮阳方法很多,如绿化遮阳、室内窗帘等均是有效方法,但对于太阳辐射强烈的地区,特别是朝向不利的墙面上建筑的门窗等洞口,应采取专用遮阳措施。遮阳设施有活动遮阳和固定遮阳板两种类型,如图 13-17 所示。近年来在国内外大量运用的各种轻型遮阳,常用不锈钢、铝合金及塑料等材料制作。

13.5.2 固定遮阳板的形式

固定遮阳板的基本形式有水平式、垂直式、综合式和挡板式,如图 13-18 所示。

1. 水平式遮阳板

水平式遮阳板主要遮挡太阳高度角较大时从窗口上方照射下来的阳光。主要适用于朝南的窗洞口。

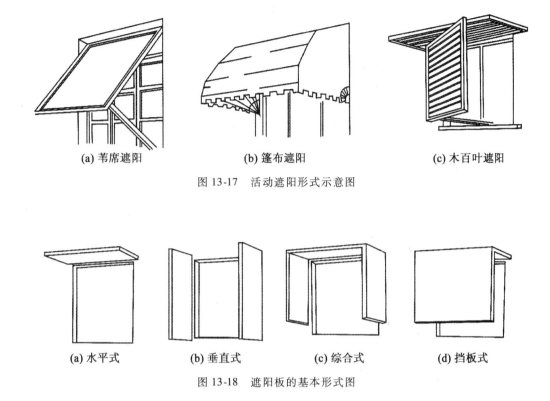

(a) 苇席遮阳　　　　　(b) 篷布遮阳　　　　　(c) 木百叶遮阳

图 13-17　活动遮阳形式示意图

(a) 水平式　　(b) 垂直式　　(c) 综合式　　(d) 挡板式

图 13-18　遮阳板的基本形式图

2. 垂直式遮阳板

垂直式遮阳板主要遮挡太阳高度角较小时从窗口侧面射来的阳光。主要适用于南偏东、南偏西及其附近朝向的窗洞口。

3. 综合式遮阳板

综合式遮阳板是水平式遮阳板和垂直式遮阳板的综合，能遮挡从窗口两侧及前上方射来的阳光。遮阳效果比较均匀，主要适用于南、东南、西南及其附近朝向的窗洞口。

4. 挡板式遮阳板

挡板式遮阳板主要遮挡太阳高度角较小时从窗口正面射来的阳光。主要适用于东、西向及其附近朝向的窗洞口。

在实际工程中，遮阳板可以由基本形式演变出造型丰富的其他形式。如为避免单层水平式遮阳板的出挑尺寸过大，可以将水平式遮阳板重复设置成双层或多层（见图 13-19 (a)）；当窗间墙较窄时，将综合式遮阳板连续设置（见图 13-19 (b)、(c)）；挡板式遮阳板结合建筑物立面处理，或连续或间断（见图 13-19 (d)）。

13.5.3　遮阳设计新趋势

由于建筑物室内对阳光的需求是随时间、季节变化的，而太阳高度角度也是随气候、时间的不同而不同，因而可以调节角度的遮阳对于建筑物节能和满足使用要求均较好。以生态技术为手段的新一代建筑师正在积极探索新的、更加高效的遮阳方式。充分体现新材

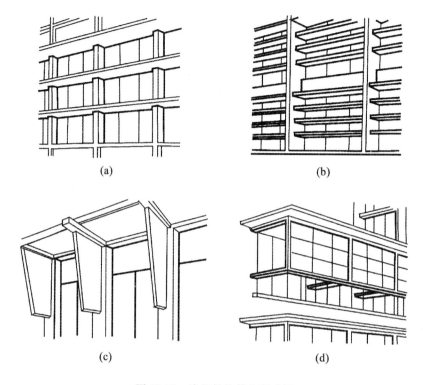

图 13-19 遮阳板的其他形式图

料、高新技术的利用,充分挖掘多功能、可调控的遮阳构件。

1. 新型建筑遮阳材料和工艺

可以用做遮阳构件的材料相当丰富,不同的材料具有各自的物理特性,包括力学特性和热工性能。传统的木材和混凝土今日仍然在使用,只是加工工艺更为精细和现代化。在巴黎国家图书馆,整个玻璃幕墙后面排列了厚重的木遮阳板,通过翻转来改变采光和遮阳效果。织物由于其柔性特征,可以加工成小巧且造型别致的遮阳构件,慕尼黑赫尔佐格和德穆龙设计的建筑利用导轨来对布帘遮阳进行控制和定型,德方斯巨门下则采用了柔性张拉膜。

今天最为流行的遮阳构件材料当数金属,钢格网遮阳同时具有很高的结构强度,可以满足人员走动和上下通风的需要,广泛应用在可通风的双层玻璃幕墙中。轻质的铝材可以加工成室外遮阳隔栅、遮阳卷帘以及室内百叶窗。在生产工艺方面,今天广泛使用的金属遮阳构件的生产无需像过去那样依靠人工打制,电脑控制生产的准确性使每一个构件看起来都精美绝伦,同时批量生产使大规模的应用成为可能。先进技术控制的施工又使得丝丝入扣的榫铆交接成为可能,于是"高新技术"确保了金属遮阳构件的精确和精密。采用高性能的隔热和热反射玻璃制成的玻璃遮阳板,以及结合光电光热转换的遮阳板,则使得遮阳材料和技术更上一层楼,弗莱堡沃邦生态村的屋顶和弗莱堡太阳能电池厂中庭侧面,都布满了太阳能板,既接收太阳光转换成电力,又能够遮阳。弗莱堡的旋转别墅还将光电与光热转换综合起来加以运用。

2. 自动控制的遮阳构件

对于遮阳构件来说，简单的手工调节在今天仍然有效，但对于一些大面积的幕墙和高层建筑物来说，则需要依赖自动调节设施，特别是高层建筑物的遮阳构件无论在尺寸方面还是在调节操控方面，都提出了更高的要求，因此对于遮阳调节的自动化程度提高了。建筑师努力将现代自动控制技术用于建筑遮阳设计，在满足功能需要的同时，营造出一种美妙的光影效果和气氛，法兰克福商业银行的遮阳百叶自动控制系统，德国国会大厦穹顶中可以自动追踪太阳运行轨迹并做相应运动的遮阳"扇"都集中了自动控制技术与工艺的精华。自动控制遮阳构件中最让人难以置信的例子，莫过于阿拉伯世界研究中心像光圈一样调节的采光遮阳窗，这种遮阳窗使用了最前卫的技术和构造技巧，主立面用框架和滤光器的手法处理采光，并覆盖隔栅，可以根据阳光作出精确调节，达到采光和遮阳的目的。在每一个单元格上，控制调节的电子线路板清晰可见，其遮阳板充分体现出艺术与技术的完美结合。这种手段应用易变控光装置的现代形式反映了阿拉伯建筑的传统几何原型。极富现代感的金属材质，纤细、精巧的金属节点，一种使用反射、折射和逆光效果的敏锐装置创造采光和遮阳的奇迹，成为阿拉伯世界研究中心最富感染力的标志。

复习思考题

1. 门和窗的作用分别是什么？
2. 屋顶有哪些类型？
3. 门和窗的设计要求有哪些？
4. 窗有哪些类型？窗由哪几部分组成？
5. 门有哪些类型？门由哪几部分组成？
6. 铝合金窗与墙的固定方式有哪几种？试用图表示。
7. 平开木门的构造如何？
8. 隔声门窗的构造如何？
9. 遮阳设计有哪些新趋势？

第14章 变形缝构造

本章提要：本章内容主要包括变形缝的概念及类型；各种变形缝的作用、设置要求；变形缝处建筑的结构布置和变形缝的盖缝构造。

§14.1 概 述

建筑物由于受温度变化、地基不均匀沉降以及地震的影响，结构内将产生附加的变形和应力，如果不采取措施或措施不当，会使建筑物产生裂缝，甚至倒塌，影响使用与安全。为避免这种状态的发生，可以采取"阻"或"让"两种不同措施。前者是通过加强建筑物的整体性，使其具有足够的强度与刚度，以阻遏这种破坏；后者是在变形敏感部位将结构断开，预留缝隙，使建筑物各部分能自由变形，不受约束，即以退让的方式避免破坏。后一种措施比较经济，常被采用。建筑物中这种预留缝隙称为变形缝。

变形缝按其功能分为三种类型，即伸缩缝、沉降缝、防震缝。

§14.2 变形缝的设置要求

14.2.1 伸缩缝

1. 伸缩缝的概念

当建筑物长度超过一定限度，建筑平面变化较多或结构类型变化较大时，建筑物会因热胀冷缩变形较大而产生开裂。为预防这种情况发生，常常沿建筑物长度方向每隔一定距离或结构变化较大处预留缝隙，将建筑物断开，这种断开的缝隙称为伸缩缝。

2. 伸缩缝的设置要求

伸缩缝要求把建筑物的墙体、楼板层、屋顶等地面以上部分全部断开，基础部分因受温度变化较小，不需断开。

伸缩缝的位置和间距与建筑物的结构类型、材料、施工条件及当地温度变化情况有关。设计时应根据相关规范的规定设置，如表14-1、表14-2所示。

14.2.2 沉降缝

1. 沉降缝的概念

沿建筑物高度设置垂直缝隙，将建筑物划分成若干个可以自由沉降的单元，这种垂直缝称为沉降缝。

表 14-1　　　　　　　　　　　砌体建筑伸缩缝的最大间距

砌体类型	屋顶或楼层结构类别		间距/m
各种砌体	整体式或装配整体式钢筋混凝土结构	有保温层或隔热层的屋顶、楼层	50
		无保温层或隔热层的屋顶	40
	装配式无檩体系钢筋混凝土结构	有保温层或隔热层的屋顶、楼层	60
		无保温层或隔热层的屋顶	50
	装配式有檩体系钢筋混凝土结构	有保温层或隔热层的屋顶、楼层	75
		无保温层或隔热层的屋顶	60
粘土砖、空心砖砌体	粘土瓦或石棉瓦屋顶		100
石砌体	木屋顶或楼层		80
硅酸盐块砌体和混凝土块砌体	砖石屋顶或楼层		75

注：1. 层高大于 5 m 的混合结构单层房屋，其伸缩缝间距可以按表 14-1 中数值乘以 1.3 采用，但当墙体采用硅酸盐砖、硅酸盐砌块和混凝土砌块砌筑时，不得大于 75m。

2. 温差较大且变化频繁地区和严寒地区不采暖的房屋及构筑物墙体的伸缩缝最大间距，应按表 14-1 中数值予以适当减少后使用。

表 14-2　　　　　　　　钢筋混凝土结构伸缩缝的最大间距　　　　　　　　（单位：m）

结构类型		室内或土中	露天
排架结构	装配式	100	70
框架结构	装配式	75	50
	现浇式	55	35
剪力墙结构	装配式	65	40
	现浇式	45	30
挡土墙、地下室墙等类结构	装配式	40	30
	现浇式	30	20

注：1. 若有充分依据或可靠措施，表 14-2 中数值可以增减。

2. 当屋面板上部无保温或隔热措施时，框架、剪力墙结构的伸缩缝间距，可以按表 14-2 中露天栏的数值选用，排架结构可以按适当低于室内栏的数值选用。

3. 排架结构的柱顶面（从基础顶面算起）低于 8m 时，宜适当减少伸缩缝间距。

4. 外墙装配、内墙现浇的剪力墙结构，其伸缩缝最大间距按表 14-2 中现浇式一栏数值选用。滑模施工的剪力墙结构，宜适当减小伸缩缝间距。现浇墙体在施工中应采取措施减少混凝土收缩应力。

2. 沉降缝的设置要求

符合下列条件之一者应设置沉降缝：

（1）当建筑物相邻两部分有较大高差，或相邻两部分荷载相差较大；

（2）建筑物体型复杂，连接部位较为薄弱；

（3）结构形式不同；

（4）基础埋置深度相差悬殊，地基土的地耐力相差较大；

（5）已建建筑物和新建、扩建的建筑物之间。

沉降缝的宽度与地基的性质和建筑物的高度有关，地基越软弱，建筑物的高度越大，沉降缝的宽度也越大，如表14-3所示。

表14-3　　　　　　　　　　　　沉降缝的宽度

地基情况	建筑物高度	沉降缝的宽度/（mm）
一般地基	<5m	30
	5~10m	50
	10~15m	70
软弱地基	2~3层	50~80
	4~5层	80~120
	6层以上	>120
湿陷性黄土地基		≥30~70

除了设沉降缝以外，不属于扩建的工程还可以用加强建筑物的整体性等方法来避免不均匀沉降；或在施工时采用所谓的后浇板带法，即先将建筑物分段施工，中间留出约2m左右的后浇板带位置及连接钢筋，待各分段结构封顶并达到基本沉降量后再浇筑中间的后浇板带部分，以此来避免不均匀沉降有可能造成的影响。但是，这样做必须对沉降量把握准确，或者在建筑物的某些部位会因特殊处理而需要较高的投资，因此大量的建筑工程中有必要时目前还是选择设置沉降缝的方法来将建筑物断开。

14.2.3　防震缝

1. 防震缝的概念

在建筑物变形敏感部位设缝，将建筑物分为若干个体型规整、结构单一的单元，防止在地震波的作用下互相挤压、拉伸，造成变形破坏，这种缝隙称为防震缝。

2. 防震缝的设置要求

地震设防烈度为7~9度地区的建筑物，有下列情况之一时应设防震缝：

（1）建筑物立面高差在6m以上；

（2）建筑物有错层，且楼板错层高差较大；

（3）建筑物各部分结构刚度、质量截然不同。

防震缝的宽度，在多层砖混结构中按设防烈度的不同取50~100mm；在多层钢筋混凝土框架结构建筑物中，建筑物的高度不超过 15m 时缝宽为 70mm，当建筑物高度超过 15m 时，缝宽如表 14-4 所示。

表 14-4　　　　　　　　　　　防震缝的宽度

设防烈度	建筑物高度	缝　宽
7 度	每增加 4m	在 70mm 基础上增加 20mm
8 度	每增加 3m	在 70mm 基础上增加 20mm
9 度	每增加 2m	在 70mm 基础上增加 20mm

§14.3　设变形缝处建筑物的结构布置

在建筑物设变形缝的部位，应使两边的结构满足断开的要求，又自成系统。其布置方法主要有以下几种：

1. 按照建筑物承重系统的类型，在变形缝的两侧设双墙或双柱。这种做法较为简单，但容易使缝两边的结构基础产生偏心。用于伸缩缝时则因为基础可以不断开，所以无此问题。图 14-1 是双墙方案基础部分的示意图。

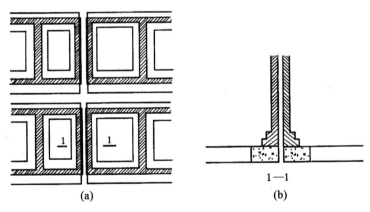

图 14-1　双墙承重方案示意图

2. 变形缝两侧的垂直承重构件分别退开变形缝一定距离，或单边退开，再像做阳台那样用水平构件悬臂向变形缝的方向挑出。这种方法基础部分容易脱开距离，设缝较方便，特别适用于沉降缝。此外建筑物的扩建部分也常常采用单边悬臂的方法，以避免影响原有建筑物的基础。图 14-2、图 14-3 分别是这种结构处理方法的示意图。

3. 用一段简支的水平构件做过渡处理，即在两个独立单元相对的两侧各伸出悬臂构件来支承中间一段水平构件。这种方法多用于连接两个建筑物的架空走道等，但在抗震设防地区需谨慎使用。图 14-4 是这种结构处理方法的示意图。

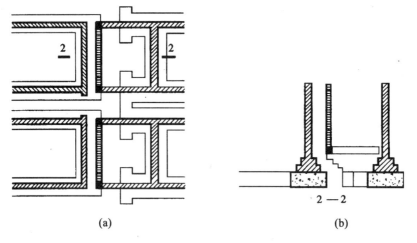

图 14-2 用悬臂方案设缝时基础状况示意图

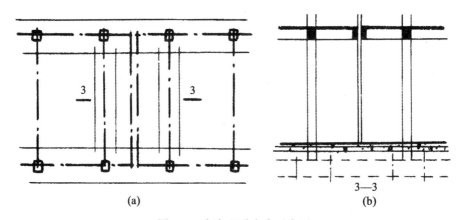

图 14-3 框架悬臂方案示意图

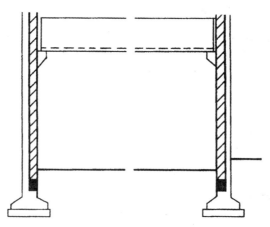

图 14-4 用简支水平构件设变形缝的方法示意图

§14.4　变形缝的盖缝构造

14.4.1　变形缝盖缝构造的要求

在建筑物设变形缝的部位必须全部作盖缝处理。其主要目的是为了满足使用的需要，例如通行等。此外，处于外围护结构部分的变形缝还应防止渗漏，以及防止热桥的产生。当然，美观的问题也是相当重要的。为此，对变形缝作盖缝处理时，有以下几点应予以重视：

1. 所选择的盖缝板的形式必须符合所属变形缝类别的变形需要。例如伸缩缝上的盖缝板不必适应上、下方向的位移，而沉降缝上的盖缝板则必须满足这一要求。

2. 所选择的盖缝板的材料及构造方式必须符合变形缝所在部位的其他功能需要。例如用于屋面和外墙面部位的盖缝板应选择不易锈蚀的材料，如镀锌铁皮、彩色薄钢板、铝皮等，并做到节点能够防水；而用于室内地面、楼板地面及内墙面的盖缝板则可以根据内部面层装修的需要来做。

应当注意，对于高层建筑物及防火要求较高的建筑物，室内变形缝四周的基层，应采用不燃材料，表面装饰层也应采用不燃材料或难燃材料。在变形缝内不应敷设电缆、可燃气体管道和易燃、可燃液体管道，若这类管道必须穿过变形缝时，应在穿过处加设不燃材料套管，并应采用不燃材料将套管两端空隙紧密填塞。

3. 在变形缝内部应采用具有自防水功能的柔性材料来塞缝，例如挤塑型聚苯板、沥青麻丝、橡胶条等，以防止热桥的产生。

14.4.2　变形缝的盖缝构造

1. 基础变形缝

基础在沉降缝处的构造有双墙式、交叉式和悬挑式，如图14-5所示。

2. 墙体变形缝

墙体变形缝的构造形式与变形缝的类型和墙体的厚度有关，可以做成平缝、错口缝或企口缝，如图14-6所示。

外墙变形缝的构造应考虑防水、耐久，满足热工性能要求，如图14-7所示。

内墙变形缝的构造应考虑与室内的装饰环境相协调，并满足隔声、防火要求。一般采用具有一定装饰效果的木条盖缝，如图14-8所示。

3. 楼地层变形缝

（1）楼板层变形缝

楼板层变形缝的宽度应与墙体变形缝一致，上部用金属板、预制水磨石板、硬塑料板等盖缝，以防止灰尘下落，如图14-9（a）所示。

（2）地坪层变形缝

当地坪层采用刚性垫层时，变形缝应从垫层到面层处断开，垫层处缝内填沥青麻丝或聚苯板，面层处理同楼面，如图14-9（b）所示。

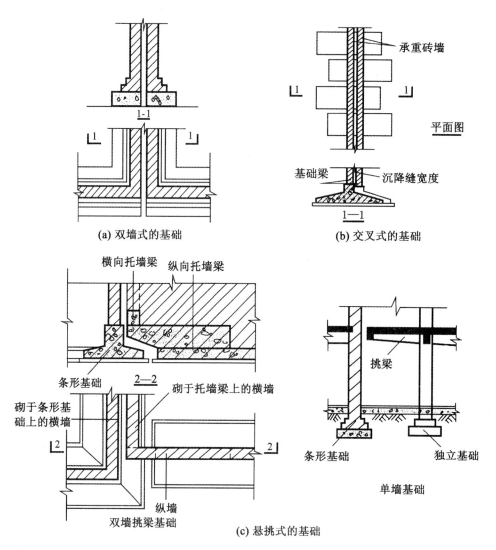

图 14-5 沉降缝处基础构造示意图

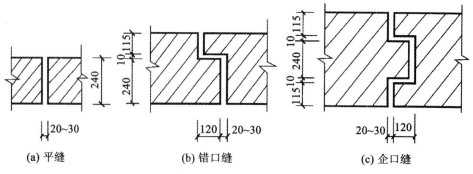

图 14-6 墙体变形缝构造示意图（单位：mm）

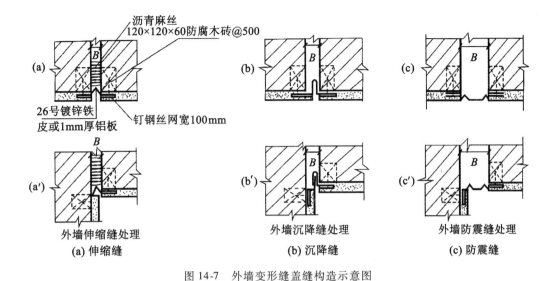

图 14-7 外墙变形缝盖缝构造示意图

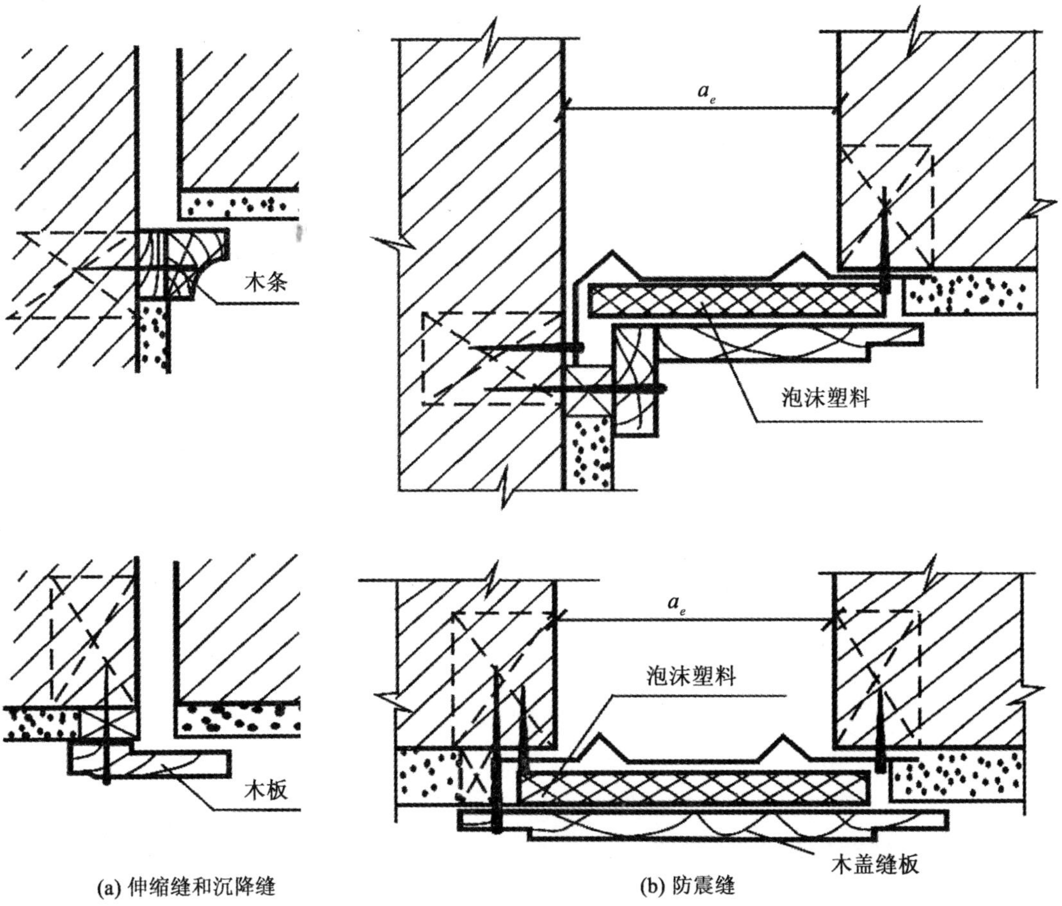

图 14-8 内墙变形缝盖缝构造示意图

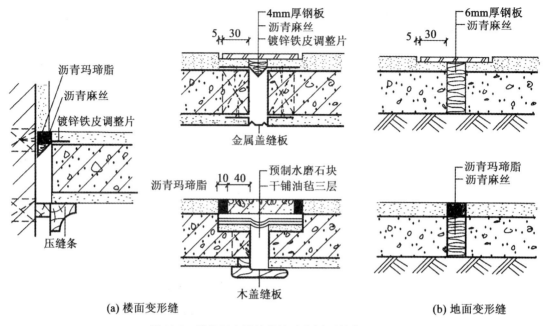

图 14-9　楼地面变形缝盖缝示意图（单位：mm）

4. 屋顶变形缝

屋顶在变形缝处的构造分为等高屋面变形缝和不等高屋面变形缝两种。

（1）等高屋面变形缝

不上人屋面变形缝（见图 14-10）；上人屋面变形缝（见图 14-11）。

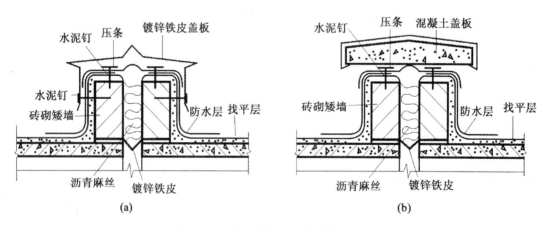

图 14-10　不上人屋面变形缝盖缝示意图

（2）不等高屋面变形缝

不等高屋面变形缝如图 14-12 所示。

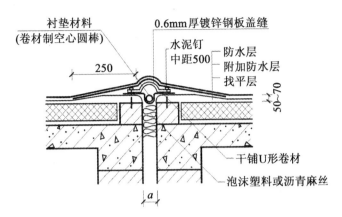

图 14-11 上人屋面变形缝盖缝示意图（单位：mm）

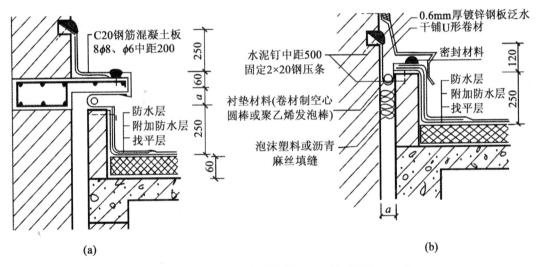

图 14-12 不等高屋面变形缝盖缝示意图（单位：mm）

复习思考题

1. 什么叫做建筑变形缝？变形缝的类型有哪些？
2. 什么叫做伸缩缝？伸缩缝的间距是如何规定的？
3. 什么叫做沉降缝？建筑物中哪些情况下应设置沉降缝？
4. 什么叫做防震缝？建筑物中哪些情况下应设置防震缝？
5. 设变形缝处建筑物的结构布置方法主要有哪几种？
6. 试用图表示各种变形缝的盖缝构造。

第三篇 工业建筑

第 15 章 工业建筑概述

本章提要：本章主要介绍什么是工业建筑，工业建筑的特点，工业建筑的分类以及工业建筑设计的任务和要求。

工业建筑是伴随工业革命而出现的一种新型建筑，18 世纪后期开始在英国出现。随后在欧美一些国家也兴建了各种工业建筑。前苏联在 20 世纪 20～30 年代开始进行大规模工业建设。我国在 20 世纪 50 年代开始大量建造各种类型的工业建筑。

现代工业建筑体系的发展已有二百多年的历史，其中以第二次世界大战后的数十年的发展最为迅速，更显示出工业建筑独有的特征和建筑风格。

我国在 1949 年以后新建和扩建了大量工厂和工业基地，在全国已形成了比较完整的工业体系。长期以来，我国在工业建筑设计中贯彻了"坚固适用、经济合理、技术先进"的设计原则，设计水平不断提高，设计力量迅速壮大。特别是改革开放以后，我国工业建筑发展很快，整体水平有了很大提高。

§15.1 工业建筑的特点

工业建筑是指工厂企业内由不同的生产工艺特性而决定的各类不同建筑物单元的总和。一般较大型的工业企业包括生产性建筑物，辅助生产建筑物，生产服务性建筑物，公用工程建筑物以及生产管理办公区建筑物等。工厂类别各异，所以工业建筑的内容也是十分丰富多彩的。故对于工业建筑而言，不应狭义地理解为就是厂房。

工业建筑物是进行工业生产的房屋，工业建筑与民用建筑在设计原则、建筑技术及建筑材料等方面具有建筑的共性。但是，由于生产工艺的复杂性和多样性，在建筑布局、设计配合、使用要求、建筑结构和建筑构造等方面，工业建筑又具有以下特点：

15.1.1 工业建筑必须满足工业生产的要求，并为工人创造良好的劳动卫生条件

工业建筑必须紧密结合生产，满足工业生产的要求。厂房设计在满足生产工艺要求的基础上，为工人创造良好的劳动环境，以利于提高产品质量及劳动生产率。

15.1.2 厂房内部空间较大

许多工业厂房有大量的大型设备及起重机械，因而厂房内部大多具有较大的开敞空间。

15.1.3 工业建筑的结构和构造比较复杂

工业生产类别差异很大，有重型的、轻型的；有冷加工、热加工；有恒温、密闭的要求，等等。这些对建筑平面布局、层数、体型、立面及室内空间处理等具有直接的影响。因此，工业建筑无论是在结构承重，还是在采光、通风、屋面排水及构造处理上都比一般民用建筑更复杂。

§15.2 工业建筑的类型

工业建筑的类型相当繁杂，就厂房而言，有重工业的、轻工业的，也有单层的、多层的。随着科学技术及生产力的发展，工业生产的种类越来越多，生产工艺更为先进复杂，技术要求也更高，相应地对建筑设计提出的要求也更为严格，因此工业建筑的类型也越来越多样。

15.2.1 按用途分类

1. 主要生产厂房

主要生产厂房是指从备料、加工至半成品、成品的整个加工装配过程中直接从事生产的厂房。例如钢铁厂的烧结车间、焦化车间、炼铁车间、炼钢车间；如拖拉机制造厂中的铸铁车间、铸钢车间、锻造车间、冲压车间、铆焊车间、热处理车间、机械加工及装配车间等，这些车间都属于主要生产厂房。"车间"一词，其本意是指工业企业中直接从事生产活动的管理单位，后多被用来代替"厂房"。

2. 辅助生产厂房

辅助生产厂房是指间接从事工业生产的厂房。如拖拉机制造厂中的机器修理车间、电修车间、木工车间、工具车间等。

3. 动力用厂房

动力用厂房是指为主要生产提供能源的厂房。这些能源有电、蒸汽、煤气、乙炔、氧气、压缩空气等。其相应的建筑物是发电厂、锅炉房、煤气发生站、乙炔站、氧气站、压缩空气站等。

4. 储存用房屋

储存用房屋是指为生产提供储备各种原料、材料、半成品、成品的房屋。如原料库、材料库、半成品库、成品库等。

5. 运输用房屋

运输用房屋是指管理、停放、抢修交通运输工具的房屋。如机车库、汽车库、电瓶车库、消防车库等。

6. 其他房屋

如解决厂房给水、排水问题的水泵房、污水和环保处理站等。

15.2.2 按建筑层数分类

1. 单层厂房

单层厂房是指层数为一层的厂房,主要用于重型机械制造工业、冶金工业、纺织工业等。如图 15-1 所示,这类厂房的特点是生产设备体积大、重量重、厂房内以水平运输为主。

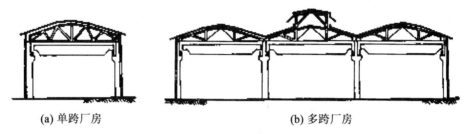

(a) 单跨厂房　　　　　　　　(b) 多跨厂房

图 15-1　单层厂房剖面图

2. 多层厂房

如图 15-2 所示,常见的多层厂房的层数为 2~6 层。多层厂房广泛用于食品工业、电子工业、化学工业、轻型机械制造工业、精密仪器制造工业等轻工业。这类厂房的特点是生产设备较轻、体积较小,大型机床一般放在底层,小型设备放在楼层上,厂房内部以垂直运输为主。

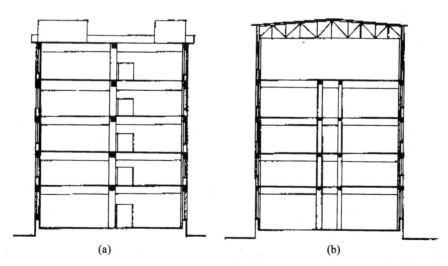

(a)　　　　　　　　　　(b)

图 15-2　多层厂房剖面图

3. 混合层次厂房

如图 15-3 所示,厂房由单层跨和多层跨组合而成。这类厂房适用于工艺流程沿竖向布置的生产项目,多用于热电厂、化工厂等。高大的生产设备位于中间的单跨内,边跨为多层。

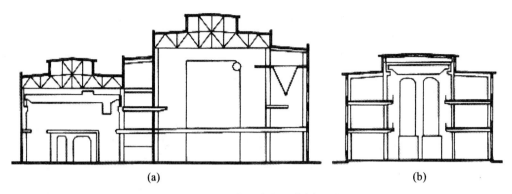

图 15-3　层数混合的厂房剖面图

15.2.3　按生产状况分类

1. 冷加工车间

冷加工是指生产操作是在常温状态下进行的。例如机械加工车间、机械装配车间等。

2. 热加工车间

热加工是指生产操作是在高温或熔化状态下进行的，可能散发大量余热、烟雾、灰尘以及有害气体。如锻工车间、热处理车间等。

3. 恒温恒湿车间

为保证一些产品的生产质量，车间内部要求稳定的温度、湿度条件。如精密机械车间、纺织车间等。

4. 洁净车间

为保证一些产品的生产质量，防止大气中灰尘及细菌的污染，要求保持车间内部高度洁净。如精密仪器加工及装配车间、集成电路车间等。

5. 其他特种状况的车间

其他特种状况是指生产过程中有爆炸或泄漏的可能性、有大量腐蚀物、有放射性散发物，以及有高度隔声、防微振、防电磁波干扰要求等。

§15.3　工业建筑设计的任务和要求

建筑设计人员根据设计任务书的要求和工艺设计人员提供的生产工艺资料，确定厂房的平面形状、柱网尺寸、空间形式、剖面尺寸和建筑体形；合理选择结构方案和围护结构的类型，进行细部构造设计；协调建筑、结构、水、暖、电、气、通风等各工种之间关系；正确贯彻"坚固适用、经济合理、技术先进"的原则。在工业建筑设计中应充分考虑基址的环境条件和生产环境状况。

工业建筑设计应满足如下要求：

15.3.1　满足生产工艺的要求

生产工艺是工业建筑设计的主要依据，生产工艺对建筑工业提出的要求就是该建筑物使用功能上的要求。因此，建筑设计在建筑面积、平面形状、柱距、跨度、剖面形式、厂房高度以及结构方案和构造处理等方面，必须满足生产工艺的要求。同时，建筑设计还应满足厂房所需的机械设备的安装、操作、运行、维护和检修等方面的要求。

15.3.2 满足建筑技术的要求

1. 工业建筑的坚固性及耐久性应符合建筑物的使用年限。由于厂房的静荷载和活荷载比较大，建筑设计应为结构设计的经济合理性创造条件，使结构设计更利于满足安全性、适用性和耐久性的要求。

2. 随着科学技术日新月异的发展，生产工艺不断更新，生产规模逐渐扩大，因此，建筑设计应充分考虑厂房的通用性要求和改建、扩建的可能性。

3. 应严格遵守现行的《厂房建筑模数协调标准》和《建筑模数统一协调标准》的规定，合理选择厂房建筑参数（柱距、跨度、柱顶标高、多层厂房的层高等），以利于采用标准的、通用的结构构件，使设计标准化、生产工厂化、施工机械化，从而提高厂房建筑工业化水平。

15.3.3 满足建筑经济的要求

1. 在不影响卫生、防火及室内环境要求的条件下，将若干个车间（不一定是单跨车间）合并成联合厂房，对现代化连续生产比较有利。因为联合厂房占地面积少，外墙体积相应减小，缩短了管网线路，使用更加灵活，能更好地适应工艺更新的要求。

2. 建筑物的层数是影响建筑经济性的重要因素。因此，应根据工艺要求、技术条件、环境因素等综合考虑，确定厂房的层数。

3. 在满足生产要求的前提下，合理处理结构空间，充分利用建筑空间，尽量缩小建筑物体积，综合提高使用面积。

4. 在不影响厂房的坚固耐久、生产使用、维护管理以及施工速度的前提下，应尽量降低建筑材料的消耗，从而减轻构件自重和降低建筑造价。

5. 设计方案应有利于采用先进的、配套的结构体系和工业化施工方法。但是，必须结合当地的材料供应、施工设备的类型和规格、施工人员的技能等情况来确定施工方案。

15.3.4 满足安全和卫生的要求

1. 必须满足我国现行《建筑设计防火规范》（GBJ16—87—2001修订版）中规定的厂房安全疏散的有关要求。

2. 应具有与厂房生产所需采光等级相适应的采光条件，以保证厂房内部工作面上的照度要求；应具有与室内生产状况及气候条件相适应的通风措施。

3. 能排除生产余热、废气，提供正常的卫生、工作环境。

4. 对散发出的有害气体、有害辐射、严重噪声等应采取净化、隔离、消声、隔声等环境保护处理措施。

5. 美化室内外环境，重视厂房内部和外部的水平绿化、垂直绿化以及色彩处理。

6. 总平面设计中，应将有污染的厂房放在下风位，如图15-4所示。

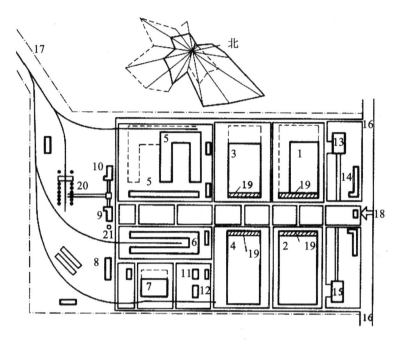

1—辅助车间；2—装配车间；3—机械加工车间；4—冲压车间；5—铸工车间；
6—锻工车间；7—总仓库；8—木工车间；9—锅炉房；10—煤气发生站；11—氧气站；
12—压缩空气站；13—食堂；14—厂部办公室；15—车库；16—汽车货运出入口；
17—火车货运出入口；18—厂区大门人流出入口；19—车间生活间；20—露天堆场；21—烟窗

图 15-4 某机械厂总平面布置图

复习思考题

1. 什么是工业建筑？工业建筑有哪些特点？
2. 工业建筑如何分类？
3. 工业建筑与民用建筑的区别有哪些？
4. 工业建筑设计有哪些基本要求？

第16章 单层厂房设计

本章提要：本章主要介绍单层厂房的设计：包括单层厂房的组成、单层厂房的平面设计、单层厂房的剖面设计、单层厂房的定位轴线设计、单层厂房的立面设计以及内部空间处理。

单层工业厂房在我国工业企业中广泛采用。大多数为装配式钢筋混凝土柱厂房；跨度在15m以内，高度在6.6m以下，无桥式吊车的中、小型车间和仓库可以采用砖柱（墙壁柱）承重的结构；跨度在36m以上且具有重型吊车的厂房常采用钢结构。近年来，单层轻钢厂房迅速发展，但多为不设桥式吊车的车间和仓库。

§16.1 单层厂房的组成

16.1.1 房屋的组成

房屋的组成是指单层厂房内部生产房间的组成。生产车间是工厂生产的基本管理单位，生产车间一般由四个部分组成：
(1) 生产工段，是加工产品的主体部分；
(2) 辅助工段，是为生产工段服务的部分；
(3) 库房部分，是存放原料、材料、半成品、成品的地方；
(4) 行政办公及生活用房。

每一幢厂房不一定都包括以上四个部分，其组成应根据生产的性质、规模、总平面布置等实际情况来确定。

16.1.2 构件的组成及作用

1. 承重结构

单层厂房的承重结构基本上可以分为承重墙结构和骨架结构两类。当厂房的跨度、高度及吊车吨位较小时（$Q<5t$），可以采用承重墙结构。目前，大多数厂房跨度大、高度较高，吊车吨位也大，所以常用排架承重结构，在这种结构中，我国广泛采用横向排架结构，图16-1是装配式钢筋混凝土排架结构的单层厂房构件组成示意图，其承重构件包括：

(1) 横向排架是由基础、柱、屋架（或屋架梁）组成，起承受屋顶、天窗、外墙及吊车等荷载作用。

(2) 纵向连系构件是由基础梁、连系梁、圈梁、吊车梁等组成。纵向连系构件与横向排架构成厂房的骨架，保证厂房的整体性和稳定性；纵向构件承担作用在山墙上的风荷

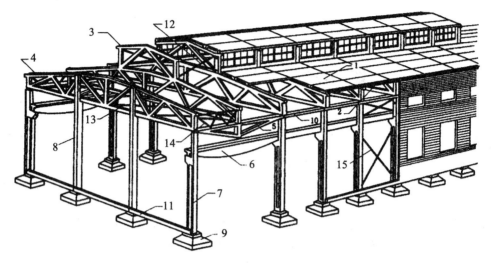

1—屋面板；2—天构架；3—天窗架；4—屋架；5—托架；6—吊车梁；7—排架柱；
8—抗风柱；9—基础；10—联系梁；11—基础梁；12—天窗架垂直支撑；
13—屋架下弦横向水平支撑；14—屋架端部垂直支撑；15—柱间支撑

图 16-1　单层厂房构件组成示意图

载及吊车纵向制动力，并将这些荷载传递给柱子。

（3）支撑系统：包括屋架支撑、柱间支撑、天窗架支撑等，其作用是，加强厂房的稳定性和整体性。

钢结构排架、钢或钢筋混凝土刚架结构的厂房等与装配式钢筋混凝土排架厂房的组成基本相同。

2. 围护结构

单层厂房和外围护结构包括外墙，与外墙连在一起的抗风柱、圈梁、屋顶、地面、门窗、天窗等。

3. 其他结构

如散水、地沟、坡道、吊车梯、室外消防梯、作业梯、检修梯、内部隔断等。

§16.2　单层厂房的平面设计

单层厂房的平面设计主要研究以下几个方面的问题：
(1) 总平面设计对平面设计的影响；
(2) 平面设计与生产工艺的关系；
(3) 平面设计与运输设备的关系；
(4) 单层厂房常用平面形式；
(5) 柱网选择；
(6) 生活间设计。

以下分别加以详述。

16.2.1 总平面设计对平面设计的影响

通常,工厂总平面设计是根据全厂的生产工艺流程、交通运输、卫生、防火、气象、地形、地质以及建筑群体景观等条件来完成的。确定这些建筑物的规模以及相互关系;合理的组织人流、货流,避免交叉和迂回;主干道、次干道,既应满足人流、货流的需要,又应满足消防的要求;布设各种工程管线;进行厂区竖向设计及绿化、美化等景观设计。当总图确定以后,在进行厂房的个体设计时,必须按照总图布置的要求确定厂房的平面形式。

1. 厂区人流、货流组织对平面设计的影响

单层厂房平面设计应考虑工厂生产工艺流程的组织和货运的组织。生产厂房与生产厂房之间,生产厂房与仓库之间,彼此有着人流和货流的联系,这种联系直接影响厂房平面设计中门的位置、数量和尺寸。设计时尽可能地减少人流和货流的交叉迂回,运行路线应通畅、短捷。

2. 地形对平面设计的影响

地形坡度大小对厂房平面形式有着直接影响,这在山区建厂中表现得尤其明显。为了节约投资,减少土石方工程量,只要工艺条件允许,厂房平面形式应根据地形条件作适当的调整,使之与地形相适应。

在工艺条件允许的情况下,厂房还可以跨等高线布置在阶梯形台地上,如图 16-2 所示。这样既能减少挖填土方量,又能利用原材料的自重进行运输的生产需要,从而使地形得到充分合理的利用。

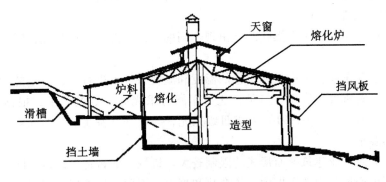

图 16-2 某铸铁车间横剖面图

3. 气象条件的影响

厂址所在地的气象条件对厂房朝向影响很大。其主要影响因素有两个:一是日照,二是风向。厂房对朝向的要求,随地区气候条件而异。

在我国广大温带地区和亚热带地区,理想的朝向应该是:夏季室内既应避免阳光照射,又应易于进风,具有良好的自然通风条件。为此,厂房宽度不宜过大。最好采用长条形的平面形式,朝向接近南北向,厂房长轴与夏季主导风向垂直或大于45°。应当指出,建筑物的良好朝向和合理风向角,同时都得到满足是很困难的。在实际设计中,应首先考虑建筑物的朝向,因为不好的朝向,将导致夏季大量的太阳辐射热量进入室内,提高室内空气温度,恶化室内环境。寒冷地区,厂房的长边应平行于冬季主导风向,并在迎风面的墙面上少开或不开门窗,避免寒风对室内气温的影响。

16.2.2 平面设计与生产工艺的关系

民用建筑设计主要根据建筑物的使用功能,而工业建筑设计,则是在工艺设计的基础上进行的。因此,生产工艺是工业建筑设计的重要依据。一幅完整的工艺平面图,主要包括以下五个方面内容:

(1) 根据生产的规模、性质、产品规格等确定的生产工艺流程;
(2) 选择和布置生产设备和起重运输设备;
(3) 划分车间内部各生产工段及其所占面积;
(4) 初步拟定厂房的跨间数、跨度和长度;
(5) 提出生产工艺对建筑设计的要求,如采光、通风、防振、防尘、防辐射等。

如图 16-3 所示是某机械加工车间的生产工艺平面图。

平面设计受生产工艺的影响表现在以下几个方面:

1. 生产工艺流程的影响

生产工艺流程是指某一产品的加工制作过程,即由原材料按生产要求的程序,逐步通过生产设备及技术手段进行加工生产,并制成半成品或成品的全部过程。

不同类型的厂房,由于其产品规格、型号等不同,生产工艺流程也不相同。单层厂房里,工艺流程基本上是通过水平生产、运输来实现的。平面设计必须满足工艺流程及布置要求,使生产线路短捷、不交叉、少迂回,并具有变更布置的灵活性。

2. 生产状况的影响

不同性质的厂房,在生产操作时会出现不同的生产状况,生产状况也影响着厂房的平面形式。

机械加工装配车间,生产是在正常的温度和湿度条件下进行的,产生的噪声较小,室内无大量余热及有害气体散发。但是,这类车间对采光有一定的要求,根据《工业企业采光设计标准》(GB50033—1991) 要求Ⅲ级采光,并根据其所在地区的气象条件,来满足采光和通风的要求。

热加工车间对工业建筑平面形式的限制较大。机械厂的铸造、锻造车间,钢铁厂的轧钢车间等,在生产过程中散发出大量的余热和烟尘。因此,这类厂房不宜太宽,在设计中主要解决如何加强室内通风,迅速补充冷空气,排除室内热空气等问题。在平面设计中应合理确定门窗的位置和大小,采用封闭式墙体还是开敞式墙体,等等。

3. 生产设备布置的影响

生产设备的大小和布置方式直接影响到厂房的平面布局、跨度大小和跨间数量,同时也影响到大门尺寸和柱距尺寸等。

16.2.3 单层厂房的平面形式

单层厂房的平面形式直接影响厂房的生产条件、交通运输和生产环境(如日照、采光、通风等),也影响建筑结构、施工及设备等的合理性与经济性。

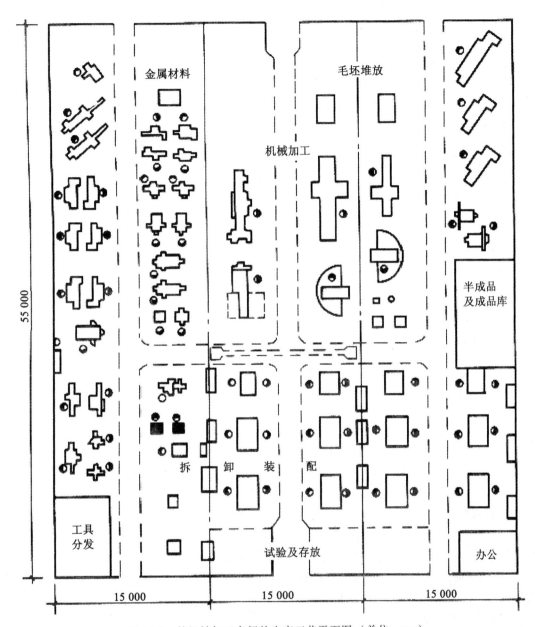

图 16-3 某机械加工车间的生产工艺平面图（单位：mm）

1. 影响厂房平面形式的因素

单层厂房平面形式的确定涉及多方面因素，主要有：

(1) 厂房在总平面图中的位置；

(2) 生产规模、生产性质、生产特征；

(3) 生产工艺流程布置；

(4) 交通运输方式；

(5) 厂房结构类型、土木建筑技术条件；

(6) 地区气候条件等。

2. 生产工艺流程的类型

根据厂房原材料进入的位置以及半成品、成品运出的位置，生产工艺流程可以分为直线式、直线往复式和垂直式三种基本类型，与此相适应的单层厂房的平面形式如图 16-4 所示。

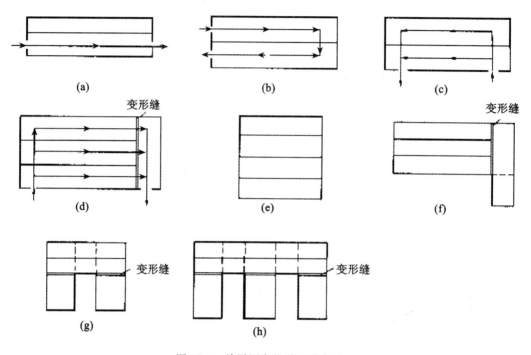

图 16-4 单层厂房的平面形式图

(1) 直线式

原材料由厂房一端进入，半成品或成品由厂房另一端运出，如图 16-4（a）所示。其特点是厂房内部各工段之间联系紧密，但是运输线路和工程管线较长。厂房多为矩形平面，可以是单跨，也可以是多跨平行布置。这种平面简单规整，适合于对保温要求不高和工艺流程不能改变的厂房，如线材轧钢车间。

(2) 直线往复式

原料从厂房的一端进入，产品则由厂房的同一端运出，如图 16-4（b）、（c）、（d）所示。其特点是工段之间联系紧密，运输线路和工程管线短捷，形状规整，节约用地，外墙面积较小，有利于节省材料和厂房的保温隔热。相适宜的平面形式是多跨并列的矩形平面，甚至方形平面。适合于多种生产性质的厂房。

(3) 垂直式

如图 16-4（f）所示，垂直式的特点是工艺流程紧凑，运输线路及工程管线较短，相适宜的平面形式是 L 形平面，即出现垂直跨。这种平面形式占地较多，不如矩形平面经济；而且在纵横跨相接处，厂房结构和构造复杂，经济性较差，施工也较麻烦。

除上述三种平面形式外，根据生产工艺的要求，特别是热加工车间或需要进行某种隔离的车间，还可以采用U形平面，如图16-4（g）所示；山字形平面，如图16-4（h）所示；以及天井式平面、单元式平面。例如锻工车间，当生产工艺上需要火车进入露天跨的情况，采用U形平面就比较合理。

16.2.4 柱网选择

在厂房中，为支撑屋顶和起吊设备等必须设置柱子，为确定柱位，在平面图上应布置定位轴线，在纵向定位轴线与横向定位轴线相交处设置柱子，如图16-5所示。

无论是单层厂房还是多层厂房，承重结构柱子在建筑平面上排列所形成的网格就称为柱网。柱网的尺寸是由柱距和跨度组成的。纵向定位轴线之间的距离称为跨度，横向定位轴线之间的距离称为柱距。柱网的选择实际上就是选择厂房的跨度和柱距。柱距和跨度尺寸必须符合国家规范《厂房建筑模数协调标准》（GBJ6—1986）中的相关规定。

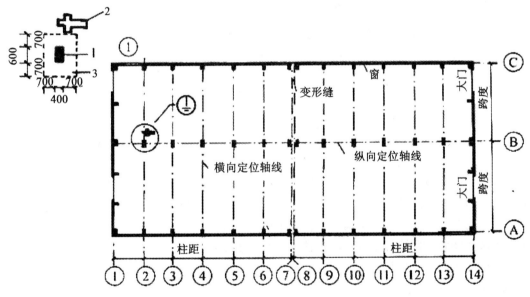

图16-5 柱网布置示意图（单位：mm）

1. 柱网尺寸的确定

柱网尺寸是根据生产工艺的特征，综合考虑建筑材料、结构形式、施工技术水平、地基状况、经济性以及有利于建筑工业化等因素来确定的。

（1）跨度尺寸的确定

跨度尺寸主要是根据下列因素来确定。如图16-6所示。

①生产工艺中生产设备的大小及布置方式。设备大，所占面积也大，设备沿横向或纵向布置成一排或若干排，都会影响跨度的尺寸。

②车间内部通道的宽度。不同类型的水平运输设备，如电瓶车、汽车、火车等所需通道宽度是不同的，同样影响跨度的尺寸。

③符合《厂房建筑模数协调标准》（GBJ6—1986）中的相关规定。根据①、②项所得

的尺寸，最终调整符合模数制的要求——当屋架跨度不大于18m时，采用扩大模数30M的数列，即跨度尺寸是18m，15m，12m，9m，6m；当屋架跨度大于18m时，采用扩大模数60M的数列，即跨度尺寸是18m，24m，30m，36m，42m等。

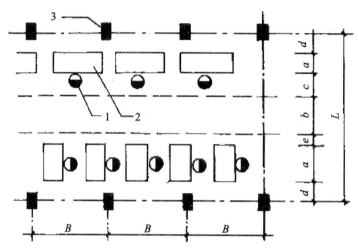

1—操作位置；2—生产设备；3—柱子；L—跨度；B—柱距；a—生产设备宽度或长度；
b—通道宽度；c—操作宽度；d—生产设备边缘支承轴线的距离；
e—生产设备边缘至通道边缘的安全距离

图16-6 跨度尺寸与设备布置及通道宽度的关系示意图

(2) 柱距尺寸的确定

我国单层工业厂房设计主要采用装配式钢筋混凝土结构体系，其基本柱距是6m，而相应的结构构件如基础梁、吊车梁、联系梁、屋面板、横向墙板等，均已配套成型，并有供设计者选用的工业建筑全国通用构件标准图集，在设计、制作、运输、安装等方面都积累了丰富的经验。这种体系至今在设计中仍被广泛采用。

柱距尺寸还受到材料的影响，当采用砖混结构的砖柱时，其柱距宜小于4m，可以为3.9m，3.6m，3.3m等。

2. 扩大柱网

随着科学技术的发展，厂房内部的生产工艺、生产设备、运输设备等也在不断地变化、更新、发展。为了适应这种变化，厂房应有相应的灵活性和通用性。除剖面设计应满足这些要求外，平面设计也需要满足这些要求。所以，宜采用扩大柱网的方法，也就是扩大厂房的跨度和柱距。常用扩大柱网（跨度×柱距）为12m×12m，15m×12m，18m×12m，24m×12m，18m×18m，24m×24m等。

扩大柱网的优点是：

(1) 可以提高厂房面积的利用率。为使设备基础与柱基础不发生碰撞，需在柱周围留出一定的距离（大约50mm），如图16-7所示。在6m柱距的厂房中，每一柱距内只能布置一台机床，若将柱距扩大到12m，则每一柱距内可以布置三台机床。这样布置，可以明显提高面积利用率，减少柱子占用的结构面积，如图16-8所示。

第16章 单层厂房设计

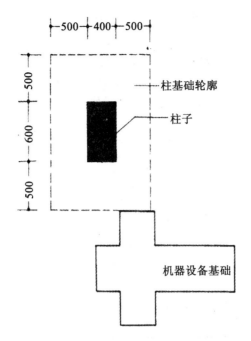

图 16-7 深基础设备柱距的最小距离

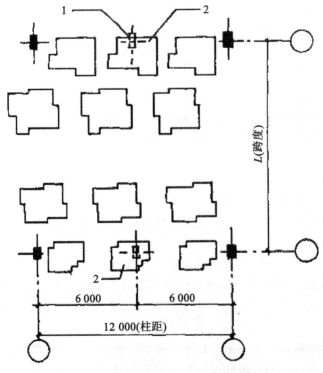

1—扩大柱距后省去的柱子；2—增加的设备

图 16-8 扩大柱距后增加设备布置示意图

（2）有利于大型设备的布置和产品的运输。现代工业企业中，如重型机械厂、飞机制造厂等，其产品具有高、大、重的特点。柱网愈大，愈能满足生产设备的布置要求以及产品的装配和运输要求。

（3）能适应生产工艺变更及生产设备更新的要求。柱网扩大后，使生产工艺流程的布置具有较大的灵活性。

（4）能减少构件数量，但增加了构件重量，如表16-1所示。

表16-1　　　　　矩形平面144m×24m单层厂房各柱网构件数量比较　　　（单位：mm）

构件名称	单位	柱网（柱距×跨度）				备注
		6×24	12×24	18×24	24×24	
屋架	榀	25	13	9	7	跨度均为24m
柱	根	50	26	18	14	不包括抗风柱
基础	个	50	26	18	14	温度伸缩缝单基础双杯扣
总计		125	65	45	35	

（5）减少柱基础土石方工程量。

随着产品更换和工艺变革的需要，扩大柱网在国内的应用已日渐增多。例如机械、冶金、电力等工程中厂房采用12m柱距的实例已经很多。12m柱距在工程中的应用通常有下面的两种方案：

① 带托架方案

多跨厂房中列柱采用12m柱距，边列柱采用6m柱距，中列柱之间设12m托架（托梁），屋架间距仍保持6m，屋面板、墙板都是6m。这种方案除托架（托梁）、托架处柱与基础外，其余构件与6m柱距系统一致，这样，比较符合我国目前的施工水平和材料供应情况，建设起来比较方便。

② 不带托架的方案

厂房的中列柱、边列柱均采用12m柱距，屋面板与墙板长度也采用12m。这种方案使厂房的结构形式简单，施工吊装方便，构件数量、类型减少，有利于建筑工业化，技术经济指标也比较优越。

在扩大柱网设计中，还有正方形或趋近正方形柱网布置方案，如图16-9所示。柱网的跨度与柱距相等或大致相等。其优点是纵、横向都能布置生产线，当需要进行技术改造、更新设备和重新布置生产线时，不受柱距的限制，使厂房具有更大的通用性和灵活性。

厂房内的起重运输设备可以采用悬挂式吊车、桥式吊车和梁式吊车等，吊车梁支承在专用的柱子上，这种柱不和厂房柱相关联，当工艺改变时，便于拆卸，不影响厂房结构。由于这种柱网在设备布置、运输设施、土建施工等方面均较灵活方便，故有"灵活车间"之称。但土建造价相对较高。常用柱网尺寸有12m×12m，18m×18m，24m×24m等。

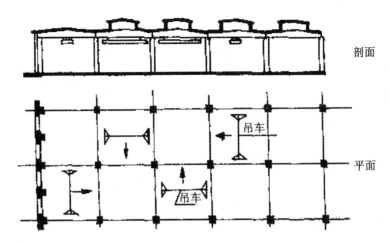

图 16-9　正方形柱网布置示意图

16.2.5　单层厂房生活间设计

为了满足工人的生产、卫生及生活的需要，保证产品质量，提高劳动生产率，为工人创造良好的劳动卫生条件，除在全厂设有行政管理及生活福利设施外，每个车间还应设置生活类用房，这类用房通常称为生活间。

1. 生活间的组成

根据车间的生产特征、职工数量、男女比例、气候条件等因素，确定生活间的内容。通常，生活间包括下面四个方面内容：

（1）生产卫生用室

生产卫生用室包括浴室、存衣室等，其面积大小和卫生用具的数量根据车间的卫生特征级别，按照我国卫生部颁布的《工业企业设计卫生标准》（TJ36—1979）中的相关规定来确定。

（2）生活卫生用室

生活卫生用室包括休息室、孕妇休息室、吸烟室、厕所、女工卫生室、饮水室、小吃部、保健站等。

（3）行政办公室

行政办公室包括办公室、会议室、学习室、值班室、计划调度室等。

（4）生产辅助用室

生产辅助用室包括工具室、材料库、计量室等。

2. 生活间的布置

生活间的位置应便于职工上、下班，避免生产中产生的有害物质及高温的影响，如图16-10所示。生活间的布置应尽量减少对厂房天然采光和自然通风的影响，有利于地面、地下及高空各种管线的布置，不应妨碍厂房的扩建。生活间的造型和色彩处理应与厂房统一协调。

生活间的布置有毗连式、独立式和厂房内部式三种基本形式。

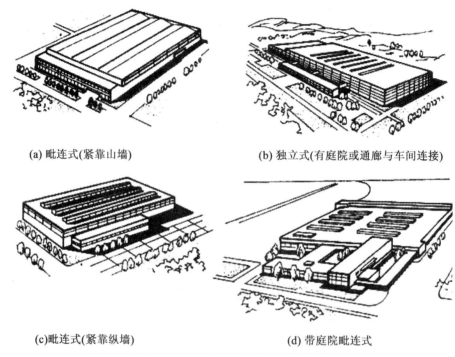

(a) 毗连式(紧靠山墙)　　　　(b) 独立式(有庭院或通廊与车间连接)

(c) 毗连式(紧靠纵墙)　　　　(d) 带庭院毗连式

图 16-10　位于厂房外部不同位置的生活间鸟瞰图

（1）毗连式生活间

紧靠厂房外墙（山墙或纵墙）布置的生活间称为毗连式生活间。毗连式生活间的主要优点是：

①生活间至车间距离短，联系方便；
②生活间与车间之间共用一道墙，节省材料和空间；
③可以将车间层高较低的房间布置在生活间内，以减小建筑体积；
④占地较省；
⑤寒冷地区对车间保温有利；
⑥易与总平面图人流路线协调一致；
⑦可以避开厂区运输繁忙的不安全地带。

毗连式生活间的缺点是：

①不同程度地影响车间的采光和通风，如图 16-10（a）所示，生活间较长，影响车间的天然采光和自然通风。在这种情况下，边跨应设采光天窗；
②车间内部若有较大振动、噪声、灰尘、余热和有害气体时，对生活间有干扰和危害。

在毗连式生活间中，大多数是将生活间紧靠厂房山墙布置，如图 15-4 中的 1，2，3，4 车间。生活间靠山墙布置，对车间的采光和通风影响相对较小，但当厂房较长时，生活间的服务半径较大。

毗连式生活间平面组合的基本要求是：职工上、下班的路线应与服务设施的路线一致，避免迂回；在生产过程中使用的厕所、吸烟室、休息室、女工卫生室等处的位置应相对集中、恰当。

毗连式生活间和厂房的结构方案不同，荷载相差也很大。所以，在两者毗连处应设置沉降缝。沉降缝的处理方案有两种：

① 当生活间的高度高于厂房高度时，毗连墙应设在生活间一侧，沉降缝则位于毗连墙与厂房之间，如图 16-11（a）所示。无论毗连墙是否为承重墙，墙下的基础都按以下两种情况处理：

带形基础。若带形基础与车间柱式基础相遇，则应将带形基础断开，增设钢筋混凝土抬梁来承担毗连墙的荷载。

柱式基础。其位置应与厂房的柱式基础交错布置，在生活间的柱式基础上设置钢筋混凝土抬梁，承担毗连墙的荷载。

② 当厂房高度高于生活间时，毗连墙设在车间一侧，如图 16-11（b）所示。毗连墙支承在车间柱式基础的地基梁上。这时，生活间的楼板采用悬臂结构，生活间的地面、楼面、屋面均应与毗连墙断开，并设置沉降缝，以解决生活间和车间之间产生不均匀沉陷的问题。

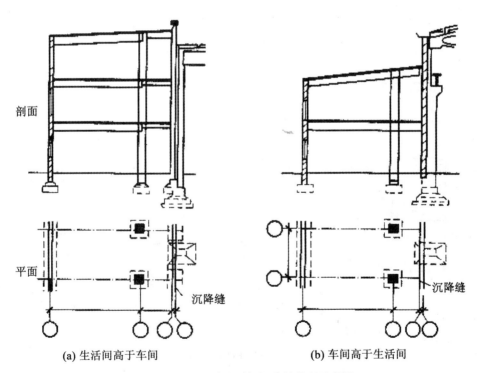

图 16-11　毗连式生活间沉降缝处理示意图

（2）独立式生活间

与厂房隔有一定距离、分开布置的生活间称为独立式生活间，如图 16-10（b）所示。独立式生活间的优点是：生活间布置灵活；生活间和车间在采光、通风、结构、构造等方面互不影响，便于独立处理。其缺点是：占地较多，生活间与车间隔有一定距离，联系不够方便。

对于散发大量生产余热、有害气体及易燃易爆的车间，采用独立式生活间方案比较合适。

独立式生活间与车间之间连接有三种基本方式，如图 16-12 所示。

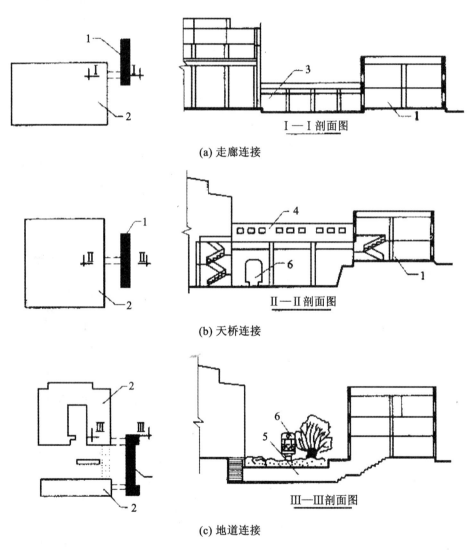

1—生活间；2—车间；3—走廊；4—天桥；5—地道；6—火车
图 16-12 独立式生活间与车间连接的三种方式示意图

① 走廊连接。这种连接方式的特点是简便、适用。根据气候条件，在南方地区宜采用开敞式走廊。北方地区宜采用封闭式走廊，也称为保温廊或暖廊。

② 天桥连接。当车间与独立生活间之间有铁路或车流量较大的公路时，在铁路或公路上空架设通行天桥。这种立体交叉布置方式可以避免人流和货流的交叉，有利于车辆运输

和行人的安全。

③地道连接。这也是一种立体交叉处理方法，其优点与天桥连接的优点基本相同。

应当指出，天桥和地道造价较高，而且与车间、生活间的室内地面标高不同，使用上也不十分方便。

（3）厂房内部式生活间

厂房内部式生活间是将生活间布置在车间内部可以充分利用的空间内。只要在生产工艺和卫生条件允许的情况下，均可以采用这种布置方式。内部式生活间具有使用方便、经济合理、节省建筑面积和体积等优点。内部式生活间的缺点是只能将生活间的部分房间布置在车间内，如存衣室、休息室等，车间的通用性也受到限制。

内部式生活间有以下几种布置方式：
①在边角、空余地段布置生活间。如柱子的上空，柱与柱之间的空间；
②在车间上部设夹层。生活间布置在夹层内，夹层可以支承在柱子上，也可以悬挂在屋架下；
③利用车间一角布置生活间；
④在地下室或半地下室布置生活间。这种方案需要设置机械通风、人工照明，而且构造复杂、造价较高，一般情况下较少采用。

§16.3 单层厂房的剖面设计

厂房的剖面设计是厂房设计的一个组成部分。剖面设计是在平面设计的基础上进行的。平面设计主要从平面形式、柱网选择、平面组合等方面解决生产对厂房提出的各种要求。厂房的剖面设计则是从厂房的建筑空间处理上满足生产对厂房提出的各种要求。

厂房剖面设计应满足以下要求：
①适应生产需要的合理空间；
②良好的采光和通风条件；
③满足屋面排水和室内保温、隔热的围护结构；
④安全适用、经济合理的结构方案。

厂房剖面设计的具体任务是：确定厂房高度；选择厂房承重结构及围护结构方案；处理车间的采光、通风及屋面排水等问题（其中选择承重结构及围护结构方案的问题不在本节论述）。

16.3.1 厂房高度的确定

厂房高度是指室内地面到屋顶承重结构最低点（或倾斜屋盖最低点、或下沉式屋架下弦底面）之间的距离。一般情况下，厂房高度与柱顶距地面的高度基本相等。所以，通常以柱顶标高来衡量厂房的高度。

在剖面设计中通常将室内地面的相对标高定为±0.000，柱顶标高、吊车轨顶标高等都是相对于室内地面标高而言的。

厂房高度的确定，必须符合生产使用要求以及建筑统一化的要求，同时还应考虑到空间的合理利用。

1. 柱顶标高的确定

柱顶（或倾斜屋盖最低点、或下沉式屋架下弦底面）标高的确定分以下几种情况：

（1）无吊车厂房

无吊车厂房柱顶标高是按最大生产设备高度及其安装、使用、检修时所需的净空高度来确定的。同时，必须考虑采光和通风的要求，根据《厂房建筑模数协调标准》(GBJ6—1986) 中的要求，柱顶标高还必须符合扩大模数 3M 数列的规定。无吊车厂房柱顶标高一般不得低于 3.9m。

（2）有吊车厂房

在有吊车的厂房中，不同的吊车对厂房高度的影响各不相同。对于采用梁式吊车或桥式吊车的厂房来说，如图 16-13 所示：

柱顶标高	$H = H_1 + H_2$	(16-1)
轨顶标高	$H_1 = h_1 + h_2 + h_3 + h_4 + h_5$	(16-2)
轨顶至柱顶高度	$H_2 = h_6 + h_7$	(16-3)

式中：h_1——需跨越的最大设备高度；

h_2——起吊物与跨越物之间的安全距离，一般为 400～500mm；

h_3——起吊的最大物件高度；

h_4——吊索最小高度，根据起吊物件的大小和起吊方式来决定，一般 $h_4 > 1m$；

h_5——吊钩至轨顶面的距离，由吊车规格表中查得；

h_6——轨顶至吊车小车顶面的距离，由吊车规格表中查得；

h_7——屋架下弦底面至小车顶面之间的安全距离，应根据国家标准《通用桥式起重机界限尺寸》中的相关规定，并考虑到屋架的挠曲变形和地基可能产生的不均匀沉陷等因素来确定。

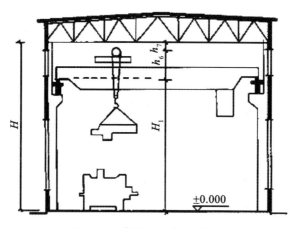

图 16-13　确定厂房高度的因素

如果屋架下弦悬挂有管线等其他设施，还需另加必要的尺寸。

2. 剖面空间的利用

厂房的高度直接影响厂房的造价，确定厂房高度应在不影响生产使用的前提下，有效地利用建筑空间，以降低柱顶的标高，从而降低建筑造价。

（1）利用屋架之间的空间

有些情况下，可以利用两榀屋架间的空间来布置个别特殊高大的设备。例如，某铸铁车间砂处理工段的混砂设备高11.8m，由正对屋架布置改到两榀屋架间布置后，使柱顶高度由13.2m降低到10.8m，如图16-14所示。

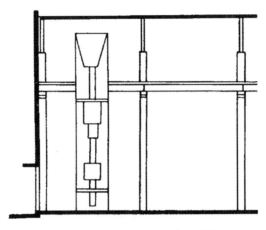

图16-14　利用屋架空间布置设备

（2）利用地下空间

在厂房内有个别高大设备的情况下，为了避免提高整个厂房的高度，可以采取降低局部地面标高的方法。如某厂房变压器修理工段，在修理大型变压器芯子时，需将芯子从变压器外壳中抽出。设计人员将变压器布置在3m深的地坑内进行抽芯检修，使轨顶标高由11.4m降低到8.4m，从而降低了整个厂房的高度，如图16-15所示。

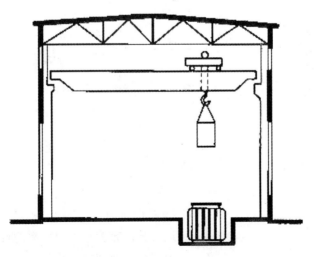

图16-15　某厂变压器修理工段剖面图

3. 室内地坪标高的确定

单层厂房室内地坪的绝对标高是在总平面设计时确定的。室内地坪的相对标高定为 ±0.000。

一般单层厂房室内外需设置一定的高差,以防雨水侵入室内。同时,为了便于汽车等运输工具出入,室内外高差不宜太大,一般取 100~200mm,且常常用坡道连接。

在地形较平坦的地段上建造厂房时,一般室内取一个标高。在山地建造厂房时,则应结合地形,因地制宜,尽最大可能减少土石方工程量,以降低工程造价,加快施工进度。通常,将车间各跨顺着等高线布置。在生产工艺允许的条件下,可以将车间各跨分别布置在不同标高的台阶上,工艺流程则可以由高跨处流向低跨处,利用物体自重进行运输。这样,可以大量减少运输费和动力的消耗,如图 16-16 所示。

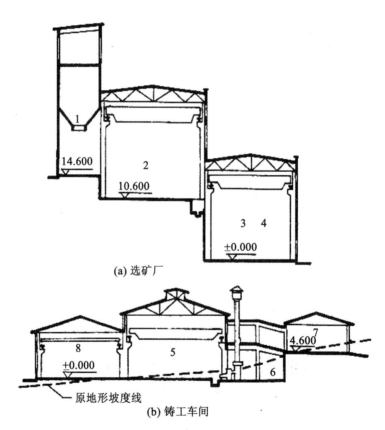

1—中间矿仓;2—破碎;3—脱选;4—脱水;5—大件造型;6—熔化;7—炉料;8—小件造型
图 16-16 厂房各跨顺着等高线布置示意图

一些选矿厂、化工厂、铸工车间等,当跨度垂直于等高线布置,且地形坡度又较陡时,在工艺允许的条件下,可以将同一跨地坪分段布置在不同标高的台阶上,有时,还可以利用地形较低的部分设置半地下室,作为成品库或辅助生产用房,如图 16-17 所示。当厂房内地坪有两个以上不同高度的地平面时,定主要地平面的标高为 ±0.000,如图 16-18 所示。

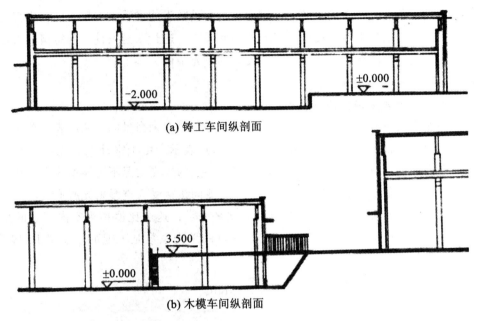

图 16-17 厂房跨度垂直于等高线布置示意图

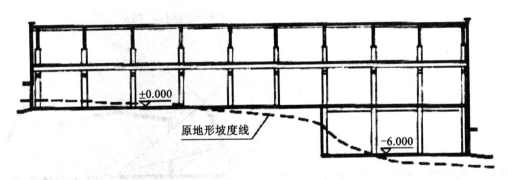

图 16-18 利用地形较低一端设置半地下室示意图

16.3.2 厂房的天然采光

白天，厂房室内通过窗口取得天然光线进行照明的方式称为天然采光。由于天然光线质量好，又不耗费电能，因此单层厂房大多采用天然采光。当天然采光不能满足要求时，才辅以人工照明。厂房的采光设计就是根据室内生产对光的要求来确定窗口的大小、形式及其布置，保证室内采光强度和均匀度，以及避免眩光。厂房采光面积的多少，应根据不同生产情况对采光的要求，按采光系数的标准值进行计算。

厂房采光的效果直接关系到生产效率、产品质量以及工人的劳动卫生条件，厂房采光是衡量厂房建筑质量标准的一个重要因素。因此，厂房开窗面积不能太小，太小了会使室内光线太暗，影响工人生产操作和交通运输，从而降低产品质量和工人劳动效率，甚至易发生工伤事故。但盲目加大开窗面积也会带来许多害处，过大的窗户面积会使夏季太阳的辐射热大量进入车间，冬季又因散热面过大而增加采暖设施和采暖费用，同时也提高了建筑造价。因此，必须根据生产性质对采光的不同要求，进行采光设计，确定窗的大小，选择窗的形式，进行窗的布置。使室内获得良好的采光条件。

1. 天然采光的基本要求

（1）满足采光系数最低值的要求

室内工作面上应有一定的光线，光线的强弱是用照度来衡量的。照度表示单位面积上所接受的光通量*的多少，其单位用勒克斯（Lx）表示。由于室外天然光线随时都在变化，以至室内的照度值也随着变化。因此，室内某点的采光情况不可能用这个不断变化的照度值来表示，而是以室内工作面上某一点直接或间接接受天空漫射光所形成的照度，与同一时间露天场地上天空漫射光照度的百分比来表示，这个比值称为室内某点的采光系数。这样，不管室外照度如何变化，室内某一点的采光系数是不变的。如图16-19所示，即

$$C = \frac{E_n}{E_w} \times 100\% \tag{16-4}$$

式中：C——室内某点的采光系数（%）；

E_n——室内某点的照度（Lx）；

E_w——同时刻室外露天地平面上的天空漫射光下的照度（Lx）。

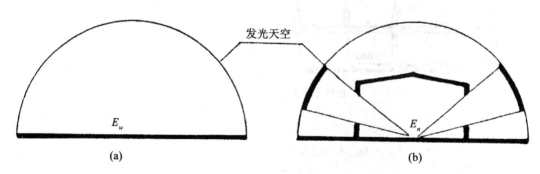

图 16-19 采光系数值的确定

我国颁发的《工业企业采光设计标准》（GB/T500033—2001）中，要求采光设计的光源以全阴天天空的扩散光作为标准。根据我国光气候特征和视觉试验，以及对实际情况的调查分析，将我国工业生产的视觉工作分为Ⅴ级（参见表16-2），提出了各级视觉工作要求的室内天然光照度最低值，并规定出各级采光系数最低值。在采光设计中，生产车间工作面上的采光系数最低值不应低于表16-2中所规定的数值，以保证车间内的良好视觉条件。

---

* 光通量是指人的眼睛所能感受到的光辐射能量。其单位用流明表示（如一个20W的荧光灯约为700流明）。

表 16-2　　视觉作业场所工作面上的采光系数标准

采光等级	视觉作业分类		侧面采光		顶部采光	
	作业精确度	识别对象的最小尺寸 d/(mm)	室内天然光临界照度/(Lx)	采光系数 Cmin/(%)	室内天然光临界照度/(Lx)	采光系数 Cmin/(%)
Ⅰ	特别精密	$d \leq 0.15$	250	5	350	7
Ⅱ	很精密	$0.15 < d \leq 0.3$	150	3	225	4.5
Ⅲ	精密	$0.3 < d \leq 1.0$	100	2	150	3
Ⅳ	一般	$1.0 < d \leq 5.0$	50	1	75	1.5
Ⅴ	粗糙	$d > 5.0$	25	0.5	35	0.7

我国各地光气候差别较大，因此，《工业企业采光设计标准》中将我国划分为 5 个光气候区，采光设计时，各光气候区取不同的光气候系数 K（详见《建设采光设计标准》）。表 16-2 中采光系数标准值都是以 Ⅲ 类光气候区为标准给出的。在其他光气候区，各类建筑的工作面上的采光系数标准值应为标准中给出的数值乘以相应的光气候系数所得到的数值。表 16-3 为工业建筑的生产厂房和工作场所采光等级举例。

表 16-3　　生产厂房和工作场所的采光等级举例

采光等级	生产厂房和工作场所名称
Ⅰ	精密机械和精密机电成品检验车间，精密仪表加工和装配车间、光学仪器精加工和装配车间、手表及照相机装配车间，工艺美术工厂绘画车间、雕刻车间、刺绣车间等。
Ⅱ	很精密机电产品加工车间、装配车间、检验车间，通信、网络、视听设备的装配与调试车间，服装裁剪车间、缝纫及检验车间，精密理化实验室、计量室、主控室，印刷品的排版车间、印刷车间，药品制剂车间等。
Ⅲ	机电产品加工车间、装配车间、检修车间，一般控制室，木工车间、电镀车间、油漆车间、铸工车间，理化实验室，造纸车间，石化产品后处理车间，冶金产品冷轧车间、热轧车间、拉丝车间、粗炼车间等。
Ⅳ	焊接车间、冲压剪切车间、锻工车间、热处理车间，食品、烟酒加工和包装车间，日用化工产品车间，金属冶炼车间，水泥加工与包装车间，配、变电所等。
Ⅴ	发电机厂主厂房，压缩机房、风机房、锅炉房、电石库、乙炔库、氧气瓶库、汽车库、大中件储存库，煤加工车间等。

工作面上采光系数是否符合要求，应选择建筑物的典型剖面工作面上采光最不利点进行检验。工作面一般取距地面 1m 高的水平面，在横剖面上进行验算，连接各点采光系数值则形成采光曲线，采光曲线反映该剖面的采光情况，如图 16-20 所示。

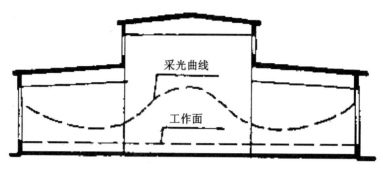

图 16-20 采光曲线示意图

(2) 满足采光均匀度的要求

采光均匀度是指工作面上采光系数最低值与平均值的比值。要求工作面上各部分的照度比较接近，避免出现过于明亮或特别阴暗的地方，力求视觉舒适，降低视力疲劳。

(3) 避免在工作区产生眩光

视野内出现比周围环境突出明亮而刺眼的光称为眩光。眩光使人的眼睛感到极不舒适或无法适应，影响视力和操作。因此，设计中应避免在工作区产生眩光。

2. 采光口面积的确定

在实际设计工作中，通常根据厂房的采光、通风、立面设计等综合要求，先大致确定开窗的形式和窗口面积，然后根据厂房的采光要求进行校核，验算是否符合采光标准值。

采光计算的方法很多，由于一般厂房对采光要求不很精确，最简单的方法是利用《工业企业采光设计标准》中给出的窗地面积比的方法来估算开窗面积。计算窗地面积比是指窗洞口面积和室内地面面积的比值，利用窗地面积比可以简单地估算出采光窗口面积，如表 16-4 所示。

表 16-4　　　　　　　　　　采光窗地面积比

采光等级	侧　窗	锯齿形天窗	矩形天窗	平天窗
Ⅰ	$\frac{1}{2.5}$	3	$\frac{1}{4}$	$\frac{1}{6}$
Ⅱ	$\frac{1}{3}$	$\frac{1}{3.5}$	$\frac{1}{5}$	$\frac{1}{8}$
Ⅲ	$\frac{1}{4}$	$\frac{1}{4.5}$	$\frac{1}{7}$	$\frac{1}{10}$
Ⅳ	$\frac{1}{6}$	$\frac{1}{8}$	$\frac{1}{10}$	$\frac{1}{13}$
Ⅴ	$\frac{1}{10}$	$\frac{1}{11}$	$\frac{1}{15}$	$\frac{1}{23}$

3. 采光方式及布置

天然采光方式主要有侧面采光、顶部采光（天窗）、混合采光（侧窗+天窗），如图

16-21 所示。在采光口面积相同的情况下,由于其所在的位置不同,采光的效果也是各不相同的。

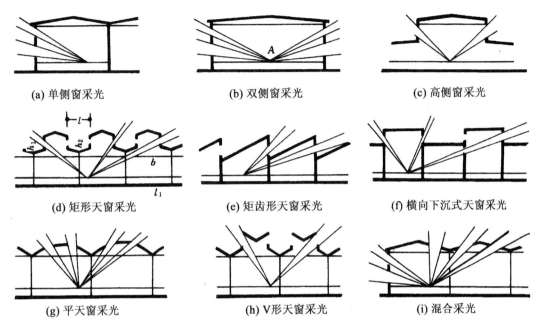

图 16-21 单层厂房天然采光方式示意图

(1) 侧面采光

侧面采光分单侧采光和双侧采光两种情况。单侧采光的有效进深约为侧窗口上沿至地面高度的 1.5~2.0 倍,即单侧采光房间的进深一般不超过窗高的 1.5~2.0 倍为宜,单侧窗光线衰减情况如图 16-22 所示。如果厂房的宽高比很大,超过单侧采光所能解决的范围,则需要采用双侧采光或辅以人工照明等方式。

由于侧面采光的方向性强,所以布置侧窗时应避免出现遮挡的情况。在有吊车的厂房中,通常不在吊车梁处开设侧窗,而是将侧窗分上、下两层布置,上层称为高侧窗,下层称为低侧窗,如图 16-23 所示。

为不使吊车梁遮挡光线,高侧窗下沿距吊车梁顶面应有适当距离,一般取 600mm 左右为宜,如图 16-23 所示。低侧窗下沿,即窗台高,一般应略高于工作面的高度,工作面高度一般取 800mm 左右。沿侧墙纵向工作面上的光线分布情况同窗间墙的分布情况有关,窗间墙以等于或小于窗宽为宜。若沿墙工作面上要求光线均匀,可以减少窗间墙的宽度或取消窗间墙布置成水平带形窗。

(2) 顶部采光

当厂房为连续多跨,中间跨无法通过侧窗进行采光,或侧墙上由于某些原因不能开设采光窗时,则可以在屋顶上开设采光天窗来解决厂房的天然采光问题。顶部采光容易使室内获得较均匀的光线,采光效率高于侧窗。但是,天窗的构造较复杂,造价也比侧窗高。

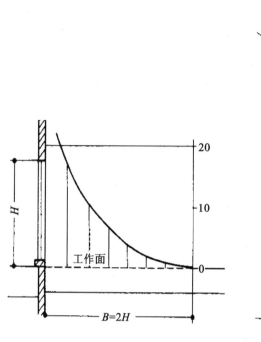
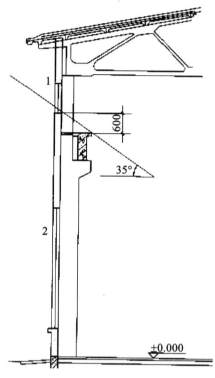

图 16-22 单侧窗光线衰减示意图

1—高侧窗；2—低侧窗
图 16-23 高低侧窗示意图

采光天窗有多种形式，常见的有矩形、梯形、三角形、M 形、锯齿形以及下沉式、平天窗等，如图 16-24 所示。

最常用的是矩形天窗、锯齿形天窗、横向天窗、平天窗等几种形式。

① 矩形天窗

矩形天窗是沿跨间纵向升起局部屋面，在高低屋面之间的垂直面上开设采光窗而形成的。矩形天窗的采光特点与侧窗采光相类似，具有中等照度。矩形天窗若朝南北方向开设，则室内光线均匀，直射光较少。由于玻璃面是垂直的，可以减少污染，易于防水，有一定的通风作用。但是，矩形天窗的构件类型多、结构复杂、自重大、造价高，而且增加了厂房高度，抗震性能也较差。矩形天窗厂房剖面布置如图 16-25 所示。

为了获得良好的采光效果，矩形天窗的宽度 b 与厂房跨度 L 的比值宜在 $\frac{1}{3} \sim \frac{1}{2}$ 之间，天窗的高宽比 $\frac{h}{b}$ 宜在 0.3 左右，不宜大于 0.45，因为天窗过高对提高工作面照度的作用较小。两天窗的边缘距离 L 应大于相邻天窗高度之和的 1.5 倍，矩形天窗宽度与跨度的关系如图 16-26 所示。

② 锯齿形天窗

锯齿形天窗是将厂房屋盖做成锯齿形，窗设于垂直面上（有时也做成稍倾斜的面）。对于一些生产工艺有特殊要求的工厂，如纺织厂、印染厂、精密仪器车间等，要求室内光

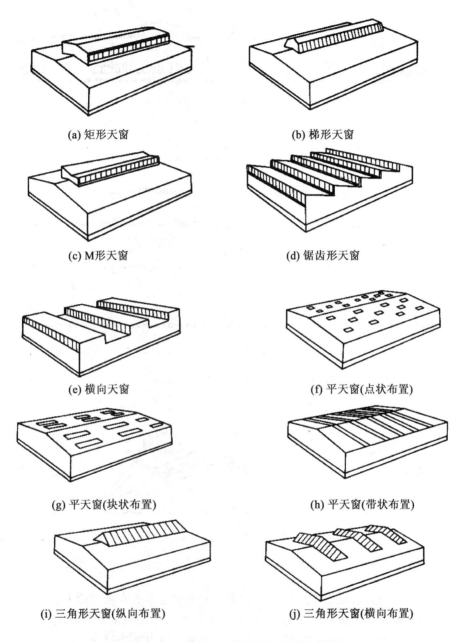

(a) 矩形天窗　　(b) 梯形天窗
(c) M形天窗　　(d) 锯齿形天窗
(e) 横向天窗　　(f) 平天窗(点状布置)
(g) 平天窗(块状布置)　　(h) 平天窗(带状布置)
(i) 三角形天窗(纵向布置)　　(j) 三角形天窗(横向布置)

图 16-24　采光天窗的形式及布置示意图

线稳定、均匀，无直射光进入工作面，避免产生眩光，不增加空调设备的负荷。因此，厂房常常采用窗口向北的锯齿形天窗，锯齿形天窗的厂房剖面如图 16-27 所示。

锯齿形天窗厂房工作面不仅能得到从天窗透入的光线，而且还由于屋顶表面的反射增强了反射光。因此，锯齿形天窗采光效率比较高，在满足同样采光标准的前提下，锯齿形天窗比矩形天窗节省窗户面积 30% 左右。

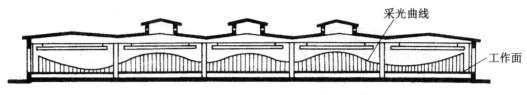

图 16-25 矩形天窗厂房剖面图

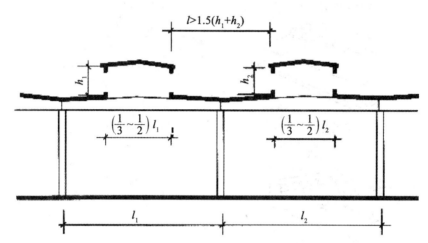

图 16-26 矩形天窗宽度与跨度的关系图

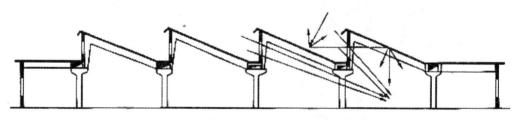

图 16-27 锯齿形天窗厂房剖面图（窗口向北）

③横向天窗

横向下沉式天窗是将相邻柱距的整跨屋面板上下交替布置在屋架的上、下弦上，利用屋面板位置的高差（即屋架上、下弦的高差）作采光口而形成的。当厂房受建设地段的限制不得不将厂房纵轴沿南北向布置时，为避免西晒，可以采用横向天窗布置。

横向天窗有两种形式：一种是突出于屋面；一种是下沉于屋面，即所谓横向下沉式天窗，如图 16-28 所示。

横向下沉式天窗布置灵活，可以根据使用要求每隔一个柱距或若干个柱距布置，其造价较矩形天窗低。当厂房为东西向时，横向下沉式天窗为南北向。因此，横向下沉式天窗多用于朝向为东西向的冷加工车间。同时，这类天窗的排气路线短捷，可以开设较大面积的通风口，通风量大。所以，这类天窗还适用于对采光、通风都有要求的热加工车间。其缺点是受屋架限制，窗扇形状不标准、构造复杂、厂房纵向刚度较差。

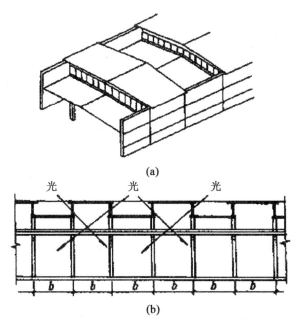

图 16-28 横向下沉式天窗局部轴测投影图及纵剖面图

④平天窗

平天窗是在屋盖上直接设置水平采光口或接近水平的采光口而形成的。平天窗厂房剖面如图 16-29 所示。

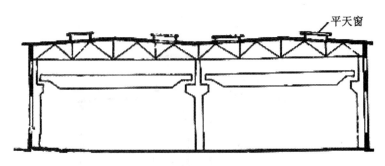

图 16-29 平天窗厂房剖面图

平天窗可以分为采光板、采光带和采光罩的形式。带形或板式平天窗一般是在屋面板上开洞，覆以透光材料而构成的。采光口面积较大时，则设三角形框架或锥形框架，窗玻璃斜置在框架上，采光带可以横向布置或纵向布置。采光罩是一种用有机玻璃、聚丙烯塑料或玻璃钢整体压铸的采光构件，有圆穹形、扁平穹形、方锥形等各种形状。采光罩一般分为固定式和开启式两种。开启式可以自然通风。采光罩的特点是重量轻，构造简单，布置灵活，防水可靠。

平天窗具有采光效率高（约为矩形天窗的 2~2.5 倍），布置灵活、构造简单、施工方便、造价低等优点。其缺点是：在采暖地区，玻璃上容易结露；在炎热地区，通过平天窗透进大量的太阳辐射热；对于有太阳光直射的车间易产生眩光。此外，平天窗在少雨多尘地区容易积尘，使用若干年后采光效果会大大降低；以及平天窗一般不起通风作用等。平天窗在冷加工车间的设计中应用比较广泛。

16.3.3 厂房的自然通风

厂房通风有机械通风和自然通风两种。机械通风是依靠通风机来实现通风换气的，机械通风要耗费大量的电能、设备投资及维修费用，但其通风稳定、可靠。自然通风是利用自然风力作为空气流动的动力来实现厂房的通风换气，这是一种既简单又经济的办法，但易受外界天气条件的限制，通风效果不够稳定。除个别的生产工艺有特殊要求的厂房和工段采用机械通风外，一般厂房主要采用自然通风或以自然通风为主，辅之以简单的机械通风。为有效地组织好自然通风，在剖面设计中应正确选择厂房的剖面形式，合理布置进风口、排风口的位置，使外部气流不断地进入室内，迅速排除厂房内部的热量、烟尘及有害气体，创造良好的生产环境。

1. 自然通风的基本原理

单层厂房自然通风是利用空气的热压和风压作用进行的。

（1）热压作用

厂房内部各种热源排放出大量热量，提高了室内空气温度，使空气体积膨胀，密度变小而自然上升；室外空气温度相对较低，密度较大，便由外围护结构下部的门窗洞口进入室内，室内的热空气由厂房上部开的窗口（天窗或高侧窗）排至室外。进入室内的冷空气又被热源加热变轻，上升由厂房上部窗口排至室外。如此循环，就在厂房内部形成了空气流动，达到了通风换气的目的。这种利用室内外冷、热空气产生的压力差进行通风换气的方式，称为热压通风。如图 16-30 所示为热压通风原理。

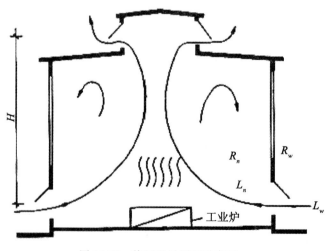

图 16-30 热压通风原理示意图

由于厂房内、外温度差所形成的这种空气压力差称为热压。热压愈大，自然通风效果

第16章 单层厂房设计

就愈好。其表达式为

$$\Delta P = g \cdot H (R_W - R_n) \tag{16-5}$$

式中：ΔP——热压（Pa）；

g——重力加速度（m/s^2）；

H——上、下进风口与排风口的中心距离（m）；

R_W——室外空气密度（kg/m）；

R_n——室内空气密度（kg/m）。

式（16-5）的物理意义是：热压值的大小与上、下进风口与排风口中心线的垂直距离和室内外空气密度差成正比。所以，在无天窗的厂房中，应尽可能提高高侧窗的位置，降低低侧窗的位置，以增大进风口与排风口的高差。而中部侧窗可以采用固定窗或便于开关的中悬窗形式。

（2）风压作用

根据流体力学的原理，当风吹向房屋时，迎风墙面空气流动受阻压力增加，超过一个大气压，迎风面形成正压区，用符号"+"表示。当风越过建筑物迎风面后，则风速加大，使建筑物顶面、背面和侧面均形成小于一个大气压的负压区，用符号"-"表示。如图16-31所示。在建筑物中，正压区的洞口为进风口，负压区的洞口为排风口。这样，就会使室内外空气进行流动。这种利用风压原理而使室内外通风的方法称为风压通风。

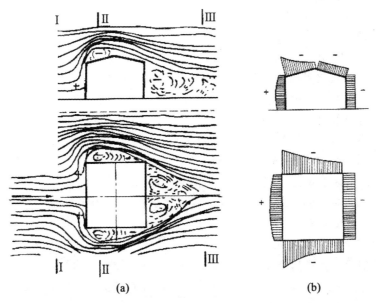

图16-31 风绕房屋流动形成风压示意图

一般情况下，室内自然通风的形成是热压作用和风压作用的综合结果。从组织自然通风设计的角度看，风压通风对改善室内环境的效果比较显著。但是，由于室外风速和风向经常变化，在实际通风计算时只考虑热压的作用，尽管各个风向的频率不等，但是风可以从任何方向吹来。所以，建筑设计应考虑各个风向都有进风口和排风口，合理组织气流，以达到通风换气的目的。应当指出，为了增大厂房内部的通风量，应考虑主导风向的影响，特别是夏季主导风向的影响。

2. 自然通风设计的原则

（1）合理选择建筑朝向

为了充分利用自然通风，应控制厂房宽度，并使厂房纵向垂直于当地夏季主导风方向或不小于45°倾角。从减少建筑物的太阳辐射和组织自然通风的综合角度来说，选择厂房南北朝向是最合理的。

（2）合理布置建筑群

选择了合理的建筑朝向，还必须布置好建筑群，才能组织好室内通风。建筑群的平面布置有行列式、错列式、斜列式、周边式、自由式等，从自然通风的角度考虑，行列式和自由式均能争取到较好的朝向，自然通风效果良好。

（3）厂房开口与自然通风

一般来说，进风口正对出风口布置，会使气流直通，风速较大，但风场影响范围小。习惯上把进风口正对着出风口的风称为穿堂风。如果进风口、出风口错开，则风场影响范围增大。避免出风口都开在正压区一侧或负压区一侧的布置。

为了获得舒适的通风，开口的高度应低些，使气流能够作用到人身上。高窗和天窗可以使顶部热空气更快散出。室内的平均气流速度取决于风口的开口尺寸，通常取进风口面积、出风口面积相等为宜。

（4）导风设计

中轴旋转窗扇、水平挑檐、挡风板、百页板、外遮阳板及绿化均可以起到挡风、导风的作用，可以用来组织室内通风。

3. 冷加工厂房的自然通风

冷加工车间内无大的热源，室内余热量较小，一般按采光要求设置的窗，其上有适当数量的开启窗扇和为交通运输设置的门，就能满足厂房内通风换气的要求。所以，在剖面设计中，以天然采光为主，在自然通风设计方面，应使厂房纵向垂直于夏季主导风向，或不小于45°倾角，并限制厂房宽度。在侧墙上设窗，在纵横贯通的端部或在横向贯通的侧墙上设置大门，室内少设或不设隔墙，以利于"穿堂风"的组织。为避免气流分散，影响"穿堂风"的流速，冷加工厂房不宜设置通风天窗，但为了排除积聚在屋盖下部的热空气，可以设置通风屋脊。

4. 热加工厂房的自然通风

热加工厂房除有大量热量外，还可能有灰尘，甚至存在有害气体。所以，热加工厂房更要充分利用热压原理，合理设置进风口、排风口，有效地组织自然通风。

（1）进风口、排风口设计

根据热压原理，热压值的大小与进风口、排风口的中心线距离 H 成正比。所以，热加工车间进风口布置得越低越好。

我国南方、北方气候差异较大，不同地区的热加工厂房的进风口、排风口布置及构造形式也应不同。南方地区夏季炎热，且延续时间长、雨水多，冬季短、气温不低。南方地区散热量较大厂房的剖面形式，可以参考图16-32所示形式。墙下部为开敞式，屋顶设通风天窗。为防止雨水溅入室内，窗口下沿应高出室内地面60~80cm。因冬季不冷，不需调节进风口、排风口面积控制风量,所以进风口、排风口可以不设窗扇,但应设置挡雨板防止雨水飘入室内。

对于北方地区散热量很大的厂房,厂房剖面形式可以参考图 16-33 所示形式。由于冬季、夏季温差较大,进风口、排风口均需设置窗扇。夏季将下排窗开启,上排窗关闭。冬季将上排窗开启,下排窗关闭,避免冷风吹向人体。夏季可以将进风口、排风口窗扇开启组织通风,根据室内外气温条件,调节进风口、排风口面积进行通风。侧窗窗扇开启方式有上悬、中悬、立旋和平开四种。低侧窗宜采用平开窗或立旋窗,尤其以立旋窗为最佳选择。因为,立旋窗的开启角度可以随风向来调节,能得到最大的通风量。其他需开启的侧窗可以用中悬窗(开启角度可以达 80°),便于开关。上悬窗开启费力,局部阻力系数大,因此,排风口的窗扇也多采用中悬式。

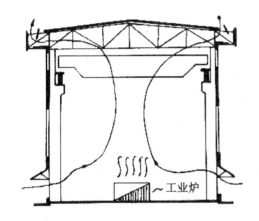 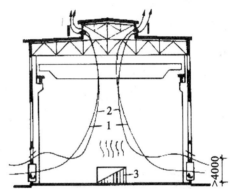

1—夏季气流;2—冬季气流;3—工业炉

图 16-32 南方地区热加工车间剖面示意图　　图 16-33 北方地区热加工车间剖面示意图

(2) 通风天窗的选择

无论是多跨热加工厂房或单跨热加工厂房,仅靠侧窗通风往往不能满足要求,通常还需在屋顶上设置通风天窗。通风天窗的类型主要有矩形和下沉式两种。

① 矩形通风天窗

除无风速的情况以外,热加工厂房的自然通风是在风压和热压的共同作用下进行的。空气流动出现三种状态:

当风压小于热压时,不仅背风面排风口可以排气,迎风面排风口也能排气。但由于迎风面风压的影响,使排风口排气量减小,如图 16-34(a)所示。

当风压等于热压时,迎风面排风口不能排气,但背风面排风口照样能排气,如图 16-34(b)所示。

当风压大于热压时,迎风面的排风口不但不能排气,反而出现所谓"倒灌风"现象,如图 16-34(c)所示。这时如果关闭迎风面排风口、打开背风面的排风口,则背风面排风口也能排气。风向是随时变化的,而要随着风向不断开启或关闭排风口是困难的。防止迎风面对室内排气口产生不良影响的最有效处理方法是,在迎风面距离进风口一定的地方设置挡风板。由于风的方向是不确定的,所以矩形天窗的两侧均应设置挡风板,无论风从何处吹来，均可以使排风口始终处于负压区内，如图 16-35 所示。设有挡风板的矩形天窗称为矩形通风天窗，也称为避风天窗。在无风时，车间内部靠热压通风；有风时，风速越大则负压区绝对值也越大，排风量也增大。挡风板至矩形天窗的距离以等于排风口高度的 1.1~1.5 倍为宜。

当平行等高跨上两矩形天窗排风口的水平距离 L 小于或等于天窗高度 h 的 5 倍时，可以不设挡风板，因为该区域的风压始终为负压，如图 16-36 所示。

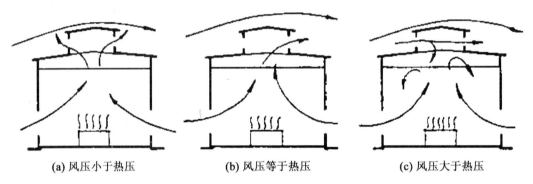

(a) 风压小于热压　　　(b) 风压等于热压　　　(c) 风压大于热压

图 16-34　风压和热压共同作用下的三种气流状况示意图

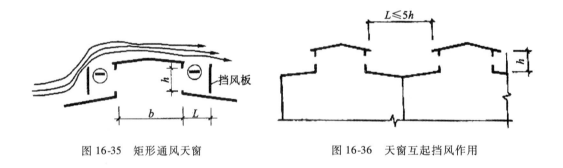

图 16-35　矩形通风天窗　　　　图 16-36　天窗互起挡风作用

②下沉式天窗

在屋顶结构中，一部分屋面板铺在屋架上弦上，另一部分屋面板铺在屋架下弦上，屋架上弦和下弦之间的空间构成在任何风向下都处于负压区的排风口，这样的天窗称为下沉式通风天窗。

下沉式天窗的优点是：可以使厂房的高度降低 4~5m；减少了风荷载；由于不设天窗架和挡风板，屋架上的集中荷载比矩形通风天窗减少 5% 左右，相应地柱和基础断面将有所减少；节约建筑材料，降低造价，由于重心下降，抗震性能好。这种天窗的通风口处于负压区，所以通风稳定可靠，效果良好，布置灵活，热量排除路线短，采光均匀，因而应用比较广泛。其缺点是：屋架上、下弦受扭，屋面排水处理复杂，如设窗扇时，因受屋架形式的限制，构造复杂，同时，因屋面板下沉而使室内空间产生压抑感。

下沉式通风天窗有纵向下沉、横向下沉以及井式下沉三种布置方式。

纵向下沉天窗是沿厂房的纵向将一定宽度范围内的屋面板下沉，如图 16-37 所示。根据需要可以布置在屋脊处或屋脊两侧。若厂房很宽,室内散热量又大,则可以采用双列纵向下沉式天窗。

横向下沉式天窗是每隔一个柱距或若干个柱距,将整个跨宽的屋面板下沉,如图 16-38 所示。

图 16-37　纵向下沉式天窗示意图

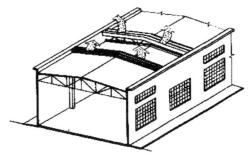

图 16-38　横向下沉式天窗示意图

井式天窗是每隔一个柱距或若干个柱距将一定范围的屋面板下沉,形成天井形式。可以设在跨中,也可以设在跨边,形成中井式或边井式天窗,如图 16-39 所示。

除矩形通风天窗、下沉式通风天窗外,还有通风屋脊、通风屋顶,如图 16-40 所示。我国南方地区及长江流域一带,夏季气候较为炎热,这些地区的热加工车间,除采用通风天窗外,也可能采用开敞式外墙,即厂房的外墙不设窗扇而用挡雨板代替,如图 16-41 所示。

图 16-39　井式通风天窗示意图

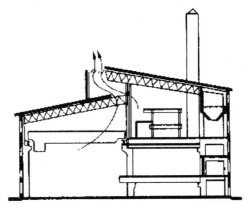

图 16-40　通风屋顶示意图

③合理布置热源

在利用穿堂风时,热源应布置在夏季主导风向的下风位,进风口、出风口应布置在一条线上。以热压为主的自然通风热源应布置在天窗喉口下面,使气流排出路线短,减少涡流。设置下沉式天窗时,热源应与下沉底板错开布置。当有些设备(如转炉,电炉等)

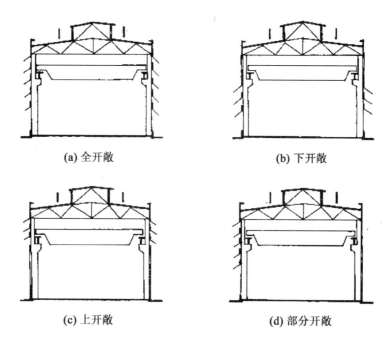

图 16-41 开敞式厂房剖面示意图

在生产时散发出大量的热量和烟尘时,为防止其扩散污染整个厂房,可以在这些设备上部设置排烟罩。

④其他通风措施

在多跨厂房中,为有效地组织通风,可以将高跨适当抬高,增大进风口与排风口的高差。此时不仅侧窗进风,低跨的天窗也可以进风,但低跨天窗与高跨之间的距离不宜小于 24~40m,以免高跨排出的污染空气进入低跨。在厂房各跨高度基本相等的情况下,应将冷跨、热跨间隔布置,并用轻质吊墙把二者分隔,吊墙距地面 3m 左右。实测证明,这种措施通风有效,气流可以源源不断地由冷跨流向热跨,热气流由热跨通风天窗排出,气流速度可以达 1m/s 左右。

§16.4 单层厂房的定位轴线标定

单层厂房定位轴线是确定厂房主要承重构件的平面位置及其标志尺寸的基准线,也是工业建筑施工放线和设备安装定位的依据。确定厂房定位轴线必须执行我国《厂房建筑协调标准》(GBJ6—1986) 中的相关规定。

定位轴线的划分是在柱网布置的基础上进行的。通常,把平行于厂房长度方向的定位轴线称为纵向定位轴线。在厂房建筑平面图中,纵向定位轴线由下向上按 $A, B, C, \cdots$ 顺序进行编号。相邻两条纵向定位轴线之间的距离标志着厂房跨度,即屋架的标志长度(跨度)。把垂直于厂房长度方向的定位轴线称为横向定位轴线。在厂房平面图中,横向定位轴线自左至右按 1，2，3，4，…顺序进行编号。相邻两条横向定位轴线之间的距离代表厂房柱距，即吊车梁、连系梁、基础梁、屋面板及外墙板等一系列纵向构件的标志长度，如图 16-42 所示。

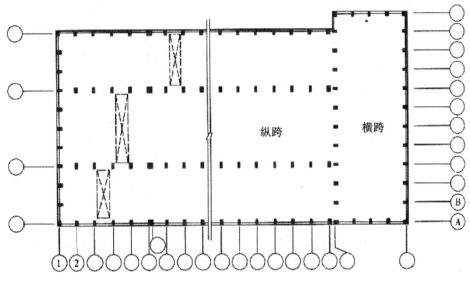

图 16-42 单层厂房定位轴线示意图

标定定位轴线时，应满足生产工艺的要求，并尽量减少构件的类型和规格；扩大构件预制装配化程度及其通用互换性；提高厂房建筑的工业化水平。

16.4.1 横向定位轴线

单层厂房的横向定位轴线主要用来标定厂房纵向构件，如吊车梁、连系梁、基础梁、屋面板、墙板、纵向支撑等标志尺寸，以及它们与屋架（或屋面梁）的相互关系。

1. 中间柱与横向定位轴线的联系

除横向变形缝处及端部排架柱外，中间柱的中心线应与横向定位轴线相重合。此时，屋架端部位于柱中心线通过处；连系梁、吊车梁、基础梁、屋面板及外墙板等构件的标志长度都以柱中心线为准，柱距相同时，这些构件的标志长度相同，连接构造方式也可以统一，如图 16-43 所示。

2. 横向伸缩缝、防震缝处柱与横向定位轴线的联系

为了不增加构件类型，有利于建筑工业化，横向温度伸缩缝和防震缝处的柱子采用双柱双屋架，可以使结构和建筑构造简单。为了保证伸缩缝、防震缝宽度的要求，该处应设两条横向定位轴线；考虑符合模数及施工要求，两柱的中心线应从定位轴线向缝的两侧各移 600mm。

两条定位轴线之间的距离称为插入距，用 a_i 表示。这里，插入距 a_i 等于变形缝的宽度 a_e，如图 16-44 所示。

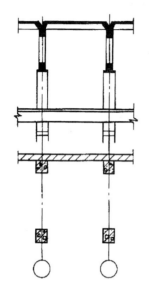
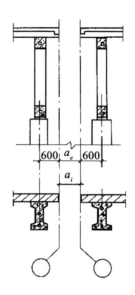

图 16-43 中间柱与横向定位轴线的联系　　图 16-44 横向变形缝处柱与横向定位轴线的联系

3. 山墙与横向定位轴线

单层厂房的山墙，按受力情况分为非承重墙和承重墙，其横向定位轴线的划分也不相同。

（1）当山墙为非承重墙时，山墙内缘与横向定位轴线重合，并与屋面板（无檩体系）的端部形成"封闭"式联系。端部柱的中心线应自横向定位轴线内移 600mm，其目的是与横向伸缩缝、防震缝柱子内移 600mm 相统一，使端部第一个柱距内的吊车梁、屋面板等构件与横向伸缩缝、防震缝的吊车梁、屋面板相同，以减少构件类型，如图 16-45 所示。

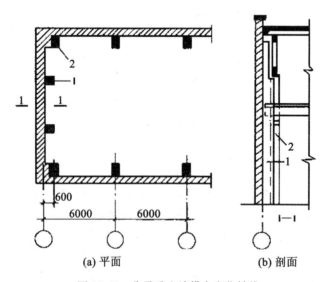

图 16-45 非承重山墙横向定位轴线

第 16 章 单层厂房设计

由于山墙面积大，为增强厂房纵向刚度，保证山墙的稳定性，应设山墙抗风柱。将端部柱内移也便于设置抗风柱。抗风柱的柱距采用 15m 数列，如 4 500mm、6 000mm、7 500mm 等。由于单层厂房柱距常采用 6 000mm，考虑构件的通用性，山墙抗风柱柱距宜采用 6 000mm。

（2）当山墙为承重山墙时，承重山墙内缘与横向定位轴线的距离应按砌体块材的半块或取墙体厚度的一半，以保证构件在墙体上有足够的支承长度，如图 16-46 所示。

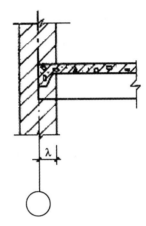

图 16-46 承重山墙横向定位轴线

16.4.2 纵向定位轴线

单层厂房的纵向定位轴线主要是用来标注厂房横向构件，如屋架或屋面梁长度的标志尺寸，以及确定屋架或屋面梁、排架柱等构件之间的相互关系。纵向定位轴线的具体位置应使厂房结构与吊车的规格协调，保证吊车与柱之间留有足够的安全距离。

1. 外墙、边柱的定位轴线

在支承式梁式吊车或桥式吊车的厂房设计中，由于屋架和吊车的设计生产制作都是标准化的，建筑设计应满足

$$L = L_k + 2e \tag{16-6}$$

式中：L——屋架跨度，即纵向定位轴线之间的距离；

L_k——吊车跨度，即吊车的轮距，可以查相关吊车规格资料；

e——纵向定位轴线至吊车轨道中心线的距离，一般为 750mm，当吊车为重级工作制需要设安全走道板或吊车起重量大于 50t 时，可以采用 1 000mm。

如图 16-47（a）所示，可知

$$e = h + K + B \tag{16-7}$$

式中：h——上柱截面高度；

K——吊车端部外缘至上柱内缘的安全距离；

B——轨道中心线至吊车端部外缘的距离，可以查相关吊车规格资料。

由于吊车起重量、柱距、跨度、有无安全走道板等因素的不同，边柱与纵向定位轴线

的联系有两种情况。

（1）封闭式结合的纵向定位轴线

当定位轴线与柱外缘重合，这时屋架上的屋面板与外墙内缘紧紧相靠，称为封闭结合的纵向定位轴线。采用封闭式结合的屋面板可以全部采用标准板，如宽 1.5m、长 6m 的屋面板，而不需要非标准的补充构件。

如图 16-47（a）所示，当吊车起重量小于或等于 20t 时，查现行吊车规格，得 $B \leqslant 260$mm，$K \geqslant 80$mm，在一般情况下，上柱截面高度 $h = 400$mm，纵向定位轴线采用封闭式结合，轴线与外缘重合。此时 $e = 750$mm，则 $K = e - (h + B) = 90$mm，能满足吊车运行所需安全距离不小于 80mm 的要求。采用封闭式结合的纵向定位轴线，具有构造简单、施工方便、经济合理等优点。

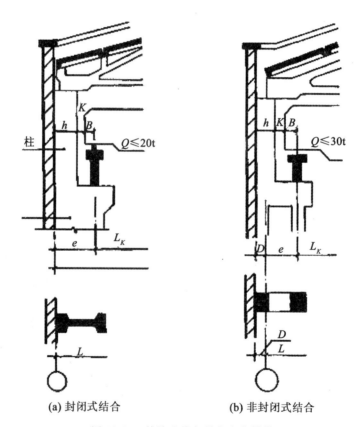

(a) 封闭式结合　　(b) 非封闭式结合

图 16-47　外墙边柱与纵向定位轴线

（2）非封闭式结合的纵向定位轴线

所谓非封闭式结合的纵向定位轴线，是指该纵向定位轴线与柱子外缘有一定的距离。因屋面板与墙内缘之间有一段空隙，所以称为非封闭结合。

当柱距为 6m、吊车起重量大于或等于 30t/5t 时，$B = 300$mm，若继续采用封闭式结合，已不能满足吊车运行所需安全间隙的要求。解决这个问题的办法是将边柱外缘自定位轴线向外移动一定距离，这个距离称为联系尺寸，用 D 表示，如图 16-47（b）所示。为了减少构件类型，D 值一般取 300mm 或 300mm 的整倍数。采用非封闭结合时，若按常规布置屋面板只能铺至定位轴线处，与外墙内缘出现了非封闭的构造间隙，需要非标准的补充构件板。非封闭式结合构造复杂，施工也较为麻烦。

2. 中柱与纵向定位轴线的关系

在多跨厂房中，中柱有平行等高跨和平行不等高跨两种形式。并且，中柱有设置变形缝和没有设置变形缝这两种情况。下面仅介绍不设变形缝的中柱纵向定位轴线。

（1）当厂房为平行等高跨时，通常设置单柱和一条定位轴线，柱的中心线一般与纵向定位轴线相重合，如图 16-48（a）所示。上柱截面高度 h 一般取 600mm，以满足屋架的支承长度的要求。

若等高跨两侧或一侧的吊车起重量大于或等于 30t、厂房柱距大于 6m，或构造要求等原因，纵向定位轴线需采用非封闭式结合才能满足吊车安全运行的要求时，中柱仍然可以采用单柱，但需设置两条定位轴线。两条定位轴线之间的距离称为插入距，用 A 表示，并采用 3M 数列。此时，柱中心线一般与插入距中心线相重合，如图 16-48（b）所示。如果因设插入距而使上柱不能满足屋架支承长度要求时，上柱应设小牛腿。

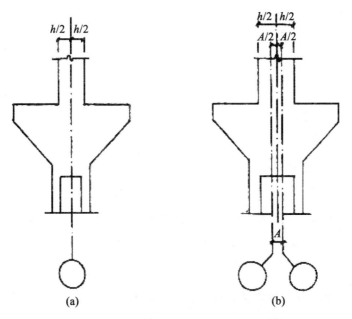

图 16-48 平行等高跨中柱与纵向定位轴线的联系

（2）当厂房为平行不等高跨，且采用单柱时，高跨上柱外缘一般与纵向定位轴线相重合，如图 16-49（a）所示。此时，纵向定位轴线按封闭结合设计，不设置联系尺寸，也不需设置两条定位轴线。当上柱外缘与纵向定位轴线不能重合，即纵向定位轴线为非封闭结合时，该轴线与上柱外缘之间设置联系尺寸 D。低跨定位轴线与高跨定位轴线之间的插入距等于联系尺寸,如图16-49（b）所示。当高跨和低跨均为封闭结合,且两条定位轴线之间设有封墙时,则插入距应等于墙厚,如图16-49（c）所示。当高跨为非封闭结合,且高跨上柱外缘与低跨屋架端部之间设有封墙时,则两条定位轴线之间的插入距等于墙的厚度与联系尺寸之和,如图16-49（d）所示。

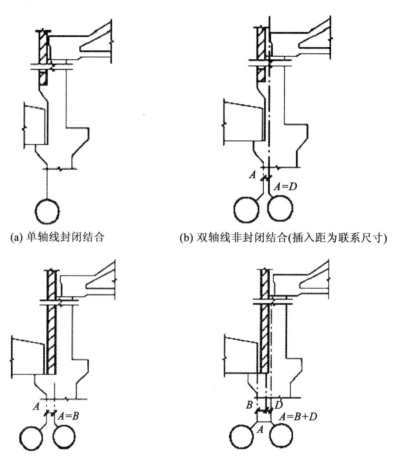

(a) 单轴线封闭结合　　　　(b) 双轴线非封闭结合(插入距为联系尺寸)

(c) 双轴线封闭结合(插入距为墙体厚度)　　(d) 双轴线非封闭结合(插入距为联系尺寸加墙厚)

图16-49　无变形缝不等高跨中柱纵向定位轴线

16.4.3　纵横跨交接处的定位轴线

厂房纵横跨相交,常常在相交处设置变形缝,使纵、横跨各自独立。纵、横跨应有各自的柱列和定位轴线。设计时,常将纵跨和横跨的结构分开,并在两者之间设置伸缩缝、防震缝和沉降缝。纵跨、横跨连接处设置双柱、双定位轴线。两条定位轴线之间设置插入距 A,纵、横跨连接处的定位轴线如图16-50所示。

当纵跨的山墙比横跨的侧墙低,长度小于或等于侧墙,横跨又为封闭式结合时,则可以采用双柱单墙处理,如图16-50（a）所示,插入距 A 为墙体厚度与变形缝宽之和。当横跨为非封闭结合时，仍采用单墙处理，如图 16-50（b）所示。这时，插入距 A 为墙体厚度、变形缝宽度与联系尺寸 D 之和。

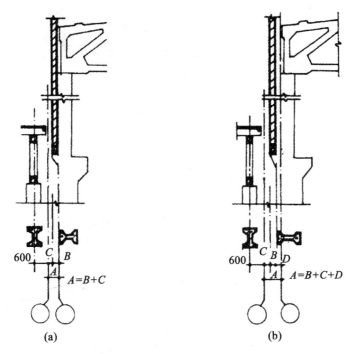

图 16-50　纵横跨连接处的定位轴线

有纵横相交跨的单层厂房，其定位轴线的编号常以跨数较多部分为准来编排。本节所述定位轴线，主要适用于装配式钢筋混凝土结构和混合结构的单层厂房，对于钢结构厂房，可以参照国家标准《厂房建筑模数协调标准》(GBJ6—1986) 执行。

§16.5　单层厂房立面设计及内部空间处理

单层厂房的体型与生产工艺、工厂环境、平面形状、剖面形式和结构类型等有密切的关系，而立面设计和内部空间处理是在建筑整体设计的基础上进行的。建筑平面、立面、剖面三者是一个有机体，设计时虽然首先从平面着手，但自始至终应将三者统一考虑和处理。单层厂房的立面应根据建筑物的功能要求、技术条件、经济等因素，运用前面所介绍的建筑构图原理进行设计，使建筑物具有简洁、朴素、大方、新颖的外观形象。

16.5.1　厂房的立面设计

厂房立面设计应与厂房的体型组合综合考虑。不同的生产工艺流程有着不同的平面布置和剖面处理，厂房体型也不同。如轧钢、造纸等工业，由于其生产工艺流程是直线的，多采用单跨或单跨并列形式，厂房的形体呈线形水平构图的特征，其立面往往采用竖向划分以求变化，如图 16-51 所示的某钢厂轧钢车间。

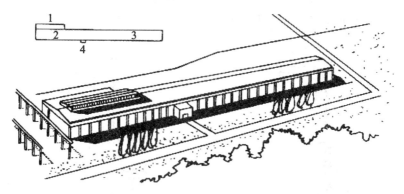

1—加热炉；2—热轧；3—冷轧；4—操作室

图 16-51 某钢厂轧钢车间示意图

一般中小型机械工业多采用垂直式生产流程，厂房的体型多为方形或长方形的多跨组合，其内部空间连通，厂房高差一般悬殊不大，立面设计较为灵活。但重型机械厂的金工车间，由于各跨加工的部件和所采用的设备大小相差很大，厂房形体起伏较多；铸工车间往往各跨的高宽均有不同，又有冲出屋面的化铁炉，露天跨的吊车栈桥，烘炉及烟囱等，体型组合较为复杂。

如图 16-52 所示是某无缝钢管厂的金工车间。该单层厂房内部有吊车，其空间较高，面积较大，屋顶设置锯齿形天窗，以满足车间天然采光的要求。竖向布置的预应力夹心墙板，具有明显的垂直方向感；相间布置的条形窗、条形墙和锯齿形屋顶，产生一种节奏和韵律感；垂直的墙面和侧窗形成鲜明的虚实对比；入口门套形式简洁，同整个建筑物立面的风格协调一致。整个立面处理朴素、大方、新颖、活泼，统一中又富有变化，是单层厂房立面处理较成功的一例。

图 16-52 某无缝钢管厂的金工车间示意图

由于生产的机械化、自动化程度的提高，为节约用地和投资，常采用方形或长方形大型联合厂房，其宏大的规模，要求立面设计在统一完整中富有变化，如图 16-53 所示。

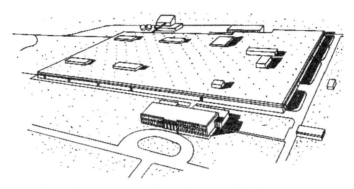

图 16-53 国外某汽车联合装配厂示意图

结构形式及建筑材料对厂房体型有直接的影响。同样的生产工艺，可以采用不同的结构方案。因而厂房结构形式，特别是屋顶承重结构形式在很大程度上决定着厂房的体型。如排架、刚架、拱形、壳体、折板、悬索等结构的厂房有着形态各异的结构造型，应结合外部围护材料的质感和色彩，设计出使人愉悦的工业建筑，如图 16-54 所示为国外某汽车厂装配车间。

图 16-54 国外某汽车厂装配车间示意图

气候条件主要是指太阳辐射强度、室外空气温度、相对湿度等。环境和气候条件对厂房的形体组合和立面设计也有很大的影响。例如寒冷地区，由于防寒的要求，开窗面积较小，墙体面积大，厂房的体型一般比较厚重；而炎热地区，由于通风散热的要求，厂房的开窗面积较大，空间开敞，厂房的体型显得轻盈。

厂房立面处理的关键在于墙面的划分、门窗的形式。墙面大小、窗墙比例、材料质感、明暗色调、虚实对比，以及门窗的大小、位置、比例、组合形式等，直接关系到厂房的立面效果。在厂房外墙面开门窗一定应根据交通、采光和通风的需要，结合结构构件，利用柱子、勒脚、窗间墙、挑檐线、遮阳板等，按照建筑构图原理进行设计，使厂房立面简洁大方，比例恰当，构图美观，色彩质感协调统一。

工程实践中，立面设计常采用垂直划分、水平划分和混合划分等手法。具体如何划分应根据实际情况，遵循一定规律。如开带形窗形成水平划分，开竖向窗结合垂直划分，开方形窗形成有特色的几何构图或较为自由的混合划分。如图 16-55 所示为芬兰瓦里奥奶制品厂外景。如图 16-56 所示为墙面划分示意图。

图 16-55　芬兰瓦里奥奶制品厂外景

16.5.2　厂房的内部空间处理

生产环境直接影响着生产者的生理和心理状态。优良的室内环境除有良好的照明、通风、采暖外，还应使室内井然有序，明朗、洁净，使人愉悦。良好的室内环境对职工精神和心理方面起着良好的作用，对提高劳动生产率十分重要。厂房室内设计是工业建筑设计的重要内容之一。

1. 厂房内部空间的特点

不同生产要求、不同规模的厂房具有不同的内部空间特点，但单层厂房与民用建筑物或者多层工业建筑物相比较，其内部空间特点是非常明显的。单层厂房的内部空间规模大，结构清晰可见，有的厂房内有精美的机器、设备等，生产工序决定设备布置，也形成空间使用线路，如图 16-57 所示为国外某机械加工厂房内部。

2. 厂房内部空间处理

厂房内部空间处理应注意以下几个方面。

（1）突出生产特点

厂房内部空间处理应突出生产特点，满足生产要求。根据生产顺序组织空间，形成规律，机器、设备的布置合理，室内色彩淡雅，机器、设备的色彩既统一协调又有一定的变化。厂房内部设计应有新意，单调的环境容易使人产生疲劳感。

（2）合理利用空间

单层厂房的内部空间一般都比较高大，高度也较为统一，在不影响生产的前提下，厂房的上部空间可以结合灯具设计些吊饰，有条件的也可以做局部吊顶。在厂房的下部，可以利用柱间、墙边、门边、平台下等生产工艺不便利用的空间布置生活设施，给厂房内部增添一些生活气息。

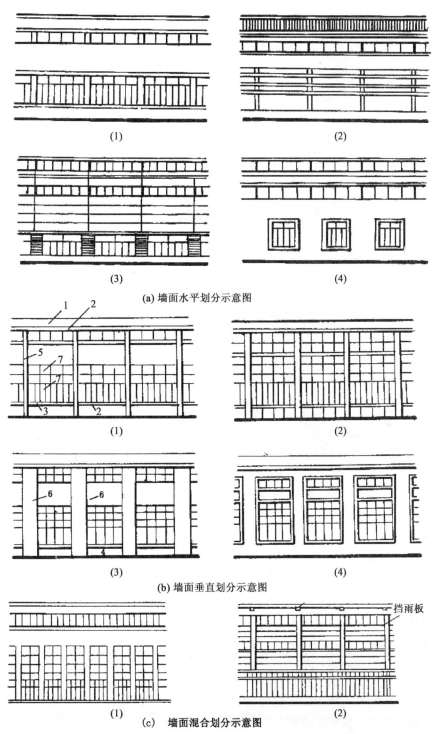

1—女儿墙；2—窗眉线或遮阳板；3—窗台线；4—勒脚；5—柱；6—窗间墙；7—窗

图 16-56 墙面划分示意图

图 16-57 国外某机械加工厂房内部

(3) 集中布置管道

厂房内集中布置管道便于管理和维修,其布置、色彩等处理得当能增加室内的艺术效果。管道的标志色彩一般为:热蒸气管、饱和蒸气管用红色,煤气管、液化石油气管用黄色,压缩空气管用浅蓝、乙炔管用深蓝、给水管用蓝色,排水管用绿色,油管用棕黄色,氢气管用白色。在空中结合屋架集中布置管道的厂房,如图 16-58 所示。

(4) 色彩的应用

一个室内空间就是一个由色彩包围着的三维空间,色彩呈现在置身其间者的上下左右、前前后后。因此,人们对室内色彩的感受与其他地方色彩的感受是大不相同的。色彩能表现一座建筑物的结构和空间,能增强和减弱室内空间的清晰感。色彩也是创造室内变化感觉的主要工具。有趣的色彩能使人置身于室内环境之中得到享受,并自我陶醉。打破厂房内部的单调感及改变人们的心理状态,内部的色饰起着重要的作用,如图 16-59 所示。如果室内色彩选择恰当,能使人赏心悦目,精神百倍。这对提高工厂的生产效率大有作用。

第16章 单层厂房设计 377

图 16-58 在空中集中布置管道的厂房

图 16-59 色彩能够打破厂房内部的单调感及改变人们的心理状态

建筑材料具有固有的色彩，有的材料如钢构构件，压型钢板等需要涂防护油漆，而油漆具有不同的色彩。色彩在视觉上能影响物体的重量、尺度、距离和表面效果。工业厂房的大体量能够形成较大的色彩背景，在室内，色彩的冷暖、深浅的不同，能给人以不同的心理感觉，还可以利用色彩的视觉特性调整空间感，尤其色彩的标志及警戒作用，在工业建筑设计中更应受到重视。

①红色：用来表示电气、火灾的危险标志；禁止通行的通道和门；防火消防设备、防火墙上的分隔门等。

②橙色：危险标志，用于高速转动的设备、机械、车辆、电气开关柜门；也用于有毒物品及放射性物品的标志。

③黄色：警告的标志，用于车间的吊车、吊钩等，使用时常涂刷黄色与白色相间的条纹或黄色与黑色相间的条纹，提示人们避免碰撞。

④绿色：安全标志，常用于洁净车间的安全出入口的指示灯。

⑤蓝色：多用于给水管道，冷藏库的门，也可以用于压缩空气的管道。

⑥白色：是界线的标志，用于地面分界线。

吸引人的厂房内部环境在很大程度上依赖厂房的清洁和整齐，没有这些，车间的文明生产的基本要求很难想象。对易产生烟尘的设备应采取排烟消尘措施，不使其扩散污染整个车间。应及时清扫脏物，清除垃圾，及时清擦墙面、玻璃面和屋顶的灰尘。

工作服的色彩在厂房内部设计中也应给予应有的注意。工作服的色彩应视生产活动和生产特点而异。锻工、轧钢车间的工作服应是蓝调子，精密仪表及其装配车间的工作服可以采用玫瑰色或白色，实验室要求清洁，工作服宜为白色。

复习思考题

1. 装配式钢筋混凝土排架结构厂房的主要结构构件有哪些？它们之间的相互关系如何？
2. 单层厂房内部生产房间有哪些组成部分？单层厂房平面设计主要解决哪几个方面问题？
3. 影响平面设计的主要因素有哪些？试举例说明。
4. 一个完整的工艺平面图，应包括哪些方面内容？
5. 什么是柱网？确定柱网的基本原则是什么？常用的柱距、跨度尺寸有哪些？
6. 生活间的组成内容有哪些？生活间的布置有哪几种基本形式？
7. 如何确定厂房高度？为什么要进行厂房的高度调整？
8. 天然采光的基本要求有哪些？侧面采光的特点是什么？
9. 在进行侧窗布置时应注意哪些问题？
10. 常用的采光天窗有哪些类型？天窗布置的基本方法有哪些？
11. 如何利用"窗地面积比"的方法进行采光计算？
12. 自然通风的基本原理是什么？在设计中如何综合考虑？
13. 什么是避风天窗？矩形避风天窗挡风板的形式有哪几种？
14. 定位轴线的作用是什么？试绘图说明横向定位轴线、纵向定位轴线及纵跨、横跨交接处定位轴线是如何划分的。
15. 单层厂房纵向定位轴线标定时为什么会有联系尺寸和插入距？
16. 影响厂房立面设计的主要因素有哪些？立面设计有哪些处理手法？
17. 影响厂房内部空间处理的主要因素有哪些？
18. 进行厂房内部色彩处理有什么作用？厂房内部的彩色是如何划分的？

第17章 多层厂房设计

本章提要： 多层厂房与单层厂房有着不同的特点。本章主要介绍多层厂房的特点、适用范围及结构类型。详细讲解了生产工艺与平面设计、剖面设计的关系，柱网的选择，层数、层高的确定，交通枢纽的布置以及立面设计的常用手法。最后，简要介绍了一些具有特殊要求的多层厂房在设计中应注意的主要方面。

§17.1 概　　述

20世纪50年代初期，我国多层厂房在工业建筑中所占的比例较小，只是在少量的仪表、电子、食品、服装等轻工业生产工厂建造了多层厂房。随着国家产业结构的调整，精密机械、精密仪表、电子工业、轻工业、国防工业的迅速发展，工业用地日趋紧张。因而，在一些城市相继出现了一些多层厂房。在一些老城、老厂改扩建时，往往由于用地紧张，即使有轻型起重运输设备的生产工厂也采用了多层厂房。因此，我国多层厂房的建造数量逐年增加，特别是从20世纪70年代后期以来，多层厂房发展更加迅速。

17.1.1 多层厂房的特点

同单层厂房相比较，多层厂房具有以下特点：

1. 在不同标高的楼层上进行生产

多层厂房的最大特点是生产在不同标高的楼层上进行。每层之间不仅有水平的联系，还有垂直方向的联系。因此，在厂房设计时，既要考虑同一楼层各工段之间应有合理的联系，又要考虑楼层与楼层之间的垂直联系，合理解决垂直方向的交通问题。

2. 建筑物占地面积少

多层厂房占地面积少，不仅节约用地，而且还降低了基础和屋顶的工程量，缩短了工程管线的长度，节约建设投资和维护管理费用。

3. 厂房宽度较小

厂房宽度较小，顶层房间可以不设天窗而用侧窗采光，屋面雨水排除方便，屋顶构造简单。屋顶面积小，有利于节能。

4. 交通运输面积大

这是由于多层厂房不仅有水平方向，还有垂直方向的运输系统，如电梯间、楼梯间、坡道等。这样就增加了用于交通运输通道的面积和体积。

5. 厂房的通用性较小

由于多层厂房在楼层上要布置设备，又受梁板结构经济合理性的制约，因此柱网尺寸较小，结构计算和构造处理复杂。不适合有重型设备的企业，也不利于工艺改造和设备更新。

17.1.2 多层厂房的适用范围

1. 生产工艺流程适于垂直布置的企业

某些企业的原材料大部分为粒状和粉状的散料或液体，经一次提升（或升高）后，可以利用原料的自重自上而下传送加工，直至产品成型。如面粉厂、造纸厂、啤酒厂以及化工厂的某些生产车间。

2. 较轻型的生产企业

多层厂房主要适用于工业设备、原料及产品重量较轻的企业。如纺织、服装、针织、制鞋、食品、印刷、光学、电子、精密仪表等各种较轻型的加工制造企业。

3. 生产要求在不同层高上操作的企业

如化工厂的大型蒸馏塔、碳化塔等设备有较高的高度，生产又需要在不同层高上进行。

4. 生产工艺对生产环境有特殊要求的企业

由于多层厂房层间房间体积小，容易解决生产所要求的特殊环境，如恒温恒湿、净化洁净、无尘无菌等。适用于精密仪表、光学、电子、医药及食品类企业。

5. 建筑用地紧张及城建规划的需要

随着轻工业的迅速发展，中小型企业的大量涌现，城市工业用地日趋紧张以及城市建设规划的需要，多层厂房的层数有日趋增加的趋势，向着高层厂房和超高层厂房方向发展。因此，出现了一幢多厂的工业大厦，或一幢多厂及多功能用途的综合性工业大厦。例如英国米莱明工业大厦，由两幢七层大楼组成，共有46个中小型轻工业企业在这座大厦内生产。香港20层的柯达工业大厦，荃湾26层的工业大厦都属于这类工业厂房。这种厂房在设计时不应受某一特定的工艺流程制约，而具有较大的通用性，能适应多种生产的需要，便于向外租赁。其具体标志是：厂房应有较大的柱网；厂房层高应有适当的储备；厂房楼板的承载能力较大，以适应多种生产工艺的需要。

17.1.3 多层厂房的结构型式

厂房结构型式的选择，首先应结合生产工艺及层数的要求进行。其次还应考虑当地的建筑材料的供应、施工安装条件、构配件的生产能力以及基地的自然条件等。目前我国多层厂房承重结构按其所用材料的不同一般有以下几种：

1. 混合结构

混合结构有砖墙承重和内框架承重两种型式。前者包括有横墙承重及纵墙承重的不同布置，但因砖墙占用面积较多，影响工艺布置，因此实际应用较少。目前，主要采用内框架承重的混合结构型式。

建造混合结构多层厂房，取材和施工都较方便，费用较经济，保温隔热性能也较好。所以，当楼板跨度在4～6m，层数在4～5层，层高在5.4～6.0m范围内，在楼面荷载不大且无振动的情况下，均可以采用混合结构。但是，当地基条件差，容易出现不均匀沉降时，应慎重选用。此外，在地震多发区也不宜选用。

2. 钢筋混凝土结构

钢筋混凝土结构是我国目前采用最广泛的一种结构。这种结构的构件截面小，强度大，能适应层数较多、荷重较大、跨度较宽的需要。钢筋混凝土框架结构，一般可以分为梁板式结构和无梁楼板式结构两种。其中梁板式结构又可以分为横向承重框架，纵向承重框架及纵横向承重框架三种。横向承重框架刚度较好，适用于室内要求分间比较固定的厂房，是目前采用较普遍的一种型式。纵向承重框架的横向刚度较差，需在横向设置抗风墙、剪力墙，但由于横向连系梁的高度较小，楼层净空较高，有利于管道的布置，一般适用于需要灵活分间的厂房。纵横向承重框架，采用纵向、横向均为刚接的框架，厂房整体刚度好，适用于地震多发区以及各种类型的厂房。无梁楼板式结构，是由板、柱帽、柱和基础所组成，其特点是没有梁。因此，楼板底面平整、室内净空可以有效利用。无梁楼板式结构适用于布置大统间或需灵活分间布置要求的厂房，一般应用于荷载较大（1 000kg/m² 以上）的多层厂房及冷库、仓库等类的建筑物。

除上述结构类型外，还可以采用门式刚架组成的框架结构，以及为设置技术夹层而采用的无斜腹杆平行弦屋架的大跨度桁架式结构。

3. 钢结构

钢结构具有重量轻、强度高、结构体积小、成型性能好、精确度高、制造速度快、施工方便等优点。过去，欧美一些国家使用钢结构较为普遍。我国近年来钢结构建筑物发展较快。从发展的趋势来看，钢结构和钢筋混凝土结构一样，将会被广泛应用。

目前钢结构的主要趋向是采用轻钢结构和高强度钢材。采用高强度钢结构较普通钢结构可以节约钢材15%~20%，造价降低15%，减少用工20%左右。如图17-1、图17-2所示。

图17-1 国外某厂房钢结构屋架

图 17-2　国外某钢结构厂房

§17.2　多层厂房的平面设计

多层厂房的平面设计首先应满足生产工艺的要求。其次，运输设备和生活辅助用房的布置、地基的形状、厂房方位等对平面设计都有很大影响，必须全面、综合地予以考虑。

17.2.1　生产工艺流程和平面布置

生产工艺流程的布置是厂房平面设计的主要依据。各种不同生产流程的布置在很大程度上决定着多层厂房的平面形状和各层之间的相互关系。按生产工艺流向的不同，多层厂房的生产工艺流程的布置可以分为以下三种类型：

1. 自上而下式

自上而下式布置的特点是把原料送至最高层后，按照生产工艺流程的程序自上而下地逐步进行加工，最后的成品由底层运出。通常可以利用原料的自重，以减少垂直运输设备的设置。一些粒状或粉状材料加工的工厂常采用这种布置方式，如面粉加工厂和电池干法密闭调粉楼的生产流程都属于这一种类型，如图 17-3（a）所示。

2. 自下而上式

自下而上式是原料自底层按生产流程逐层向上加工，最后在顶层加工成成品。这种流程方式有两种情况：一是产品加工流程要求自下而上，如平板玻璃生产，底层布置融化工段，靠垂直辊道由下而上运行，在运行中自然冷却形成平板玻璃；二是有些企业，原材料及一些设备较重，或需要有吊车运输等，同时生产流程又允许或需要将这些工段布置在底层，其他工段依次布置在以上各层，这就形成了较为合理的自下而上式的工艺流程布置。如轻工业类的手表厂、照相机厂或一些精密仪表厂的生产流程都属于这种形式，如图17-3（b）所示。

3. 上下往复式

上下往复式是有上有下的一种混合布置方式。这种布置方式能适应不同情况的要求，应用范围较广。由于生产流程是往复的，不可避免地会引起运输上的复杂化，但这种布置方式的适应性较强，是一种经常采用的布置方式。例如印刷厂，由于车间印刷机和纸库的荷载都比较重，因而常布置在底层，别的车间一般布置在顶层，装订、包装一般布置在二层。为适应这种情况，印刷厂的生产工艺流程就采用了上下往复的布置方式，如图17-3（c）所示。

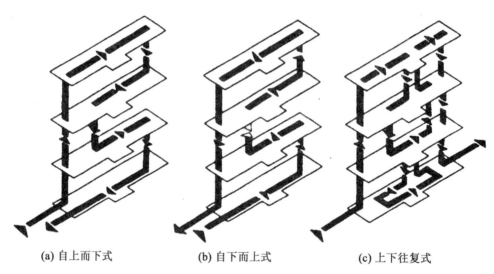

(a) 自上而下式　　　(b) 自下而上式　　　(c) 上下往复式

图 17-3　三种类型的生产工艺流程布置示意图

在进行平面设计时，一般应注意：厂房平面形式应力求规整，以利于减少占地面积和围护结构面积，便于结构布置、计算和施工；按生产需要，可以将一些技术要求相同或相似的工段布置在一起。如要求空调的工段和对防振、防尘、防爆要求高的工段可以分别集中在一起，进行分区布置；按通风采光要求合理安排房间朝向。一般来说，主要生产工段应安排在南北朝向。但对一些具有特殊要求的房间，如要求空调的工段为了减少空调设备的负荷，在炎热地区应注意避免太阳辐射热的影响；寒冷地区应注意减少室外低温及冷风的影响。

17.2.2　平面布置的形式

由于各类企业的生产性质、生产特点、使用要求和建筑面积的不同，其平面布置形式也不相同，一般有以下几种布置形式。

1. 内廊式

内廊式是指中间为走廊，两侧布置生产房间和办公、服务房间，如图 17-4 所示。这种布置形式适宜于各工段面积不大，生产上既需相互紧密联系，但又不希望干扰的工段。各工段可以按工艺流程的要求布置在各自的房间内，再用内廊（内走道）联系起来。对一些有特殊要求的生产工段，如恒温、恒湿、防尘、防振的工段可以分别集中布置，以减少空调设施并降低建筑造价。

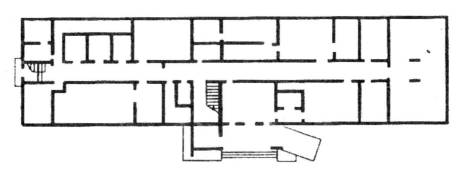

图 17-4 内廊式厂房平面布置示意图

2. 统间式

统间式是指中间只有承重柱，不设隔墙。由于生产工段面积较大，各工序相互间又需紧密联系，不宜分隔成小间布置，这时可以采用统间式的平面布置。这种布置对自动化流水线的操作较为有利。在生产过程中若有少数特殊的工段需要单独布置时，可以将这类工段加以集中，分别布置在厂房的中间、一端或一角，如图 17-5 所示。

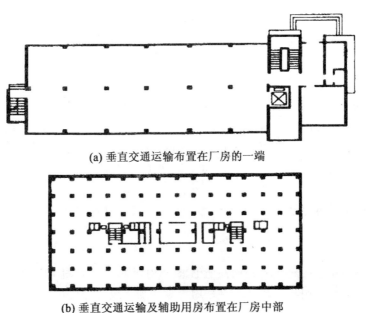

(a) 垂直交通运输布置在厂房的一端

(b) 垂直交通运输及辅助用房布置在厂房中部

图 17-5 统间式厂房平面布置示意图

3. 大宽度式

为使厂房平面布置更为经济合理,亦可以采用加大厂房宽度,形成大宽度式的平面形式。这时,可以把交通运输枢纽及生活辅助用房布置在厂房中部采光条件较差的区域,以保证生产工段的采光与通风要求。此外对一些恒温恒湿、防尘净化等技术要求特别高的工段,亦可以采用逐层套间的布置方法来满足各种不同精度的要求。这时的通道往往布置成环状,而沿着通道的外围尚可以布置一些一般性的工段或生活行政辅助用房。

4. 混合式

混合式由内廊式与统间式混合布置而成,如图17-6所示。按照生产工艺需要可以采取同层混合或分层混合的形式。混合式厂房的优点是能满足不同生产工艺流程的要求,灵活性较大。其缺点是结构类型较难统一,施工麻烦,易造成平面及剖面形式的复杂化,且不利于防震。

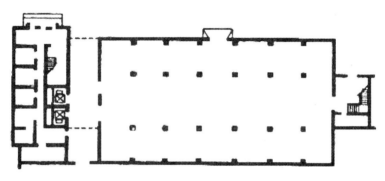

图17-6 混合式厂房平面布置示意图

17.2.3 柱网（跨度、柱距）的选择

柱网的选择首先应满足生产工艺的需要,其尺寸的确定应符合《建筑模数协调统一标准》(GBJ2—1986)和《厂房建筑模数协调标准》(GBJ6—1986)中的要求。同时还应考虑厂房的结构形式、采用的建筑材料、经济合理性以及施工的方便可行性。

根据《厂房建筑模数协调标准》,多层厂房的跨度（进深）应采用扩大模数15M数列,宜采用6.0m、7.5m、9.0m、10.5m和12m。厂房的柱距（开间）应采用扩大模数6M数列,宜采用6.0m、6.6m和7.2m。内廊式厂房的跨度可以采用扩大模数6M数列,宜采用6.0m、6.6m和7.2m。走廊的跨度应采用扩大模数3M数列,宜采用2.4m、2.7m和3.0m。

在工程实践中结合上述平面布置形式,多层厂房的柱网可以概括为以下几种主要类型:

1. 内廊式柱网

内廊式柱网适用于内廊式的平面布置且多采用对称式,如图17-7所示。在仪表、电子、电器等类企业中应用较广泛,主要是用于零件加工或装配厂房。过去这种柱网应用较多,近年来有所减少。常见的柱距 d 为6.0m、房间的进深 a 有6.0m、6.6m及7.2m等;而走廊宽 b 则为2.4m,2.7m及3.0m。

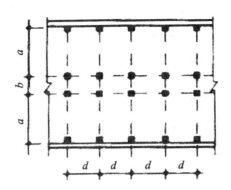

图 17-7 内廊式柱网布置示意图

2. 等跨式柱网

等跨式柱网布置主要适用于需要大面积布置生产工艺的厂房，底层一般布置机加工、仓库或总装配车间等，有的还布置有起重运输设备。在机械、轻工、仪表、电子、仓库等的工业厂房中采用较多。这种柱网可以是两个以上连续等跨的形式，用轻质隔墙分隔后，也可以作内廊式的平面布置，如图 17-8 所示。目前采用的柱距 6.0m，跨度 a 有 6.0m、7.5m、9.0m、10.5m 及 12.0m 等若干种。

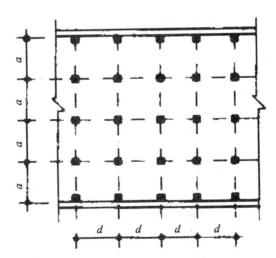

图 17-8 等跨式柱网布置示意图

3. 对称不等跨式柱网

对称不等跨式柱网的特点及适用范围基本上与等跨式柱网接近，如图 17-9 所示。现在常用的柱网尺寸有（6.0+7.5+7.5+6.0）×6.0m（仪表类），（1.5+6.0+6.0+1.5）×6.0m（轻工类），（7.5+7.5+12.0+7.5+7.5）×6.0m 及（9.0+12.0+9.0）×6.0m（机械类）等若干种。

4. 大跨度式柱网

大跨度式柱网由于取消了中间柱，为生产工艺的更新提供了更大的适应性。因为扩大

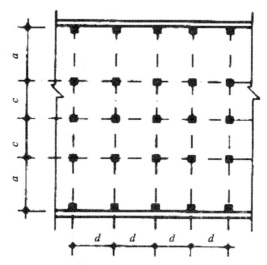

图 17-9　对称不等跨式柱网布置示意图

了跨度（大于 12m），楼层常常采用桁架结构，这样可以利用楼层结构空间（桁架空间）作为技术层，用来布置各种管道和生活辅助用房，如图 17-10 所示。

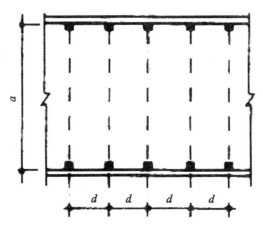

图 17-10　大跨式柱网布置示意图

除上述主要柱网类型外，在实践中根据生产工艺及平面布置等各方面的要求，也可以采用其他一些类型的柱网，如（9.0+6.0）m×6.0m，(6.0~9.0+3.0+6.0~9.0+3.0+6.0~9.0) m×6.0m 等。

无论是国内还是国外，多层厂房的柱网参数都出现扩大的趋势（即向着扩大柱网的方向发展）。这主要是因为产品的不断变化和生产工艺的不断更新，要求厂房的室内空间具有较大的应变能力，以便为生产的变革和发展创造条件。

近年来，扩大柱网的趋向在世界各国发展较为普遍。如东欧一些国家，多层厂房柱网尺寸由过去的 6m×6m 和 6m×9m 向 5m×12m 和 6m×18m 的柱网发展；欧美大多数国家也将柱网扩大到 6m×12m、12m×12m、9m×9m、9m×18m 和 12m×18m 的大尺寸。

扩大柱网不仅可以提高厂房的灵活性，扩大其应变能力，其综合经济效果也较为明显。据国外相关资料表明，就 6m×6m 和 12m×18m 柱网纺织厂而言，前者的使用面积较之后者要减少 26% 左右；仪表厂的 6m×12m 柱网较 6m×6m 柱网的厂房生产能力可以提高 12% 左右；电子工业中 6m×12m 比 6m×6m 柱网的厂房，其单位生产面积的产量可以增加 20%～25%。一般情况下，6m×18m 柱网的多层厂房在生产面积利用上要比 6m×6m 柱网的经济 12%，比 6m×9m 柱网的经济 8%。此外扩大柱网还可以节约大量建筑材料。总的来说，扩大柱网的优越性是十分明显的。但是，在实际设计中应注意，柱网的尺寸并不一定是愈大愈好，而是应结合实际，从经济和技术的可能性出发，根据生产工艺的不同要求和其发展预测情况，通过综合分析比较后再予以研究决定。

17.2.4　厂房宽度的确定

多层厂房的宽度一般是由若干个跨度所组成。跨度的大小除应考虑基地的因素外，还和生产特点、建筑造价、设备布置以及厂房的采光、通风等因素具有密切关系。不同的生产工艺、设备排列和其尺寸的大小常常是决定多层厂房宽度的主要因素。

厂房的宽度，除受生产工艺设备布置方式影响外，还与跨度的数值及其组合方式也有着密切的关系，在具体设计中应加以具体分析比较。

对生产环境上有特殊要求的工业企业，如净化要求高的精密制造类工业，常常采用宽度较大的厂房平面，这时可以把洁净要求高的工段布置在厂房中间地段，在其周围依次布置洁净要求较低的工段，以此来保证生产环境上较高的要求。

一般情况下，增加厂房宽度会相应地降低建筑造价。因为，宽度增大时与其相应的外墙和门窗的面积增加不多，这样单位建筑面积的造价反而有所降低。所以，一般在条件允许的情况下，可以加大多层厂房的宽度而获得较好的经济效果。但是，宽度较大的厂房，往往采光通风条件较差，有时还会带来结构构造上的问题。因此，在具体设计中应通过综合分析比较后再决定宽度的具体数值。当采用两侧天然采光时，为满足工作面的照度要求，厂房宽度不宜过大，一般以 24～27m 为宜。在大宽度的厂房中，中间部分一般都需辅以人工照明来解决天然光线不足的问题。

§17.3　多层厂房的剖面设计

多层厂房的剖面设计应结合平面设计和立面处理同时考虑。这项设计工作主要是研究和确定厂房的剖面形式、层数的层高、工程技术管线的布置和内部设计等有关问题。

由于厂房平面柱网的不同，多层厂房的剖面形式也是多种多样的。不同的结构形式和生产工艺的平面布置都对剖面形式有着直接的影响。

17.3.1　层数的确定

多层厂房层数的确定与生产工艺、楼层使用荷载、垂直运输设施以及地质条件，基建投资等因素均有密切关系。为节约用地，在满足生产工艺要求的前提下，可以增加厂房的层数，向竖向空间发展。但就大量性而言，目前建造的多层厂房还是以三层或四层的居多。在具体设计时，厂房层数的确定应综合考虑下列各项因素：

1. 生产工艺的影响

生产工艺流程、机具设备（大小和布置方式）以及生产工段所需的面积等方面在很大程度上影响厂房层数的确定。厂房根据竖向生产流程布置，确定各工段的相对位置，同时相应地也就确定了厂房的层数。例如面粉加工厂，就是利用原料或半成品的自重，用垂直布置生产流程的方式，自上而下地分层布置除尘、平筛、清粉、吸尘、磨粉、打包等六个工段，相应地确定厂房层数为六层，如图 17-11 所示。

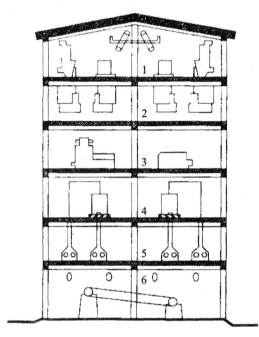

1—除尘间；2—平筛间；3—清粉间；4—吸尘间；5—磨粉机间；6—打包间

图 17-11　某面粉加工厂剖面图

某轻工业厂房从结构方案上考虑，四层较为合理，但生产工艺要求布置在底层的工段面积为全部面积的 $\frac{1}{3}$ 左右；这样如果仍按四层设计，必将增加一些不需用的面积，或必须将底层某些工段移至二、三、四层布置，这将造成生产使用上的不合理。因此最后还是确定为三层。某制药厂，由于设备与产品较轻，用电梯就能解决所有垂直运输的需要，楼面使用荷载又小，因而将原设计五层的层数增加至九层，节约了占地面积。

在分层布置时，应将运输量大、荷载重及用水较多的工段布置在底层，以利于运输，减少楼面荷载和地面排水。将设备轻、运输量小和与其他工段联系少的工段尽量布置在楼层。有生产热量或气体散出以及有火灾，爆炸危险的工段宜布置在顶层。一些辅助性的工段是既可以布置在底层也可以布置在楼层。

2. 城市规划及其他技术条件的影响

在城市里建造多层厂房，层数的确定应符合城市规划、城市建筑面貌、周边环境以及建筑群体布局的要求。厂房层数和高度的确定还应根据基址的地质条件、建筑材料的供应、结构形式、建筑物的长度、宽度以及施工条件等因素进行综合分析。

3. 经济因素的影响

据国外相关研究的资料，经济层数的确定与厂房展开面积的大小有关；展开面积愈大，层数愈可以提高。从我国目前情况看，根据相关资料所绘成的曲线，如图17-12 所示，经济的层数为3～5层，有些由于生产工艺的特殊要求，或位于市区受城市用地限制，也有提高到6～9层的。在国外，多层厂房一般为4～9层。最高有达25层的。此外合理层数和建筑物的宽度及长度也有关系。若建筑宽度为30m，长度为120m 的单层厂房的单位面积造价为100元。以3～4层最为经济。当建筑宽度和长度增加时，经济的层数可以为4～5层。若层数再增多，一般是不经济的。

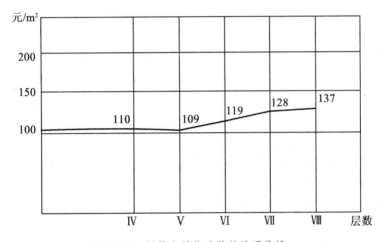

图17-12　层数和单位造价的关系曲线

17.3.2　层高的确定

多层厂房的层高是指由地面（或楼面）至上一层楼面的高度。层高主要取决于生产特性及生产设备、运输设备（有无吊车或悬挂传送装置）、管道的敷设所需要的空间；同时也与厂房的宽度、采光和通风要求具有密切的关系。

1. 层高和生产、运输设备的关系

多层厂房的层高在满足生产工艺要求的同时，还应考虑生产和运输设备（吊车、传送装置等）对厂房层高的影响。一般在生产工艺许可的情况下，把一些重量重、体积大和运输量繁重的设备布置在底层，这样就必须相应地加大底层的层高。有时由于某些个别设备高度很高，布置时可以把局部楼面抬高，而形成参差层高的剖面形式。

2. 层高和采光的关系

多层厂房采用双侧天然采光的居多。有时因生产上的特殊需要（如洁净车间的光刻室、制版室、无菌室等），车间内部可以采用空气调节及人工照明。采用侧窗采光时窗口高度越高则光射入越深，厂房中央部位的采光强度也越大。窗口宽度越宽，室内采光越趋均匀，但对厂房深处的采光改善不多，不如增加窗口高度来得有利。因而从采光要求来看，建筑宽度增加到一定范围，就需相应地增加厂房的层高才能满足采光的要求。但增加层高又会增加建筑造价，而不同的采光面积又会影响建筑空间的组合和立面造型的处理，这许多因素都必须综合地加以分析研究。

3. 层高和通风的关系

在采用自然通风的车间，厂房净高应满足工业企业设计卫生标准的相关规定。若按每名工人所占有的厂房容积规定了每人每小时所需的换气量数值，依此来计算或核算厂房的层高，以提高工作效率，保证工人健康。对散发出热量的工段，则应根据通风计算，以求得所需的层高高度。一般地，在符合相关卫生标准和满足建筑其他要求的情况下，宜尽量降低厂房的层高。

在某些要求恒温、恒湿的厂房中，空调管道的断面较大，而空调系统的送风、回风方式又不尽相同，这些都会影响厂房具体的层高数值。为了获得有利的空调效果，一般送风口和工人操作区域之间还应保持一定距离。

4. 层高和管道布置

多层厂房的管道布置一般和单层厂房不同，除底层可以利用地面以下的空间外，一般都需占有一定的空间高度，因而都要影响厂房各层的层高。例如一些空调车间由于空调管道断面较大（高度有达 1.5～2.5m 的）。这时管道的高度就成为决定层高的主要因素。图 17-13 表示常用的几种管道的布置方式。其中图（a），图（b）表示管道布置在底层或顶层，这时就需要加大底层或顶层的层高，以利于集中布置管道。图（c），图（d）则表示管道集中布置在各层走廊上部或吊顶层的情形。这时厂房层高也将随之变化。当需要的管道数量和种类较多，布置又复杂时，则可以在生产空间上部设置技术夹层来集中布置管道。这时应根据管道高度、检修操作空间高度，相应地提高厂房层高。

5. 层高和室内空间的比例

厂房的层高在满足生产工艺要求的前提下，还应兼顾人的视觉感受，尽可能使室内建筑空间比例协调。具体的高度，可以根据工程的实际情况和其他各种因素来分析确定。

6. 层高的经济分析

影响厂房的层高除上述因素外，还应从经济角度予以考虑。层高和单位面积造价的变化是正比关系，如图 17-14 所示。即层高每增加 0.6m，单位面积造价提高 8.3% 左右。因此在决定层高时不能忽视经济的分析。

目前国内采用的多层厂房层高数值有：3.6m、3.9m、4.2m、4.5m、4.8m、5.4m、6.0m、6.6m 及 7.2m 等。目前所选用的层高尺寸，一般底层较其他层为高。有空调管道的层高常在 4.5m 以上，有运输设备的层高可以达 6.0m 以上，而仓库的层高应由堆货高度和所需通风空间的高度来决定。在同一幢厂房内层高的尺寸以不超过两种为宜（地下层层高除外）。

17.3.3 室内空间组织

多层厂房的室内空间和人们日常生活中所习惯的室内空间有所不同。因为，厂房空间的大小不只是按照房间的高度和面积的适当比例来确定，而主要是满足生产所提出的各种要求，如布置大小不一的设备，架设多种管道和通行各种运输工具等。因此，在进行平面设计、剖面设计、设备布置、管道处理时都应考虑室内空间的完整，对人员较多、活动频

第 17 章　多层厂房设计

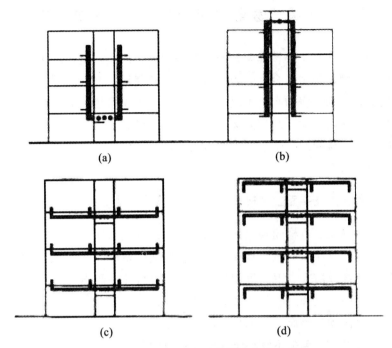

图 17-13　多层厂房的几种管道布置示意图

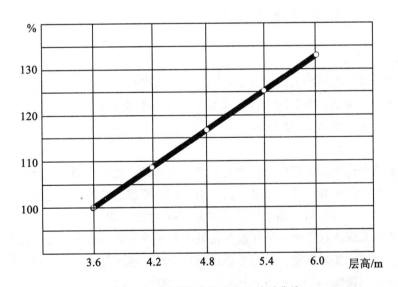

图 17-14　层高和单位造价的关系曲线

繁的车间，更应保证具有足够舒畅的空间，避免给使用者造成情绪压抑的感觉。对某些多层厂房来说，由于室内管线比较集中，因此统一安排和合理组织好管线的布置就成为室内空间处理的关键因素。

§17.4 多层厂房电梯间和生活、辅助用房的布置

多层厂房的电梯间和主要楼梯通常布置在一起，组成交通枢纽。在具体设计中交通枢纽又常常和生活、辅助用房组合在一起，这样既方便使用，又利于节约建筑空间。多层厂房电梯间和生活、辅助用房的布置不仅与生产流程的组织直接有关，而且对建筑物的平面布置、体型组合、立面处理、结构方案的选择、施工吊装方法以及防火疏散、防震要求等都有影响。电梯间、楼梯间、生活辅助用房的具体位置是平面设计中的一个重要问题，在设计中应予以充分重视。

17.4.1 布置原则及平面组合形式

多层厂房中楼梯间、电梯间及生活、辅助用房的位置选择，应充分考虑有利于工作人员上、下班的活动，其路线应做到直接、通顺、短捷的要求，避免人流、货流的交叉。此外还应满足安全疏散及防火、卫生等相关规定。对有特殊生产要求的厂房，还应考虑这种特殊的需要。楼梯间、电梯间的门应直接通向走道，并应设有一定宽度的过厅或过道。过厅及过道的宽度应能满足楼面运输工具的外形尺寸及行驶要求。一般应满足一辆车等候而另一辆车通过的宽度，但至少不宜小于 3m。主要楼梯间、电梯间应结合厂房主要出、入口统一布置，与柱网、层高、层数及结构形式等相互配合，要求位置明显并且适应建筑空间组合和立面造型的要求。常见的楼梯间、电梯间与出、入口之间的关系有两种处理方式。

1. 同门进出布置

同门进出布置，此时的人流和货流由同一出、入口进出，楼梯间与电梯间的相对位置可以有不同的布置方案。但不论组合方式如何，都应达到人流、货流同门进出，直接通畅且互不相交的要求，如图 17-15 所示。

2. 分门进出布置

人流、货流分门进出，设置人行和货运两个出入口，如图 17-16 所示。这种组合方式易使人流、货流分流明确，互不交叉干扰，对生产上要求洁净的厂房尤其适用。

楼梯间、电梯间及生活、辅助用房在多层厂房中的布置，有外靠厂房外部、厂房内部、独立布置以及嵌入在厂房不同区段交接处等若干种方式。这若干种布置方式各有其特点，设计时可以结合实际需要，进行分析比较后确定。还可以考虑若干种布置方式的结合形式，以适应不同需要。

17.4.2 楼梯井道与电梯井道的组合

在多层厂房中，由于生产使用功能和结构单元布置上的需要，楼梯井道与电梯井道在建筑空间布置时通常都是采用组合在一起的布置方式。按电梯与楼梯相对位置的不同，常见的组合方式有：电梯和楼梯同侧布置；楼梯围绕电梯井道布置；电梯和楼梯分两侧布置。不同的组合方式，各有不同的特点。

第 17 章 多层厂房设计

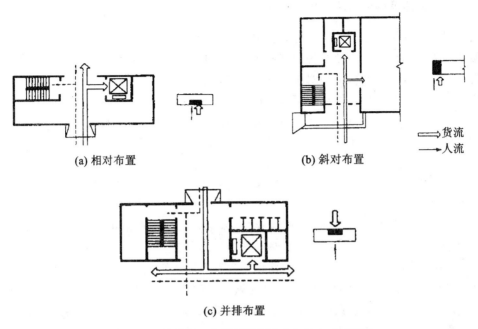

(a) 相对布置　　(b) 斜对布置

(c) 并排布置

图 17-15　楼梯间、电梯间同门进出布置方式示意图

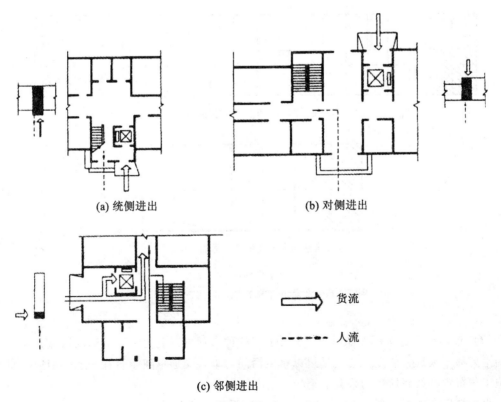

(a) 统侧进出　　(b) 对侧进出

(c) 邻侧进出

图 17-16　楼梯间、电梯间分门进出布置方式示意图

17.4.3 生活及辅助用房的内部布置

同单层厂房的生活辅助用房一样,在多层厂房中除了生产所需的车间外,还需布置为工人服务的生活用房和为行政管理及某些生产辅助用的辅助用房。这些非生产性用房是使生产得以顺利进行的重要保证,对生产具有直接的影响,是厂房不可缺少的组成部分。多层厂房的生活间按其用途,像单层厂房一样也可以分为三类:

(1) 生活卫生用房。如盥洗室、存衣室、卫生间、吸烟室、保健室等;
(2) 生产卫生用房。如换鞋室、存衣室、淋浴间、风淋室等;
(3) 行政管理用房。如办公室、会议室、检验室、计划调度室等。

多层厂房生活间的位置与生产厂房的关系,从平面布置上可以分为两类。

1. 布置在生产厂房内部

将生活间布置在生产厂房所在的同一结构体系内。其特点是可以减少结构类型和构件,有利于施工。生活间在车间内的具体位置有两种情况:

(1) 布置在厂房端部,如图 17-17 所示。这种布置不影响厂房的采光、通风,能保证生产面积集中,工艺布置灵活。但对厂房的纵向扩建有一定限制,由于生活间布置在一端,当厂房较长时,生活间到厂房的另一端距离就太远,造成使用上不方便。为此,在厂房的两端都需要设置生活间。

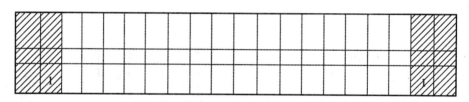

(a) 生活间布置在生产厂房的两端

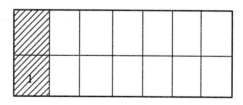

(b) 生活间布置在生产厂房的一端

1—生活间

图 17-17 生活间布置在生产厂房内的端部

(2) 布置在厂房中部,如图 17-18 所示。这种布置可以避免位于端部的缺点,与厂房两端距离都不太远,使用方便,还可以将生活间与垂直交通枢纽组合在一起,但应注意不影响工艺布置和妨碍厂房的采光、通风。

当生产厂房的层高低于 3.6m 时,将生活间布置在主体建筑物内是合理的,有利于厂房与生活间的联系,使用方便,结构施工简单。实际设计中采用这种布置方式较多。

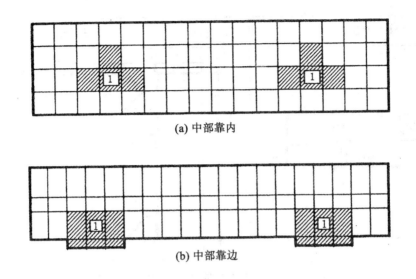

1—生活间

图 17-18 生活间布置在生产厂房内的中部

当生产厂房的层高大于 4.2m 时，生活间应与车间采用不同层高，否则会造成空间上的浪费。此时生活间的层高可以采用 2.8~3.2m，以能满足采光、通风要求为准。但这种布置的缺点是剖面较复杂，会增加结构、施工的难度，如图 17-19 所示。

2. 布置在生产厂房外部

生活间布置在与生产厂房相连接的另一独立楼层内，构成独立的生活单元。这种布置可以使主体结构统一，而且可以区别对待，使生活间可以采用不同于生产车间的层高、柱网和结构形式，这就有利于降低建筑造价，有利于生产工艺的灵活布置与厂房的扩建。布置在生产厂房外部的生活间与生产厂房的位置关系通常有以下两种情况：

（1）生活间布置在厂房的山墙外，紧靠在厂房山墙的一端，与生产厂房并排布置，不影响车间的采光、通风，占地面积较省。但是，生活间服务半径受到限制，厂房的纵向发展受到限制，如图 17-20 所示。

（2）生活间布置在厂房的侧墙外。如图 17-21 所示，将生活间布置在厂房纵向外墙的一侧。这样，可以将生活间布置在比较适中的位置，厂房的纵向发展不受生活间的制约。但是，生活间与厂房连接处的部分厂房的采光与通风受到影响，而且占地面积也较大。

3. 房间组合

生活间位置基本确定后，接下来的任务就是将所需要的房间进行合理组合。多层厂房的生活间，主要根据生产厂房内部生产的清洁要求和上、下班人流的管理情况来进行组合，对一些生产环境上具有特殊要求的工业生产（如洁净、无菌等），其生活用房的组成不仅应满足一般的使用要求，还必须保证每个生产人员以及物料、工具等，按照已设计的程序先后完成各项准备工作，然后才能进入生产车间。生活间通常有两种组合方式：一种是非通过式组合；另一种是通过式组合。

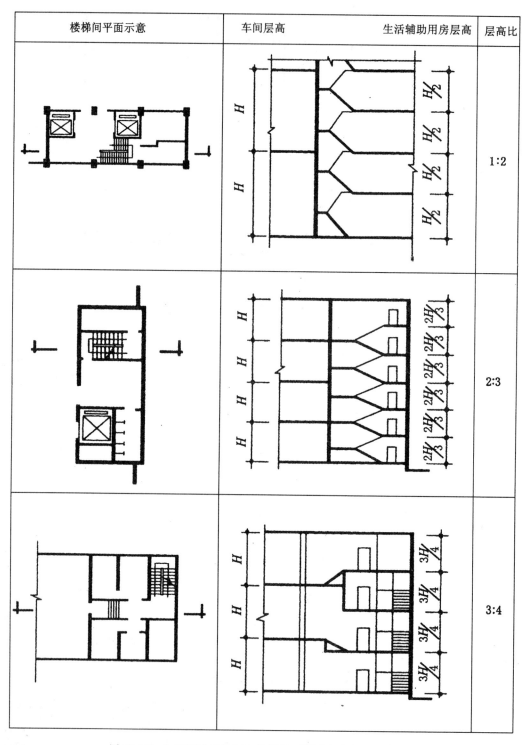

图 17-19 生活辅助用房与生产厂房不同层高的布置示意图

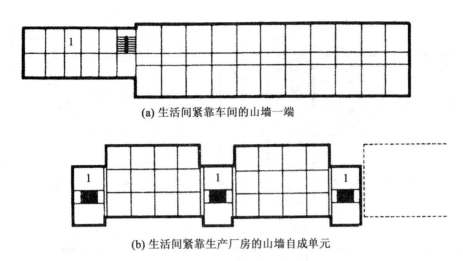

(a) 生活间紧靠车间的山墙一端

(b) 生活间紧靠生产厂房的山墙自成单元

1—生活间

图 17-20 生活间在主体厂房外的山墙边

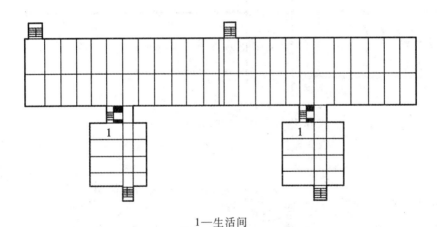

1—生活间

图 17-21 生活间在主体厂房外的侧墙边

非通过式组合是对人流活动不需要进行严格控制的房间组合方式。这种方式适用于对生产环境清洁度要求不严的一般生产厂房。如服装厂的缝制车间，玻璃器皿厂的磨花车间等。这类车间的生活房间位置关系没有严格要求，主要考虑使用上方便就行了。如将更衣室布置在上、下班人流线上，用水的房间集中，上下对位以节约管道，统一结构。

通过式组合是对人流活动需要进行严格控制的房间组合方式。这种方式适用于对生产环境清洁度有严格要求的空调厂房、超净厂房、无菌厂房等。如光学仪器厂的光学车间，电视机厂的显像管车间等。布置房间时，应使工人按照特定的路线活动，阻止将不清洁的东西带进车间。清洁度要求愈高，控制路线也应愈严。通过式组合通常按以下程序布置生活房间：工人在通过式生活间的换鞋室换鞋，由于上、下班人流集中，所以换鞋室应有适当的面积。换鞋室是生活间脏、洁区的分界处，布置时应避免已换上清洁拖鞋的工人再去经过踩脏的地面，如图 17-22 所示。

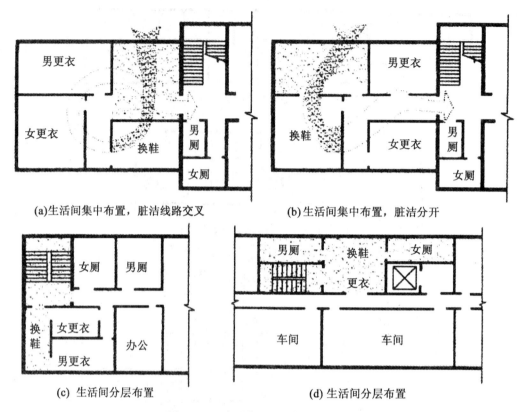

图 17-22 通过式生活间布置示意图

§17.5 多层厂房定位轴线的标定

同单层厂房一样，多层厂房的平面定位轴线有纵向和横向两种。平行于厂房长度方向的定位轴线称为纵向定位轴线，垂直于厂房长度方向的定位轴线称为横向定位轴线，其编号规则与单层厂房相同，参见图 16-42。

根据《厂房建筑模数协调标准》中的规定，多层厂房定位轴线的位置随厂房结构形式的不同而有所不同。下面介绍砌体承重和装配式钢筋混凝土框架承重的多层厂房定位轴线的标定方法。

17.5.1 砌体墙承重

当厂房采用砌体墙承重时，一般情况下，内墙的中心线通常与定位轴线相重合；外墙的定位轴线与顶层墙内缘的距离可以按砌体的块材类别分别为半块或半块的倍数或墙厚的一半；带有承重壁柱的外墙，墙内缘可以与纵向定位轴线相重合，也可以与纵向定位轴线相距半块或半块的倍数距离，如图 17-23 所示。

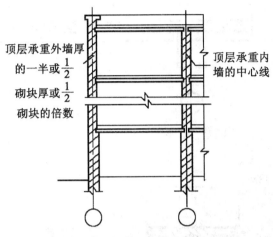

图 17-23 砌体承重的定位轴线

17.5.2 装配式钢筋混凝土框架承重

当厂房采用装配式钢筋混凝土框架承重结构时,其定位轴线的标定方法如下。

1. 横向定位轴线的标定

柱的中心线与横向定位轴线相重合。这样处理,可以保证纵向构件(屋面板、楼板、纵向梁、纵向外墙板等)长度相同,以减少构件的规格类型,如图 17-24 所示。

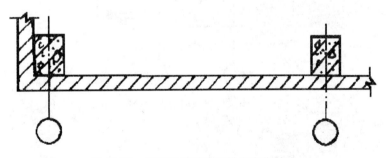

图 17-24 框架结构承重的横向定位轴线

2. 纵向定位轴线的标定

对于中柱,顶层柱中心线与纵向定位轴线相重合。对于边柱,柱外缘在下层柱截面 h_i 范围内与纵向定位轴线采用浮动定位,其浮动幅度 a_n 为 50mm 或 50mm 的整倍数。浮动值 a_n,主要根据构配件的统一、互换以及结构构造等要求来确定,如图 17-25 所示。

3. 横向变形缝处定位轴线的标定

多层厂房横向变形缝(伸缩缝、沉降缝、防震缝)处的定位轴线,应采取加设插入距 a_i 和设两条横向定位轴线的标定方法。这时,横向定位轴线应与柱中心线相重合。这样即可以满足变形的需要,只需要根据不同情况来调整 a_i 的大小,如图 17-26 所示。

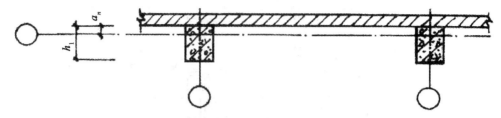

图 17-25　框架结构承重的纵向定位轴线

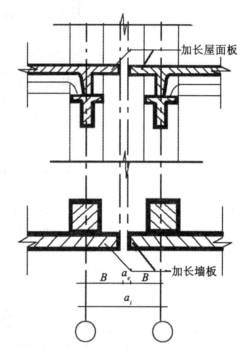

图 17-26　多层厂房横向变形缝处的定位轴线

§17.6　多层厂房的立面设计及色彩处理

多层厂房的立面设计应贯穿在整个设计的全过程中。从方案设计开始就应重视这方面的相关问题，这项工作是整个设计的有机组成部分。只有这样才能使多层厂房具有完整的艺术造型和完美的立面效果。

多层厂房在受生产工艺的制约以及受建筑、结构条件的影响方面与单层厂房相同，所以在立面处理、墙面划分与单层厂房立面处理等方面有相似之处；在楼层及楼梯对立面造型的影响方面，又类似于多层民用建筑物的处理。因此，进行多层厂房立面处理时，可以借鉴上述两类建筑，使厂房的外观形象和生产使用功能、物质技术应用达到有机的统一，给人以简洁、朴实、明快、大方且富有变化的美感。

17.6.1 体型组合

多层厂房的体型组合是设计中的重要环节。生产工艺、周围环境是影响体型组合的主要因素。建筑物的体型组合尽可能地协调建筑物内在各方面因素，充分体现其使用功能，同时应与外界环境相协调。

多层厂房由于生产设备的外形不大，生产空间的大小变化不显著，因而其体型比较齐整单一。这样不但有利于结构的统一和工业化施工，也有利于内部布置及室内艺术的处理。

多层厂房的体型一般由三个部分的体量组成：一是主要生产部分；二是生活、办公、辅助用房部分；三是交通运输部分，包括门厅、楼梯、电梯和廊道等，如图 17-27 所示。生产部分体量最大，在造型方面起着主导作用。因此，生产部分体量处理对多层厂房立面具有举足轻重的作用。

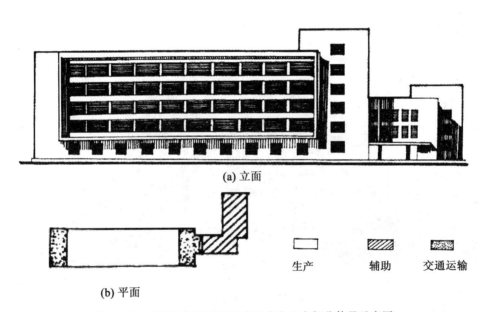

图 17-27　多层厂房体型的组成及突出生产部分体量示意图

一般情况下，辅助部分和联系部分体量都小于生产主体部分，且空间的大小、形状较为灵活且富于变化。所以，辅助和联系部分体量既可以组合在生产主体部分之内，又可以突出于生产主体部分之外，这两种体量配合得当，可以起到丰富厂房造型的作用，如图 17-28 所示。

多层厂房交通运输部分常常将楼梯、电梯或其他升降设备组合在一起，由于厂房顶部设有电梯机房，所以在立面上往往高于其他部分，这样在构图上易与其他部分形成鲜明对比，从而可以改变厂房墙面冗长的单调感，使整个厂房富有变化，美观生动，如图 17-29 所示。

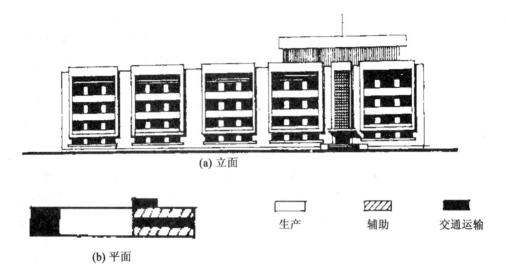

图 17-28 生产体量与辅助体量互相配合的多层厂房示意图

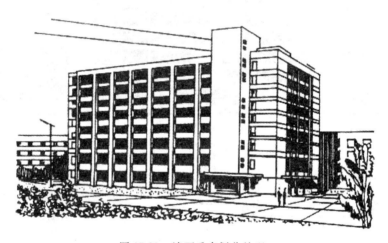

图 17-29 墙面垂直划分处理

17.6.2 墙面处理

墙面设计主要是处理门、窗与墙面的关系。同时应考虑结构形式，通风采光和交通枢纽，出、入口位置等各方面的要求。随着内部生产工艺的差别，上述因素各自具有自己的特点，而这些特点在墙面处理中应得到统一。通常采用的方法是，将窗和墙面的某种组合作为基本单元，有规律地重复布置在整个墙面上，这样常常可以获得整齐、匀称的艺术效果。墙面处理和单层厂房一样，一般常见的处理手法有：

1. 垂直划分

利用柱子、垂直遮阳板、窗间墙及竖向组合窗等构配件构成以垂直线条为主的立面划分。这种划分给人以庄重、挺拔的感受，如图 17-29 所示。

2. 水平划分

利用通长的带形窗、遮阳板、窗楣线或窗台线，以及檐口、勒脚等构配件构成以水平线条为主的立面划分。这种厂房外形简洁明朗，横向感强，如图 17-30 所示。

图 17-30　墙面水平划分处理

3. 混合划分

在实际工程中经常见到的墙面处理是上述两种划分的混合形式。混合形式有时是以一种为主的方式表现出来，有时亦没有明显的主次关系。混合划分时应注意处理好二者的关系，既要相互协调，又要相互衬托，从而取得生动、和谐的艺术效果，如图 17-31 所示。

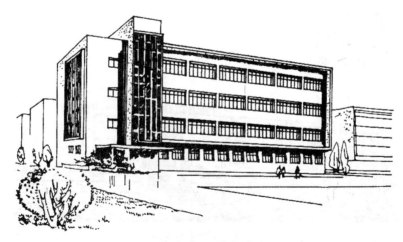

图 17-31　墙面混合划分处理

有些工厂，如精密仪器、仪表、电子、钟表等在生产过程中需要准确地辨别精细零件和检验产品，要求避免强烈直射阳光及其产生的眩光，这时就需要设置竖向或横向的遮阳板，有时也可以设置纵横遮阳板或特殊的块体状遮阳板等。遮阳板的类型应根据厂房所处地理环境的不同而加以选用。不同类型的遮阳板会使多层厂房产生不同的艺术效果。此外在一些要求洁净、恒温、恒湿生产环境的多层厂房中，为避免外界气象对室内的干扰往往采用无窗厂房，这种以实墙面为主的或仅有少量窗户的厂房立面，其墙面处理和一般的处理是不同的，而其外观形象亦是另具特色的。这类厂房的外观形象不同于一般的多层厂房。

墙面处理除了应考虑门窗和墙面面积的大小、虚实关系和上述各种情况外，还应注意墙面材料的质感和色彩等方面的问题。现代工业建筑的特点是简洁、明朗，很少多余的装饰。因此材料的质地和色彩的运用在建筑造型上的作用就显得尤为重要。厂房的墙面可以采用不同材料和不同色彩来丰富立面，使墙面处理富有变化，充满活力。

17.6.3 交通枢纽及出、入口的处理

交通枢纽及出、入口布置与多层厂房的立面设计有直接联系，是立面设计的重点部分，应给予特别重视。多层厂房的人流入口在立面设计时应作适当的处理，因为使出、入口重点突出，不仅在使用中易于发现，而且出、入口对丰富整个厂房立面造型会起到画龙点睛的作用。突出出、入口最常用的处理方法是，根据平面布置，结合门厅、门廊及厂房体量大小，采用门斗、雨篷、花格、花台等来丰富主要出、入口，如图 17-32 所示。也可以把垂直交通枢纽和主要出、入口组合在一起，在立面作竖向处理，使之与水平划分的厂房立面形成鲜明对比，以达到突出主要出、入口，使整个立面获得生动、活泼又富于变化的目的。

总之，多层厂房的立面设计，必须在满足生产使用和技术经济的要求下结合建筑材料、结构形式、采光通风等的要求，进行艺术上的综合处理，以求得内容与形式的统一，努力创造简洁明朗、朴素大方，能反映我国特点的工业建筑形象。

图 17-32 某制表厂装配大楼透视图

17.6.4 色彩处理

厂房的色彩处理是多层厂房设计的一个重要内容，这项工作可以改善生产环境，创造出优美宜人的景观。恰当的色彩设计能使建筑物生辉，观感丰富。相关实践证明，不同的

色彩设计给人的生理、心理上的感受是有很大的差异的。有人曾做过试验，长期在一种色彩环境中工作，容易使人疲劳。因而厂房色彩设计对工人健康、生产效益、操作安全和经济等问题有着直接的影响。

多层厂房的色彩处理和所选用的建筑材料、构成的建筑空间、结构及构造的方式、所处的环境以及所进行的生产性质等各方面都具有密切的关系。

1. *厂房外部的色彩处理*

多层厂房外部色彩处理对提高厂房建筑物的艺术效果、厂区环境和城市面貌等都具有直接影响。厂房的外部色彩与工厂的生产性质、所处地区的气候、周围环境有关，当然还涉及人们对色彩喜爱习惯等各个方面。例如南方炎热、温暖地区厂房，多以冷色为基调。南方阳光绚丽，阴雨多，用浅淡色调较为合适（如淡蓝色、淡绿、灰色或配以米黄和白色做细部等）。而在北方寒冷地区，厂房外墙色调宜为暖色调（如棕、褐、焦红、橙灰色或以黄、浅红、灰、浅绿作细部等）。外墙色彩还应根据建筑物朝向的向阳或背光做不同的处理。如厂房的北立面，因阳光照射较少，而天空的漫射光常常带有青蓝色，这时色彩设计若配以暖色，或在较深的暖色调上衬托部分浅色，会使人感到有如在阳光照耀下的感受。若整个建筑采用同一色调，北向的色彩纯度应较南向的低些，使明度略微提高，从而北向显得明快。在炎热地区，特别是西向厂房，宜采用浅淡的冷色，以取得既有反射西晒辐射热的作用，又有悦目清凉的感觉效果。

建筑物周围的环境也是厂房墙面色彩设计的重要依据。如在绿树环绕的环境中，宜用浅色、即白色、灰色、浅黄、淡红、浅绿色，均能取得悦目的效果。此外，还和人的感觉情绪（色彩心理学）有关系。

厂房配色，应从整体的统一协调出发，既要避免单调乏味，也不能过分冲突张扬，应根据配色的统一与变化规律，在变化中求统一，在统一中有变化。具体采用配色手法如下：

（1）同一色的变化与统一

同一色的变化与统一就是全厂色调采用同一基本色。允许在浓淡深浅上有局部的变化，使厂内建筑群呼应与协调，具有浑然一体的整体感。但应注意避免色彩上的单调感。

（2）类似色的变化与统一

当厂区很大，需突出主体建筑时，常用对比色彩强调其变化。如某厂主厂房用米黄色为基调，而邻近建筑物及厂大门则用浅绿、灰和灰白色调，与主厂房形成对比，主次分明。厂大门的灰白色在绿树浓荫和柏油马路的衬托下显得淡雅清静，自然地把视线引向较突出的米黄色主厂房。虽然主厂房与大门远离一段路程，终因米黄暖色有亲切向前的感觉，才取得设计配色的效果。

2. *厂房内部的色彩处理*

色彩能改变室内环境气氛，影响视觉的印象和情绪的变化。室内功能、室内环境性质的不同，对色彩的要求也不同。厂房内部色彩设计应考虑生产性质的特点，如生产工艺的要求，工人在劳动中的心理需求，如何有利于安全生产、减轻工人疲劳，提高劳动效率等。一般来说，工人绝大部分工作是在厂房内部完成的，因此厂房内部的色彩处理尤为重要。

多层厂房室内的色彩的作用和处理原则与单层厂房相同，这里不再论述。

复习思考题

1. 同单层厂房相比较，多层厂房具有哪些特点？
2. 从生产流程和生产特征角度论述生产工艺对多层厂房平面设计、剖面设计的影响。
3. 多层厂房平面布置可以归纳为哪几种形式？
4. 多层厂房的房间组合形式通常有哪几种？
5. 多层厂房常采用的柱网有哪几种类型？
6. 决定多层厂房层数、层高的主要因素有哪些？
7. 多层厂房生活间的布置应注意哪些方面的问题？
8. 多层厂房常见楼梯、电梯组合方式有哪两种？
9. 多层厂房立面设计的主要内容有哪些？
10. 多层厂房墙面划分的方式有哪些？

参 考 文 献

[1] 周波. 建筑设计原理 [M]. 成都：四川大学出版社，2008.
[2] 刘云月. 公共建筑设计原理 [M]. 南京：东南大学出版社，2004.
[3] 沈福煦. 建筑概论 [M]. 上海：同济大学出版社，2000.
[4] 罗小未. 外国近现代建筑史 [M]. 北京：中国建筑工业出版社，1986.
[5] 田学哲. 建筑初步 [M]. 北京：中国建筑工业出版社，1999.
[6] 黎志涛. 建筑设计入门 [M]. 北京：中国建筑工业出版社，1996.
[7] 刘磊. 场地设计 [M]. 北京：中国建筑工业出版社，1996.
[8] 赵研主编. 房屋建筑学 [M]. 北京：高等教育出版社，2002.
[9] 张伶伶，孟浩. 场地设计 [M]. 北京：中国建筑工业出版社，1999.
[10] 建筑设计资料集编委会. 建筑设计资料集（第二版）1~10 [M]. 北京：中国建筑工业出版社，1998.
[11] [日] 日本建筑学会. 建筑设计资料集成 [M]. 北京：中国建筑工业出版社，2003.
[12] [美] 爱德华·艾伦著. 刘晓光等译. 建筑初步 [M]. 北京：中国水利水电出版社，知识产权出版社，2003.
[13] 赵晓光. 民用建筑场地设计 [M]. 北京：中国建筑工业出版社，2004.
[14] 深圳市建筑设计总院. 建筑设计细则 [M]. 北京：中国建筑工业出版社，2009.
[15] 孟聪龄. 建筑设计规范应用 [M]. 北京：中国建筑工业出版社，2008.
[16] 鲍家声. 公共建筑设计基础 [M]. 南京：南京工学院出版社，1986.
[17] 胡仁禄. 居住建筑设计原理 [M]. 北京：中国建筑工业出版社，2007.
[18] 刘育东. 建筑的含义 [M]. 天津：天津大学出版社，1999.
[19] 韩建新，刘广洁编著. 建筑装饰构造（第二版）[M]. 北京：中国建筑工业出版社，2004.
[20] 李必瑜，魏宏杨主编. 建筑构造（上册）（第三版）[M]. 北京：中国建筑工业出版社，2000.
[21] 刘建荣，翁季主编. 建筑构造（下册）（第三版）[M]. 北京：中国建筑工业出版社，2000.
[22] 颜宠亮编著. 建筑构造设计 [M]. 上海：同济大学出版社，1999.
[23] 罗福午，张慧英，杨军. 建筑结构概念设计及案例 [M]. 北京：清华大学出版社，2003.
[24] 李必瑜. 房屋建筑学 [M]. 武汉：武汉理工大学出版社，2005.
[25] 张文忠. 公共建筑设计原理 [M]. 北京：中国建筑工业出版社，2001.

[26] 彭一刚. 建筑空间组合论 [M]. 北京：中国建筑工业出版社，1998.
[27] 杨俊杰，崔钦淑. 结构原理与结构概念设计 [M]. 北京：中国水利水电出版社，知识产权出版社，2006.
[28] 刘昭如编著. 建筑构造设计基础（第二版）[M]. 北京：科学出版社，2008.
[29] 建筑设计资料室编委会. 建筑设计资料集（3~5）[M]. 北京：中国建筑工业出版社，1994.
[30] 付祥钊. 夏热冬冷地区建筑节能技术 [M]. 北京：中国建筑工业出版社，2004.
[31] 轻型钢结构设计指南编辑委员会. 轻型钢结构设计指南（第二版）[M]. 北京：中国建筑工业出版社，2005.
[32] 杨庆山，姜忆南. 张拉索—膜结构分析与设计 [M]. 北京：科学出版社，2004.
[33] 陈务军. 膜结构工程设计 [M]. 北京：中国建筑工业出版社，2005.
[34] 杨维菊. 建筑构造设计（下册）[M]. 北京：中国建筑工业出版社，2005.
[35] 房志勇. 房屋建筑构造学 [M]. 上海：中国建材工业出版社，2003.
[36] 赵西安. 建筑幕墙工程手册（上、中）[M]. 北京：中国建筑工业出版社，2002.
[37] 冷弯薄壁型钢结构技术规范（GB50017—2002）. 北京：中国计划出版社，2002.
[38] 郭兵，纪伟东，赵永生，宋振森. 多层民用钢结构房屋设计 [M]. 北京：中国建筑工业出版社，2005.
[39] 邹颖，卞洪滨. 别墅建筑设计 [M]. 北京：中国建筑工业出版社，2000.
[40] 北京市注册建筑师管理委员会. 一级注册建筑师考试辅导教材（第二版）[M]. 北京：中国建筑工业出版社，2003.
[41] 舒秋华. 房屋建筑学 [M]. 武汉：武汉理工大学出版社，2002.
[42] 刘建荣. 房屋建筑学 [M]. 上海：同济大学出版社，1996.
[43] 同济大学，西安建筑科技大学，东南大学，重庆大学编. 房屋建筑学（第四版）[M]. 北京：中国建筑工业出版社，2006.
[44] 建筑节点构造图集编委会编. 建筑节点构造图集无障碍设施 [M]. 北京：中国建筑工业出版社，2008.